LA TRADUCTION AU CANADA
TRANSLATION IN CANADA
1534-1984

Canadian Translators and Interpreters Council

JEAN DELISLE
University of Ottawa

TRANSLATION IN CANADA

1534-1984

with contributions from
Christel Gallant
University of Moncton
Paul Horguelin
University of Montreal

English translation
Monica Creery
Patricia Logan

University of Ottawa Press
1987

Conseil des traducteurs
et interprètes du Canada

JEAN DELISLE
Université d'Ottawa

LA TRADUCTION AU CANADA

1534-1984

avec la participation de
Christel Gallant
Université de Moncton
Paul Horguelin
Université de Montréal

Les Presses de l'Université d'Ottawa
1987

Données de catalogage avant publication (Canada)

Delisle, Jean
La traduction au Canada : 1534-1984

Titre de la p. de t. additionnelle :
Translation in Canada: 1534-1984.
Bibliographie : p.
ISBN 2-7603-0182-6

1. Traduction et interprétation — Canada — Histoire — Bibliographie.
2. Traduction et interprétation — Canada — Histoire.
I. Gallant, Christel, 1936- II. Horguelin, Paul A., 1930-
III. Conseil des traducteurs et interprètes du Canada
IV. Titre. V. Titre : Translation in Canada: 1534-1984.

P310.C3D44 1987 016.418'02'0971 C87-090118-4

La publication du présent ouvrage a été rendue possible grâce à la participation financière du Conseil des traducteurs et interprètes du Canada (CTIC), de la Faculté des études supérieures et de la recherche de l'Université de Moncton et du doyen de la Faculté des arts de l'Université d'Ottawa, M. Marcel Hamelin.

Le motif utilisé en couverture a été dessiné par Robert Couture, graveur.

Imprimé au Canada
ISBN 2-7603-0182-6

À tous les traducteurs,
interprètes
et terminologues
professionnels
du Canada

Du même auteur

Répertoire bibliographique de la traduction / Bibliographic Guide to Translation. Bibliothèque Morisset, Université d'Ottawa, 1976. 165 p. En collaboration avec Lorraine Albert. Hors commerce. Épuisé.

Prix et bourses de traduction au Canada. Coll. "Documents de traductologie", n° 6. Ottawa, École de traducteurs et d'interprètes, 1987. 62 p.

Aux Presses de l'Université d'Ottawa,
dans la collection "Cahiers de traductologie"

Guide bibliographique du traducteur, rédacteur et terminologue/Bibliographic Guide for Translators, Writers and Terminologists. Cahier n° 1, 1979, 207 p. En collaboration avec Lorraine Albert. Épuisé.

L'Analyse du discours comme méthode de traduction. Initiation à la traduction française de textes pragmatiques anglais. Théorie et pratique. Préface de Danica Seleskovitch. Cahier n° 2, 1980, 282 p.

Livre du maître accompagnant **L'Analyse du discours comme méthode de traduction.** (1980, 113 p.) 2e édition, 1984, 121 p.

L'Enseignement de l'interprétation et de la traduction : de la théorie à la pédagogie. Publié sous la direction de Jean Delisle. Cahier n° 4, 1981, 294 p.

Chez d'autres éditeurs

Les Obsédés textuels (roman), Hull (Québec), éditions Asticou, 1983, 196 p.

Au coeur du trialogue canadien / Bridging the Language Solitudes. Croissance et évolution du Bureau des traductions du gouvernement canadien (1934-1984). Ottawa, Secrétariat d'État, 1984, 77 p. + 75 p.

TABLE DES MATIÈRES

Troisième partie

BIBLIOGRAPHIE ANNOTÉE
ANNOTATED BIBLIOGRAPHY

APPENDICE

LISTE DES TABLEAUX

TABLE DES ILLUSTRATIONS

Face à la page

P R É F A C E

On lit rarement les préfaces, mais il est parfois bien agréable, comme dans le cas présent, de les écrire. En effet, le Conseil des traducteurs et interprètes du Canada (CTIC) est heureux de s'associer à la publication de La traduction au Canada, 1534-1984 *avec Les Presses de l'Université d'Ottawa. Cette participation, rendue possible grâce au soutien financier du CTIC, contribue à faire aboutir une entreprise exemplaire, nécessaire et excitante.*

Exemplaire car elle démontre, s'il fallait en faire la preuve, que les recherches des universitaires constituent un apport irremplaçable à la profession, que cet apport peut être d'un intérêt immédiat pour les praticiens et que, comme le laisse voir la liste des collaborateurs mentionnés par l'auteur, il peut s'établir une collaboration fructueuse entre l'université et le monde professionnel.

Nécessaire car la Bibliographie, qui constitue le corps principal de l'ouvrage, sera pour les chercheurs futurs une véritable mine d'or.

Excitante car la masse d'information, modestement intitulée Précis et qui précède la bibliographie, donne un copieux avant-goût de la richesse des événements que les chercheurs et historiens pourront explorer commodément grâce à la bibliographie.

Mais au fait pourquoi écrire l'histoire de la traduction au Canada? D'abord parce qu'elle touche au coeur même de l'histoire du pays : notre profession a sans doute joué au Canada un rôle plus important que dans la plupart des autres pays du monde au cours des quatre cent cinquante années que couvre l'ouvrage du professeur Delisle. Et elle continue de le faire.

Cette histoire de notre profession saura également intéresser nos confrères étrangers de par certains aspects novateurs comme la spécialisation ou l'émergence de la terminologie comme activité professionnelle distincte, et de par l'effervescence d'activités pédagogiques et professionnelles dont l'auteur fait mention dans son Introduction.

Enfin, en plus de nous procurer le double plaisir de découvrir et, pour les moins jeunes, de se souvenir, elle permet de percevoir certaines constantes et certaines directions fondamentales.

C'est sans doute un dur exercice d'humilité, pour nous qui faisons l'histoire moderne, de constater que la plupart de nos belles idées "nouvelles" ont déjà été pensées par d'autres. Par contre, n'est-il pas réconfortant de savoir que, lorsque, chacun à notre niveau, nous travaillons pour le progrès de notre profession et de ceux qui la pratiquent, nous nous inscrivons dans une tradition de service au public, qui ne cesse de s'affirmer avec le temps? La conscience d'être les héritiers d'une si longue quête de l'efficacité et de l'excellence ne peut que nous encourager à persister dans notre vision exigeante de la profession. Elle devrait nous aider à poursuivre les efforts que nous déployons pour affermir notre compétence et notre conscience professionnelle, améliorer nos méthodes et techniques de travail, développer nos règles de déontologie, assurer la qualité de la relève et acquérir l'autorité et les pouvoirs nécessaires à l'efficacité de nos mécanismes d'autoréglementation.

À la lecture de la Chronologie que contient le présent ouvrage, on constate que les événements jugés dignes de mention sont de plus en plus nombreux depuis une vingtaine d'années. Il semble bien que cela ne soit pas dû seulement à une plus grande accessibilité de l'information, mais que l'évolution s'accélère, grâce, entre autres, au dynamisme des sociétés professionnelles. Voilà qui augure bien pour l'avenir.

Mais si la profession semble ainsi prendre en mains ses propres affaires, cela ne doit pas nous faire oublier le rôle qu'ont joué dans son histoire la longue lignée d'interprètes et de traducteurs officiels et divers organismes publics comme le Bureau des traductions du gouvernement fédéral et ses prédécesseurs, les universités et l'Office de la langue française du Québec. L'apport de ces organismes au développement de la profession a été essentiel... et ils semblent en outre avoir bien conservé leurs archives, ce qui facilite d'autant les recherches des historiens.

Que l'auteur et ses collaborateurs soient donc remerciés d'avoir mené à bien l'entreprise considérable que constituait la réalisation de la Bibliographie. Espérons que cet instrument de recherche sera souvent consulté. Merci également de nous avoir donné un panorama inédit de la traduction au Canada depuis les origines. Nous pouvons ainsi mieux connaître une histoire qui pour beaucoup d'entre nous était obscure et dont, en tant que groupe professionnel, nous pouvons à bon droit être fiers.

Il aura fallu à l'auteur, pour faire naître ce livre, une détermination peu commune et le courage de s'exposer aux critiques que les traducteurs, gens de précision, ne manqueront pas de lui faire pour les inévitables oublis ou inexactitudes. Il lui aura fallu également le mélange de rigueur, de science et de passion qui font les bons historiens. La parution de ce livre constitue un événement important et son lancement dans le cadre d'un autre événement important, le premier congrès pancanadien organisé par le CTIC, arrive à point nommé pour nous montrer le chemin parcouru et nous inspirer dans notre progression future. Bravo et merci Jean Delisle.

Le président du CTIC,

Jean-François Joly

Montréal,
Septembre 1986

FOREWORD

Forewords may not always be a pleasure to read but they are sometimes a real pleasure to write, as in this particular case. Indeed, the Canadian Translators and Interpreters Council (CTIC) is happy to participate in the publication of *Translation in Canada, 1534-1984* with the University of Ottawa Press. This participation, which was made possible through CTIC's financial support, helped bring to a happy conclusion an exemplary, necessary, and exciting venture.

Exemplary, because it proves to those who might have doubted it that academic research represents an irreplaceable contribution to the profession, that such a contribution can be of immediate interest to practitioners and that, as evidenced by the list of resource persons mentioned by the author, profitable cooperation between academe and the professional world is possible.

Necessary, because the bibliography which constitutes the bulk of the book will be a gold mine of information for future researchers.

Exciting, because the mass of information, modestly entitled Précis, which precedes the bibliography, gives us a taste of the rich history that researchers and historians will now be able to explore more easily thanks to the bibliography.

But, some may ask, why write a history of translation in Canada? First of all because the history of translation is closely linked to the history of the country: our profession has played a more important role in Canada than in most other countries in the 450 years covered by Dr. Delisle's investigations. And it still does today.

The history of our profession will also be of interest to translators around the world in view of ground-breaking developments such as specialization or the emergence of terminology as a specific profession, and in view of the ferment of activities in the educational and professional fields noted by the author in his Introduction.

Finally, in addition to giving us the double pleasure of discovering and--for those more advanced in age--remembering our past, it reveals some fundamental attitudes and trends in our profession.

It may be a humbling experience for us to realize that most of our bright "new" ideas have already been put forth by others. On the other hand, is it not comforting to know that when, each in our different environments, we work for the improvement of our profession and of those practicing it, we are part of a tradition of service to the public which is becoming ever more evident with time? Realizing that our quest for efficiency and excellence has been going on for so long can only encourage us to keep pursuing our demanding professional ideals. Awareness of our past should sustain us in our efforts to improve our skills and professional diligence, to improve our working methods and techniques, to develop our rules of professional conduct, to train qualified translators, and to acquire the authority and powers necessary for the efficient self-regulation of our profession.

It is apparent from the chronology contained in this book that events felt to be significant have been increasing in number for the past twenty years. This may be due in part to the greater availability of information, but it does seem that the pace of events is accelerating, partly because of the vitality of our professional associations. This is an encouraging development.

Now that our professional associations seem to be gaining a firm hold on our affairs, we would be remiss if we forgot the role played throughout the history of our profession by official interpreters and translators and by various entities such as the federal government's Translation Bureau and its predecessors, universities, and the Office de la langue française du Québec. Their contribution to the development of the profession was essential . . . and it would seem that they kept well-ordered archives, thus making the historian's task that much easier.

We should also be grateful to the pioneers and the leaders who arose throughout our history. This book pays them a well-deserved tribute even though, especially during the most recent period, the author has elected to outline the actions of organized groups rather than mention the prominent individuals who inspired them.

The author and his team should be commended for having completed the considerable endeavor of compiling the bibliography. May this work be widely used. Many thanks also for having provided us with a comprehensive overview of the evolution of translation in Canada. It gives us a clear view of our profession's past, about which many of us probably knew very little and of which we can be rightfully proud.

To produce this book, the author needed an uncommon degree of determination and the courage to face the criticisms that translators, who always strive for accuracy, will certainly make about the errors and omissions which inevitably creep into such a book. He also had that combination of precision, science, and passion which characterizes good historians. The publication of this book is an important event, and its official release during the first Canadian Conference organized by CTIC comes at a very opportune time to show us our past and inspire us for the future. Thank you, Jean Delisle.

Jean-François Joly

President,
Canadian Translators and Interpreters Council

Montreal
September 1986

(Translated by J.-F. Joly)

R E M E R C I E M E N T S

Le présent ouvrage est le fruit de milliers d'heures de recherches et sa réalisation s'est échelonnée sur une quinzaine d'années. Il n'aurait jamais été achevé si nous n'avions pas rencontré sur notre route toute sorte d'encouragements et si nous n'avions pu compter sur la participation bienveillante de collaborateurs dévoués. Ceux-ci sont vraiment pour le bibliographe "le condiment indispensable à une cuisine fort indigeste", comme a si bien dit Philip Stratford. Nous aimerions exprimer ici notre dette envers toutes les personnes qui ne nous ont pas ménagé leurs conseils ou leur appui.

Nous tenons en premier lieu à remercier d'une façon toute particulière notre collègue et ami le professeur Paul Horguelin qui a si bien su, alors que nous recevions son enseignement à l'Université de Montréal, nous inculquer le goût de l'histoire de la traduction. C'est tout un univers à explorer qu'il nous a fait découvrir dans son cours d'initiation à l'histoire de la traduction, cours qui fut créé sur sa proposition. Cette initiative n'est pas étrangère à la curiosité qui se manifeste depuis lors au Canada à l'égard de ce champ de recherche. Le professeur Horguelin n'a pas reculé devant la tâche que représentait la relecture de notre volumineux manuscrit, et il a accepté de nous faire part de ses commentaires. Son aide nous a été précieuse et nous lui en sommes des plus reconnaissants.

Étant tous les deux animés du désir de voir se développer les études sur l'évolution de la traduction au Canada, domaine négligé par les spécialistes de l'histoire dite "officielle", nous avons préparé ensemble, dans les années soixante-dix, des travaux de dépouillement à l'intention des étudiants inscrits au cours d'histoire de la traduction. Notre but était de colliger une partie de l'information très éparse existant sur le sujet et de fournir aux chercheurs un éventail de sources documentaires le plus large possible. Ces recherches se sont révélées fructueuses et ont été versées en partie dans cet ouvrage. Que tous les étudiants qui ont contribué à réunir ces matériaux pour faciliter l'étude de l'histoire de la traduction au Canada soient remerciés de leur apport inestimable.

Notre dette n'est pas moins grande envers Christel Gallant, professeur titulaire au Département de traduction et des langues de l'Université de Moncton. Notre collègue nous a fait profiter de ses recherches sur les origines de la traduction en Acadie et sur l'évolution de cette profession au Nouveau-Brunswick. Ses recherches ont été subventionnées par le Conseil de recherche en sciences humaines (CRSH), dans le cadre du programme "Aide aux petites universités". Les renseignements inédits qu'elle nous a transmis concernant les traducteurs du régime anglais en Acadie figurent dans la section A de la première partie, "Chronologie 1534-1984". Grâce à une subvention du Conseil de recherche de l'Université de Moncton, le professeur Gallant a aussi pu procéder au dépouillement intégral du journal *L'Évangéline*. Enfin, elle a bien voulu, elle aussi, s'astreindre à relire notre manuscrit. Nous avons ainsi pu profiter de ses commentaires éclairés. Qu'elle reçoive l'expression de nos remerciements les plus sincères, remerciements que nous adressons également à ses deux assistants de recherche, Louis Giard et Marie-France Thibodeau.

Nous voudrions aussi remercier Nada Kerpan, Pauline Prince, Jean-François Joly et Roch Blais pour nous avoir offert spontanément de relire notre manuscrit.

Nous avons eu la chance de pouvoir compter sur les services de deux assistantes de recherche exceptionnelles, France Boissonneault et Suzanne Gasseau, alors qu'elles étaient étudiantes à l'École de traducteurs et d'interprètes de l'Université d'Ottawa; aujourd'hui traductrices professionnelles, elles font honneur toutes deux à notre École. C'est avec une grande patience, un souci du détail et une rigueur exemplaire qu'elles ont procédé au classement des milliers de fiches qui composent le volet bibliographique de cet ouvrage. Ce sont elles aussi qui ont réalisé la saisie de cette information sur notre ordinateur personnel. Ce travail a été rendu possible grâce à deux subventions du Centre de recherche en civilisation canadienne-française (CRCCF) de l'Université d'Ottawa. Nous avons apprécié de pouvoir compter sur la compréhension et la grande ouverture d'esprit de son directeur d'alors, le professeur Pierre Savard, à qui nous sommes reconnaissant d'avoir cru à l'utilité de notre projet et de nous avoir accordé, au nom du Conseil d'administration du Centre, l'aide financière dont nous avions besoin.

Nous voudrions remercier aussi les autres étudiants que les maigres fonds de recherche de notre École nous ont permis d'engager pendant un nombre limité de semaines. Ces assistants ont accompli des tâches souvent ingrates, mais non moins essentielles à la réalisation d'un travail comme celui-ci. Nous remercions Marielle Arsac, Michel Caron, Marie-France Nadeau, Thérèse Priso, Diane Tremblay et Nicole Villemaire.

La collecte de l'information qui constitue la matière de ce livre a nécessité un échange de correspondance avec plus d'une centaine de personnes : présidents d'associations professionnelles et d'organismes de toute sorte, traducteurs de métier, directeurs de cabinets de traduction, journalistes, bibliothécaires, universitaires, etc. Nous tenons à dire à tous nos correspondants combien nous avons apprécié qu'ils répondent avec diligence et bonne grâce à nos demandes de renseignements. Ces personnes sont si nombreuses qu'il nous est impossible de les mentionner toutes. Nous ne pouvons pas, cependant, omettre de citer les noms de Françoise Arbuckle, Pierre Auger, Laurence L. Bongie, Denise Bourgeois, Jane Brierley, Jean-Paul Brunet, Joane Calvaresi, Patricia Claxton, Mary Coppin, Monique C. Cormier, Frank Cserepy, Micheline de Bruyn, Giovanni De Maria, Barbara Duffus, Raymond Frenette, Linda Gee, Jeanne Grégoire, Michel Guillotte, Henri Keleny, Christine Klein-Lataud, Mark Kulluak, Robert Larose, Caro Leman, Jacques Lethuillier, Wayne Letourneau, E. Marxheimer, Russel G. McGillivray, Sam Metcalfe, Adèle Michaud, Juanita Miller, Louis Painchaud, Nicole Panet-Raymond Roy, Mary Plaice, Nancy Pratt-Hiridjee, Brian Rainey, John Reighard, Jindra Repa, Élisabeth Schlittler, Gérard Snow, Philip Stratford, Chaké Tchilinguirian, Jean-Paul Vinay et Bernard Wilhelm.

Comment dire, enfin, tout ce que nous devons aux bibliothécaires de l'Université d'Ottawa et de la Bibliothèque nationale qui se sont toujours montrés si empressés à nous renseigner. Nous avons une dette tout aussi grande envers le personnel des Archives publiques et surtout envers les archivistes du Centre de recherche en civilisation canadienne-française que nous avons si souvent sollicitées. Nous adressons nos remerciements à Jeannine Barriault, Monique Boulet-Wernham, Lucie Duval-Laflamme, Bernadette Routhier et Lucie Pagé.

À toutes ces personnes sans qui la réalisation de cet ouvrage n'aurait pas été possible, nous tenons à réitérer notre gratitude la plus profonde.

L'auteur

Gatineau, (Québec)
Novembre 1986

ACKNOWLEDGMENTS

This book is the product of countless hours of research over a 15-year period. It would never have been completed had I not received encouragement from all quarters and been able to rely on the gracious cooperation of devoted colleagues. As Philip Stratford so aptly put it, these are for the bibliographer "the salt to a very stodgy diet." I wish here to acknowledge my debt towards all those who gave so generously of their advice and support.

I would like first of all to extend special thanks to my colleague and friend, Professor Paul Horguelin, who instilled in me a taste for the history of translation when I studied under him at the Université de Montréal. In the introductory course on the history of translation that he initiated and taught, he revealed a new, uncharted universe. The interest that Canadians have since shown for research in the history of translation is not unrelated to that initiative. Professor Horguelin willingly agreed to read over my voluminous manuscript and comment on it, and I am grateful to him for his priceless assistance.

As we both wished to see further advances in the study of the history of translation in Canada--an area neglected by the writers of so-called "official" history--we worked together in the early seventies to prepare partial bibliographies for students in the history of translation course. Our aim was to collect at least some of the very scattered information on the topic and to provide researchers with as wide a range of sources as possible. Our efforts proved to be well worthwhile, and some of the results of our research have been integrated into this book. I would like to thank all the students who helped gather material to facilitate the study of translation history in Canada for their incalculable contribution.

I am equally indebted to Christel Gallant, Professor in the University of Moncton's Department of Translation and Languages, who put at my disposal the results of her research into the history of translation in Acadia and the development of the translation profession in New Brunswick. Her work was supported by a grant from the Social Sciences and Humanities Research Council of Canada under its Aid to Small Universities Program. The information she brought to light about translators in Acadia under English rule appears in Section A of Part I, "Chronologie 1534-1984." A grant from the Conseil de recherche de l'Université de Moncton allowed Professor Gallant to search the entire holdings of the newspaper *L'Évangéline*. She, too, graciously agreed to read my entire manuscript and made many insightful comments. I wish to sincerely thank both Professor Gallant and her two research assistants, Louis Giard and Marie-France Thibodeau.

I also wish to express my thanks to Nada Kerpan, Pauline Prince, Jean-François Joly, and Roch Blais for their kind offers to review the manuscript.

I was assisted in my work by two outstanding research assistants, France Boissonneault and Suzanne Gasseau, who at the time were students in the School of Translators and Interpreters at the University of Ottawa. They are now professional translators and a credit to the School. They cataloged the thousands of index cards for the two bibliographies with exemplary patience, attention to detail, and accuracy. They were also responsible for entering the information on my personal computer. This work was made possible by two grants from the Centre for Research on French Canadian Culture at the University of Ottawa. Professor Pierre Savard, then director, was unfailingly understanding and open-minded, and I am extremely grateful to him for believing in the worth of my project and for granting me, on behalf of the Centre's Board of Directors, the financial aid I required.

I also want to thank the other students who worked for me for short periods as the limited research funds of the School of Translators and Interpreters allowed. Their tasks were often unrewarding but nonetheless very important. I extend my thanks to Marielle Arsac, Michel Caron, Marie-France Nadeau, Thérèse Priso, Diane Tremblay, and Nicole Villemaire.

In gathering the information contained in this book I was required to correspond with more than a hundred people--presidents of professional associations and other organizations, career translators, directors of translation agencies, journalists, librarians, university faculty members, and others. I would like all of my correspondents to know how much I appreciated their gracious and conscientious replies to my requests for information. They are too numerous to mention all by name, but I would be remiss if I did not single out Françoise Arbuckle, Pierre Auger, Laurence L. Bongie, Denise Bourgeois, Jane Brierley, Jean-Paul Brunet, Joane Calvaresi, Patricia Claxton, Mary Coppin, Monique C. Cormier, Frank Cserepy, Micheline de Bruyn, Giovanni De Maria, Barbara Duffus, Raymond Frenette, Linda Gee, Jeanne Grégoire, Michel Guillotte, Henri Keleny, Christine Klein-Lataud, Mark Kulluak, Robert Larose, Caro Leman, Jacques Lethuillier, Wayne Letourneau, E. Marxheimer, Russel G. McGillivray, Sam Metcalfe, Adèle Michaud, Juanita Miller, Louis Painchaud, Nicole Panet-Raymond Roy, Mary Plaice, Nancy Pratt-Hiridjee, Brian

Rainey, John Reighard, Jindra Repa, Élisabeth Schlittler, Gérard Snow, Philip Stratford, Chaké Tchilinguirian, Jean-Paul Vinay and Bernard Wilhelm.

Finally, it is next to impossible for me to indicate how much I owe to the librarians at the University of Ottawa Library and the National Library of Canada, who were always so eager to provide me with information. I am equally indebted to the Public Archives staff and especially the archivists at the Centre for Research on French Canadian Culture. I would like to thank Jeannine Barriault, Monique Boulet-Wernham, Lucie Duval-Laflamme, Bernadette Routhier, and Lucie Pagé.

I am deeply grateful to everyone whose assistance has made this book possible.

The author

Gatineau, Quebec
November 1986

I N T R O D U C T I O N

Il n'existait pas à ce jour d'instrument de recherche en histoire générale de la traduction au Canada. Nous souhaitons combler cette lacune par la publication du présent ouvrage.

Par traduction, nous entendons aussi bien la traduction proprement dite (celle qui porte sur des textes) que l'interprétation (simultanée, consécutive ou gestuelle), ainsi que les principaux domaines connexes de ces deux professions jumelles : terminologie, révision et documentation.

Comme chacun sait, les origines de la traduction (orale) remontent à Jacques Cartier. En ramenant en France deux indigènes de Stadaconé pour les y former au métier d'interprète, le navigateur malouin inaugura, sans le savoir ni le vouloir, une longue tradition de communication au moyen d'interprètes et de traducteurs. L'interprétation fut le premier métier exercé au Canada au lendemain de sa découverte par les Européens. Le présent ouvrage remonte donc jusqu'à ces origines lointaines de la profession.

Comme deuxième date limite, nous avons retenu 1984, pour plusieurs raisons. Cette année marque tout d'abord le quinzième anniversaire de l'adoption, en 1969, de trois lois à caractère linguistique qui ont eu des répercussions considérables sur l'évolution de la traduction au pays. Ces textes législatifs sont la **Loi sur les langues officielles** adoptée par le Parlement canadien, la **Loi pour promouvoir la langue française au Québec** (Loi 63) promulguée par l'Assemblée nationale de cette province et, enfin, la **Loi sur les langues officielles** adoptée par l'Assemblée législative du Nouveau-Brunswick. En 1984, les traducteurs ont, en outre, célébré un triple anniversaire : vingt-cinq ans d'interprétation simultanée au Parlement canadien, le cinquantenaire du Bureau fédéral des traductions et le centenaire du service de traduction des Débats à la Chambre des communes. Enfin, 1984 marque quatre cent cinquante ans de pratique de la traduction au pays. C'est donc une date anniversaire importante de l'histoire de cette profession au Canada.

Le pays de la traduction

Si la traduction littéraire n'a jamais été une tradition au Canada, la traduction de textes pragmatiques, par contre, imprègne nos institutions et la vie quotidienne de tous les groupes culturels et linguistiques, qu'ils soient minoritaires ou majoritaires. Elle se manifeste dans tous les domaines d'activité, grands ou petits, prestigieux ou effacés, de la société canadienne. Son omniprésence est particulièrement évidente dans la société québécoise, dont la population, majoritairement francophone au sein du Québec, est en même temps minoritaire dans un pays et sur un continent massivement anglophones. S'il règne au Canada une intense activité de traduction dans tous les secteurs de la communication orale ou écrite, c'est principalement parce que l'État québécois est le plus important foyer de la culture d'expression française en Amérique du Nord et qu'il semble y avoir une volonté populaire et politique pour préserver cet héritage culturel.

Aussi, pour saisir, du triple point de vue sociopolitique, socioculturel et sociolinguistique, toutes les ramifications du phénomène complexe de la traduction dans un pays comme le Canada, où le français et l'anglais jouissent d'un statut d'égalité, du moins juridiquement, il faut en examiner les manifestations non seulement dans le domaine littéraire, mais aussi et surtout dans les secteurs de l'administration, des entreprises, de la justice, de l'éducation, de la presse, de la publicité et de la culture, sans oublier les domaines technique, scientifique et même religieux.

C'est dans l'espoir de faciliter et de promouvoir les recherches sur ce vaste et fascinant sujet d'études que nous avons entrepris, il y a déjà plus d'une quinzaine d'années, de colliger la matière de ce précis d'histoire de la traduction. Nous souhaitions mettre à la disposition des chercheurs un instrument de travail à la fois original, fiable, facile à consulter et le plus complet possible.

Il est reconnu depuis longtemps que le Canada, avec ses quelque quatre mille traducteurs professionnels pour une population de vingt-cinq millions d'habitants, est un des grands pays traducteurs au monde. Pour donner la mesure de cette réalité, il serait facile de citer des faits et d'aligner des statistiques puisées dans tous les domaines où s'exerce cette activité.

Nous croyons pouvoir arriver au même résultat en brossant un tableau sommaire de l'organisation de la profession tel qu'il ressort de ce précis. Nous examinerons donc brièvement la situation de la traduction de quatre points de vue :

- les associations professionnelles;
- les publications émanant des milieux de la traduction;
- la formation des traducteurs; et
- les colloques de traduction et de terminologie.

* * *

Les associations professionnelles

> Un nouveau groupement de traducteurs, interprètes ou terminologues voit le jour tous les deux ans depuis 1919.

Paradis des traducteurs où les possibilités d'emploi, les conditions de travail et de rémunération sont réputées parmi les meilleures au monde, le Canada est aussi, mais cela est moins connu, le paradis des associations professionnelles de traduction.

Au 31 décembre 1984, on y dénombrait, en effet, pas moins de vingt-deux groupements divers de traducteurs, interprètes ou terminologues. Si l'on ajoute ceux qui sont disparus depuis la fondation du tout premier regroupement de traducteurs (le Cercle des traducteurs des Livres Bleus, en 1919), ce chiffre s'élève à trente-trois. En moyenne, un nouveau groupement de traducteurs, interprètes ou terminologues a vu le jour tous les deux ans depuis 1919.

À ces associations professionnelles viennent s'ajouter une dizaine d'organismes divers créés et animés par des traducteurs, et pas moins de six associations d'étudiants en traduction. Comme c'est au Québec que l'on trouve la plus forte concentration de traducteurs, il ne faut pas s'étonner d'y compter huit groupements de traducteurs et le secrétariat de quatre associations pancanadiennes de traduction ou d'interprétation.

Depuis une quinzaine d'années, on remarque chez les traducteurs canadiens une nette tendance à se regrouper en fonction des domaines d'intérêt ou de spécialisation, comme en font foi les cinq tableaux de la section B de la première partie, "Associations et organismes".

C'est au cours de cette période qu'ont été créés, outre cinq associations provinciales (CTINB, ATIM, ATIS, AATI, STIBC), la Section des terminologues (SECTER) de la Société des traducteurs du Québec, l'Association des traducteurs littéraires (ATL), l'Association des cabinets de traduction (ACT), l'Association québécoise des interprètes francophones en langage visuel (AQIFLV), l'Association canadienne des écoles de traduction (ACET), l'Association of Visual Language Interpreters of Canada (AVLIC), le Groupe interentreprises pour la gestion informatique de la terminologie (GITE) et plusieurs autres organismes qu'il serait fastidieux d'énumérer. Plusieurs raisons expliquent cette multiplication des associations de traducteurs.

Premièrement, l'organisation des corporations professionnelles est un champ de compétence provincial. Ce cadre institutionnel oblige les traducteurs canadiens à s'organiser par province. En 1984, il y avait au pays sept associations provinciales distinctes de traducteurs, regroupées en fédération au sein du Conseil des traducteurs et interprètes du Canada (CTIC). Seules les provinces de l'Île-du-Prince-Édouard, de Terre-Neuve et de la Nouvelle-Écosse n'ont pas d'association provinciale, du moins pas encore. Compte tenu de la vaste étendue du pays, cette forme d'organisation de la profession présente plusieurs avantages.

Chaque groupe de traducteurs, par exemple, est bien au fait des particularités régionales du marché de la traduction.

Deuxièmement, la dissociation des tâches entourant l'exercice des métiers liés à la communication (traduction, interprétation, terminologie, documentation, révision, conseil linguistique) est une autre raison qui explique, en partie, le nombre et la diversité des associations professionnelles. Depuis le milieu des années soixante-dix, la terminologie s'est constituée en discipline distincte et auxiliaire de la traduction. Les terminologues ont aussi joué un rôle important dans l'opération de francisation des entreprises québécoises.

Cette évolution a entraîné à son tour l'apparition des aides-terminologues et a contribué à préciser le rôle du documentaliste de services linguistiques. "Par le passé, peut-on lire dans un dépliant de la Société des traducteurs du Québec, l'étroite relation entre terminologie et documentation portait à confondre le rôle du documentaliste et celui du terminologue, ce dernier cumulant souvent les deux fonctions. Aujourd'hui, la spécificité de ces deux fonctions est reconnue et, de plus en plus, des postes de documentalistes sont créés dans les services linguistiques."

En interprétation, de nouveaux services se sont développés, notamment dans le sillage de l'Année internationale des handicapés. C'est ainsi que l'État et des organismes privés se sont mis à offrir à la population canadienne des services d'interprétation gestuelle. De tels services commencent même à se structurer dans les universités afin de permettre aux personnes souffrant de surdité de faire des études supérieures. À elle seule, cette nouvelle spécialité a donné lieu à la création de deux associations professionnelles : l'AVLIC, association d'envergure nationale, et l'AQIFLV, qui regroupe les interprètes francophones du Québec.

En traduction, un phénomène tout à fait analogue peut être observé. Outre les nombreuses associations déjà citées, mentionnons la création, en 1983, par un collège communautaire d'Ottawa d'un programme de "techniques de soutien à la traduction" (TST); le rôle de ces techniciens et techniciennes s'apparente à celui des aides-terminologues.

Le recul des années nous permet donc de constater qu'à la dissociation des fonctions a correspondu tout naturellement une spécialisation des associations professionnelles, spécialisation qui, à son tour, est révélatrice de la grande diversité des services de traduction et d'interprétation offerts.

De tous les pays, le Canada est assurément celui où la profession de traducteur est la plus structurée. Il faut y voir la manifestation du dynamisme caractéristique de l'évolution de la profession depuis une trentaine d'années.

* * *

Les publications

> Une nouvelle revue de traduction, d'interprétation ou de terminologie voit le jour tous les quinze mois depuis 1940.

La tendance vers la spécialisation, caractéristique de l'organisation de la profession, s'observe également pour les publications (périodiques et livres) émanant des milieux de la traduction. On constate qu'au fil des années les périodiques et les ouvrages de traduction se sont multipliés, diversifiés et spécialisés.

a. **Les périodiques.** Depuis la parution de la première revue du genre en août 1940, **Le traducteur / The Translator**, "organe officiel de la Société des traducteurs de Montréal" (STM), les traducteurs ont créé pas moins de trente-deux périodiques dans leur domaine d'activité. En moyenne, une nouvelle revue de traduction, d'interprétation ou de terminologie a vu le jour tous les quinze mois depuis 1940. Au 31 décembre 1984, vingt d'entre elles paraissaient régulièrement. Sont exclus de ce relevé les nombreux bulletins linguistiques d'entreprises ou d'organismes publics, alimentés en bonne partie par le personnel des services linguistiques, c'est-à-dire les traducteurs, les terminologues et les rédacteurs.

Toutes les publications canadiennes de traduction, d'interprétation et de terminologie, disparues ou non, figurent à la section B de la deuxième partie, "Liste des périodiques". Elles y sont identifiées par un astérisque dans la colonne de droite. Il va de soi que l'importance, la qualité de présentation, la périodicité, le tirage, la diffusion et la durée d'existence de toutes ces publications varient considérablement. La durée de parution des douze périodiques disparus a été en moyenne de cinq ans.

Mis à part les bulletins d'associations professionnelles tels que **L'Antenne, InformATIO, AVLIC News, Transforum, Transmission, Transletter**, etc., dont le rôle est de renseigner les membres sur les affaires courantes de ces associations, les publications tendent à se spécialiser elles aussi depuis une quinzaine d'années. À preuve, les quelques exemples suivants. En 1968 paraît **L'Actualité terminologique**, qui se propose de tenir "les traducteurs au courant de l'actualité linguistique et terminologique"; en 1969, **Ellipse**, "dont le but est de présenter en traduction les oeuvres des écrivains français et anglais"; en 1972, **Le Furet**, bulletin consacré exclusivement à la documentation, dont le Comité de bibliographie de la Société des traducteurs du Québec assure la publication jusqu'en 1983; en 1979, **Terminogramme**, organe de l'Office de la langue française du Québec "consacré à la terminologie et à ses développements modernes"; et, en 1983, **Termium**, bulletin destiné aux "utilisateurs de la Banque de terminologie du gouvernement canadien".

Rappelons, enfin, qu'en 1983 la Société des traducteurs du Québec s'est dotée d'une revue dont l'orientation résolument professionnelle est venue combler un vide. Ce "magazine d'information sur la langue et la communication" a reçu le nom de **Circuit.**

Depuis bon nombre d'années, la revue **Meta** avait de plus en plus de mal à cumuler la double vocation de revue universitaire d'envergure nationale et internationale et de revue professionnelle. Cette redéfinition de l'orientation fondamentale des revues est un autre indice que la profession évolue dans le sens d'une spécialisation accrue.

*

b. **Les livres.** Ce qui vient d'être dit des périodiques s'applique également aux livres. Jusqu'aux années soixante environ, les traducteurs firent surtout paraître des ouvrages correctifs, des lexiques, des vocabulaires et des dictionnaires bilingues. Qu'il suffise de rappeler les noms de Sylva Clapin, Léon Gérin, Léon Lorrain, Pierre Daviault, Louvigny de Montigny, Hector Carbonneau et Gérard Proulx qui firent oeuvre de pionniers; leurs ouvrages furent d'une très grande utilité à l'époque de leur parution dans les années trente, quarante et cinquante.

Trois publications d'un autre genre parurent au cours de cette période, et il convient de leur réserver une mention à part. Il s'agit de **Traductions**, mélanges offerts en mémoire de Georges Panneton, édités en 1952 par Jean-Paul Vinay (premier collectif sur la traduction publié au pays), de la très célèbre **Stylistique comparée du français et de l'anglais** de Jean-Paul Vinay et Jean Darbelnet, parue en 1958, et, enfin, du **Dialogue sur la traduction** d'Anne Hébert et Frank Scott, publié dans les **Écrits du Canada français** en 1960, puis réédité sous forme d'opuscule dix ans plus tard.

En 1970 s'ouvre une nouvelle période qui voit apparaître sur le marché des ouvrages d'un genre nouveau. Ces publications sont à la fois plus diversifiées et plus spécialisées, sans que les traducteurs abandonnent pour autant la production de vocabulaires ou d'instruments de travail indispensables à la pratique quotidienne de leur métier.

Citons, comme exemples, les quelques titres suivants : Irène de Buisseret, **Guide du traducteur** (1972, réédité en 1975 sous le titre **Deux langues, six idiomes**); Office de la langue française, **Guide de travail en terminologie** (1973); Jean-Paul Bénard et Paul A. Horguelin, **Pratique de la traduction. Version générale** (1977); Paul A. Horguelin, **Pratique de la révision** (1978); Geoffrey Vitale, Michel Sparer et Robert Larose, **Guide de la traduction appliquée, tome I -- Version** (1978); Robert Dubuc, **Manuel pratique de terminologie** (1978); Brenda M. Thaon, **A Practical Guide to Bilingual Revision** (1980), adaptation de **Pratique de la révision** de Paul A. Horguelin; Jean Delisle, **L'Analyse du discours comme méthode de traduction** (1980); Geoffrey Vitale, Michel Sparer et Robert Larose, **Guide de la traduction appliquée, tome II -- Thème** (1980); Paul A. Horguelin, **Anthologie de la manière de traduire** (1981); Denis Juhel, **Bilinguisme et traduction au Canada. Rôle sociolinguistique du traducteur** (1982); Jean-Claude Gémar, **Les trois états de la politique linguistique du Québec. D'une société**

traduite à une société d'expression (1983); Marie-Noëlle Legoux et Egan Valentine, **Stylistique différentielle I, anglais-français** (1983), Jean Delisle, **Au coeur du trialogue canadien / Bridging the Language Solitudes** (1984).

Ce qui frappe dans ce relevé sommaire, dont nous avons délibérément exclu les actes de colloques, les collectifs, les études gouvernementales et les bibliographies, c'est la prédominance des ouvrages pédagogiques et le silence presque complet des traducteurs anglophones et multilingues.

D'autres initiatives dans le domaine de l'édition d'ouvrages traitant de traduction et des disciplines connexes confirment le dynamisme de ce secteur d'activité. Mentionnons la création de deux collections universitaires, les "Documents de traductologie" (1976) et les "Cahiers de traductologie" (1979) par l'École de traducteurs et d'interprètes de l'Université d'Ottawa, et la fondation, par un groupes d'universitaires et de traducteurs professionnels, de deux maisons d'édition spécialisées : Linguatech (1975) et Sodilis (1981). À ces initiatives, il convient aussi d'ajouter les publications du Groupe interdisciplinaire de recherche scientifique et appliquée en terminologie (GIRSTERM) de l'Université Laval.

En somme, qu'il s'agisse de périodiques ou de livres, ce rapide survol fait ressortir clairement que les publications émanant des milieux de la traduction au Canada sont nombreuses, variées et ont tendance, depuis 1970 surtout, à porter sur des aspects de plus en plus précis de la profession et tout particulièrement sur son enseignement.

* * *

La formation

> Depuis 1968, un nouveau programme de traduction voit le jour tous les ans, un nouveau baccalauréat, tous les deux ans et une nouvelle maîtrise, tous les quatre ans.

Depuis la fin des années soixante, les programmes de formation de traducteurs, interprètes et terminologues se sont multipliés à un rythme effarant. Bien que la traduction professionnelle s'enseigne depuis 1936 à l'Université d'Ottawa, 1943 à l'Université McGill et 1951 à l'Université de Montréal où l'on offrait une Maîtrise en traduction dont la scolarité était de deux ans, il faut attendre 1968 pour voir se créer, à cette dernière université, le premier programme de trois ans conduisant à une licence. Cette licence ne tarda pas à devenir un baccalauréat spécialisé.

On peut qualifier les années soixante-dix de décennie de la pédagogie de la traduction. D'un bout à l'autre du pays, mais principalement au Québec et en Ontario, ont surgi des unités de formation qui se sont donné pour tâche de préparer des candidats traducteurs pour un marché en ébullition. Cette croissance exponentielle du marché de la traduction découlait directement du "virage linguistique national" de 1969.

C'est ainsi que neuf universités ou collèges universitaires ont créé autant de baccalauréats en traduction d'une durée de trois ou quatre ans. En outre, une bonne quinzaine de départements de linguistique, d'allemand, de littérature, de langues romanes ou d'autres disciplines ont mis sur pied divers programmes de traduction. Ceux-ci ont pris la forme de concentration, de "major" ou d'option à l'intérieur de baccalauréats déjà existants.

Si l'on transpose cette effervescence en moyenne statistique, on obtient les résultats impressionnants suivants : entre 1968 et 1984, un nouveau programme de traduction a vu le jour tous les ans, un nouveau baccalauréat, tous les deux ans et une nouvelle maîtrise, tous les quatre ans. On évalue à plus de mille cinq cents le nombre d'étudiants inscrits annuellement à l'un ou l'autre de ces programmes de formation, et à trois cents le nombre de diplômés reçus chaque année. Précisons, toutefois, que ceux-ci ne se placent pas tous en traduction ou en terminologie. Une formation de traducteur dans un pays bilingue comme le Canada ouvre un large éventail de carrières.

À ces unités de formation universitaires, il faut ajouter l'École d'interprètes créée en 1975 par le Bureau fédéral des traductions. Rappelons également que, de 1963 à 1971, a existé à ce même Bureau une école interne de traduction qui portait le nom d'École des stagiaires. Chaque année, une quarantaine de candidats y recevaient une formation pratique avant d'aller grossir les rangs des traducteurs dans les ministères.

Au fil des années et à la lumière de l'expérience, les programmes universitaires ont évolué et se sont adaptés aux besoins changeants du marché du travail. Ils se sont aussi spécialisés, comme il fallait s'y attendre. Des cours de terminologie, d'histoire de la traduction, de révision et correction d'épreuves, de rédaction avancée, de lexicologie et de stylistique, de traduction juridique, économique, médicale, technique sans parler de l'interprétation gestuelle ni des cours d'informatique appliqués à la traduction, sont venus se greffer aux cours d'initiation à la traduction et à ceux de culture générale. Les méthodes d'enseignement elles aussi se sont diversifiées et affinées. Au fur et à mesure qu'elles se sont précisées, l'empirisme a reculé au profit d'une plus grande efficacité pédagogique. Mais le dernier mot dans ce domaine n'a pas encore été dit.

Si nous avons préféré parler de baccalauréats et de programmes de traduction plutôt que d'Écoles, c'est que l'enseignement universitaire de la traduction au Canada est encore dispensé par des départements tels que linguistique et philologie, études françaises, langues et linguistique, langues modernes, sciences humaines, etc. Strictement parlant, il n'existe que très peu d'Écoles de traduction autonomes ayant le plein statut de département universitaire.

Cela n'empêche pas pour autant la plupart de ces "sections de traduction" de se désigner du nom d'"école de traduction". Ce n'est que très lentement et bien timidement que les programmes de traduction se détachent des départements qui les ont établis. Pourtant, l'enseignement de la traduction de même que la recherche dans ce domaine ne peuvent que gagner à ce que la situation évolue dans ce sens, d'autant plus que les candidats à un grade de traduction composent généralement la majorité des étudiants de ces départements. La reconnaissance pleine et entière de la traduction en tant que discipline universitaire passe, croyons-nous, par la création de véritables écoles de traduction autonomes. L'École de traducteurs et d'interprètes de l'Université d'Ottawa est l'une des rares unités d'enseignement de la traduction au Canada à jouir de ce statut depuis sa fondation en 1971[1].

Enfin, l'essor rapide qu'a connu la pédagogie de la traduction depuis 1968 s'est reflété dans les nombreuses publications consacrées à l'enseignement de cette discipline et aussi, comme nous allons le voir, dans le grand nombre de colloques ayant eu ce sujet pour thème.

* * *

Les colloques

> Cent cinq colloques de traduction ou de terminologie en trente ans, soit une moyenne de 3,6 par année.

Le 5 novembre 1955, à Montréal, les traducteurs canadiens se réunissaient en congrès général pour la première fois de leur histoire. Depuis ces assises historiques, ils ont organisé le nombre impressionnant de cent cinq colloques, congrès, séminaires, tables rondes, ateliers de réflexion et rencontres de toute sorte portant spécifiquement sur la traduction, la terminologie et les domaines connexes. Ce chiffre ne tient pas compte des assemblées annuelles souvent jumelées à une journée d'étude ou à un mini-congrès.

Le premier colloque consacré exclusivement à la terminologie remonte à 1966. Organisé par l'Office de la langue française du Québec, il avait pour thème : La normalisation et la diffusion des terminologies techniques et scientifiques. Le premier colloque international de terminologie, autre initiative de l'Office de la langue française, eut lieu en octobre 1972. Il avait pour thème : Les données terminologiques.

Ces cent cinq colloques se répartissent de la façon suivante : quatre-vingt-un avaient pour thème principal la traduc-

---

1. Voir notre article "Historique de l'enseignement de la traduction à l'Université d'Ottawa", dans **L'Enseignement de l'interprétation et de la traduction : de la théorie à la pédagogie**, coll. "Cahiers de traductologie", n° 4, p. 7-19.

tion, tandis que vingt-quatre ont porté plus particulièrement sur la terminologie. Sur une période de trente ans environ (1955 à 1984), cela représente en moyenne la tenue de 3,6 colloques par année. Ces chiffres concernent uniquement les colloques consacrés spécifiquement à la traduction et à la terminologie; ils ne tiennent pas compte des nombreux autres événements du même genre organisés par divers organismes sur des questions linguistiques, même si quelques communications portant sur la traduction ou la terminologie y étaient présentées.

De 1955 à 1975, les milieux de la traduction ont organisé trente-sept colloques, soit une moyenne légèrement inférieure à deux colloques par année (1,8 pour être précis).

De 1976 à 1984, par contre, les événements de ce genre se sont succédés à une fréquence accélérée comme en fait foi le relevé ci-dessous :

1976 = 7	1979 = 4	1982 = 8
1977 = 4	1980 = 9	1983 = 9
1978 = 5	1981 = 11	1984 = 11

Au cours de ces neuf années d'intense réflexion, années qui, dans toute l'histoire de la traduction au Canada, ont été parmi les plus fécondes en développements de toute sorte, soixante-huit colloques, soit une moyenne pour la période de 7,6 par année, ont permis aux traducteurs et aux terminologues de se rencontrer et de discuter des divers aspects de leurs disciplines dont le rythme d'évolution était décuplé. Une vingtaine de ces rencontres avaient pour thème la terminologie.

Si l'on examine maintenant les thèmes de tous ces colloques, on ne manque pas de constater une évolution qui va du général au particulier; la tendance vers la spécialisation se vérifie encore une fois. L'organisation de la profession, la reconnaissance professionnelle et la formation ont constitué les thèmes de la majorité des colloques des années cinquante et soixante. Les quelques exemples ci-dessous témoignent des préoccupations des traducteurs au cours de cette période :

Le rôle de la traduction dans la vie moderne (1955)
L'interprétation à la Chambre des communes et la traduction dans la vie moderne (1960)
Les États généraux de la traduction (1963)
La motivation du traducteur (1965)
La formation du traducteur (1966)
Présence de la traduction dans le milieu et statut du traducteur (1968)

À partir des années soixante-dix, les thèmes se précisent. La terminologie, qui a le vent dans les voiles, occupe le devant de la scène, sans pour autant que les préoccupations plus générales concernant la profession, sa reconnaissance, son rôle dans le processus de francisation des entreprises québécoises soient oubliées. Il est frappant, également, de constater à quel point les traducteurs participent à la réflexion sur l'évolution linguistique au Québec et savent faire profiter les divers intervenants dans ce domaine de leur longue expérience de spécialistes de la communication écrite et orale. Les colloques d'envergure internationale se multiplient aussi au cours de cette période. En 1977, le Canada est même l'hôte du VIIIe Congrès mondial de la Fédération internationale des traducteurs (FIT). Voici un échantillon représentatif des thèmes abordés lors de ces colloques, qui sont tous recensés dans la section A de la première partie, "Chronologie 1534-1984".

Linguistique et théories de la traduction (1970)
Les données terminologiques (1972)
Le traducteur et le spécialiste (1977)
Les problèmes de découpage du terme (1978)
Les styles de gestion (1979)
Les instruments automatisés d'aide à la traduction (1980) 
La traduction littéraire (1981)
Les stages en traduction et en terminologie (1981)
La traduction juridique (1981)
Traduction et qualité de la langue (1983)
Les bases de données (1984)

En somme, tout comme la multiplication des associations professionnelles, des publications de traduction et des programmes de formation, les colloques sont un reflet fidèle de l'intense activité qui a animé les milieux de la traduction et de la terminologie depuis une trentaine d'années. En choisissant des thèmes variés et de plus en plus précis pour leurs colloques et en donnant à bon nombre d'entre eux une envergure internationale, les traducteurs et terminologues canadiens ont contribué à renforcer leur réputation de spécialistes de la communication et ont projeté l'image d'un groupe de professionnels socialement engagés.

* * *

Conclusion

Le tableau que nous venons de brosser de la situation générale de la traduction au Canada est forcément très incomplet. Il laisse dans l'ombre de larges pans à étudier, tels que la traduction littéraire, l'automatisation, la traduction journalistique, juridique, technique, multilingue, de même que l'interprétation parlementaire et le doublage cinématographique. Il peut néanmoins suggérer des pistes de recherches et donner un aperçu de l'ampleur du travail qui reste à accomplir. Il faudra réunir les morceaux épars de cette fresque historique et ajouter ceux qui manquent pour procéder à l'ample synthèse que sera une histoire complète et détaillée de la traduction au Canada[1]. Cette histoire recoupe celle des rapports entre les principaux groupes culturels et linguistiques du pays.

On peut dire qu'il s'agit là d'un champ de recherche qui est encore en grande partie en friche. Nous formulons le souhait que **La traduction au Canada, 1534-1984** relance les études et les travaux d'érudition sur le sujet et que l'ensemble de ces recherches contribuent à faire connaître la place, le rôle et l'importance de la traduction au Québec et au Canada tout entier.

Ce faisant, le Canada apporterait sa pierre à l'édifice d'une vaste histoire universelle de la traduction telle que les traducteurs l'ont souhaitée en 1963 à l'occasion du IVe Congrès mondial de la Fédération internationale des traducteurs (FIT), à Dubrovnik, en Yougoslavie. L'initiateur de ce projet, György Radó, a exposé dans deux articles parus dans la revue **Babel**[2] et plus récemment dans les Actes du Xe Congrès de la FIT[3] les grandes lignes de ce projet d'envergure.

À notre tour, nous souhaitons que son appel soit entendu par tous ceux qui s'intéressent à l'histoire de la traduction au Canada et que l'instrument de recherche que nous mettons à leur disposition facilite leur travail.

---

1. Voir notre article "Projet d'histoire de la traduction et de l'interprétation au Canada", dans **Meta**, vol. 22, nº 1, mars 1977, p. 66-71.

2. "La traduction et son histoire", vol. X, nº 1, 1964, p. 15-16; "Approaching the History of Translation", vol. XIII, nº 3, 1967, p. 169-173.

3. **Le Traducteur et sa place dans la société.** Actes du Xe Congrès de la FIT publiés sous la direction de Hildegund Bühler. Vienne, Wilhelm Braumüller, 1985, p. 305-307.

INTRODUCTION

Until now researchers have never had a suitable tool for exploring the history of translation in Canada. With the publication of this book I hope to provide one.

By "translation," I mean the twin professions of translation in the strict sense (dealing with texts) and interpretation (simultaneous and consecutive interpretation and sign language), as well as the major related fields: terminology, revision, and documentation.

It is well known that oral translation in Canada originated with Jacques Cartier, who took two Indians from Stadacona back to France with him and trained them as interpreters. By so doing he unwittingly inaugurated a long tradition of communication through interpreters and translators. Interpretation was the first profession practiced in Canada after the arrival of the Europeans. This book thus takes as its starting point the very origins of the translation profession in Canada.

As its end point I have selected the year 1984, for several reasons. First among them is the fact that 1984 marked the fifteenth anniversary of the passage of three language laws that have had important consequences for the development of translation in Canada. In 1969 Parliament passed the Official Languages Act, the Quebec National Assembly passed An Act to Promote the French Language in Quebec (Bill 63), and the New Brunswick Legislative Assembly passed its Official Languages of New Brunswick Act. As well, in 1984 translators celebrated three anniversaries: the twenty-fifth anniversary of simultaneous interpretation in Parliament, the fiftieth anniversary of the federal government's Translation Bureau, and the centennial of the House of Commons Hansard translation service. Lastly, 1984 also marked the 450th anniversary of translation in Canada. It is indeed a date worthy of note in the annals of the profession in this country.

* * *

A Translating Nation

Although literary translation has never been a tradition in Canada, the translation of pragmatic texts is part of the very fabric of our institutions, and it permeates the daily life of all cultural and linguistic groups, whether of minority or majority status. Translation is present in every aspect of Canadian society, whether large or small, prominent or obscure. It is particularly prevalent in Quebec, where the francophone population is in the majority while being in the minority in a country and on a continent that are overwhelmingly anglophone. It is mainly thanks to Quebec that there is such a high level of translation activity in all sectors of oral and written communication in Canada, for Quebec is the most important center of French-language culture in North America and seems to possess the popular and political will to preserve its cultural heritage.

Translation is a complex phenomenon. In order to understand its sociopolitical, sociocultural, and sociolinguistic ramifications in Canada, where French and English enjoy equal status, at least in law, it is necessary to look at translation not only in literature, but, more importantly, in administration, business, justice, education, the press, advertising, culture, technology, science, and even religion.

It was in the hope of encouraging and facilitating research into this vast and fascinating field of study that I began more than 15 years ago to assemble the material contained in this historical outline of translation. I wanted to provide a research tool that would be original, reliable, easy to use, and as complete as possible.

Canada, with some four thousand professional translators for a population of 25 million, has long been regarded as one of the world's major translating countries. I could easily demonstrate the importance of translation by citing facts and figures from the many fields where translation is practiced. I believe, however, that I can achieve the same result by giving an overview of the translation profession. I will therefore briefly examine translation from the following four points of view:

- professional associations
- publications by translators
- translator training
- conferences on translation and terminology.

* * *

Professional Associations

> A new association of translators, interpreters, or terminologists has been formed every two years since 1919.

With employment opportunities, working conditions, and wages reputed to be among the best in the world, Canada is a translator's paradise; it is also, though this is less widely known, a paradise for professional translators' associations. As of December 31, 1984, there were no fewer than 22 associations of translators, interpreters, or terminologists in the country. If the organizations that have disappeared since the first translators' association was founded in 1919 (the Cercle des traducteurs des Livres Bleus) were also included, the total would reach 33. On average, a new association of translators, interpreters, or terminologists has been formed every two years since 1919.

In addition to the professional associations there are a dozen other organizations founded and managed by translators, and at least six associations of translation students. It is hardly surprising that eight translators' associations and the head offices of four national associations of translators or interpreters are located in Quebec, the province with the highest concentration of translators.

Over the past 15 years, there has been a marked tendency for translators to group themselves into associations that reflect their field of interest or specialization, as indicated by the five tables in Section B of Part I, "Associations et organismes."

Those 15 years saw the birth not only of five provincial associations (CTINB, ATIM, ATIS, AATI, STIBC), but also of the terminologists' section of the Société des traducteurs du Québec (SECTER), the Literary Translator's Association (ATL/LTA), the Association des cabinets de traduction (ACT), the Association québécoise des interprètes francophones en langage visuel (AQIFLV), the Canadian Association of Schools of Translation (ACET/CAST), the Association of Visual Language Interpreters of Canada (AVLIC), the Groupe interentreprises pour la gestion informatique de la terminologie (GITE), and many more too numerous to mention.

There are several reasons for this proliferation of translators' associations. First of all, professional associations fall under provincial jurisdiction, making it necessary for Canadian translators to organize themselves by province. In 1984, there were seven separate provincial associations in the country, together making up the federation known as the Canadian Translators and Interpreters Council (CTIC). Only Prince Edward Island, Newfoundland, and Nova Scotia are still without provincial associations, at least for the time being. Given the vast size of the country, there are several advantages to this organizational structure. For example, each association is familiar with the distinctive characteristics of the regional translation market.

The division of labor prevailing in the communications professions (where tasks are divided up among translators, interpreters, terminologists, documentalists, editors, and language consultants) is a second reason for the wealth and variety of professional associations. Since the midseventies, terminology has established itself as a discipline in its own right, providing support to translators. Terminologists have also played an important part in the francization of Quebec businesses.

These developments have in turn led to the emergence of

terminology assistants and contributed to defining the role of the documentalist. A recent pamphlet published by the Société des traducteurs du Québec (STQ) explained that because terminology and documentation are so closely related, the role of the documentalist tended in the past to be confused with that of the terminologist, who indeed often performed both functions. Today, the specific nature of each of the two functions is recognized, and the number of documentalists' positions being created within organizations providing linguistic services is on the rise.

New services are also being offered in the field of interpretation, especially as a result of the International Year of the Disabled. Both government and private organizations have begun to offer sign language interpretation services in Canada. Some universities have even undertaken to provide such services in order to enable the deaf to pursue postsecondary studies. This new specialization alone has given birth to two professional associations: AVLIC, a national body, and the AQIFLV, an association of francophone interpreters in Quebec.

A similar trend has emerged in the field of translation. In addition to the many associations already mentioned, the establishment of a translation support technician program at an Ottawa community college in 1983 is worthy of note. The translation assistant trained in this program plays a role analogous to that of a terminology assistant.

Looking back over the years, we see that the division of tasks has naturally been accompanied by specialization of professional associations, and this specialization reveals the tremendous diversity of translation and interpretation services available. It can safely be said that translation as a profession is better organized in Canada than in any other country. This is indeed evidence of the dynamic growth of the profession over the past thirty years.

* * *

Publications

> A new periodical about translation, interpretation, or terminology has been founded every 15 months since 1940.

Just as members of the profession have tended to specialize, so have the publications they put out. Over the years, translation periodicals and books have become more numerous, more varied, and more specialized.

a. **Periodicals.** Since the first issue of **Le traducteur / The Translator**--the official organ of the Société des traducteurs de Montréal (STM) and the first magazine of its kind--appeared in August 1940, translators have launched no fewer than 32 periodicals. On average, a new periodical about translation, interpretation, or terminology has been founded every 15 months since 1940. As of December 31, 1984, twenty of those magazines were appearing regularly. This list does not include the many language bulletins put out by public and private sector organizations that rely mostly on material supplied by the organization's linguistic services staff--translators, terminologists, and writers.

All Canadian publications on translation, interpretation, and terminology, including those now defunct, are listed in Section B of Part II, the "Liste des périodiques dépouillés." They are identified by an asterisk in the right-hand column. Of course the importance, format, publication schedule, press run, distribution, and lifespan of these publications vary widely. The 12 defunct periodicals survived, on average, for five years.

With the exception of the professional association newsletters, such as **L'Antenne, InformATIO, AVLIC News, Transforum, Transmission,** and **Transletter,** whose purpose is to inform members of the association's activities, translation publications have also tended to specialize over the past 15 years or so, as the following examples show. **L'Actualité terminologique / Terminology Update,** which keeps translators up to date on developments in language and terminology, appeared in 1968. In 1969 came **Ellipse,** introducing the work of French and English writers in translation. The bibliography committee of the STQ brought out the first issue of **Le Furet,** a newsletter devoted exclusively to documentation, in 1972, and continued to publish it until 1983. In 1979, Quebec's Office de la langue française published the first issue of **Terminogramme,** which is devoted to terminology and its modern developments. In 1983, **Termium,** a newsletter for users of the Canadian Government Terminology Bank, began publication.

Last but not least, **Circuit,** the magazine of language and communication news, was founded in 1983 by the STQ to meet the need for a distinctly professional magazine. For several years, **Meta** had been struggling to fill the need for a professional magazine while at the same time living up to its reputation as a scholarly journal of national and international stature. This redefinition of the magazines' basic orientation is another indication of the trend towards increased specialization within the profession.

*

b. **Books.** What has just been said of periodicals is also true of books. Until the 1960s, translators for the most part produced glossaries, vocabularies, bilingual dictionaries and works on usage intended to correct common mistakes. Sylva Clapin, Léon Gérin, Léon Lorrain, Pierre Daviault, Louvigny de Montigny, Hector Carbonneau, and Gérald Proulx broke new ground with their publications, and the contributions they made in the 1930s, 1940s and 1950s were extremely useful.

Three publications of another type that also appeared during this period warrant separate mention. **Traductions,** the first collection of articles on translation published in Canada, was edited by Jean-Paul Vinay and published in 1952 in memory of Georges Panneton; the renowned **Stylistique comparée du français et de l'anglais**, by Jean-Paul Vinay and Jean Darbelnet, appeared in 1958; and **Dialogue sur la traduction**, by Anne Hébert and Frank Scott, was published in **Écrits du Canada français** in 1960, then reissued in book form ten years later.

The year 1970 marked the beginning of a new period during which a different type of book appeared on the market. While translators continued to produce the vocabularies and aids needed for their daily work, they also turned their hand to publications that were both more diversified and more specialized. The titles that follow are just some examples: Irène de Buisseret, **Guide du traducteur** (1972, reissued in 1975 as **Deux langues, six idiomes**); Office de la langue française, **Guide de travail en terminologie** (1973); Jean-Paul Bénard and Paul A. Horguelin, **Pratique de la traduction. Version générale** (1977); Paul A. Horguein, **Pratique de la révision** (1978); Geoffrey Vitale, Michel Sparer and Robert Larose, **Guide de la traduction appliquée, tome I - Version** (1978); Robert Dubuc, **Manuel pratique de terminologie** (1978); Brenda M. Thaon, **A Practical Guide to Bilingual Revision** (1980), an adaptation of **Pratique de la révision** by Paul A. Horguelin; Jean Delisle, **L'Analyse du discours comme méthode de traduction** (1980); Geoffrey Vitale, Michel Sparer and Robert Larose, **Guide de la traduction appliquée, tome II - Thème** (1980); Paul A. Horguelin, **Anthologie de la manière de traduire** (1981); Denis Juhel, **Bilinguisme et traduction au Canada. Rôle sociolinguistique du traducteur** (1982); Jean-Claude Gémar, **Les trois états de la politique linguistique du Québec. D'une société traduite à une société d'expression** (1983); Marie-Noëlle Legoux and Egan Valentine, **Stylistique différentielle I, anglais-français** (1983), Jean Delisle, **Au coeur du trialogue canadien / Bridging the Language Solitudes** (1984).

What is striking about this brief list, which deliberately does not include conference proceedings, collections of articles, government studies, or bibliographies, is the large number of works on the teaching of translation and the almost complete absence of works by anglophone and multilingual translators.

Other ventures also attest to the vigor of publishing in the field of translation and related disciplines. For example, two academic collections, "Working Papers in Translatology" (1976) and "Studies in Translatology" (1979) have been established by the School of Translators and Interpreters of the University of Ottawa, and two specialized publishing firms, Linguatech (1975) and Sodilis (1981), have been launched by a group of academics and professional translators. The publications by the Groupe interdisciplinaire de recherche scientifique et appliquée en terminologie (GIRSTERM) at Université Laval are another example.

* * *

Training

> A new translation program has been established every year, a new bachelor's degree every two years, and a new master's degree every four years since 1968.

Since the late sixties, the number of training programs for translators, interpreters, and terminologists has increased at an astonishing rate. Professional translation has been taught since 1936 at the University of Ottawa, since 1943 at McGill University, and since 1951 at the Université de Montréal, which offered a Master of Arts in Translation with two years of course requirements. It was not until 1968, however, that the first three-year program leading to an undergraduate degree was established, at the Université de Montréal. That degree soon became an Honors B.A.

The 1970s could be called the decade of translation teaching in Canada. From one end of the country to the other, but particularly in Ontario and Quebec, training centers sprang up to prepare new translators for a rapidly expanding market. The exponential growth in employment opportunities for translators was a direct result of the linguistic awakening that took place across Canada in 1969.

Another result was that nine universities or university colleges established three- or four-year bachelor's degree programs in translation. As well, more than 15 linguistics, literature, German, Romance languages, or other departments instituted various translation programs as concentrations, majors, or options within existing B.A. programs.

In statistical terms, this ferment of activity is impressive: between 1968 and 1984, a new translation program was established every year, a new bachelor's degree every two years, and a new master's degree every four years. Each year more than 1500 students are enrolled in these training programs, and 300 students earn degrees. Not all of the graduates go into translation or terminology, for in a bilingual country such as Canada a degree in translation opens the door to a wide variety of careers.

In addition to the universities, a school was founded by the Translation Bureau in 1975 to train interpreters. From 1963 to 1971 the Bureau also had an in-house training school which each year prepared some forty new translators for work in the various government departments.

With time and experience the university programs changed to respond to the changing needs of the translation market. Not surprisingly, they also became more specialized. Courses in terminology, history of translation, revision and proofreading, advanced writing techniques, lexicology and stylistics, legal, economic, medical, and technical translation, sign language interpretation, and computer applications to translation were added to the introductory translation and general knowledge courses. Teachers used more varied and sophisticated methods. As their methodology became better defined, the empirical approach was replaced by more effective instruction. However, much still remains to be done in this area.

I have spoken in terms of bachelor's degrees and translation programs rather than of schools of translation, because in Canadian universities translation is still taught by departments of linguistics and philology, French, language and linguistics, modern languages, humanities, and so on. Strictly speaking, there are very few autonomous schools of translation with full departmental status. That, however, has not prevented most of these "translation sections" from calling themselves "schools of translation." Translation programs have split off from their founding departments very slowly and cautiously; such separation, however, can only be advantageous for translation teaching and research, particularly since translation students generally make up the majority of the student body in these departments. In my view the establishment of truly autonomous schools of translation is necessary for the full recognition of translation as a university discipline. The School of Translators and Interpreters at the University of Ottawa is one of the few centers of translation teaching in Canada that has enjoyed such autonomous status since its inception in 1971.[1]

The rapid growth in translation pedagogy since 1968 is reflected in the numerous publications on translation teaching and also, as we shall see, in the large number of conferences on the topic.

* * *

Conferences

> There have been 105 conferences on translation or terminology over thirty years, for an average of 3.6 per year.

On November 5, 1955, Canadian translators came together in a conference session for the first time in their history. Since then they have organized an impressive 105 conferences, congresses, seminars, roundtables, workshops, and meetings of all kinds dealing specifically with translation, terminology, and related fields. Not included in this figure are annual meetings, which are often combined with a workshop or small symposium.

The first conference devoted exclusively to terminology was held in 1966. It was organized by the Office de la langue française and dealt with the standardization and dissemination of

---

1. See my article "Historique de l'enseignement de la traduction à l'Université d'Ottawa," pages 7-19 in **L'Enseignement de l'interprétation et de la traduction : de la théorie à la pédagogie**, Studies in Translatology, No. 4.

scientific and technical terminology. The first international terminology conference, also an OLF initiative, took place in October 1972. Its theme was terminological data.

Eighty-one of the 105 conferences were primarily concerned with translation, while 24 of them dealt specifically with terminology. Over a period of almost thirty years (1955-1984), that represents an average of 3.6 conferences a year. These figures take into account only the meetings specifically dedicated to translation or terminology, not the many similar conferences or symposiums organized by various bodies to discuss language matters, even though papers on translation or terminology might have been presented.

Between 1955 and 1975 translators organized 37 conferences, for an average of almost 2 per year (1.8, to be precise). Between 1976 and 1984, the pace quickened considerably, as the following figures show:

1976 = 7	1979 = 4	1982 = 8
1977 = 4	1980 = 9	1983 = 9
1978 = 5	1981 = 11	1984 = 11

These nine years of intense activity saw many new developments and represent one of the most productive periods in the history of translation in Canada. Sixty-eight conferences--or an average of 7.6 a year--gave translators and terminologists the opportunity to meet and discuss the many facets of their rapidly evolving profession. About twenty of those meetings focused on terminology.

A closer examination of the themes chosen reveals that they have become increasingly specific over the years, once again confirming the trend towards specialization. In the fifties and sixties, organizing, gaining professional recognition, and training were the topics most often discussed, as the examples below indicate:

The Role of Translation in the Modern World (1955)
Interpretation in the House of Commons and Translation in the Modern World (1960)
A Summit Meeting of Translators (1963)
Motivating Translators (1965)
Translator Training (1966)
The Role of Translation and the Status of the Translator (1968)

The 1970s saw a move towards more specific topics. Terminology was front and center, without, however, eclipsing more general concerns about the profession, its status, and its role in the francization of Quebec business. Indeed, translators were deeply involved in the Quebec language debate and made important contributions as experienced specialists in written and oral communication. The number of international conferences also rose dramatically over that period. In 1977, Canada hosted the Eighth World Congress of the International Federation of Translators

(FIT). Following are a few topics typical of those discussed at conferences held during this period, all of which are listed in Section A of Part I, entitled "Chronologie 1534-1984."

Linguistics and Theories of Translation (1970)
Terminological Data (1972)
Translators and Specialists (1977)
Problems in Isolating Terms (1978)
Management Styles (1979)
Computer-Assisted Translation (1980)
Literary Translation (1981)
Practicums in Translation and Terminology (1981)
Legal Translation (1981)
Translation and Language Quality (1983)
Data Bases (1984)

Just as the proliferation of professional associations, publications on translation, and training programs reflects the vitality of translation and terminology over the past thirty years, so do the symposiums held during that period. By choosing varied and increasingly specific themes and by adding an international dimension to many of their meetings, Canadian translators and terminologists have strengthened their reputation as communication specialists and developed their image as professionals involved in their society.

* * *

Conclusion

The outline I have just drawn of the general situation of translation in Canada is, inevitably, incomplete. Many areas have been left unexplored, among them literary translation, machine translation, news translation, legal, technical, and multilingual translation, parliamentary interpretation, and film dubbing. Nevertheless, this brief overview may point towards new research topics and give some indication of the work yet to be done. Gaps must be filled and scattered pieces of information assembled in order to construct a complete, detailed history of translation in Canada,[1] which is in part also the history of the relations between Canada's major linguistic and cultural groups.

Much of the territory still lies uncharted. It is my hope that **Translation in Canada, 1534-1984** will give fresh impetus to research and scholarly work on translation in Canada, work that

---

1. See my article "Projet d'histoire de la traduction et de l'interprétation au Canada" in **Meta**, Vol. 22, No. 1, March 1977, pp. 66-71.

will draw attention to the place, role, and importance of translation in Quebec and throughout Canada.

Such work would enable Canadians to play their part in the compilation of a far-reaching international history of translation, as envisaged by the Fourth World Congress of the International Federation of Translators held in 1963 in Dubrovnik, Yugoslavia. This major undertaking was suggested by György Radó, who outlined its scope in two articles published in **Babel**[2] and again, more recently, in the Proceedings of the Tenth Congress of the FIT.[3]

I, too, hope that all who are interested in the history of translation in Canada will heed his call, and that this research tool will make their task easier.

---

2. "La traduction et son histoire," Vol. X, No. 1, 1964, pp. 15-16; "Approaching the History of Translation," Vol. XIII, No. 3, 1967, pp. 169-173.

3. **Le traducteur et sa place dans la société**, Proceedings of the Tenth Congress of the International Federation of Translators, edited by Hildegund Bühler, Vienna, Wilhelm Braumüller, 1985, pp. 305-307.

SIGLES

Les sigles ci-dessous ne figurent pas dans la deuxième partie où l'on trouve les codes analytiques des références bibliographiques (section A) ainsi que les codes de tous les périodiques dépouillés (section B).

ACB	Association canadienne des bibliothèques
ACLA	Association canadienne de linguistique appliquée
APC	Archives publiques du Canada
ATA	American Translators Association
BNQ	Bibliothèque nationale du Québec
BRH	Bulletin de recherche historique
CDA	Conseil des arts du Canada
CEA	Centre d'études acadiennes, Université de Moncton
CLO	Commissaire aux langues officielles
CRCCF	Centre de recherche en civilisation canadienne-française, Université d'Ottawa
CRU	Comité des relations avec les universités (STQ)
CSC	Commission du Service civil
DGTD	Direction générale de la terminologie et de la documentation, Bureau fédéral des traductions
FIT	Fédération internationale des traducteurs
ICIST	Institut canadien de l'information scientifique et technique, Ottawa
INFOTERM	Centre international d'information pour la terminologie
IPSPC	Institut professionnel du Service public du Canada
ISO	Organisation internationale de normalisation
NWT	Northwest Territories
OACI	Organisation de l'aviation civile internationale
PANS	Public Archives of Nova Scotia
QGDN	Quartier général de la Défense nationale
RLF	Régie de la langue française du Québec
SANB	Société des Acadiens du Nouveau-Brunswick
SPLEF	Société pour la propagation des langues étrangères en France
SRC	Société royale du Canada

PREMIÈRE PARTIE

Précis d'histoire de la traduction au Canada

An Outline of the History of Translation in Canada

P R É S E N T A T I O N

Le présent ouvrage comporte deux grands volets : un précis (première partie) et une bibliographie (deuxième et troisième parties).

Six sections d'inégale longueur composent le précis. Tout d'abord, une chronologie couvrant toute la période étudiée, soit de 1534 au 31 décembre 1984. On y trouve l'énumération des principaux faits et événements se rapportant à la traduction, à l'interprétation et à la terminologie au Canada, à savoir :

- la fondation d'associations professionnelles;
- la création d'organismes divers;
- l'organisation des professions;
- la reconnaissance professionnelle;
- la création des grands services de traduction;
- l'inauguration des services d'interprétation;
- la fondation des écoles de traduction;
- la création des programmes de formation de traducteurs;
- la première livraison des périodiques de traduction;
- les ouvrages originaux sur la traduction;
- la création de collections;
- les événements constituant un précédent dans le domaine;
- les grands projets en automatisation, terminologie, etc.;
- les colloques, congrès, tables rondes, ateliers, etc.;
- les lois sur la traduction;
- les lois à caractère linguistique;
- les prix de traduction, médailles et distinctions;
- les congrès de la FIT.

En établissant cette chronologie, nous avons voulu être le moins sélectif possible : nous avons donc retenu tout ce qui pouvait avoir une utilité pour l'étude de la traduction au pays. Ainsi, pour citer un exemple banal, lorsqu'une association professionnelle se dote d'un secrétariat permanent, cela est révélateur, à nos yeux, de l'importance acquise par cet organisme, de la qualité -- et peut-être même de la diversité -- des services offerts aux membres, dont le nombre s'est forcément accru, etc. Cette information revêt donc une signification pour l'historien.

Sauf rares exceptions, il n'est pas fait mention dans cette chronologie de la date de parution des traductions d'oeuvres littéraires traduites et publiées au Canada. Un tel inventaire existe déjà. On consultera avec profit le répertoire suivant :

STRATFORD, Philip. **Bibliography of Canadian Books in Translation: French to English and English to French / Bibliographie de livres canadiens traduits de l'anglais au français et du français à l'anglais.** Préparé pour le Comité de la traduction du Conseil canadien de recherches sur les humanités (CCRH). Ottawa, (1re édition, en collaboration avec Maureen Newman, 1975, 57 p.); 2e édition, 1977, 78 p. Préface, p. ix-xviii.

Cet inventaire, dont une troisième édition est en préparation, recense, outre les traductions d'oeuvres proprement littéraires, celles d'ouvrages appartenant aux domaines des arts et des sciences humaines et sociales. Il est une source de renseignements utiles sur l'évolution de la traduction littéraire au Canada, du moins en ce qui concerne la production livresque dans ce domaine.

Cinq autres sections complètent le premier volet du présent ouvrage. La section B fournit la liste de toutes les associations professionnelles et groupements de traducteurs, interprètes et terminologues, avec leurs buts tels qu'ils sont définis dans les chartes ou autres documents officiels. À ces renseignements s'ajoute la liste de tous les présidents ou présidentes qui se sont succédé à la tête de ces organismes. La section C est consacrée aux principaux dépôts d'archives, centres de recherche et secrétariats d'associations professionnelles où l'on peut trouver des documents de première main. La section D prend la forme d'un répertoire des écoles et principaux programmes de traduction. N'y figurent que les organismes membres de l'Association canadienne des écoles de traduction (ACET). Enfin, les deux dernières sections donnent la liste cumulative des lauréats du prix de traduction du Conseil des arts du Canada (section E) et du prix de traduction John Glassco décerné par l'Association des traducteurs littéraires (section F). Aux noms des lauréats s'ajoutent les titres des oeuvres primées.

INTRODUCTION

This book consists of a historical outline (Part I) and a bibliography (Parts II and III).

The outline comprises six sections of varying lengths. The first is a chronology spanning the entire period studied, from 1534 to December 31, 1984. In it are listed important facts and events related to translation, interpretation, and terminology in Canada, namely:

- the founding of professional associations;
- the creation of various organizations;
- the organization of the professions;
- professional recognition;
- the establishment of major translation services;
- the inauguration of interpretation services;
- the establishment of schools of translation;
- the establishment of translator training programs;
- the first issue of translation periodicals;
- the original works on translation;
- the establishment of collections of works on translation;
- precedent-setting events in the field;
- major projects in machine translation, terminology, and related areas;
- conferences, conventions, roundtables, workshops, and other such gatherings;
- laws on translation;
- language laws;
- prizes, medals, and other distinctions in translation;
- FIT congresses.

I have endeavored to make the chronology as comprehensive as possible: everything that could be of use to the student of translation in Canada was included. To give one small example: when a professional association sets up a permanent office, this is an indication of the importance which the organization has acquired, the quality--perhaps even the variety--of services offered to its members, whose ranks must presumably have grown, and other such factors. From the historian's point of view, therefore, it is a significant event.

With a few exceptions, the publication dates of Canadian translations of literary works published in Canada are not included because an inventory of literary translations already exists:

STRATFORD, Philip. **Bibliography of Canadian Books in Translation: French to English and English to French / Bibliographie de livres canadiens traduits de l'anglais au français et du français à l'anglais.** Prepared for the Committee on Translation of the Humanities Research Council of Canada (HRCC). Ottawa (1st edition, with Maureen Newman, 1975, 57 pp.). 2nd edition, 1977, 78 pp. + Foreword, pp. i-viii.

This bibliography lists both true literary works and works in the arts, humanities, and social sciences; a third edition is now in preparation. The bibliography is a valuable source of information on the development of Canadian literary translation, at least in book form.

There are five other sections in the outline. Section B contains a list of all professional associations and organizations of translators, interpreters, and terminologists, with the organizations' goals as set out in their charter or other official documents, and a list of their presidents up to 1984. Section C lists the main archives, research centers, and offices of professional associations where original documents can be found. Section D is a directory of schools of translation and major translation programs. Only organizations that are members of the Canadian Association of Schools of Translation (CAST) are included. The last two sections provide a complete list of winners of the Canada Council Translation Prize (Section E) and of the John Glassco Translation Prize awarded by the Association of Literary Translators (Section F). The titles of the winning works are also included.

A. CHRONOLOGIE, 1534 - 1984

1534

Jacques Cartier capture deux Iroquois de Stadaconé (Québec), Dom Agaya et Taignoagny, et les emmène en France où il leur fait apprendre les rudiments de la langue française. L'explorateur compte les utiliser comme interprètes lors d'un prochain voyage.

1535

Jacques Cartier revient au Canada avec ses deux interprètes indiens et obtient d'eux de nombreux renseignements utiles sur la Nouvelle-France.

1536-1541

Emmenés une deuxième fois en France par l'explorateur malouin, Dom Agaya et Taignoagny collaborent à la rédaction de deux lexiques français-iroquois : **Langage de la terre nouvellement descouverte nommée la Nouvelle-France** (50 mots) et **Ensuit le langaige des pays et royaumes de Hochelaga et Canada, aultrement dicte la Nouvelle-France** (165 mots).

1543

Dans sa ville natale de Saint-Malo, Jacques Cartier fait office d'interprète au procès d'un marin portugais pris en mer. Il termine d'ailleurs sa vie comme courtier-interprète.

1605

Après une première tentative désastreuse de colonisation dans l'île Sainte-Croix en 1604, Samuel de Champlain fonde Port-Royal, premier établissement permanent en Acadie et au Canada.

1606

Le premier "intellectuel" à séjourner dans la nouvelle colonie, Marc Lescarbot, n'est pas seulement avocat, écrivain et futur historien de l'Acadie, il est aussi traducteur.

1608

Samuel de Champlain fonde Québec.

1610

Champlain envoie Étienne Brûlé chez les Algonquins pour qu'il y apprenne la langue et serve d'interprète. Brûlé devient ainsi le premier interprète officiel au pays.

Champlain inaugure l'institution des interprètes-résidents qui vont vivre à l'indienne dans les tribus alliées aux Français. Ces premiers interprètes sont :

Étienne Brûlé - 1610
Nicolas de Vignau - 1611
Nicolas Marsolet - 1613
Jean Manet - 1617
Jean Nicolet - 1618
Olivier Letardif - 1621
Du Vernay - 1621
Jean Richer (Gros Jean) - 1621
Jean-Paul Godefroy - 1623
Jean Godefroy - 1626
Thomas Godefroy - 1626
Jacques Hertel - 1626
Un interprète grec - 1627
François Marguerie - 1627

1613-1614

Les Hollandais fondent New Amsterdam (New York) et Fort Nassau (Albany).

1629

Champlain se voit contraint de livrer Québec aux frères Kirke. Certains de ses interprètes, dont Étienne Brûlé et Nicolas Marsolet, préfèrent rester au pays; ils vont se réfugier chez les Indiens.

1633

Champlain revient en Nouvelle-France.

1635

Jean Nicolet assume les fonctions de commis et d'interprète de la Compagnie des Cent-Associés.

1642

François Marguerie succède à Jean Nicolet au poste d'interprète officiel.

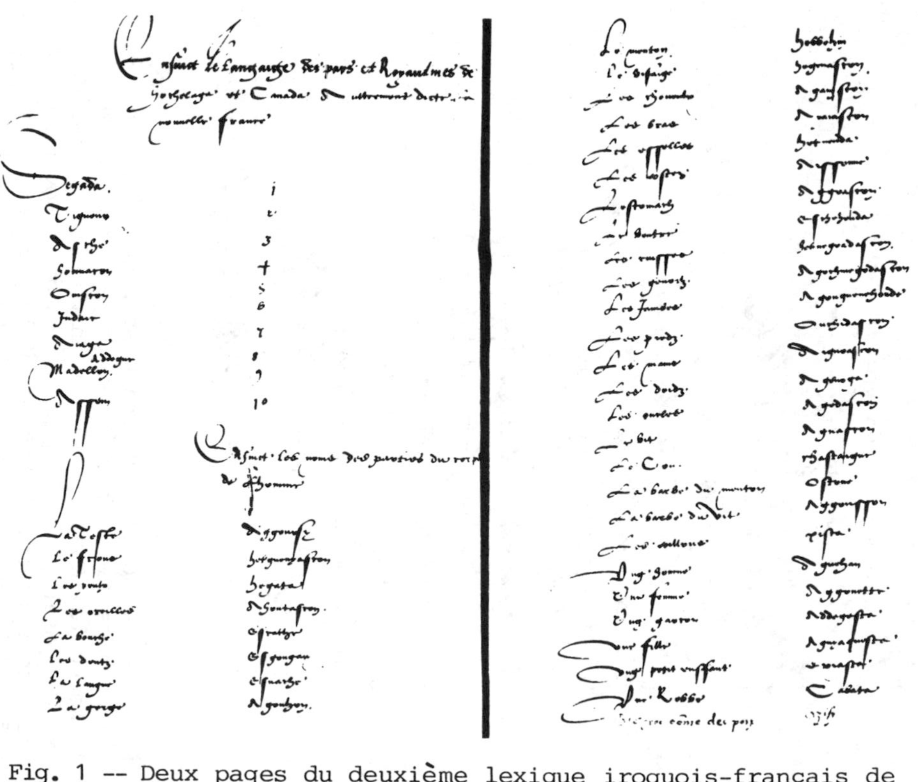

Fig. 1 -- Deux pages du deuxième lexique iroquois-français de Jacques Cartier. Les interprètes, Dom Agaya et Taignoagny, auraient collaboré à la rédaction de ce lexique de 165 mots. (APC, MG 55/3, n° 1, microfilm F-554)

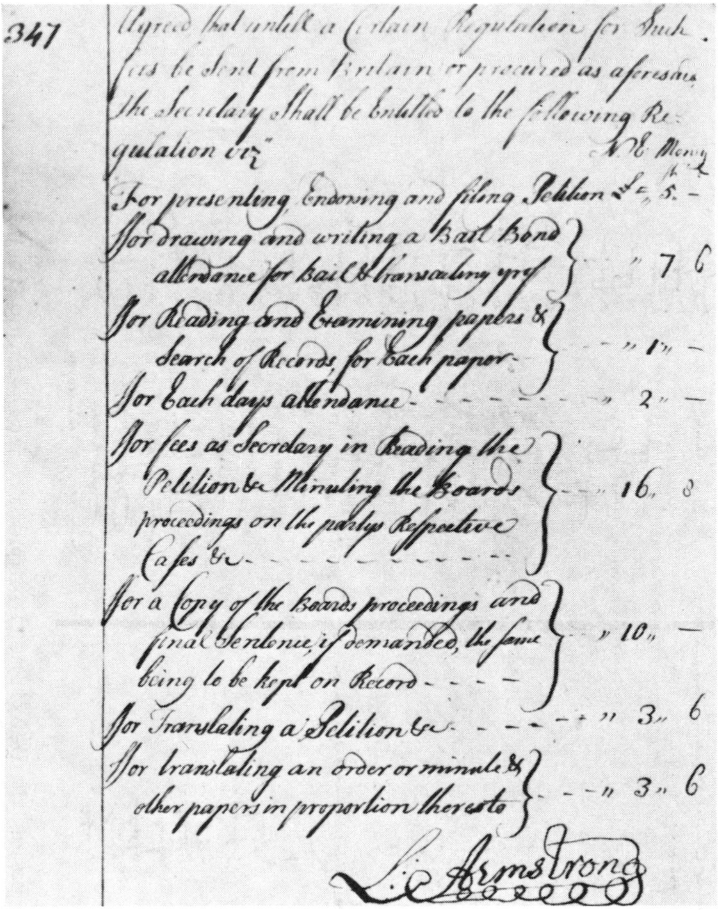

347 Agreed that untill a Certain Regulation for Such fees be Sent from Britain or procured as aforesaid The Secretary Shall be Entitled to the following Regulation viz.

	N.E. Money £ s d
For presenting Endorsing and filing Petition	£ " 5 -
For drawing and writing a Bail Bond attendance for Bail & translating ye[illegible]	" 7 6
For Reading and Examining papers & search of Records, for Each paper	" 1 " -
For Each days attendance	" 2 " -
For fees as Secretary in Reading the Petition & Minuting the Boards proceedings on the partys Respective Cases &c.	" 16 " 8
For a Copy of the Boards proceedings and final Sentence, if demanded, the same being to be kept on Record	" 10 " -
For Translating a Petition &c.	" 3 " 6
For translating an order or minute & other papers in proportion thereto	" 3 " 6

L. Armstrong

Fig. 2 -- Les deux derniers postes de l'échelle d'honoraires que le secrétaire de la "Province de la Nouvelle-Écosse", William Shirreff, fit voter par le Conseil de Sa Majesté à Annapolis Royal en 1733 constituent probablement le premier tarif officiel pour la traduction au Canada. (Photo : PANS, N-3935)

1646

Le gouverneur Montmagny nomme Charles Le Moyne interprète officiel.

Durant le Régime français, les interprètes judiciaires pour les langues indiennes sont :

Charles Le Moyne - 1646
Thomas Godefroy de Normanville - 1648
Gilles Trottier - 1655-1658
François Dumas - 1666
Jean Quenet - 1676
Pierre Couc dit LaFleur - 1677
René Cuillerier dit Léveillé - 1686
Jacques-Rock La Marque - 1686-1688
André David dit Lajeunesse - 1688
Jean Legras - 1677-1705
Charles de Launay - 1689
Cybar Courault, sieur de la Côte - 1702
Françoise Goupil - 1702
François Michauville - 1703
Louis Maray de la Chauvignerie - 1708-1719
Thomas Joncaire - 1708-1722
J.-B. Morisseau - 1720
J.-B. Réaume - 1725
Maurice Ménard - 1735
Pierre Gamelin Maugras - 1743
François Ménard - 1753

1663

Établissement du Conseil souverain.

Les principaux interprètes militaires du Régime français sont :

Paul Le Moyne de Maricourt (1663-1704)
Joseph Godefroy de Vieuxpont (1645-1716)
François Hertel (1642-1722)
Jean-Paul Legardeur (1661-1723)
Jacques Legardeur (1701-1755)
Jean-Amador Godefroy (1649-1730)
Nicolas Jérémie (1669-1732)

1670

Fondation de la Hudson Bay Company, qui emploie de nombreux interprètes pour les langues indiennes.

1682

Fondation, par les principaux marchands du Canada, de la Compagnie du Nord ou de la Baie du Nord.

1701

Callières négocie la Grande Paix de Montréal.

1706

Interprètes judiciaires pour l'anglais ou le hollandais :

Robert Poitiers du Buisson - 1706-1716
Joseph Poupart - 1714
Louis-Hector Piot de Langloiserie - 1754-1756
Louis Daveluy dit Larose - 1756-1758

1710

Le siège et la capitulation de Port-Royal -- rebaptisé Annapolis Royal par la suite -- entraînent une activité traduisante importante. Paul Mascarene, Peter Capon et le colonel Robert Reading agissent comme traducteurs et interprètes entre le général anglais Francis Nicholson et le dernier gouverneur français en Acadie, Daniel Auger de Subercase.

1710-1755

Première période de traduction officielle au Canada, allant de la conquête de Port-Royal jusqu'à la déportation des Acadiens. Pendant toute cette période, la "Province de la Nouvelle-Écosse ou Accadie" possède une population française et un gouvernement anglais. Le conseil de guerre et plus tard le conseil de Sa Majesté -- dont ne peuvent faire partie les catholiques -- délibèrent en anglais et font ensuite traduire les lettres et proclamations à l'intention de ses administrés acadiens.

1710-1720

Régime de type militaire en Acadie. Emploi systématique d'envoyés-interprètes, notamment Paul Mascarene et Peter Capon.

1713

Traité d'Utrecht : l'Angleterre obtient de la France l'Acadie, Terre-Neuve et la baie d'Hudson.

1720

Arrivée en Acadie du nouveau gouverneur Richard Philipps et organisation du gouvernement civil. Début d'une politique plus systématique de transcription des proclamations et lettres et de leur traduction dans les livres de la province.

1733

Premier tarif officiel de traduction. Les sessions de plus en

1733 (suite)

plus nombreuses du Conseil comme tribunal civil entraînant un surcroît de travail pour le secrétaire de la province, William Shirreff, celui-ci fait approuver une échelle d'honoraires où figure le tarif de la traduction de textes juridiques.

1740

Paul Mascarene (1685-1760), huguenot naturalisé anglais en 1706, est une figure dominante de la traduction à cette époque. Arrivé en Acadie dès 1710, il assume les fonctions de lieutenant-gouverneur de 1740 à 1749. Sous son administration, la traduction fait souvent place à la rédaction directement en français, avec, au besoin, traduction ultérieure en anglais pour les rapports envoyés à Londres.

1749

La fondation d'Halifax par le nouveau gouverneur Edward Cornwallis marque une nouvelle étape en Acadie. Le transfert du gouvernement d'Annapolis à Halifax et l'arrivée massive de colons britanniques, allemands et suisses entraînent un durcissement de la politique envers les Acadiens et le recul de la traduction gouvernementale systématique, remplacée désormais par des traductions ad hoc relevant des commandants militaires locaux. Le Suisse Isaac Deschamps (1721-1801) commence à se faire connaître comme traducteur et interprète.

1753

Début de l'interprétation et de la traduction à la Cour de Vice-Amirauté à Halifax. Interprètes et traducteurs : Joshua Mauger, James Brown (pour l'espagnol), John Slayter et surtout Isaac Deschamps.

1755

Début de la déportation des Acadiens, qui se poursuivra jusqu'en 1763. Isaac Deschamps traduit la proclamation de Grand-Pré, l'acte de déportation et les pétitions des Acadiens.

1756-1763

En Europe, guerre de Sept Ans. En Amérique, cette guerre est commencée depuis 1754. Les Américains l'appellent la French and Indian War, les Canadiens, la guerre de Conquête. L'armée de Montcalm subit la défaite sur les plaines d'Abraham en 1759. Cette armée compte une dizaine d'interprètes qui assurent les communications avec les Indiens faisant partie des troupes.

1756-1763 (suite)

Interprètes	Tribus
Saint-Germain	Népissingues
Chateauvieux	Abénaquis
Perthuis La Force	Iroquois
Saint-Martin	Hurons
Launière	Micmacs
Farly	Têtes de boule
Saint-Jean	Outaouais
Chesne	Sauteux / Mississaugas
Destailly	Potéouatamis
Réaume	Folles-Avoines / autres

1760

Le gouvernement de la Nouvelle-Écosse continue d'avoir recours aux interprètes et aux traducteurs pour les relations et les traités avec les Indiens. Comme ceux de 1726, 1744 et 1752, les traités de 1760 et 1761 comportent une traduction française, remise aux Indiens. Les pourparlers avec ceux-ci prennent d'ailleurs souvent la forme d'un échange trilingue où le français fait fonction de langue-relais. Interprètes : Prudent Robicheau (Annapolis), les Petitpas, père et fils, (Annapolis, Halifax), l'abbé Maillard (Louisbourg, où il forme des officiers-interprètes, et Halifax).

Capitulation de Montréal le 8 septembre. Établissement du régime militaire dans la colonie. Ce régime dure jusqu'en 1764. Officiers bilingues nommés secrétaires-traducteurs des gouverneurs : Hector Théophilus Cramahé (Québec); John des Bruyères et Conrad Gugy (Trois-Rivières); Gabriel Maturin (Montréal).

1763

Traité de Paris (10 février). Toute l'Amérique du Nord française passe à l'Angleterre, à l'exception des îles de Saint-Pierre-et-Miquelon.

Proclamation royale (7 octobre) créant la Province of Quebec qui devient l'une des colonies de la British North America.

1764

Établissement du gouvernement civil dans la province de Québec.

Introduction de l'imprimerie dans la colonie.

Première livraison (21 juin) de **La Gazette de Québec / The Quebec Gazette.** Premier journal bilingue en Amérique du Nord. Surtout rédigés en anglais, les articles sont traduits en français.

1764 (suite)

Décision de Londres de permettre aux Acadiens de s'établir de nouveau dans leur ancienne patrie à condition de prêter un serment d'allégeance inconditionnel et de se disperser en petits groupes. Le texte bilingue de la proclamation du gouverneur Wilmot est l'une des dernières manifestations d'un demi-siècle de traduction officielle en Acadie.

1768

François-Joseph Cugnet, né à Québec en 1720, est nommé traducteur officiel par le lieutenant-gouverneur de la province de Québec, Sir Guy Carleton, qui s'adjoindra aussi les services de l'avocat Pierre-Amable de Bonne de Misèle.

1774

L'Acte de Québec rétablit le droit civil français. Cette loi est considérée comme la première charte des droits et libertés au pays.

1777

De 1777 à 1786, un interprète officiel dessert toutes les cours provinciales.

1783

Fondation de la North West Company.

1784

Suite à l'arrivée de trente mille Loyalistes, le Nouveau-Brunswick est, à leur demande, érigé en province distincte. Accentuation du caractère britannique des provinces maritimes.

1786

Sir Guy Carleton revient à Québec comme gouverneur (octobre). Il porte désormais le titre de lord Dorchester.

1789

Jacques-François Cugnet, fils de François-Joseph Cugnet, succède à son père au poste de secrétaire et traducteur français.

1791

Acte constitutionnel. Le roi divise la Province de Québec en deux colonies : le Haut-Canada et le Bas-Canada.

1792

Premières élections. Les Canadiens s'initient aux institutions représentatives. Premiers débats à la Chambre.

1793

L'Assemblée législative du Haut-Canada adopte (3 juin) une résolution prévoyant la traduction française des lois. Cette résolution reste sans effet malgré la nomination d'un certain A. Macdonell comme traducteur français.

1804

La Compagnie du Nord-Ouest, rivale de l'Hudson Bay Company, compte soixante-huit interprètes dont cinquante-six francophones et douze anglophones.

Fondation à Londres (7 mars) de la British and Foreign Bible Society, vouée à la diffusion de la bible et à sa traduction dans le plus grand nombre de langues possible. Cette Société, de même que son pendant canadien, la Canadian Bible Society, fondée en 1904, publiera de nombreuses traductions des Saintes Écritures en langues indiennes et inuit.

La British and Foreign Bible Society publie, à l'intention des Mohawks du Canada, une traduction française de l'Évangile selon saint Jean, avec texte anglais en regard.

1813

Philippe-Joseph Aubert de Gaspé (père) succède à Xavier de Lanaudière au poste de traducteur et secrétaire français du Gouverneur et son conseil. Il occupe ce poste jusqu'au 9 mai 1816.

1839

Lord Durham soumet son rapport. Celui-ci propose de mettre les Canadiens français en minorité par l'union du Haut et du Bas-Canada et d'adopter une politique d'assimilation.

1840

Proclamation de l'Acte d'Union. La langue anglaise devient la seule langue officielle du Canada-Uni.

1841

Adoption d'un projet de loi présenté par Étienne Parent et prévoyant la traduction française de tous les textes législatifs du gouvernement de l'Union. La nouvelle Loi s'intitule : **Acte pour pourvoir à ce que les lois de cette Province soient traduites dans la Langue française, et pour d'autres objets y relatifs.**

1842

La **Gazette de Québec** n'est plus traduite en français. Elle l'aura été pendant soixante-dix-huit ans.

1844

Montréal devient la capitale du Canada-Uni.

1848

Baldwin et La Fontaine forment le premier gouvernement reposant intégralement sur le principe de la responsabilité ministérielle.

James Huston, assistant traducteur à l'Assemblée législative, publie une anthologie de la littérature canadienne, le **Répertoire national** et souhaite l'éclosion d'une "littérature nationale".

Modification apportée à l'Acte d'Union afin de rétablir l'usage du français dans les cours de justice et au Parlement. Reconnaissance du français comme langue officielle au même titre que l'anglais.

1849

La population anglaise de Montréal se soulève et incendie (25 avril) l'immeuble où siège l'Assemblée depuis que Montréal a été choisi capitale du Canada-Uni.

1850

De 1850 à 1866, l'Assemblée du Canada-Uni se réunit alternativement à Québec et à Toronto, ce qui oblige les traducteurs et les autres fonctionnaires à se déplacer eux aussi.

1852

Antoine Gérin-Lajoie est nommé traducteur à l'Assemblée législative. Il occupe ce poste jusqu'en 1856.

1854

Antoine Gérin-Lajoie soumet au président de la Chambre un "projet de réorganisation des bureaux de traduction de l'Assemblée législative". Il propose la création de trois bureaux : 1) lois, 2) documents, 3) votes et délibérations. Son projet est approuvé.

1857

La reine Victoria désigne Ottawa comme capitale du Canada-Uni. L'Assemblée ne ratifie ce choix que l'année suivante.

1859

Eugène-Philippe Dorion dirige le Bureau des traducteurs français de l'Assemblée législative du Canada-Uni. Il s'impose comme une figure importante de la traduction officielle jusqu'en 1870.

1864

Conférences de Charlottetown et de Québec. Les Résolutions de Québec prévoient l'institution d'un gouvernement central puissant et de gouvernements provinciaux ayant des responsabilités et des pouvoirs limités.

1867

L'Acte de l'Amérique du Nord britannique (AANB) unit le Haut-Canada (Ontario), le Bas-Canada (Québec), la Nouvelle-Écosse et le Nouveau-Brunswick pour former la fédération canadienne.

L'article 133 de l'AANB stipule que, dans les débats du Parlement du Canada et de l'Assemblée législative du Québec, l'usage de la langue française ou de la langue anglaise est facultatif, qu'il peut être fait usage de l'une ou de l'autre devant les tribunaux du Canada et du Québec.

En vertu de l'AANB, les lois du Parlement du Canada et de l'Assemblée législative du Québec doivent être imprimées en anglais et en français.

Le Règlement de la Chambre des communes stipule que les motions, une fois appuyées, doivent être lues en anglais et en français avant d'être débattues, et tous les projets de loi doivent être imprimés dans les deux langues avant de passer en deuxième lecture.

Publication du **Manuel des expressions vicieuses les plus fréquentes** par J. F. Gingras, traducteur à la Chambre des communes.

1869

Louis Riel et le Conseil conjoint dressent une liste des droits relatifs au gouvernement du Nord-Ouest. Sont revendiquées l'égalité de l'anglais et du français à l'Assemblée législative et devant les tribunaux et la publication dans les deux langues de tous les registres publics et lois de l'Assemblée législative.

Parmi les prix de fin d'année décernés au couvent de Miscouche (Î.-P.-É.) et au collège Saint-Joseph de Memramcook (N.-B.) figurent des prix de traduction.

1870

L'Acte du Manitoba créant la cinquième province canadienne pré-

1870 (suite)

voit, à l'article 23, l'usage facultatif du français ou de l'anglais dans les débats de l'Assemblée législative et devant les tribunaux, l'emploi obligatoire des deux langues dans les registres et journaux des deux Chambres ainsi que l'impression et la publication des lois dans les deux langues officielles.

Le Moniteur Acadien, premier journal de langue française dans les Maritimes, paraît de 1867 à 1926. Les journalistes de ce journal traduisent et publient en français les débats de l'Assemblée législative du Nouveau-Brunswick.

1873

Le Conseil des Territoires du Nord-Ouest adopte une résolution chargeant le Greffier du Conseil de faire établir et distribuer la version française et anglaise de la législation canadienne en matière criminelle.

1875

Le Parlement canadien commence à publier in extenso et dans les deux langues officielles les délibérations des deux chambres. La première année, la traduction des débats est confiée à l'entreprise privée.

1877

Une modification de l'Acte des Territoires du Nord-Ouest de 1875 stipule que l'usage de l'anglais et du français est facultatif dans les débats du Conseil et devant les tribunaux, mais obligatoire dans les registres, procès-verbaux et ordonnances du Conseil.

1882

Fondation de la Société royale du Canada.

1884

La Chambre des communes se dote d'un service officiel de traduction des débats. Ce service est placé sous la direction d'Achille Fréchette, qui occupe ce poste jusqu'en 1910.

1885-1903

Parution à Bathurst (N.-B.) du **Courrier des Maritimes** qui, tout comme **Le Moniteur Acadien**, se charge de la traduction française des débats de la province. Les deux journaux reçoivent une indemnité du gouvernement pour ce service.

1886

Adoption (9 septembre) de la Convention de Berne sur le droit d'auteur. Le Canada y adhère.

1888

Destitution (25 février) de trois traducteurs-journalistes libéraux (Rémi Tremblay, Ernest Tremblay, Eudore Poirier) pour leurs activités au cours de la campagne électorale de janvier-février 1887 qui avait reporté au pouvoir les conservateurs de John A. Macdonald.

L'Évangéline, journal français, fondé en 1887 en Nouvelle-Écosse, assume la traduction française des délibérations du Conseil législatif et de l'Assemblée législative de cette province. Ayant d'abord reçu des indemnités de 50 $ à 200 $ par session entre 1888 et 1901, le journal continue ce travail sans rétribution jusqu'en 1904.

1890

L'Assemblée législative du Manitoba adopte l'Official Language Act qui fait de l'anglais la seule langue de ses registres et journaux, des délibérations, des tribunaux et des lois. Le français n'est plus reconnu comme langue officielle.

1892

L'Assemblée législative des Territoires du Nord-Ouest cesse de publier ses ordonnances en français et adopte l'anglais comme seule langue d'enseignement.

1902

Modification de la politique de recrutement des traducteurs fédéraux. Sir Wilfrid Laurier déclare à la Chambre des communes : "Il y a quelques années la traduction laissait fort à désirer, mais le comité a créé toute une révolution en faisant les nominations par voie de concours. Le choix du comité ne se porte plus sur les amis politiques, mais sur le candidat le plus méritant."

Fondation de la Société du Parler français au Canada.

Première livraison (septembre) du **Bulletin du Parler français au Canada.** Il paraît jusqu'en 1918 et sera remplacé en 1918 par **Le Canada français.**

Joseph-Évariste Prince publie dans le **Bulletin du Parler français au Canada** la première étude terminologique, "Les chemins de fer". Divers auteurs publient une vingtaine d'études analogues dans ce même bulletin.

1904

Fondation de la Canadian Bible Society, organisme qui traduit la Bible en diverses langues.

1907

Les traducteurs fédéraux obtiennent la parité de salaire avec les sténographes du Parlement.

1908

Présentation à la Chambre des communes d'un projet de loi visant à changer le régime selon lequel les traducteurs ne travaillent que pendant la session.

1910

Achille Fréchette se rend en Belgique et en Suisse étudier l'organisation des services de traduction des débats et des lois de ces pays. Il y est envoyé par la Commission de la régie intérieure de la Chambre des communes.

Au Québec, le gouvernement de Lomer Gouin adopte une loi obligeant les entreprises de services publics à respecter le bilinguisme dans leurs relations avec la clientèle.

Fondation du journal **Le Devoir**.

1912

Premier Congrès de la langue française (Québec, 24-30 juin) organisé par la Société du Parler français au Canada et tenu sous le patronage de l'Université Laval. Ce congrès a pour objet "l'examen des questions que soulèvent la défense, la culture et le développement de la langue et de la littérature française au Canada". Les actes de ce congrès sont publiés en 1913.

L'Ontario applique le Règlement XVII qui fait de l'anglais la seule langue d'enseignement des écoles publiques.

1913

Création du Service de traduction des Livres Bleus à la Chambre des communes par le vice-président de cette chambre, Pierre Blondin.

1919

Fondation à Ottawa, par Moïse Lavoie, du Cercle des Traducteurs des Livres Bleus (CTLB). Ce cercle est le tout premier regroupement de traducteurs au pays.

1920

Fondation (10 novembre) de l'Association technologique de langue française d'Ottawa (ATLFO), qui succède au Cercle des Traducteurs des Livres Bleus (CTLB). Fondateur : Louis d'Ornano.

Création de l'Institut professionnel du service public du Canada (IPSPC).

1921

L'Association technologique de langue française d'Ottawa (ATLFO) reçoit ses lettres patentes du gouvernement de l'Ontario le 2 mars.

Adoption par le Parlement canadien de la Loi sur le droit d'auteur. Celle-ci n'entre en vigueur qu'en 1924.

1922

Inauguration de la première station de radio francophone à Montréal (CKAC).

1924

La centralisation des services fédéraux de traduction est dans l'air. L'éditorialiste du quotidien **Le Droit**, Charles Gautier, publie un article le 8 février pour s'y opposer.

Fondation de l'Association canadienne-française pour l'avancement des sciences (ACFAS).

Entrée en vigueur de la Loi canadienne sur le droit d'auteur, adoptée en 1921. Les droits des traducteurs n'y sont pas mentionnés explicitement.

1927

Début des timbres bilingues. Le mot "poste" apparaît pour la première fois sur les timbres du soixantième anniversaire de la Confédération canadienne.

1928

Sur recommandation du Secrétaire d'État, Fernand Rinfret, l'Institut professionnel du Service civil (IPSC) intègre dans ses rangs le groupe des traducteurs fédéraux alors formé d'une vingtaine d'adhérents. L'Institut avait toujours refusé de reconnaître les traducteurs comme des professionnels et avait opposé une fin de non-recevoir à leurs demandes répétées d'affiliation.

Le Canada signe (2 juin) la Convention de Rome sur la protection des oeuvres littéraires et artistiques.

1929

Affiliation de l'Association technologique de langue française d'Ottawa (ATLFO) à la Société royale du Canada, grâce aux bons offices du greffier de la Chambre des communes, Arthur Beauchesne.

1931

Pierre Daviault, traducteur aux Débats, publie **L'Expression juste en traduction.**

1932

Création par le gouvernement fédéral de la Commission Canadienne de la Radiodiffusion, qui deviendra la Société Radio-Canada. Au Québec, les émissions sont bilingues au début.

1933

Pierre Daviault publie **Questions de langage.**

1934

Le Secrétaire d'État, Charles Hazlitt Cahan, dépose (29 janvier) à la Chambre des communes un projet de loi (n° 4) prévoyant la création d'un bureau central de traduction devant desservir toute l'administration fédérale.

Pétition (février) contre le projet de loi n° 4 du ministre Cahan. Tous les députés francophones du Québec siégeant à la Chambre des communes se regroupent sous une même bannière et manifestent leur opposition au projet de centralisation des services de traduction au sein de l'administration fédérale.

Le projet de loi n° 4 créant le Bureau fédéral des traductions reçoit la sanction royale (28 juin). Le personnel du nouveau service compte 74 personnes.

Assermentation (2 octobre) du premier surintendant du Bureau fédéral des traductions, Domitien Thomas Robichaud.

1936

Premier cours de traduction professionnelle donné au Canada. Créé à la suggestion de Pierre Daviault, réviseur aux Débats, ce cours est offert par la Faculté des arts de l'Université d'Ottawa.

Léon Lorrain, journaliste et professeur à l'École des Hautes études commerciales, publie **Les Étrangers dans la cité,** ouvrage correctif anglais-français dans la veine de ceux de Léon Gérin et de Pierre Daviault. Son introduction renferme un petit "traité" de la traduction.

1936 (suite)

Fondation de la Société des écrivains canadiens.

Début de la monnaie bilingue au pays.

Fondation de la Canadian Broadcasting Corporation / Radio-Canada.

1937

Deuxième Congrès de la langue française (Québec, 27 juin-1er juillet), organisé par la Société du Parler français au Canada. Thème : L'esprit français dans ses différentes manifestations. Le grammairien Jean-Marie Laurence propose la création d'un Office de la langue française au Canada. Les actes de ce congrès paraissent en 1938 en trois tomes sous le titre de **Mémoires.**

Léon Gérin, ancien chef de la traduction aux Débats, publie son **Vocabulaire pratique de l'anglais au français.**

1940

Fondation (février) de la Société des traducteurs de Montréal (STM). Fondateur : Joseph LaRivière.

Première livraison (août) de **Le Traducteur / The Translator,** bulletin de la Société des traducteurs de Montréal (STM). (Paraît jusqu'en juillet 1941)

Création à Montréal de cours de traduction à la demande de secrétaires bilingues et de chefs de service du gouvernement fédéral à la recherche de traducteurs professionnels. Organisés par Jeanne Grégoire, ces cours sont donnés par Georges Panneton.

1941

Devant le succès obtenu par ses cours de traduction inaugurés l'année précédente, Georges Panneton crée un bureau consultatif formé de spécialistes ou de techniciens.

À ce bureau consultatif vint s'ajouter un comité d'étude, de recherche et travaux, l'Agora, qui est actif de 1943 à 1946.

Pierre Daviault publie **Traduction...** (Refonte de **L'Expression juste en traduction** et **Questions de langage**)

Création du "Bureau des publications bilingues" relevant de la Direction de l'entraînement militaire du ministère de la Défense nationale.

1942

Fondation par Georges Panneton de l'Institut de traduction de

1942 (suite)

Montréal. Présidents : Georges Panneton (1942-1946); François Vézina (1947-1965).

Première réunion (13 octobre) de **Forum**, rencontre-discussion des membres de la Société des traducteurs de Montréal (STM).

Le "Bureau des publications bilingues" du ministère de la Défense nationale est rebaptisé "Bureau des traducteurs de l'armée".

1943

La Société des traducteurs de Montréal (STM) reçoit ses lettres patentes (27 mai) en vertu de la Loi des compagnies du Québec.

La Société des traducteurs de Montréal (STM) commence à donner des cours de traduction en collaboration avec l'Université McGill. Ces cours sont confiés à Jean Darbelnet.

1944

Affiliation (30 mars) de l'Institut de traduction à l'Université de Montréal.

Fondation de l'Académie canadienne-française par Victor Barbeau.

1945

L'Institut de traduction de Montréal offre un cours de traduction par correspondance (jusqu'en 1953).

Georges Panneton présente (octobre) à la Faculté des Lettres de l'Université de Montréal la première thèse sur la traduction dont le titre est **La transposition : principe de traduction, son rôle dans l'interprétation de la pensée, sa valeur de base technique.**

Le "Bureau des traducteurs de l'armée" du ministère de la Défense nationale se voit adjoindre des sections de traduction du russe, de l'allemand, de l'espagnol et du portugais. Il prend le nom de "Bureau des traducteurs militaires". Son personnel se compose alors de quarante-huit personnes dont quinze officiers.

Publication du **Dictionnaire militaire anglais-français et français-anglais.** Oeuvre collective des traducteurs du Bureau des traducteurs militaires; travaux dirigés par le colonel J.-H. Chaballe, chef du Bureau; réviseur en chef : le major Pierre Daviault.

1946

Fondation de l'Association des diplômés de l'Institut de traduction de l'Université de Montréal (ADITUM).

1946 (suite)

Première livraison (mars) de **ARGUS**, bulletin de la Société des traducteurs de Montréal (STM). (Paraît jusqu'en 1958)

Intégration au Bureau fédéral des traductions des traducteurs du ministère des Affaires extérieures.

Création du Service de traduction de la société Bell Canada.

L'Organisation des Nations Unies (ONU) adopte le système de l'interprétation simultanée.

1947

L'Institut de traduction obtient ses lettres patentes (18 octobre).

Signature (11 juin) d'une entente de coopération entre la Société du Parler français du Québec (SPFQ), l'Association technologique de langue française d'Ottawa (ATLFO) et la Société des traducteurs de Montréal (STM).

Le Comité des recherches de la Société des traducteurs de Montréal (STM) prépare le manuscrit d'un **Guide du traducteur.** Il s'agit d'un recueil de lettres commerciales bilingues qui reste inédit.

Fondation par Marcel Paré de Publicité Service, à Montréal. Premier grand cabinet de traduction.

L'Organisation de l'Aviation civile internationale (OACI) utilise l'interprétation consécutive lors de sa première assemblée préliminaire, à Montréal.

1948

L'Institut de traduction commence à décerner à ses diplômés les plus méritants la médaille de bronze de l'ambassade de France.

L'Institut de traduction procède à l'échange d'examens et de diplômes avec la Société pour la Propagation des langues étrangères en France (SPLEF).

Le Bureau fédéral des traductions crée un cours de perfectionnement à l'intention de son personnel. Ce cours prend la forme d'une série de conférences données par des traducteurs de métier.

1949

La Société des traducteurs de Montréal (STM) présente, en novembre, un Mémoire à la Commission royale d'enquête sur l'avancement des Arts, des Lettres et des Sciences.

1949 (suite)

La Section de linguistique de la Faculté des Lettres de l'Université de Montréal inaugure, à titre expérimental, un "cours d'interprétation au microphone". Ce cours, qui sera incorporé au programme de traduction de cette Section en 1951, marque les débuts de l'enseignement de l'interprétation au pays. Une initiative de Jean-Paul Vinay.

Création du cours "Stylistique et traduction littéraire" par l'Université de Montréal (Jean-Paul Vinay). Ce cours est offert l'été aux étudiants de langue anglaise désireux de parfaire leurs connaissances de la grammaire et de la stylistique françaises. Transformé en cours du jour en 1950-1951.

1950

Intégration des traducteurs du Sénat canadien au Bureau fédéral des traductions.

Le président de l'Institut de traduction, François Vézina, présente un mémoire à la Commission royale d'enquête sur l'avancement des Arts, des Lettres et des Sciences.

Journée d'étude (18 mars) organisée par la Société des traducteurs de Montréal (STM) à l'occasion de son dixième anniversaire. Thème : Doit-on s'efforcer de traduire une langue pour être compris de tout le monde ou s'efforcer de généraliser l'emploi d'une langue pure?

L'Institut de traduction s'associe, en mai, à l'Association technologique de langue française d'Ottawa (ATLFO). En octobre, il inaugure un cours spécial à l'intention des candidats-traducteurs aux concours du Service civil.

1951

Première livraison (mars) du **Bulletin** de l'Association technologique de langue française d'Ottawa (ATLFO). (Paraît jusqu'en 1957)

La Section de linguistique de l'Université de Montréal offre une Maîtrise ès arts, option traduction. Pour obtenir ce grade, il faut posséder le Baccalauréat ès arts et suivre pendant deux ans des cours de thème, de version, de linguistique et de culture générale. Le candidat doit en outre soumettre un mémoire d'environ cent pages. Fondateur : Jean-Paul Vinay.

Abolition du Bureau des traducteurs militaires du ministère de la Défense nationale et transfert de ses traducteurs au Bureau fédéral des traductions.

La Société du Bon Parler français de Montréal remet sa médaille-

1951 (suite)

souvenir à l'Association technologique de langue française d'Ottawa (ATLFO) à l'occasion de son trentième anniversaire de fondation.

L'agence Canadian Press crée, à Montréal, une section française, qui est, en pratique, un service de traduction de dépêches.

Rapport de la Commission Massey qui enquête depuis 1949 sur les Arts, les Lettres et les Sciences au Canada.

1952

Troisième Congrès de la langue française au Canada (Québec, 18-26 juin). Thèmes : Survivance française. Parler français. Pays de langue française. Éducation patriotique. Jeunesse et patriotisme. Refrancisation. Le compte rendu de ce congrès paraît en 1953, suivi, en 1955, des **Études sur le Parler français au Canada.**

Publication de **Traductions.** Mélanges offerts en mémoire de Georges Panneton, publiés sous la direction de Jean-Paul Vinay par l'Institut de traduction. Premier collectif sur la traduction.

Débuts de la télévision au Canada.

Le Canada signe à Genève (6 septembre) la Convention universelle sur le droit d'auteur, qui n'entre en vigueur qu'en 1955. Moins exigeante au début que la Convention de Berne (1886), elle fait l'objet, le 24 juillet 1971, à Paris, d'une révision qui augmente la protection minimale exigée de ses adhérents.

1953

Inauguration (19 janvier) du Centre de lexicologie de l'Association technologique de langue française d'Ottawa (ATLFO).

Le surintendant du Bureau fédéral des traductions, A.-H. Beaubien, se rend au siège des Nations Unies à New York afin de se renseigner sur l'organisation des services de traduction. Il rapporte de son voyage l'idée de créer un service central de terminologie et d'utiliser des machines à dicter pour traduire.

Création (décembre) du Service terminologique du Bureau fédéral des traductions. Le Bureau intègre à ses services le Centre de lexicologie de l'Association technologique de langue française d'Ottawa (ATLFO).

L'Institut de traduction cesse d'offrir son cours de traduction par correspondance.

La Chambre de Commerce des Jeunes du Canada se dote d'un système d'interprétation simultanée. Premier essai en Ontario.

1953 (suite)

Fondation à Paris de la Fédération internationale des traducteurs (FIT) sous le patronage de l'Unesco. Six associations nationales de traducteurs et d'interprètes signent l'acte de fondation : République fédérale d'Allemagne, Danemark, France, Italie, Norvège, Turquie.

Fondation de l'Association internationale des interprètes de conférence (AIIC).

1954

Premières livraisons des **Bulletins de terminologie** et des **Instructions terminologiques** du Bureau fédéral des traductions.

La Société des traducteurs de Montréal (STM) se dote d'un secrétariat permanent.

Premier Congrès mondial de la Fédération internationale des traducteurs (FIT) à Paris. (Voir l'appendice "Congrès mondiaux de la FIT et **Actes**"). Le surintendant du Bureau fédéral des traductions, A.-H. Beaubien, y est délégué comme observateur par le Secrétariat d'État et par l'Association technologique de langue française d'Ottawa (ATLFO). Il est élu à l'un des quatre postes de vice-président et est membre du Conseil d'administration.

L'Association technologique de langue française d'Ottawa (ATLFO) s'affilie à la Fédération internationale des traducteurs (FIT).

Création de la Commission royale d'enquête sur la révision de la Loi sur le droit d'auteur (Commission Isley).

1955

L'Association des Diplômés de l'Institut de traduction de l'Université de Montréal (ADITUM) devient l'Association canadienne des traducteurs diplômés (ACTD).

Première livraison (octobre) du **Journal des traducteurs**, publié par l'Association canadienne des traducteurs diplômés (ACTD). (Paraît sous le nom de **Meta** à partir de 1966)

Premier Congrès général des traducteurs canadiens (Montréal, 5 novembre). Publication d'un **Album-Souvenir**.

Journée d'étude (26 mars) du Quinzième anniversaire de la Société des traducteurs de Montréal (STM). Thème : Le rôle de la traduction dans la vie moderne.

Création (septembre) du Centre de recherche lexicographique de l'Université de Montréal.

1955 (suite)

Conférence nationale (octobre) de la Chambre de Commerce du Canada au Manitoba. La Chambre senior (sic) utilise pour la première fois un système d'interprétation (simultanée vers le français, consécutive vers l'anglais).

Pour la première fois depuis la création du Bureau fédéral des traductions (1934), un membre de son personnel est appelé à travailler de façon permanente en dehors du siège de l'Administration fédérale, à Ottawa. Ce traducteur est affecté au Collège militaire royal de Saint-Jean. Début de décentralisation du service fédéral de traduction.

Première livraison de **Babel**, revue internationale de traduction. Trimestriel publié par la Fédération internationale des traducteurs (FIT) avec le concours de l'Unesco.

1956

Fondation de la Société des traducteurs et interprètes du Canada (STIC), constituée en vertu de la Loi des compagnies du Canada (29 juin).

Deuxième Congrès mondial de la Fédération internationale des traducteurs (FIT) à Rome.

1957

L'Association technologique de langue française d'Ottawa (ATLFO) change de nom et devient (18 septembre) la Société des traducteurs et interprètes d'Ottawa (STIO).

Première livraison (janvier) du **Bulletin de linguistique** de l'Académie canadienne-fançaise. (Paraît jusqu'en 1962)

Fondation (17 avril) de la Corporation des traducteurs professionnels du Québec (CTPQ), en vertu de la Loi des syndicats professionnels. Surnommé la "Corpo", ce nouveau regroupement de traducteurs s'affilie à la Société des traducteurs et interprètes du Canada (STIC) la même année.

Fondation du Conseil des arts du Canada en vertu d'une loi du Parlement canadien.

1958

Publication de **Stylistique comparée du français et de l'anglais** de Jean-Paul Vinay et Jean Darbelnet.

Premier essai d'interprétation simultanée télédiffusée lors du Congrès du parti libéral à Ottawa. Interprètes : Andrée Francoeur, André D'Allemagne, Blake T. Hanna.

1958 (suite)

Le Parlement canadien adopte (11 août) une motion présentée par le premier ministre John Diefenbaker prévoyant l'établissement d'un système d'interprétation simultanée à la Chambre des communes. Le service est inauguré en janvier de l'année suivante.

Les sept premiers interprètes parlementaires sont Raymond Aupy, Ernest Plante, Raymond Robichaud, Maurice Roy, Anthony Martin, Margo Ouimet et Valérie Sylt. Le service de l'interprétation simultanée de la Chambre des communes est rattaché à la Division des débats.

Réunion à Ottawa (24 mars) des traducteurs pour les langues étrangères. Adoption d'une résolution visant la création d'une société de traducteurs multilingues. Cette société ne voit jamais le jour.

Pour remédier à la pénurie de traducteurs, la Société des traducteurs et interprètes du Canada (STIC) propose la création d'un collège de traducteurs. Cette proposition n'a pas de suite immédiate.

Fondation à Montréal du Publicité-Club, organisme regroupant les publicitaires de langue française. Cette société sans but lucratif se consacre à l'appui, à l'avancement, au rayonnement de la profession de publicitaire. Président : Jacques Bouchard. Responsable du sous-comité de la terminologie : Gabriel Langlais.

Fondation, à Montréal, de l'Association des interprètes et des traducteurs judiciaires (AITJ). Initiative personnelle de Henri Keleny, propriétaire d'un cabinet de traduction.

Création du Service de linguistique des Chemins de fer nationaux du Canada.

1959

Inauguration (16 janvier) du service d'interprétation simultanée à la Chambre des communes d'Ottawa.

La Société des traducteurs et interprètes d'Ottawa (STIO) se rebaptise (10 décembre) Association des traducteurs et interprètes d'Ottawa (ATIO) afin d'éviter la confusion avec la Société des traducteurs et interprètes du Canada (STIC).

Fondation de la Société des diplômés de l'Institut de traduction (SDIT) qui succède à l'Association canadienne des traducteurs diplômés (ACTD). Lettres patentes délivrées le 22 juillet et enregistrées le 11 août.

L'Institut de traduction offre un cours de perfectionnement aux traducteurs.

1959 (suite)

Fondation de l'American Translators Association (ATA) "as a national professional society to advance the standards of translation and to promote the intellectual and material interests of translators and interpreters in the United States." À la fin de 1984, l'ATA comptait 2 158 membres.

Troisième Congrès mondial de la Fédération internationale des traducteurs (FIT) à Bad Godesberg. Adoption des Statuts.

1960

Création du Bureau de traduction du gouvernement de l'Ontario. À l'origine, ce Bureau est essentiellement un service de traduction multilingue. Trois employés y traduisent en anglais certains documents dont les immigrants ont besoin pour obtenir du travail ou suivre des études. Par la suite, le service se met à traduire des brochures d'information, des communiqués pour la presse ethnique et d'autres documents intéressant les nouveaux Ontariens.

Création (mars) du Comité de linguistique de Radio-Canada par Philippe Desjardins, chef de la traduction au siège social de la Société.

Première livraison (novembre) de **C'est-à-dire**, bulletin du Comité de linguistique de Radio-Canada.

Hector Carbonneau, traducteur au Bureau fédéral des traductions, publie son fichier personnel sous le titre **Vocabulaire général** (Glossaire anglais-français), 2 700 pages de format 8 1/2 x 11.

Colloque (8 mai) du Vingtième anniversaire de la Société des traducteurs de Montréal (STM). Thème : L'interprétation à la Chambre des communes et la traduction dans la vie moderne.

Adoption, sous le gouvernement de John Diefenbaker, de la **Déclaration canadienne des droits** qui garantit notamment à toute personne le "droit à l'assistance d'un interprète dans les procédures où elle est mise en cause ou est partie ou témoin, devant une cour, une commission, un office, un conseil ou autre tribunal..."

1961

Création (mars) de l'Office de la langue française du Québec par la Loi créant le ministère des Affaires culturelles. L'Office se voit confier le mandat très général de "voir à l'enrichissement du français parlé et écrit au Québec". Son mandat sera redéfini et précisé en 1969, 1974 et 1977.

Pierre Daviault publie **Langage et traduction**, refonte de ses ouvrages lexicographiques antérieurs.

1961 (suite)

Journée d'étude (Montréal, 13 mai) des traducteurs de la Société des traducteurs et interprètes du Canada (STIC). Thème : Historique et buts de la société, exigences de la profession.

Inauguration (septembre) du service d'interprétation simultanée au Sénat canadien.

Publication par Léa Pétrin d'un essai humoristique sur les traducteurs : **Tuez le traducteur.**

Création du ministère des Affaires culturelles du Québec.

Création du Bureau de normalisation du Québec.

Inauguration du Centre Berlitz de Montréal, le premier du genre au Canada.

Rapport Heeney sur l'administration du personnel dans la Fonction publique. La Commission du Service civil se déclare favorable au principe du droit de tous les Canadiens d'être servis en anglais et en français par le gouvernement fédéral et de la nécessité, pour la Fonction publique, d'être le reflet fidèle des cultures canadiennes.

1962

L'Association des traducteurs et interprètes d'Ottawa (ATIO) devient l'Association des traducteurs et interprètes de l'Ontario (ATIO) par lettres patentes supplémentaires (10 septembre).

Création d'un service de traduction au quartier général de secteur à Québec, ministère de la Défense nationale.

Journée d'étude (Montréal, 8 septembre) organisée à l'Université de Montréal en vue de préparer le deuxième colloque des traducteurs et interprètes du Canada. Thème : Formation du traducteur et de l'interprète; l'insertion des nouveaux traducteurs dans le marché du travail; faire valoir la compétence des diplômés.

Soirée d'étude (22 octobre) de la Société des diplômés de l'Institut de traduction (SDIT). Thème : Thémis et le traducteur.

Journée d'étude (juin) de l'Association des traducteurs et interprètes de l'Ontario (ATIO). On y propose de fonder un collège de traducteurs qui décernerait un certificat de compétence.

Première livraison (octobre) de **Mieux dire**, bulletin de l'Office de la langue française. (Paraît jusqu'en 1969)

Première livraison (juin) du **Bulletin de l'ATIO** (Association des traducteurs et interprètes de l'Ontario). (Paraît jusqu'en 1966)

1962 (suite)

Traducteur, lexicographe et homme de lettres, Pierre Daviault est décoré de la médaille de l'Académie canadienne-française.

Le gouvernement fédéral commence à émettre des chèques bilingues.

Rapport de la Commission royale d'enquête sur l'organisation du gouvernement du Canada (Rapport Glassco). Reprend les principes linguistiques énoncés dans le rapport Heeney.

Création (Genève, 3 juin) de l'Association internationale des traducteurs de conférences (AITC), qui groupe les réviseurs, traducteurs, éditeurs et rédacteurs de procès-verbaux indépendants, travaillant à titre temporaire pour des organisations internationales, gouvernementales et non gouvernementales.

1963

Deuxième Congrès (Montréal, 26-27 avril) de la Société des traducteurs et interprètes du Canada (STIC). Thème : États généraux de la traduction. Quatre commissions sont formées : Organisation de la profession. Formation des traducteurs. Charte du traducteur. La profession d'interprète. On y recommande que les traducteurs s'organisent et se fassent reconnaître par une loi de leur province respective. Début du processus de la reconnaissance professionnelle.

Création des cours de traduction à l'Université Laval par Jean Darbelnet.

Création de l'École des stagiaires au Bureau fédéral des traductions afin de remédier à la pénurie de traducteurs.

Première livraison (février) de **Entre Nous**, bulletin de la Société des diplômés de l'Institut de traduction (SDIT). (Paraît jusqu'en 1966)

Parution de la traduction de **Two Solitudes** (1945) de Hugh MacLennan, par Louise Gareau des Bois sous le titre **Les Deux Solitudes.**

La direction du Service des communications du ministère de la Défense nationale se dote d'équipement pour l'interprétation de conférence. Cet équipement est utilisé également par tous les autres ministères.

Création (19 juillet) de la Commission royale d'enquête sur le bilinguisme et le biculturalisme (Commission Laurendeau-Dunton).

Quatrième Congrès mondial de la Fédération internationale des traducteurs (FIT) à Dubrovnik. Adoption de la Charte internationale du traducteur.

By His EXCELLENCY

Peregrine Thomas Hopfon, Efq;

Captain General and Governour in Chief, in and over His Majefty's Province of *Nova-Scotia*, or *Accadie*, Vice Admiral of the fame, and Colonel of one of His Majefty's Regiments of Foot, *&c.*

A PROCLAMATION.

WHEREAS the Treaty or Articles of Peace and Friendfhip hath been renewed on the 22d Inftant, between this Government and Major Jean Baptifte Cope, *chief Sachem of the* Chibenaccadie *Tribe of* Mickmack *Indians, inhabiting the Eaftern Coaft of this Province, and the Delegates of the faid Tribe fully empowered for that Purpofe.*

AND whereas it is provided by the faid Treaty, that all the Tranfactions of the late War fhould on both Sides be buried in Oblivion with the Hatchet, and that the faid Indians fhould have all Favour, Friendfhip, and Protection fhewn them from this His Majefty's Government, and alfo all the Benefits, Advantages and Priviledges in His Majefty's Courts of Civil Judicature, equal with all other of His Majefty's Subjects.

I HAVE therefore thought fit, by and with the Advice and Confent of His Majefty's Council, in His Majefty's Name, to publifh and make known the fame to all His Majefty's Subjects, and ftrictly to charge and command all His Majefty's Officers, and all others His Subjects whatfoever, that they do forbear all Acts of Hoftility againft the aforefaid Major *Jean Baptifte Cope*, or his Tribe of *Chibenaccadie Mickmack* Indians, from and after the Day of the Date of thefe Prefents, as they fhall anfwer the Contrary at their Peril.

Done in the Council Chamber at Halifax, *this* Twenty-fourth *Day of* November, 1752, *and in the* Twenty-fixth *Year of his Majefty's Reign.*

De Par Son EXCELLENCE

Peregrine Thomas Hopfon, Ecuyer,

Capitaine Général et Gouverneur en Chef, pour le Roy, de la Province de la *Nouvelle-Ecoffe* ou *Accadie*, Vice Amiral de la dite Province, et Colonel d'un Regiment d'Infanterie, *&c.*

PUBLICATION.

D'AUTANT que le Traité, ou les Articles de la Paix, et de l'Amitié, ont été renouvellés le 22me du prefent Mois, entre ce Gouvernement, et le Major Jean Baptifte Cope, *chef Sachem de la Tribu de* Chibenaccadie, *des Sauvages* Mickmacks, *habitans les Cotes de l'Eft de cette Province, et les Envoyés ou Deputés de la dite Tribu, ayant un plein pouvoir pour ce Sujet.*

ET Comme on eft Convenu, par le dit Traité, que tout ce qui s'eft paffé de part et d'autre, durant la derniere Guerre doit être entierement mis en oubli, que la Hache doit être enterrée; et que ce prefent Gouvernement de fa Majefté doit affurer et demontrer aux dits Sauvages toute forte d'Amitié, de [illegible] *Pr*[illegible]*; Comme auffi les faire Jouir, dans les Courts Civiles de Judicature, de tous les Benefices, Privileges et Advantages, dont peuvent Jouir les autres Sujets de fa Majefté.*

C'EST pourquoi, de l'Avis et Confentement du Confeil de fa Majefté et au Nom de fa dite Majefté, je publie et fais fçavoir ce que deffus à tous les Sujets de fa Majefté, afin que Perfonne n'en pretende Caufe d'Ignorance, et de plus, Je charge, et Je defends abfolument et tres etroitement à tous les Officiers de fa Majefté et à tous autres fes Sujets de quelque Qualité et Condition, quils foient, de commettre aucun Acte d'Hoftilité contre le dit Major *Jean Baptifte Cope*, ou ceux de fa Tribu de *Chibenaccadie* des Sauvages *Mickmacks* du jour de la datte de ces prefentes, Ceux qui agiront au contraire, en refponderont à leurs rifque et Peril.

Fait et paffé dans la Chambre du Confeil à Halifax, *le* 24me *de* Novembre 1752, *et la* 26me *Année du Regne de fa Majefté.*

P. T. Hopfon.

God fave the KING.

HALIFAX: Printed by *J. Bufhell*, Printer to the Government. 1752.

Fig. 3 -- Fac-similé d'une proclamation bilingue sous le régime anglais en Acadie. Renouvellement des "Articles de la Paix et de l'Amitié" avec une des tribus micmaques alliées aux Français d'Acadie et de Louisbourg. (Photo : PANS, N-3937)

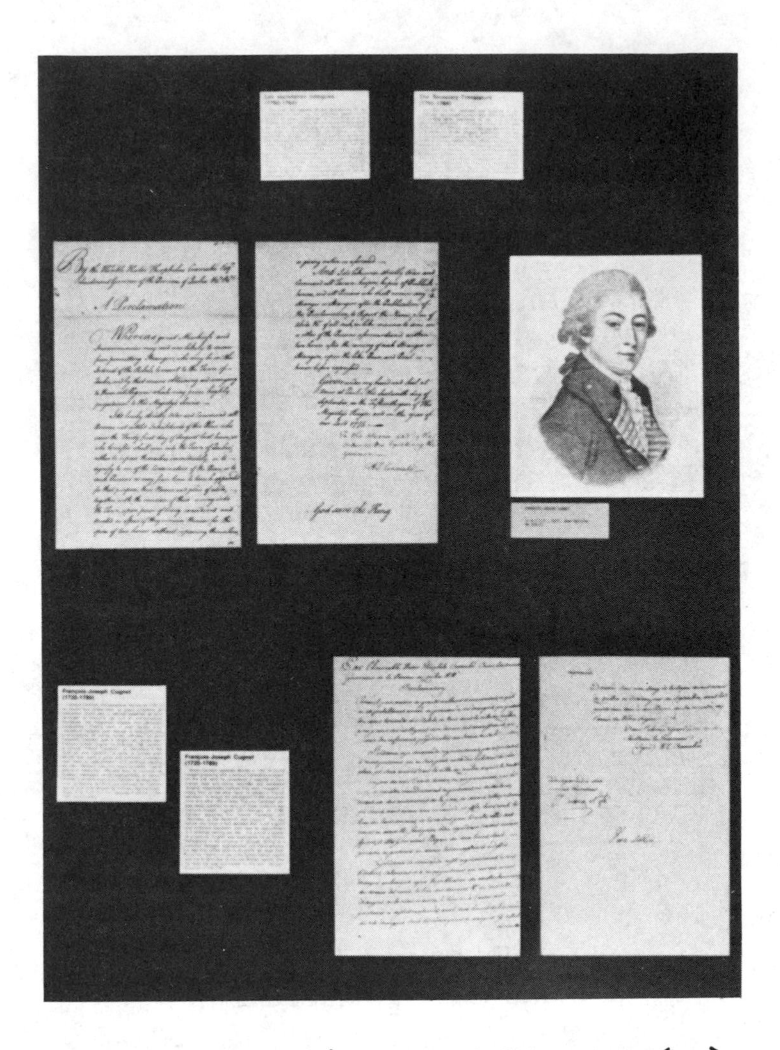

Fig. 4 -- Tableau d'une exposition consacrée à l'histoire de la traduction au Canada présentée à l'Université d'Ottawa en 1981. On peut y voir François-Joseph Cugnet (1720-1789), nommé en 1768 par le lieutenant-gouverneur Guy Carleton, "traducteur et secrétaire français". (Photo : CRCCF, Ph 129-25)

1964

L'Association des traducteurs et interprètes de l'Ontario (ATIO) s'affilie à la Société des traducteurs et interprètes du Canada (STIC).

Création du Service de traduction du gouvernement du Québec.

Création de la Division de Montréal du Bureau fédéral des traductions afin d'attirer des candidats qui, pour diverses raisons, ne se présentent pas aux concours destinés à combler des postes de traducteurs à Ottawa.

Le Service de terminologie du Bureau fédéral des traductions devient le Centre de linguistique et de terminologie. Ses services s'étendent désormais non seulement au personnel du Bureau, mais aussi à tous les fonctionnaires fédéraux et au grand public.

Création (1er mai) à Québec du Service d'édition des manuels de l'armée. Composé de sept personnes sous la direction du major J. Clavel, sa fonction consiste à traduire et éditer les manuels d'instruction militaire.

Création du Bureau des langues par la Commission du Service civil qui, pour la première fois, offre une formation linguistique aux fonctionnaires fédéraux.

1965

La Société des traducteurs de Montréal (STM) devient la Société des traducteurs du Québec (STQ). Lettres patentes supplémentaires délivrées le 15 juillet.

Le Cercle des traducteurs (CDT) remplace la Société des diplômés de l'Institut de traduction (SDIT) en vertu de lettres patentes supplémentaires délivrées le 4 juin.

Création d'un Comité inter-sociétés (STQ, CDT, CTPQ) chargé d'étudier la possibilité d'unifier les trois associations.

Intégration de l'Institut de traduction de Montréal à l'Extension de l'enseignement de l'Université de Montréal.

Création de la Section régionale de Québec de la Société des traducteurs du Québec (STQ). Fondateur : William G. Côté.

Parution du premier Cahier de l'Office de la langue française.

Fondation du Comité de terminologie française de l'Ordre des comptables agréés du Québec.

Dans les cours criminelles du district de Montréal, des interprètes professionnels assurent l'interprétation consécutive dans

1965 (suite)

les tribunaux lorsqu'un unilingue anglophone est appelé à témoigner devant un jury francophone, ou vice versa.

Premiers projets de recherche en traduction automatique au Canada. Le Conseil national de recherche subventionne le projet du Centre d'études pour le traitement automatique de données linguistiques (CETADOL, dirigé par Guy Rondeau) de l'Université de Montréal et le projet de Kathleen H. V. Booth de The University of Saskatchewan.

Après une étude approfondie des conditions de travail et de rémunération des traducteurs et interprètes, la Commission du Service civil recommande le remaniement des classes de traducteurs et d'interprètes du Bureau fédéral des traductions et le relèvement des échelles de traitement. Le Conseil du Trésor approuve en septembre les recommandations de la Commission.

L'Université Laval offre un cours du soir en traduction, réparti sur quatre ans.

La Faculté des Lettres de l'Université de Montréal remplace le titre de Maîtrise ès arts, option traduction, par celui de Maîtrise en traduction.

Colloque de Stanley House (New Richmond, Gaspésie, 16-20 août) sous l'égide de la Société des traducteurs et interprètes du Canada (STIC). Thèmes : Documentation, terminologie, formation, organisation de la profession, publications. On y propose notamment la création d'une "Banque de mots".

Colloque (Ottawa, 29 mai) tenu sous les auspices de l'Association des traducteurs et interprètes de l'Ontario (ATIO) et de la Société des traducteurs et interprètes du Canada (STIC). Thème : La motivation du traducteur.

Publication du **Dictionnaire technique général, anglais-français** de J.-G.-Gérald Belle-Isle.

Publication (1er février) du **Rapport préliminaire** de la Commission royale d'enquête sur le bilinguisme et le biculturalisme instituée en 1963. Une nouvelle entente entre les deux majorités fondatrices du pays doit être conclue.

1966

L'Association des traducteurs et interprètes de l'Ontario (ATIO) adopte ses premiers statuts au cours d'une assemblée générale.

Journée d'étude (Ottawa, 19 novembre) de la Société des traducteurs et interprètes du Canada (STIC). Thème : La formation du traducteur.

1966 (suite)

Création du Département de linguistique et de langues modernes de l'Université de Montréal. L'enseignement de la traduction y relève d'une Section de traduction.

Première livraison (janvier) de **Cercle des traducteurs,** bulletin du Cercle des traducteurs (CDT). (Paraît jusqu'en septembre)

Première livraison (mars) de **Meta,** publiée par le Département de linguistique de l'Université de Montréal.

Première livraison (août) de **Terminologie comptable** du Comité de terminologie française de l'Ordre des comptables agréés.

Colloque (27-29 octobre) de l'Office de la langue française. Thème : La normalisation et la diffusion des terminologies techniques et scientifiques.

Les pigistes de la Division des services multilingues du Bureau fédéral des traductions se réunissent une fois par année de 1966 à 1973. Lors de ces rencontres avec le surintendant du Bureau et des représentants des principaux ministères clients de la Division, on expose aux traducteurs les besoins et les attentes des ministères en matière de traduction multilingue.

Création du Centre de diffusion de la documentation scientifique française au Québec. Deviendra Informatech France-Québec en 1970.

Cinquième Congrès mondial de la Fédération internationale des traducteurs (FIT) à Lahti.

Création du Comité de l'histoire de la traduction par la Fédération internationale des traducteurs (FIT). Ce comité se voit confier la tâche de rédiger une histoire mondiale de la traduction. Président : György Radó.

1967

Les membres du Cercle des traducteurs (CDT) et ceux de la Corporation des traducteurs professionnels du Québec (CTPQ) décident (décembre) de renoncer à leur société respective pour adhérer en bloc à la Société des traducteurs du Québec.

Formation d'un comité de coordination de la Société des traducteurs du Québec (STQ) ayant pour mandat de préparer un projet de loi reconnaissant le statut professionnel du traducteur.

Création (15 août) du Bureau provincial de traduction du gouvernement du Nouveau-Brunswick, à Fredericton.

Création d'un service de traduction juridique au ministère de la Justice du Nouveau-Brunswick, à Fredericton.

1967 (suite)

La Société des traducteurs et interprètes du Canada (STIC) et l'Association des traducteurs et interprètes de l'Ontario (ATIO) décident (septembre) d'avoir chacune leur secrétariat au lieu de partager un secrétariat commun.

Formation du Groupe des traducteurs et interprètes (GTI) à l'Institut professionnel du Service public du Canada (IPSPC). Ses 231 membres négocient leur première convention collective. Ils sont exclus de la catégorie professionnelle et scientifique, car aucun diplôme universitaire n'est exigé d'eux pour exercer la profession au sein de la Fonction publique.

Première livraison (février) de **Translatio**, bulletin de l'Association des traducteurs et interprètes de l'Ontario (ATIO).

Colloque (Montréal, 15 avril) organisé par la Société des traducteurs du Québec (STQ). Thème : La formation, la recherche et l'expérience professionnelle du traducteur.

Colloque (Montréal, 22 avril) organisé par l'Association des diplômés de l'Université de Montréal (ADITUM). Thème : L'enseignement universitaire et le monde professionnel.

Colloque (Montréal, 20 mai) organisé par la Société des traducteurs et interprètes du Canada (STIC). Thème : La traduction automatique.

Colloque (Montréal, 10 novembre) organisé par la Section de traduction de l'Université de Montréal, la direction des cours de traduction de l'Université Laval et le Département de langue et littérature française de l'Université McGill. Thème : Situation de la traduction au Québec et organisation de la profession. On y recommande la fusion des associations et le dépôt d'un projet de loi reconnaissant le statut professionnel du traducteur.

Journée d'étude (Ottawa, 19 novembre) organisée par la Société des traducteurs et interprètes du Canada (STIC). Thème : La formation du traducteur.

Le Comité des décorations du Secrétariat d'État attribue cinq médailles du Centenaire à des membres éminents de la Société des traducteurs et interprètes du Canada (STIC). Le Conseil de la STIC propose les cinq noms suivants : Émile Boucher, Robert Dubuc, Marcel Paré, Markland Smith et Jean-Paul Vinay.

Adoption (avril) par le ministère de l'Agriculture du Québec d'un règlement imposant la présence du français dans l'étiquetage des produits alimentaires.

Premier volume du Rapport de la Commission royale d'enquête sur le bilinguisme et le biculturalisme instituée en 1963. Titre :

1967 (suite)

Les langues officielles. Les commissaires-enquêteurs recommandent que le français et l'anglais soient formellement déclarés langues officielles dans toutes les institutions soumises à l'autorité du gouvernement fédéral (Parlement, Fonction publique, tribunaux).

En déposant ce Rapport à la Chambre des communes (5 décembre), le premier ministre Pearson déclare que son gouvernement approuve sans réserve le principe de l'égalité linguistique et culturelle des "deux groupes cofondateurs du Canada".

1968

Regroupement (30 janvier) des membres du Cercle des traducteurs (CDT) et de ceux de la Corporation des traducteurs professionnels du Québec (CTPQ) au sein de la Société des traducteurs du Québec (STQ).

Le comité de coordination de la Société des traducteurs du Québec (STQ) soumet son projet de loi reconnaissant le statut professionnel du traducteur. Approuvé par le Conseil de la STQ, ce projet est ratifié par les membres réunis en assemblée extraordinaire le 5 octobre. On y demande l'exclusivité du titre de "traducteur agréé".

Le nouveau Département de linguistique et de langues modernes de l'Université d'Ottawa inaugure un programme de traduction conduisant à une Maîtrise en linguistique appliquée (option traduction). Responsable du programme : Louis G. Kelly.

Fondation de l'École des traducteurs et interprètes de l'Université Laurentienne. Fondateur-directeur : J. F. Hendry. L'École décerne un Baccalauréat spécialisé en science du langage (BSL).

Le Département de linguistique et de langues modernes de l'Université de Montréal crée une Licence en traduction (transformée, l'année suivante, en Baccalauréat en traduction). Programme de jour d'une durée de trois ans.

La coordination d'un projet de banque de terminologie est confiée, en octobre, à André Clas, du Département de linguistique et de langues modernes de l'Université de Montréal. Ce projet répond au voeu formulé au colloque de la Société des traducteurs et interprètes du Canada (STIC) à Stanley House (août 1965).

La Section de traduction du Département de linguistique et de langues modernes de l'Université de Montréal crée une Banque de terminologie, la première du genre au pays. Son inauguration a lieu en octobre 1970.

Le Bureau fédéral des traductions inaugure son programme de

1968 (suite)

bourses d'études universitaires en traduction. Nombres de bourses accordées annuellement et durée des contrats :

Bourses de 3 ans		Bourses de 2 ans		Bourses d'un an	
1968-1969	20	1974-1975	201	1976-1977	177
1969-1970	60	1975-1976	209	1977-1978	114
1970-1971	126			1978-1979	66
1971-1972	149			1979-1980	56
1972-1973	197			1980-1981	28
1973-1974	203			1981-1982	4
				1982-1983	1

Création d'un Certificat de traduction par le Service de l'éducation permanente de l'Université de Montréal. Responsable : Henri Charbonneau.

Adoption (3 octobre) du Règlement du Bureau des traductions (décret du Conseil privé -- C.P. 1968-1888). Ce Règlement oblige les ministères et organismes à désigner un haut fonctionnaire pour assurer la liaison avec le Bureau, il établit les priorités à donner aux documents à traduire et il crée un comité interministériel appelé à examiner les questions de priorité.

Pour accélérer la publication des délibérations des comités de la Chambre des communes, une équipe de traducteurs-réviseurs produit ses traductions d'après la transcription de l'interprétation simultanée.

Vaste campagne de recrutement organisée d'un océan à l'autre par la Division des langues étrangères du Bureau fédéral des traductions. Six cents spécialistes répondent à l'appel. Après leur avoir fait subir un test de compétence, la Division retient les noms d'environ trois cents spécialistes disposés à accepter des travaux de traduction.

Création (9 décembre), par le gouvernement du Québec, de la Commission provinciale d'enquête sur la situation de la langue française et sur les droits linguistiques au Québec (Commission Gendron).

Création d'une section "Langues étrangères" par le Service de traduction du gouvernement du Québec.

Le gouvernement de l'Ontario jette les premiers jalons de sa politique des services en français. Aux effectifs du Bureau provincial de traduction vient s'ajouter un groupe de traducteurs vers le français.

Le premier ministre du Nouveau-Brunswick, Louis J. Robichaud, dépose à l'Assemblée législative une **Déclaration sur l'égalité**

1968 (suite)

des possibilités linguistiques qui reconnaît le principe selon lequel les services gouvernementaux, les délibérations des tribunaux et les lois et règlements provinciaux doivent être mis à la disposition du public en anglais et en français.

Inauguration du service d'interprétation simultanée à l'Assemblée législative du Nouveau-Brunswick.

Création (juin) du Comité de terminologie de la Société des traducteurs du Québec (STQ). Le Comité se veut à la fois un organisme de recherche et un instrument de documentation au service des traducteurs.

Colloque (Montréal, 1er juin) organisé par la Société des traducteurs et interprètes du Canada (STIC). Thème : La traduction littéraire.

Colloque (24-26 octobre) organisé par l'Office de la langue française. Thème : Présence de la traduction dans le milieu et statut du traducteur.

Première livraison (janvier) de **L'Actualité terminologique**, bulletin du Bureau fédéral des traductions. À partir d'avril 1981, il portera aussi le nom de **Terminology Update**.

Première livraison (juillet) de **Dire et traduire**, bulletin mensuel du service de traduction de La Prudentielle d'Amérique, à Toronto. (Paraît jusqu'en 1970)

1969

Création d'un Comité intersociétés (STQ / ATIO) en vue d'opérer un rapprochement entre les sociétés soeurs.

Dépôt (10 avril) du projet de loi (114) de la Société des traducteurs du Québec (STQ) prévoyant l'exclusivité du titre de "traducteur agréé".

La Société des traducteurs du Québec (STQ) présente (août) un mémoire à la Commission d'enquête sur la situation de la langue française et sur les droits linguistiques au Québec (Commission Gendron). Témoignant devant la Commission (2 octobre), la STQ lui demande d'appuyer le principe de la reconnaissance professionnelle.

Création (septembre) d'une Licence en traduction par l'Université Laval dans le cadre de la Licence ès lettres.

Woodsworth College (Université de Toronto) offre un programme de traduction conduisant à un Diploma. Ce programme est mis sur pied par le professeur Clarence Parsons.

1969 (suite)

Premiers cours d'histoire de la traduction offerts au Canada (Université de Montréal).

Colloque (Montréal, 27-29 mars) organisé par l'Office de la langue française. Thème : La langue de la publicité.

Colloque d'orientation (Montréal, 27 septembre) organisé par la Société des traducteurs du Québec (STQ). Thème : La participation.

La Société des traducteurs et interprètes du Canada (STIC), avec le concours de la Société des éditeurs de manuels scolaires au Québec, organise à Stanley House (New Richmond, Gaspésie) une rencontre de personnes directement intéressées par l'édition de manuels scolaires.

Élargissement du mandat de l'Office de la langue française qui se voit confier le rôle d'implanter le français dans les entreprises québécoises.

Création (mars) d'un Centre de terminologie par l'Office de la langue française.

Le Centre de documentation de l'Université Laval collabore à la conception d'un programme de traitement électronique de l'information terminologique.

Début du projet JURIVOC à la Faculté de droit de l'Université d'Ottawa. Il s'agit d'un projet de recherche dans les domaines de la jurilinguistique, du bilinguisme et de la lexicographie automatisée devant conduire à l'établissement d'un vocabulaire juridique bilingue canadien.

La Section de traduction du Département de linguistique et de langues modernes de l'Université de Montréal devient membre de la Conférence internationale permanente des instituts et écoles universitaires pour la formation des traducteurs et interprètes (CIUTI).

Le Bureau fédéral des traductions crée un comité interministériel chargé d'établir les priorités en matière de traduction.

Création d'une Division de traduction à Québec par le Bureau fédéral des traductions.

Mise sur pied d'un cours de perfectionnement en technique de conférences et d'accompagnement par le Bureau fédéral des traductions.

Conformément aux dispositions de la Loi sur les langues officielles, la Division de l'interprétation du Bureau fédéral des traductions assure l'interprétation simultanée et l'interprétation consécutive à la Cour suprême et à la Cour de l'Échiquier.

Les services de traduction multilingues du Bureau fédéral des traductions se décentralisent. Trois sections sont créées : langues allemande et romanes, langues slaves, autres langues.

Élaboration par le Bureau fédéral des traductions de normes relatives à l'aménagement des salles d'interprétation simultanée.

Formation au Bureau fédéral des traductions d'un groupe de travail dont le rôle est d'étudier les problèmes liés à la qualité des traductions et au recrutement des traducteurs.

Première livraison (décembre) de **L'Antenne**, bulletin de la Société des traducteurs du Québec (STQ).

Première livraison (automne) d'**Ellipse** (Oeuvres en traduction / Writers in translation) publiée par l'Université de Sherbrooke. **Ellipse** présente en traduction les oeuvres de poètes canadiens-français et canadiens-anglais.

Dans le troisième volume de son rapport, la Commission royale d'enquête sur le bilinguisme et le biculturalisme recommande que la Fonction publique soit bilingue sur le plan institutionnel, mais que les fonctionnaires puissent conserver la "liberté de travailler et de progresser professionnellement dans leur propre langue". Dans le quatrième volume, la Commission recommande que les gouvernements augmentent leur aide aux groupes culturels autres que britannique ou français.

Adoption par le Parlement canadien de la Loi sur les langues officielles qui confère à l'anglais et au français un statut, des droits et des privilèges égaux comme langues du Parlement et du gouvernement du Canada.

Création, en vertu de la Loi canadienne sur les langues officielles, du poste de Commissaire aux langues officielles. Keith Spicer (1969-1977); Max Yalden (1977-1984); D'Iberville Fortier (1984 -).

Adoption, par l'Assemblée législative du Nouveau-Brunswick, de la Loi sur les langues officielles. Celle-ci confère "un statut équivalent de droit et de privilège" à l'anglais et au français "pour toutes les fins relevant de la compétence de la législature du Nouveau-Brunswick".

Adoption, par l'Assemblée nationale du Québec, de la Loi pour promouvoir la langue française au Québec (Loi 63).

Modification du rôle de l'Office de la langue française par la

1969 (suite)

Loi pour promouvoir la langue française au Québec (Loi 63). L'Office doit notamment conseiller le gouvernement pour faire de la langue française la langue d'usage dans les entreprises publiques et privées au Québec.

Création d'un prix international en vue de récompenser les auteurs renommés dans le domaine de la traduction littéraire et des traductions spécialisées. Prix FIT - Nathhorst.

1970

Création du Conseil des traducteurs et interprètes du Canada (CTIC) qui remplace la Société des traducteurs et interprètes du Canada (STIC). Le CTIC est affilié à la Fédération internationale des traducteurs (FIT).

Fondation (novembre) de la Corporation des traducteurs et interprètes du Nouveau-Brunswick (CTINB).

Fondation de l'École de traduction de l'Université Laval.

Constitution, en juillet, à la suite d'une entente intervenue avec le Centre de documentation de l'Université Laval, du premier fichier semi-automatisé du Centre de terminologie de l'Office de la langue française.

Le Canada devient une Région de l'Association internationale des interprètes de conférence (AIIC) et peut désormais élire un membre du Conseil international. La Région prend le nom de AIIC-Canada.

Dépôt (12 février) à l'Assemblée législative de l'Ontario d'un projet de loi concernant la reconnaissance professionnelle des traducteurs de cette province. Le projet est retiré le lendemain à la suite du dépôt du rapport de la Commission McRuer qui propose de réduire les pouvoirs des corporations professionnelles régies en vertu d'une loi.

Dépôt (7 avril) de la cinquième version remaniée du projet de loi de la Société des traducteurs du Québec (STQ) en vue de la reconnaissance de l'exclusivité du titre de "traducteur agréé". À la suite d'un changement de gouvernement et de la publication (juillet) du rapport Castonguay, l'étude du projet de loi est reportée au printemps de 1971.

Le "Centre de diffusion de la documentation scientifique et technique française au Québec", créé en 1966, voit son nom changé en "Informatech France-Québec" (IFQ). Son objectif : diffuser de la documentation scientifique et technique en français au Québec surtout et en Amérique du Nord.

1970 (suite)

Inauguration (2 octobre) de la Banque de terminologie de l'Université de Montréal qui avait été créée en 1968. Directeur : Marcel Paré; terminologue en chef : Robert Dubuc.

Le Service de traduction du gouvernement du Québec relève désormais (1er janvier) de l'Assemblée nationale à la suite de l'abolition du Secrétariat de la Province.

Une vaste campagne de recrutement de traducteurs pigistes menée par le Bureau fédéral des traductions permet d'établir une liste d'environ deux cents traducteurs répondant aux normes du Bureau.

Le Bureau fédéral des traductions crée la Division des comités afin d'être en mesure de produire dans les deux langues officielles et dans un délai de trente-six heures les délibérations des comités parlementaires.

Création par le Bureau fédéral des traductions d'une section multilingue au ministère de la Défense nationale.

Colloque (Québec, 28 février - 1er mars) organisé par le Bureau régional de diffusion du français de l'Office de la langue française (OLF). Thème : La langue française. Une commission étudie les problèmes de la traduction au Québec.

Premier colloque international de linguistique et de traduction (Montréal, 30 septembre - 3 octobre) organisé par le Département de linguistique et de langues modernes de l'Université de Montréal. Thèmes : Linguistique et théories de la traduction. Traduction spécialisée. Ordinateur (banque de mots) et traducteur.

Colloque (Montréal, 28 novembre) organisé par la Société des traducteurs du Québec. Thème : Orientation 71.

La Société des traducteurs du Québec (STQ) publie la première édition de son répertoire.

À l'occasion de son cinquantenaire, l'Association des traducteurs et interprètes de l'Ontario (ATIO) publie son premier répertoire.

Fondation du Conseil des étudiants de l'École de traducteurs / School of Translators' Student Council de l'Université Laurentienne (Sudbury).

Le ministre canadien de la Consommation et des Corporations fait connaître la position du gouvernement en matière d'étiquetage. À l'exception de certains produits locaux et spécialisés, l'étiquetage bilingue de tous les biens de consommation, tant canadiens qu'étrangers, est obligatoire.

Le gouvernement du Québec émet une directive (20 novembre) con-

1970 (suite)

cernant la langue des communications en vue "d'uniformiser l'usage des deux langues officielles par les ministères et organismes du gouvernement dans leurs relations avec l'extérieur".

Sixième Congrès mondial de la Fédération internationale des traducteurs (FIT) à Stuttgart. Reconnaissance de la FIT comme organisme non gouvernemental de l'Unesco.

1971

Fondation de l'École de traducteurs et d'interprètes de l'Université d'Ottawa qui a le statut de département autonome au sein de la Faculté des arts. Fondateur-directeur : Émile Boucher.

L'Assemblée universitaire de l'Université de Montréal approuve la création d'une École de traduction ayant le statut de département autonome. En pratique, cette décision reste sans effet.

La Société des traducteurs du Québec (STQ) suspend ses démarches en vue de la reconnaissance professionnelle; elle attend l'adoption de la loi-cadre qui doit régir les corporations professionnelles.

Le projet CETADOL devient le projet TAUM (Traduction automatique à l'Université de Montréal).

Le Service de traduction du gouvernement du Québec ne relève plus de l'Assemblée nationale, mais du ministère des Communications.

Le Centre de terminologie du Bureau fédéral des traductions devient la Division de la recherche terminologique et linguistique.

Pour répondre aux nouvelles normes de classification établies par le Conseil du Trésor, le Bureau fédéral des traductions entreprend (1er avril) une réorganisation de ses structures. Il se compose désormais de quatre directions : Opérations générales, Opérations spéciales, Recherche et perfectionnement, Administration.

Le Bureau fédéral des traductions abolit (31 décembre) son École des stagiaires. La pénurie de traducteurs s'est atténuée par suite de la création de programmes de formation universitaires.

Le Bureau fédéral des traductions crée au sein de la Direction des opérations spéciales une équipe chargée d'assurer les services d'interprétation pour les conférences et entretiens en langues étrangères.

La Section de traduction de l'Université de Montréal crée de nouveau une Maîtrise ès arts, option traduction.

1971 (suite)

La Société des traducteurs du Québec (STQ) se dote d'un secrétariat permanent.

Mini-colloque (Montréal, 10 mars) organisé par le Cercle de la presse d'affaires du Québec conjointement avec le Service de traduction et linguistique de Domtar. Thème : Les outils au service du rédacteur.

Colloque (Montréal, 13 novembre) organisé par la Société des traducteurs du Québec (STQ). Thème : La solidarité.

Première livraison (avril) de **InformATIO**, bulletin de l'Association des traducteurs et interprètes de l'Ontario (ATIO).

Le Secrétariat d'État adopte sa politique du multiculturalisme.

1972

Création du programme de Baccalauréat spécialisé en traduction par le Département de langues de l'Université de Moncton. Fondatrice-directrice : Christel Gallant.

Création du programme de Baccalauréat en langues modernes, option traduction par le Département des langues modernes de l'Université du Québec à Trois-Rivières. Fondateur-directeur : Geoffrey Vitale.

Création d'un programme de traduction à The University of Western Ontario. Initiative de Jean-Paul Brunet. Ce programme fait partie du Honors French B.A.

L'Université de Sherbrooke offre un certificat de traduction. (N'est plus offert à partir de 1975)

La Corporation des traducteurs et interprètes du Nouveau-Brunswick (CTINB) adhère au Conseil des traducteurs et interprètes du Canada (CTIC).

L'élection du premier Inuit (Simonie Michael) au Conseil des Territoires du Nord-Ouest rend nécessaire la mise en place d'un service d'interprétation et de traduction (anglais-inuktitut).

L'Assemblée législative des Territoires du Nord-Ouest se dote d'un service d'interprétation consécutive anglais-inuktitut.

Le Département de l'information des Territoires du Nord-Ouest met sur pied un corps d'interprètes (Interpreter Corps) afin de fournir des services de traduction et d'interprétation, principalement pour l'inuktitut, à l'Assemblée législative des Territoires du Nord-Ouest et aux divers ministères de l'administration territoriale.

1972 (suite)

La Société des traducteurs du Québec (STQ) présente (13 juin) sa demande de reconnaissance professionnelle à la Commission parlementaire spéciale sur les professions.

Le Conseil national de recherche ne subventionne plus que le projet de traduction automatique TAUM.

L'Association des traducteurs et interprètes de l'Ontario (ATIO) lance une campagne de souscription en vue de la publication du **Guide du traducteur** d'Irène de Buisseret. Trois cent cinquante exemplaires hors commerce sont réservés aux souscripteurs.

L'Association des traducteurs et interprètes de l'Ontario (ATIO) crée la bourse Paul Patenaude lors de son Congrès des 17 et 18 novembre à Ottawa afin de perpétuer la mémoire de ce traducteur décédé le 9 octobre.

Fondation (3 février), sous l'autorité de la Loi des compagnies du Québec, du Centre de linguistique de l'entreprise (CLE). Le rôle de cet organisme privé sans but lucratif est d'aider les entreprises établies au Québec à traiter efficacement des questions d'ordre linguistique touchant leur fonctionnement.

Dans le cadre d'un nouveau programme de stages pratiques de perfectionnement à l'étranger, le Bureau fédéral des traductions affecte cinq traducteurs à Paris pour une période de six mois, dans divers ministères ou organismes du gouvernement français.

Le gouvernement fédéral décide de doter tous les établissements militaires d'un service de traduction dans le cadre de sa politique générale de bilinguisme.

Dissolution du Service d'édition des manuels des Forces canadiennes qui est incorporé à la Division de la traduction du ministère de la Défense nationale.

Le Bureau fédéral des traductions crée deux nouvelles sections régionales, l'une à Toronto, l'autre à Fredericton.

Premier colloque international de terminologie (Baie Saint-Paul, 1er, 2, 3 octobre) organisé par l'Office de la langue française du Québec. Thème : Les données terminologiques.

Deuxième colloque international de linguistique et de traduction (Montréal, 4-7 octobre) organisé par le Département de linguistique et de langues modernes de l'Université de Montréal. Thème : Orientations nouvelles.

Colloque fédéral-provincial sur la traduction, organisé par le Bureau fédéral des traductions de concert avec la Direction des programmes de langues. Cette rencontre permet d'identifier les

1972 (suite)

moyens d'entraide et de coopération dans les domaines de la traduction, de l'interprétation et de la terminologie.

Le Département de linguistique et de langues modernes de l'Université de Montréal est rebaptisé Département de linguistique et philologie.

Première livraison (septembre) des fiches **Observations grammaticales et terminologiques** de Madeleine Sauvé, grammairienne de l'Université de Montréal.

Dépôt (31 décembre) du Rapport de la Commission provinciale d'enquête sur la situation de la langue française (Commission Gendron). Les commissaires proposent la voie de la persuasion pour franciser le milieu de travail au Québec et recommandent, entre autres, que le gouvernement proclame le français langue officielle et le français et l'anglais langues nationales du Québec.

1973

Le Conseil des arts du Canada décerne ses premiers prix de traduction. D'une valeur de 2 500 $, ces prix couronnent chaque année deux ouvrages, l'un en français, l'autre en anglais, jugés les meilleurs parmi les traductions de l'année précédente. À l'exception des manuels scolaires, les ouvrages de toutes catégories sont admissibles, pourvu qu'ils aient été écrits et traduits par des Canadiens ou par des immigrants ayant au moins douze mois de résidence au Canada. Voir la section E "Prix de traduction du Conseil des arts du Canada" où figurent le nom des lauréats et le titre des oeuvres primées.

Création par le Cercle du livre de France de la "Collection des Deux solitudes" qui a pour but "de faire connaître, en français, les ouvrages les plus importants de la littérature canadienne-anglaise". Premier titre paru : **Klee Wyck**, d'Emily Carr, traduction de Michelle Tisseyre, directrice de la collection. Au 31 décembre 1984, vingt-six traductions avaient été publiées dans cette collection.

Fondation (11 janvier) de l'Association canadienne des écoles de traduction (ACET) par des représentants des universités d'Ottawa, de Montréal et de Laval.

Le Conseil de la Société des traducteurs du Québec (STQ) crée le Comité de la reconnaissance professionnelle.

Création d'un certificat en traduction par le Département des langues modernes de l'Université du Québec à Trois-Rivières.

Le Baccalauréat en langues modernes, option traduction de l'Uni-

1973 (suite)

versité du Québec à Trois-Rivières devient un Baccalauréat en traduction.

À la demande de l'Office de la langue française, un groupe d'étudiants encadrés de professeurs du programme de traduction de l'Université du Québec à Trois-Rivières, traduit le manuel **Promotion and Marketing** de Kilpatrick.

Premiers cours de traduction littéraire (thème-version) offerts par le Department of Romance Languages of the University of Alberta (Edmonton). Cours créés par E. Marxheimer.

Ouverture (1er août) d'une section du Bureau provincial de traduction à Bathurst, au Nouveau-Brunswick.

Les centres culturels et les sociétés de communications du Nord de l'Ontario décident de se doter de stations de radio communautaire afin de faire contrepoids à l'influence de la civilisation blanche du Sud. Ces centres travaillent à l'établissement de terminologies autochtones à l'intention des annonceurs.

Le projet TAUM passe au Bureau fédéral des traductions. Le Bureau se donne pour mission de trouver des applications aux recherches fondamentales faites jusqu'alors.

Mise en place de la Banque de terminologie du Québec (BTQ). L'Office de la langue française lance (mars) un projet de fichier automatique qui sera connu sous le nom de Terminoq 1 et 2, première banque documentaire spécialisée dans la recherche et le traitement de la documentation terminologique.

Deuxième colloque international de terminologie (Lac Delage, 16-19 octobre) organisé par l'Office de la langue française. Thème : La normalisation linguistique.

Publication du **Guide de travail en terminologie** (Cahier nº 20) de l'Office de la langue française. Premier ouvrage didactique en terminologie publié au pays.

Premier numéro de la collection "Néologie en marche" de l'Office de la langue française.

La Direction des opérations régionales du Bureau fédéral des traductions ouvre une section à Lahr (Allemagne) et à Chilliwack (Colombie-Britannique).

Le Bureau fédéral des traductions établit un programme d'échange de traducteurs avec l'Allemagne.

Création par le Bureau fédéral des traductions d'une section régionale à Winnipeg.

1973 (suite)

Le Bureau fédéral des traductions compte trois cent cinquante traducteurs à forfait pour la traduction de l'anglais et du français.

La Division de la recherche terminologique et linguistique du Bureau fédéral des traductions procède à l'automatisation de son information terminologique. L'installation (mars), à titre expérimental, d'un terminal relié à la Banque de terminologie de l'Université de Montréal marque une première étape dans cette voie.

Jean-Paul Vinay reçoit la médaille Alexander Gode, remise annuellement depuis 1964 par l'American Translators Association (ATA) "for distinguished service to the cause of translation".

1974

La Société des traducteurs du Québec (STQ) adresse à l'Office des professions du Québec (OPQ) une demande officielle de reconnaissance professionnelle. Le Conseil de la Société décide de demander le statut de corporation d'exercice exclusif pour les pigistes et les cabinets de traduction, et le titre réservé pour les traducteurs salariés.

La Commission des litiges de la Société des traducteurs du Québec publie (octobre) un contrat-type pour les traducteurs pigistes ou les indépendants.

Le Département de langues de l'Université de Moncton est rebaptisé Département de traduction et des langues afin de mieux refléter sa fonction principale.

Création par la Faculté de l'Éducation permanente de l'Université de Montréal des Certificats de traduction I et II (30 crédits chacun). Le premier certificat est axé sur la formation, le deuxième, sur le perfectionnement. Responsable : Nicole Panet-Raymond Roy.

Premiers cours de révision offerts aux étudiants des premier et deuxième cycles de l'École de traduction de l'Université de Montréal.

Le Baccalauréat en linguistique appliquée (option traduction) de l'École de traducteurs et d'interprètes de l'Université d'Ottawa change de nom et devient un Baccalauréat spécialisé en traduction.

Un groupe de l'Université du Québec à Montréal, avec le concours de quelques terminologues d'entreprise et d'un terminologue de TERMIUM, rédige une première analyse des tâches du terminologue.

1974 (suite)

Les projets Terminoq 1 (fichier de termes) et Terminoq 2 (inventaire des travaux de terminologie) de la Banque de terminologie du Québec (BTQ) sont suffisamment structurés pour que commence la diffusion de données.

Première livraison (janvier) d'**Intercom**, bulletin du Centre de linguistique de l'entreprise (CLE).

L'Assemblée nationale du Québec adopte la Loi sur la langue officielle (Loi 22, sanctionnée le 31 juillet), qui fait du français la langue officielle de la province et renferme des dispositions relatives à la langue de l'administration, du travail, des affaires et de l'enseignement.

Création (juillet) en vertu de la Loi sur la langue officielle du Québec (Loi 22) de la Régie de la langue française. La nouvelle Régie a pour rôle notamment "de donner son avis au ministre sur les règlements prévus par la présente loi" et "de veiller à la correction et à l'enrichissement de la langue parlée et écrite".

Réunion (New Richmond, Gaspésie, 1-5 juillet) d'un groupe de traducteurs littéraires à Stanley House (maison du Conseil des arts du Canada). Thème : La traduction littéraire au Canada.

Troisième colloque international de terminologie (Lévis, 29 septembre - 2 octobre) organisé par la Régie de la langue française. Thème : L'aménagement de la néologie.

Colloque (Ottawa, 6-7 septembre) organisé par l'Association des traducteurs et interprètes de l'Ontario (ATIO). Thème : La terminologie appliquée à la traduction.

Le Cabinet des ministres confie au Bureau fédéral des traductions la responsabilité de "vérifier et de normaliser la terminologie anglaise et française dans la Fonction publique fédérale et chez (sic) tous les corps publics qui dépendent du Parlement du Canada" (Résolution n° 569-74RD).

Le Bureau de traduction du gouvernement du Nouveau-Brunswick ouvre un service à Moncton.

Le Bureau fédéral des traductions crée la section de Moncton.

Le surintendant adjoint du Bureau fédéral des traductions (Raymond Aupy) est chargé d'une étude sur les structures du Bureau. Celle-ci porte sur l'agencement des services, leurs rapports, le régime et le plan de classification, les relations de travail, etc.

Le Bureau fédéral des traductions entreprend des négociations avec la Régie de la langue française et l'Université de Montréal

1974 (suite)

en vue d'améliorer la coordination de la recherche terminologique au Canada.

La Cour suprême du Canada confirme la validité de la Loi sur les langues officielles du Canada et des dispositions des lois du Nouveau-Brunswick sur les langues officielles consacrant l'égalité du français et de l'anglais devant les tribunaux.

Septième Congrès mondial de la Fédération internationale des traducteurs (FIT) à Nice.

1975

Les membres de la Société des traducteurs du Québec (STQ) se déclarent prêts (juin) à accepter l'exclusivité du titre si l'exercice exclusif se révèle un objectif irréalisable. Le Conseil est chargé de redéfinir la demande de reconnaissance professionnelle.

Fondation de l'Association des traducteurs littéraires du Canada à l'occasion de la Foire internationale du livre de Montréal (16-17 mai).

Création d'une École d'interprètes au Bureau fédéral des traductions. Directeur : Raymond Robichaud.

Création (mars) de l'Association des étudiants traducteurs et interprètes (AETI) de l'École de traducteurs et d'interprètes de l'Université d'Ottawa.

Création de l'Association des étudiants en traduction de l'Université de Montréal (AETUM).

Premier examen d'agrément uniformisé du Conseil des traducteurs et interprètes du Canada (CTIC) regroupant alors trois associations provinciales : STQ, ATIO, CTINB. Bien que l'examen uniformisé se tienne sous l'égide du CTIC, il résulte de la mise en commun des efforts de chacune des sociétés membres. Son double objectif est d'uniformiser les normes d'exercice de la profession et de contrôler la compétence des traducteurs membres.

Publication à Ottawa, par la maison d'édition Carlton-Green Publishing Company, de la deuxième édition du **Guide du traducteur** d'Irène de Buisseret sous le titre **Deux langues, six idiomes.**

Le Secrétariat d'État se porte acquéreur de la Banque de terminologie de l'Université de Montréal (TERMIUM).

Premier abonnement expérimental de la Banque de terminologie de l'Université de Montréal par un client extérieur à la Banque. Ce premier client est la société Bell Canada.

1975 (suite)

Le Secrétariat d'État signe un marché avec l'Université de Montréal en vue du développement par le groupe TAUM d'un système de traduction automatique des bulletins météorologiques (TAUM-MÉTÉO).

Le Department of French de Acadia University (Nouvelle-Écosse) offre pour la première fois un cours d'initiation à la traduction aux étudiants de 3e année. Les étudiants de 4e année peuvent suivre un cours avancé.

Quatrième colloque international de terminologie (Lac Delage, 5-8 octobre) organisé par la Régie de la langue française du Québec. Thème : Essai de définition de la terminologie.

Colloque (Ottawa, 18-19 avril) organisé par le Département d'allemand de University of British Columbia. Thème : Le contexte multi-culturel de la traduction et de l'interprétation.

Colloque (Montréal, mars) organisé par le Centre de linguistique de l'entreprise. Thème : Les programmes de francisation.

Première livraison (février) de **Communication**, organe d'information interne du Bureau fédéral des traductions.

Fondation (Montréal, 7 août) de la maison d'édition Linguatech spécialisée dans la publication d'ouvrages relatifs à la traduction et aux domaines connexes. Fonds d'édition : quinze titres au 31 décembre 1984.

L'Association des traducteurs et interprètes de l'Ontario (ATIO) organise ses premiers cours de perfectionnement.

Attribution de la bourse Paul Patenaude d'une valeur de 500 $, à l'École de traducteurs et d'interprètes de l'Université d'Ottawa.

Création (mars) de Mission terminologie par le Bureau fédéral des traductions. Le groupe est chargé d'étudier les besoins du gouvernement fédéral et les structures de travail nécessaires à la mise sur pied éventuelle d'une banque de mots.

À partir de mai, le Bureau fédéral des traductions procède au regroupement d'un million et demi de fiches terminologiques disséminées dans ses divers services opérationnels en vue d'alimenter sa nouvelle banque de terminologie.

Le Bureau fédéral des traductions organise une rencontre (Mont Gabriel) à l'intention de ses cadres et met sur pied un programme de formation dans le but de les rendre le plus polyvalents possible.

Le Bureau fédéral des traductions crée (1er novembre) une Direc-

1975 (suite)

tion générale du Plan afin d'assurer un service permanent de planification, d'évaluation et d'élaboration de politiques.

Le Bureau fédéral des traductions crée une Division du contrôle de la qualité afin d'élaborer une méthode de mesure de la qualité des traductions et de la difficulté des textes à traduire.

Devant l'accroissement de la demande de traductions du français à l'anglais, le Bureau fédéral des traductions crée une Division des traductions anglaises.

Restructuration du Bureau fédéral des traductions. Les traducteurs détachés auprès des divers clients sont regroupés en cinq divisions : traductions administratives, juridiques, scientifiques, techniques, socio-culturelles.

Le président du Conseil du Trésor indique que, exception faite des manuels très techniques, la Fonction publique fédérale doit mettre à la disposition de ses employés une version française et anglaise de tous ses instruments de travail.

1976

Le Comité de la reconnaissance professionnelle de la Société des traducteurs du Québec (STQ) rédige le texte d'une Loi et son Règlement d'application qu'il soumet au conseiller juridique de la Société. Celui-ci est très pessimiste quant aux chances d'obtenir l'exclusivité de l'acte. Après la publication du rapport de l'Office des professions du Québec (OPQ), le Comité estime que les chances d'obtenir la reconnaissance professionnelle sont faibles; il recommande d'envisager d'autres moyens d'action.

Création par le Conseil de la Société des traducteurs du Québec (STQ) d'un Comité d'étude du statut du terminologue. Débouchera sur la création de la Section des terminologues (SECTER) en 1978.

Création du programme de diplôme en traduction du Department of French de University of British Columbia. Fondateur-directeur : Laurence L. Bongie.

Création d'un nouveau programme de Maîtrise en linguistique appliquée (option traduction) à l'École de traducteurs et d'interprètes de l'Université d'Ottawa. Ce programme est orienté vers la recherche plutôt que vers la formation professionnelle.

L'École de traducteurs et d'interprètes de l'Université d'Ottawa offre pour la première fois aux titulaires d'un premier grade universitaire un programme de Baccalauréat en traduction en deux ans au lieu de trois.

La General Motors of Canada adopte le système Systran de traduc-

1976 (suite)

tion automatique qu'elle utilise pour la traduction de textes techniques.

Adoption du Règlement 76-47 établi en vertu de la Loi sur les langues officielles du Nouveau-Brunswick. Des dispositions de ce règlement concernent l'interpréation auprès des tribunaux.

Début de l'implantation du système TAUM-MÉTÉO.

Le Bureau fédéral des traductions crée (janvier) la Direction générale de la terminologie et de la documentation.

Comparaison des technologies Systran et TAUM aux fins de la traduction automatique des manuels d'entretien de l'avion Aurore. Choix de TAUM et passation d'un nouveau marché avec l'Université de Montréal pour le développement du système TAUM-AVIATION.

Création (1er juin) par le Bureau fédéral des traductions d'un service de traduction multilingue-français.

Le Bureau fédéral des traductions instaure un nouveau programme de formation des novices afin, notamment, de coordonner les stages d'été des boursiers.

La Direction générale de la terminologie du Bureau fédéral des traductions met en place un réseau de terminaux reliés à la Banque de terminologie. Dix-huit terminaux sont installés à Ottawa, Montréal, Québec, Winnipeg, Toronto et Moncton.

Le Bureau fédéral des traductions, par l'entremise de Philippe Tessier, nommé président du Comité consultatif canadien, devient membre actif du Comité technique 97 (TC 97) et plus particulièrement du Sous-comité 1 (SC 1) de l'Organisation internationale de normalisation (ISO).

Le Bureau fédéral des traductions conclut (mars) avec la Régie de la langue française du Québec une entente de collaboration en matière de normalisation et de recherche terminologique.

Le Bureau fédéral des traductions crée un Comité interministériel d'orientation des procédures de normalisation en matière d'étiquetage.

Un Manitobain, Georges Forest, conteste devant les tribunaux la constitutionnalité de la Loi de 1890 qui a aboli les droits du français dans sa province.

Paul-Marie Lapointe reçoit (mai) le prix annuel de l'International Poetry Forum, de Pittsburgh. C'est la première fois que ce prix est attribué à un Canadien. Son recueil avait été traduit par D. G. Jones et publié sous le titre **The Terror of the Snows.**

CAP. XI.

An Act to provide for the translation into the French Language of the Laws of this Province, and for other purposes connected therewith.

[18*th September*, 1841.]

Preamble.

WHEREAS it is just and expedient that the Laws passed by the Legislature of this Province, as well as the Acts of the Imperial Parliament relating to this Province, be translated into the French Language for the information and guidance of a great portion of Her Majesty's subjects in this Province; Be it therefore enacted by the Queen's Most Excellent Majesty, by and with the advice and consent of the Legislative Council and of the Legislative Assembly of the Province of Canada, constituted and assembled by virtue of and under the authority of an Act passed in the Parliament of the United Kingdom of Great Britain and Ireland, and intituled *An Act to Re-unite the Provinces of Upper and Lower Canada, and for the Government of Canada*, and it is hereby enacted by the authority of the same, that it shall be lawful for the Governor, or person administering the Government of this Province, to appoint one proper and competent person, versed in legal knowledge and having received a classical French education, and possessing a sufficient knowledge of the English language, to translate into the French language the laws passed by the Legislature of this Province, or by the Imperial Parliament, relating to or affecting this Province.

A competent Person to be employed to translate the Laws of or affecting this Province into French.

II. And be it enacted, that the said translation shall be printed under the direction of the Executive Authority, and distributed among the People of this Province speaking the French language, in the same manner in which the English text of the said Laws shall be printed and distributed among those speaking the English language, and under the same provisions.

The French version to be printed and distributed under the same provisions as the English.

III. And be it enacted, that the Act of the Imperial Parliament, passed in the Session held in the third and fourth years of Her present Majesty's Reign, and intituled *An Act to Re-unite the Provinces of Upper and Lower Canada, and for the Government of Canada*, shall be translated into the French language and distributed as hereinbefore provided with regard to the Laws passed by the Legislature of this Province.

The Union Act to be so translated, printed and distributed.

CAP.

Fig. 5 -- Texte intégral de la première loi sur la traduction présentée par le député Étienne Parent et adoptée en 1841 par l'Assemblée législative du Canada-Uni. (Photo : CRCCF, Ph 1-I-206)

Fig. 6 -- Bronze offert au traducteur en chef de la division des Débats, Léon Gérin, à l'occasion de sa retraite en 1935. Ce bronze est l'oeuvre du poète, journaliste et sculpteur Alonzo Cinq-Mars, qui fut, en outre, traducteur à la division des Débats de 1925 à 1944. (Photo : CRCCF, Ph 129-59b)

1976 (suite)

Les prix de traduction du Conseil des arts du Canada passent de 2 500 $ à 5 000 $.

Premier numéro de la collection **Documents de traductologie / Working Papers in Translatology** publiée par l'École de traducteurs et d'interprètes de l'Université d'Ottawa. Collection fondée par Brian Harris.

Première livraison (janvier) du **Bulletin de l'ETI** publié par l'École de traducteurs et d'interprètes de l'Université d'Ottawa.

Première livraison (janvier) de **Le Trad**, journal de l'Association des étudiants en traduction de l'Université de Montréal.

Première rencontre des traducteurs et terminologues du Québec (Montebello, 18-20 janvier) organisée par la Régie de la langue française et des terminologues d'entreprises membres de la Société des traducteurs du Québec (STQ). Cette réunion avait pour but de favoriser le rapprochement des terminologues du Québec, d'analyser l'état de la terminologie dans les entreprises québécoises et d'établir des moyens de communication et d'action.

Journée d'étude (Val Morin, 31 janvier) du Conseil d'administration de la Société des traducteurs du Québec (STQ). Thèmes : La reconnaissance professionnelle, les cours de perfectionnement, les relations avec les universités.

Colloque canadien (Ottawa, 16-18 février) organisé par la Direction générale de la terminologie et de la documentation du Bureau fédéral des traductions. Thème : Les fondements d'une méthodologie générale de la recherche et de la normalisation en terminologie et documentation.

Colloque international de sociolinguistique (Lac Delage, 3-6 octobre) organisé par la Régie de la langue française. Thème : Les implications linguistiques de l'intervention juridique de l'État dans le domaine de la langue.

Séminaire (Montréal, 6 novembre) organisé par la Société des traducteurs du Québec (STQ). Thème : Le traducteur au Québec en 1976.

Deuxième rencontre des traducteurs et terminologues du Québec (Montebello, 28-30 novembre) organisée par la Régie de la langue française et des terminologues d'entreprises membres de la Société des traducteurs du Québec (STQ). Thème : Les comités de terminologie. Les participants ont été appelés à examiner les questions suivantes : les objectifs et les modes de fonctionnement des comités de terminologie; la manière de réunir et d'utiliser la documentation requise par le travail terminologique; la méthodologie de la terminologie; la coordination des travaux.

1976 (suite)

Colloque (Ottawa, 8-10 décembre) organisé par le Bureau fédéral des traductions. Thème : Au service du client.

Le Comité de l'histoire de la traduction de la Fédération internationale des traducteurs (FIT) fusionne avec le Comité de la théorie de la traduction de l'Association internationale de littérature comparée (AILC), et devient le Comité de la théorie et de l'histoire de la traduction rattaché à la FIT.

Adoption (Naïrobi, 22 novembre), à l'occasion de la Conférence générale de l'Unesco, de la "recommandation sur la Protection juridique des traducteurs et sur les moyens pratiques d'améliorer la condition des traducteurs".

1977

La Société des traducteurs du Québec (STQ) est convoquée devant l'Office des professions du Québec (OPQ). Le Conseil constitue un comité spécial chargé de mettre au point une stratégie. Le 1er novembre, une délégation de cinq membres défend le dossier de la STQ devant l'OPQ.

L'École de traduction de l'Université de Montréal redevient une section intégrée au Département de linguistique et philologie.

Premiers cours de traduction offerts par le Département de français (filière langue) de University of Regina (Brian Rainey). En tout, quatre cours sont offerts.

Création (septembre) du programme de rédaction-recherche par le Département d'études françaises de l'Université de Sherbrooke. Fondateur : Louis Painchaud.

Attribution de la bourse Paul Patenaude, d'une valeur de 500 $, à l'École de traducteurs et interprètes de l'Université Laurentienne.

Rapport Keynes-Brunet sur les propositions de modifications de la Loi sur le droit d'auteur (ministère de la Consommation et des Corporations).

Première livraison (décembre) de **2001**, organe du personnel du Bureau fédéral des traductions. (Paraît jusqu'en 1980. Numéro spécial du cinquantenaire du Bureau, septembre 1984)

Première livraison (octobre) de **Le Furet**, bulletin du Comité de bibliographie de la Société des traducteurs du Québec (STQ). (Paraît jusqu'en mai 1983)

Parution d'un numéro spécial (21) de la revue **Ellipse**. Thème : Traduire notre poésie.

1977 (suite)

Publication de **Méthodologie de la recherche terminologique** de Pierre Auger et Louis-Jean Rousseau. Prolongement du **Guide de travail en terminologie** paru en 1973.

Création (juin) de la Direction de la documentation au Bureau fédéral des traductions.

La Direction de la documentation du Bureau des traductions adhère au Conseil des bibliothèques fédérales, ce qui lui assure une place officielle au sein du réseau des bibliothèques fédérales.

Début de l'exploitation du système TAUM-MÉTÉO.

Le Bureau fédéral des traductions commence à s'équiper de machines de traitement de texte.

Journée d'étude (Montréal, 16 novembre) organisée par le Groupe des terminologues d'entreprise et tenue sous le patronage du Centre de linguistique de l'entreprise (CLE). Thème : La recherche terminologique.

Sixième colloque international de terminologie (Pointe-au-Pic, 2-7 octobre) organisé par la Régie de la langue française. Thèmes : I - Terminologie et linguistique; Terminologie, sciences et techniques. II - Terminologie et traduction; Terminologie, informatique et documentation.

Séminaire (Montréal, 16 avril) organisé par la Société des traducteurs du Québec. Thème : Le traducteur et le spécialiste.

Inauguration (automne) de la télédiffusion des débats de la Chambre des communes.

Adoption par l'Assemblée nationale du Québec de la **Charte de la langue française** (Loi 101) qui limite l'accès à l'école anglaise, impose des programmes de francisation aux entreprises et l'affichage unilingue français dans les lieux publics et décrète que le français est dorénavant la seule langue officielle de l'Assemblée nationale et des tribunaux sous juridiction provinciale.

Création d'un Office de la langue française (deuxième version) par la Charte de la langue française, ainsi que d'une Commission de surveillance de l'application de la Charte, d'un Conseil de la langue française et d'une Commission de toponymie. Abolition de la Régie de la langue française (créée en 1974).

Promulgation, au Nouveau-Brunswick, des dispositions relatives à la publication dans les deux langues officielles des documents publics et de la Gazette Royale.

Fondation (avril) de l'Association des Conseils en francisation

1977 (suite)

du Québec (ACFQ). Regroupe, à titre personnel, les responsables du dossier de la francisation dans divers organismes et entreprises.

Huitième Congrès mondial de la Fédération internationale des traducteurs (FIT) à Montréal.

Jean-Paul Coty, président de la Société des traducteurs du Québec (STQ), est élu au Conseil de la FIT.

1978

Fondation (Montréal, 16 février) de l'Association des traducteurs anglophones du Québec (ATAQ). Première réunion le 13 juin.

Création du Groupe interdisciplinaire de recherche scientifique et appliquée en terminologie (GIRSTERM) par le Conseil du Département de langues et linguistique de l'Université Laval.

Le gouvernement de l'Ontario procède à la restructuration en profondeur de ses services de traduction, initiative rendue nécessaire par la demande croissante de traduction en français de la part des ministères et la nécessité d'offrir de nouveaux services en français.

Réorganisation des Services de traduction du gouvernement de l'Ontario afin de mieux répondre à la demande croissante de traduction vers le français.

Création d'un Bureau de traduction des lois au ministère du Procureur général de l'Ontario.

Création de la Commission de terminologie de l'Office de la langue française.

Création (mai) de la Section des terminologues (SECTER) au sein de la Société des traducteurs du Québec (STQ). Il s'agit du premier regroupement de terminologues professionnels au monde.

Création d'un programme de Maîtrise en linguistique appliquée, option terminologie, par le Département de linguistique et philologie de l'Université de Montréal.

Le surintendant du Bureau fédéral des traductions porte désormais le titre de Sous-secrétaire d'État adjoint (Traduction). Premier titulaire : Paul-Émile Larose.

Le système de traduction automatique des bulletins météorologiques s'étend à tout le pays.

Le Bureau fédéral des traductions commence à utiliser la première

1978 (suite)

génération du compte-mots, innovation technologique dont il est à l'origine.

Le Bureau fédéral des traductions met en place une nouvelle structure administrative afin de resserrer ses liens avec la clientèle et de freiner la croissance de ses effectifs.

Création, par le Cercle du livre de France, de la "Collection des deux Solitudes, jeunesse", qui fait connaître, en français, les principaux ouvrages canadiens-anglais destinés aux jeunes. Premier titre paru : **Les chemins secrets de la liberté**, de Barbara Smucker, traduction de Paule Daveluy, directrice de la collection. Vingt ouvrages publiés au 31 décembre 1984.

Publication du **Manuel pratique de terminologie** de Robert Dubuc (Montréal, Linguatech).

Publication de **Pratique de la révision** de Paul Horguelin (Montréal, Linguatech). Premier manuel de révision.

Première livraison (juin) d'**Info-Cadres / Management News**, bulletin d'information des cadres du Bureau fédéral des traductions.

Première livraison (juin) de l'**ATAQ Journal**, bulletin de l'Association des traducteurs anglophones du Québec. (Paraît jusqu'en 1979)

L'Association des traducteurs et interprètes de l'Ontario (ATIO) tient pour la première fois son congrès annuel à Toronto au lieu d'Ottawa.

Vaste projet de terminologie (TERMILANGUE) mené conjointement par la Fédération canadienne des municipalités et la Direction générale de la terminologie et de la documentation du Bureau fédéral des traductions. Cinq équipes d'étudiants au Nouveau-Brunswick, au Québec, en Ontario et au Manitoba participent à la réalisation de lexiques en terminologie municipale. Aboutit en 1981 à la publication de sept lexiques par le Secrétariat d'État.

Création du Interpreter Service for the Deaf par l'Ecumenical Ministry of the Deaf (Nouvelle-Écosse).

Le ministre des Affaires indiennes et du Nord canadien organise la première Conférence des interprètes inuit. Cette conférence, qui se tient à Ottawa, rassemble des interprètes venus de toutes les régions de l'Arctique. Elle répond au désir des interprètes de trouver des équivalents inuktituts aux néologismes anglais et de normaliser les nouveaux termes. Son thème est l'évolution de la terminologie dans les domaines du système métrique, de l'exploration minière et de la gestion financière. Depuis 1978, cette conférence est annuelle.

1978 (suite)

Colloque des cadres (Ottawa, 29-31 mars) organisé par le Bureau fédéral des traductions. Thème : Professionnalisme et efficacité.

Cinquième Congrès international de linguistique appliquée (Montréal, 21-26 août) organisé par l'Association canadienne de linguistique appliquée (ACLA) sous les auspices de l'Association internationale de linguistique appliquée (AILA). Thème de la Section 13 : Lexicologie, lexicographie, terminologie.

Colloque internationale (Québec) organisé par la Commission de terminologie de l'Association internationale de linguistique appliquée (AILA) dans le cadre de son Cinquième Congrès (28-30 août). Thème : L'enseignement de la terminologie.

Table ronde (Montréal, 26 août) organisée par la Commission de terminologie de l'Association internationale de linguistique appliquée (AILA). Thème : Les problèmes du découpage du terme.

Colloque interprovincial (Fredericton, 3-5 novembre) organisé par la Corporation des traducteurs et interprètes du Nouveau-Brunswick (CTINB). Thèmes : La formation des traducteurs et la qualité des traductions.

Création du Syndicat canadien des employés professionnels et techniques (SCEPT). Objet : représenter ses membres devant leurs employeurs et contribuer à l'élaboration de normes professionnelles. Au sein de ce syndicat, on retrouve le Groupe des traducteurs, interprètes et terminologues de la Fonction publique fédérale.

Le discours du Trône ouvrant la trente et unième session de l'Assemblée législative ontarienne engage le gouvernement à développer les services en français, à faciliter l'organisation des procès dans cette langue et à élargir ses services de traduction afin d'augmenter le nombre de documents officiels diffusés en français.

Le Parlement du Canada approuve à l'unanimité le projet de loi C-42 qui modifie le Code criminel de façon à permettre aux parties en cause de demander un procès dans l'une ou l'autre des langues officielles. Pour prendre effet dans une province, la loi doit y avoir été promulguée par les autorités compétentes, ce que fera le Nouveau-Brunswick en mars et l'Ontario, en septembre.

L'Université de la Sorbonne Nouvelle (Paris III) décerne ses deux premiers doctorats de 3e cycle en Science et techniques de l'interprétation et de la traduction. Premier titulaire du doctorat en interprétation : l'Espagnol Mariano Garcia-Landa; premier titulaire du doctorat en traduction, le Canadien Jean Delisle. Ce programme de formation unique en son genre est offert par l'École Supérieure d'Interprètes et de Traducteurs (ESIT).

1979

Fondation (16 juin) de l'Alberta Association of Translators (AAT) connue depuis septembre 1984 sous le nom d'Alberta Association of Translators and Interpreters (AATI). Constituée officiellement le 10 septembre.

Fondation de l'Association des Traducteurs et Interprètes de la Saskatchewan (ATIS). Constituée officiellement le 11 février 1980.

Fondation (18 novembre) à Winnipeg de l'Association of Visual Language Interpreters of Canada (AVLIC). Quarante-sept membres fondateurs sont admis.

Fondation (6 mai) de l'Association professionnelle des interprètes du Québec (APIQ) à l'occasion d'une assemblée générale des membres. Cette association avait été constituée en syndicat professionnel sous le nom de Syndicat professionnel des interprètes du Québec, par publication d'un avis dans la **Gazette officielle du Québec** (5 mai 1979). À l'assemblée du 6 mai, les membres adoptent une résolution visant à remplacer les mots "syndicat professionel" par "association professionnelle".

Fondation (juin) de la Section des interprètes de conférence au sein de la Société des traducteurs du Québec (STQ). À l'assemblée générale annuelle de la STQ, le 7 juin, le règlement intérieur est modifié en conséquence. La section, qui regroupe 26 membres deux mois plus tard, est déclarée constituée par le conseil de la STQ à sa réunion du 20 août. Le 30 octobre 1980, la section prend le nom d'INTERSECTION.

Création (août) de la Commission de terminologie géographique par la Commission de toponymie du Québec.

Création, par la Direction de la documentation du Bureau fédéral des traductions, de la Division du réseau de bibliothèques, chargée de la gestion de toutes les bibliothèques et de tous les modules documentaires du Bureau.

L'Office des professions du Québec (OPQ) communique (16 avril) à la Société des traducteurs du Québec (STQ) sa décision relative à la reconnaissance professionnelle. "L'Office recommande de ne pas constituer les traducteurs en corporation professionnelle en vertu du Code des professions".

Création du Centre de traduction et de terminologie juridiques (CTTJ) par l'École de droit de l'Université de Moncton. But : répondre aux besoins des francophones du Nouveau-Brunswick et du reste du Canada en matière de francisation de la common law.

Création du programme de traduction du Collège universitaire Glendon (York University, Ontario) au sein du Département

1979 (suite)

d'études françaises et hispaniques. Il s'agit d'un baccalauréat spécialisé comportant deux sections, l'une pour anglophones, l'autre pour francophones. Directeur-fondateur : Claude Tatilon.

Création à l'Université du Québec à Hull d'un Certificat de premier cycle en traduction pratique. Principaux artisans : Robert Archimbaud et Pierre Cardinal.

L'École des traducteurs et interprètes de l'Université Laurentienne crée un "certificat d'interprète auprès du tribunal".

Attribution, pour la première fois, du Prix de l'Ambassade de France au meilleur diplômé en traduction vers le français de l'École de traducteurs et d'interprètes de l'Université d'Ottawa.

Le Vancouver Community College (Langora Campus, Continuing Education) offre pour la première fois un programme d'interprétation auprès des tribunaux.

Le Department of Romance Languages of the University of Alberta (Edmonton) offre un B.A. Honours in Literary Translation (English-French, French-English).

Présentation du prototype TAUM-AVIATION de traduction automatique des manuels d'entretien des circuits hydrauliques de l'avion Aurore.

Création par le Bureau fédéral des traductions d'un service de conseil linguistique de façon à faire profiter pleinement le gouvernement et la société canadienne en général des compétences de son personnel.

Publication par le Bureau fédéral des traductions du premier guide officiel du client, **D'une langue à l'autre / Getting the Message Across.**

Publication du premier **Vocabulaire systématique de la terminologie** par l'Office de la langue française (OLF). Ce vocabulaire, établi dans le cadre des travaux du comité consultatif canadien TC 37 de l'ISO, est l'oeuvre de trois terminologues d'entreprise, Rachel Boutin-Quesnel, chef du groupe, Nycole Bélanger et Nada Kerpan, qui ont travaillé en collaboration avec un terminologue de l'OLF, Louis-Jean Rousseau.

Premier numéro (octobre) de la collection **Travaux de terminologie** publiée par le Groupe interdisciplinaire de recherche scientifique et appliquée en terminologie (GIRSTERM) de l'Université Laval. Directeur : Guy Rondeau.

Première livraison (octobre) de **Terminogramme**, bulletin de la Direction de la terminologie de l'Office de la langue française.

1979 (suite)

Premier numéro (décembre) de la collection **Cahiers de traductologie / Studies in Translatology** publiée par l'École de traducteurs et d'interprètes de l'Université d'Ottawa. Fondateur : Jean Delisle. Cette collection universitaire, la première du genre, est consacrée à la traduction, à l'interprétation, à la terminologie et aux disciplines connexes. Cinq titres publiés au 31 décembre 1984.

Création (novembre) par le Bureau fédéral des traductions d'un service d'interprétation gestuelle s'adressant à l'ensemble de la Fonction publique fédérale. Cette initiative a pour but de faciliter aux nombreux Canadiens souffrant de déficience auditive la communication avec leur gouvernement et avec les divers services administratifs fédéraux.

L'Association des traducteurs et interprètes de l'Ontario (ATIO) tient quatre ateliers à Toronto (mars, juin, août, septembre) à l'intention de ses membres. Thèmes : L'ATIO, sa politique, ses objectifs. Le pigiste. La recherche terminologique. Terminologie médicale.

Journée d'étude (Montréal, 28 février) organisée par la Section des terminologues (SECTER) de la Société des traducteurs du Québec. Thème : Les relations entre terminologues, traducteurs et rédacteurs.

Colloque (Ottawa, 19-20 avril) organisé par le Bureau fédéral des traductions à l'intention des cadres. Thème : Les styles de gestion.

Colloque d'une journée (21 novembre) organisé au Centre culturel canadien de Paris. Thème : Le Bureau des traductions.

Journée d'étude (Montréal, mars) organisée par le Comité des relations avec les universités (CRU) de la Société des traducteurs du Québec (STQ) et l'Association canadienne des Écoles de traduction (ACET). Thème : La révision.

La Cour d'appel du Manitoba rend sa décision dans l'affaire Forest : la Loi de 1890 qui a aboli les droits du français dans la province est anticonstitutionnelle. Le Manitoba en appelle du jugement à la Cour suprême du Canada.

Les juges de la Cour suprême du Canada déclarent à l'unanimité, le 13 décembre, que l'Official Language Act est invalide. Ce jugement oblige le gouvernement du Manitoba à traduire en français les 4 500 lois de la province.

Le premier ministre du Canada, Joe Clark, crée un précédent en autorisant l'usage de l'interprétation simultanée au Conseil des ministres.

1980

Fondation de l'Association des traducteurs et interprètes du Manitoba (ATIM). Constituée officiellement le 3 juin.

Création, à Rankin Inlet (T. N.-O.), à l'occasion de la troisième Conférence des interprètes inuit, de l'Association des interprètes et des traducteurs inuit du Canada / Inuit Interpreters and Translators Association of Canada (IITAC). Cette association non officielle remplace le comité permanent des interprètes et des traducteurs. Comme elle n'est pas légalement constituée, cette association cesse virtuellement d'exister entre les conférences annuelles.

Création du programme de traduction de l'Université McGill. Il s'agit d'une concentration en français avec option "Stylistique et traduction". (Principal artisan : Alain Tichoux). "Ce programme ne donne pas un diplôme en traduction : ceux et celles qui envisagent une carrière de traducteur devront suivre un cours de formation professionnelle." (Prospectus)

Le Department of Romance Languages of the University of Alberta (Edmonton) offre un M.A. in Literary Translation (English-French, French-English).

Création d'un Certificat en terminologie par l'Université du Québec à Montréal.

Création d'un Certificat en rédaction française et en rédaction anglaise par l'École de traducteurs et d'interprètes de l'Université d'Ottawa.

Fondation de l'Association des étudiants du Module des Langues modernes (ASEMOLAM) de l'Université du Québec à Trois-Rivières.

Fondation (27 mai) du Club de traduction de Concordia / Concordia's Translation Club, par les étudiants du programme de traduction de l'Université Concordia (Montréal).

L'Alberta Association of Translators (AAT) adhère au Conseil des traducteurs et interprètes du Canada (CTIC).

La Section des interprètes de conférence de la Société des traducteurs du Québec (STQ) tient sa première assemblée annuelle (30 octobre) et adopte le nom d'INTERSECTION.

Évaluation du système de traduction automatique TAUM-AVIATION.

Accord signé en mai entre la Compagnie internationale de service informatique (CISI) et World Translation Company of Canada (concepteur du logiciel le plus évolué pour la traduction automatique -- Systran) afin de créer une filiale commune de droit canadien baptisée Computrans.

1980 (suite)

Débrayage de 24 heures (26 août) des traducteurs syndiqués de la Fonction publique fédérale. Début de grèves tournantes.

Grève (septembre) du personnel du Bureau fédéral des traductions. L'entente avec le Conseil du Trésor a lieu le 8 novembre.

Assemblée générale extraordinaire (Montréal,14 juin) de la Société des traducteurs du Québec (STQ). Thème : La reconnaissance professionnelle.

Suite à l'affaire Georges Forest, qui obtint gain de cause devant la Cour suprême du Canada, le gouvernement de Sterling Lyon fait adopter le projet de loi n° 2 reconnaissant le français et l'anglais comme langues officielles du Manitoba et s'engage à faire traduire en français toutes les lois pertinentes.

Réunion en novembre à Fredericton de représentants de divers milieux juridiques et gouvernementaux en vue d'explorer les possibilités d'administrer la justice dans les deux langues officielles du pays. Ce plan prévoit : a) la création d'un Centre de documentation juridique; b) la définition du rôle de l'interprète devant les tribunaux; c) la création d'un groupe de travail chargé de préparer un vocabulaire juridique bilingue de la common law.

Première livraison (juin) du **Bulletin de la Corporation des traducteurs et interprètes du Nouveau-Brunswick.**

Première livraison (décembre) du **Bulletin de l'ATIS**, organe d'information de l'Association des traducteurs et interprètes de la Saskatchewan (ATIS).

Première livraison (automne) d'**INTRA**, journal de l'Association des étudiants traducteurs et interprètes de l'Université d'Ottawa (AETI).

Troisième colloque (Sainte-Marguerite Station,13-15 février) organisé par l'Office de la langue française (OLF) et la Société des traducteurs du Québec (STQ). Thème : Le rôle du spécialiste dans les travaux de terminologie.

Colloque (Fredericton, 29 mars) des membres de la Corporation des traducteurs et interprètes du Nouveau-Brunswick (CTINB). Thème : Formulation de problèmes et besoins des traducteurs et interprètes.

Mini-colloque (Ottawa, 10-11 avril) organisé par l'École de traducteurs et d'interprètes de l'Université d'Ottawa. Thème : L'interprétation auprès des tribunaux.

Colloque international sur la traduction (Toronto, 21-24 mai)

1980 (suite)

organisé au Collège Glendon (Université York). Thème : La théorie au service de la pratique.

Colloque sur la traduction (Montréal, 28-31 mai) organisé par l'Association des professeurs de français des universités et collèges du Canada (APFUCC). Thème : La traduction : l'universitaire et le praticien.

Colloque (Ottawa, 11-12 octobre) de l'Association of Visual Language Interpreters of Canada (AVLIC). Les membres y adoptent le texte des lettres patentes de l'Association, ses statuts et ses règlements sous réserve d'approbation par le gouvernement.

Congrès (Hull, 20-21 octobre) des cadres du Bureau fédéral des traductions.

Journée d'information (Montréal, 12 novembre) organisée par le Centre de linguistique de l'entreprise (CLE). Thème : Les instruments automatisés d'aide à la traduction.

Table ronde (Montréal, 27 novembre) organisée par la Société des traducteurs du Québec (STQ). Thème : Aide aux rédacteurs.

Fondation de l'Asociacion de Traductores Profesionales (ATP) du Mexique. "...its main goals were directed to define objectives and seek a course of action that would lead to full recognition of the translator's capabilities."

Création d'un prix international en vue de récompenser les auteurs renommés dans le domaine de la traduction de livres d'enfants. Prix FIT - Astrid Lindgren.

Création de la Médaille commémorative de la Fédération internationale des traducteurs (FIT) afin de perpétuer la mémoire de Pierre-François Caillé.

1981

Fondation de la Society of Translators and Interpreters of British Columbia (STIBC). Constituée officiellement le 30 juillet.

L'Association of Visual Language Interpreters of Canada reçoit ses lettres patentes le 18 novembre.

La Société des traducteurs du Québec (STQ) fait une nouvelle demande de reconnaissance professionnelle. Le dossier est présenté à la fois à l'Office des professions du Québec (OPQ) et au ministre Laurin.

L'Association des traducteurs et interprètes du Manitoba (ATIM) et l'Association des traducteurs et interprètes de la Saskatche-

1981 (suite)

wan (ATIS) adhèrent au Conseil des traducteurs et interprètes du Canada (CTIC).

Création du Centre de traduction et de documentation juridiques (CTDJ) par la Faculté de droit et l'École de traducteurs et d'interprètes de l'Université d'Ottawa et par l'Association des juristes d'expression française de l'Ontario (AJEFO). Ce centre traduira en français les formulaires juridiques de la common law afin de faciliter la pratique du droit dans cette langue en Ontario.

Le Centre de traduction et de terminologie juridiques (CTTJ) de l'École de droit de l'Université de Moncton commence à traduire dans les deux langues officielles du pays tous les arrêts de la Cour d'appel et la majorité des arrêts de la Cour du Banc de la Reine et de la Cour provinciale.

Le gouvernement canadien rejette officiellement (19 mars) le dossier de la Compagnie internationale de service informatique (CISI) et oblige cette dernière et la World Translation Company of Canada à dissoudre Computrans, constituée en mai 1980.

Présentation (31 mars) au Bureau fédéral des traductions d'une version prototype du nouveau système de traduction automatique sur micro-ordinateur baptisé ATMOS et destiné à remplacer le système MÉTÉO.

Lancement du projet TERMIUM III au Bureau fédéral des traductions.

Institution par le Bureau fédéral des traductions de la "Conférence des services de traduction" afin de permettre aux responsables fédéraux et provinciaux de discuter, deux fois par an, des questions d'intérêt commun et de mieux coordonner leurs efforts. Première rencontre : 12-13 février.

Aux journées canadiennes de Nancy (France), le Bureau fédéral des traductions fait une démonstration de l'état des travaux de recherche et de la nature des applications de l'informatique à la traduction au Canada. Présentation reprise à Paris quelques jours plus tard.

Le Bureau fédéral des traductions procède à une étude de faisabilité de l'extension du système TAUM-AVIATION à d'autres manuels ou à d'autres domaines dans le contexte d'une étude de faisabilité de la traduction automatique en général. Il est décidé de ne pas poursuivre le développement du système.

La Division des services multilingues du Bureau fédéral des traductions inaugure un programme de formation en emploi offert aux étudiants dans le cadre d'un programme d'emploi de la Commis-

1981 (suite)

sion de la Fonction publique. Cinq étudiants y participent et la formule se révèle un succès.

L'Association des traducteurs littéraires (Patricia Claxton et Raymond Chamberlain) présente (Montréal, 14 mai) un mémoire au Comité d'étude de la politique culturelle fédérale (Applebaum-Hébert).

La Société des traducteurs du Québec (STQ) se dote, en octobre, d'une directrice administrative. Mary Coppin est choisie pour occuper ce poste.

Réalisation d'un projet tripartite Université du Québec à Trois-Rivières, Office de la langue française, Consolidated-Bathurst : une trentaine d'étudiants en traduction élaborent un **Lexique technique général anglais-français** et un **Vocabulaire anglais-français du matériel papetier.**

Fondation (Montréal, avril) de la maison d'édition Sodilis (éditeur-libraire se spécialisant dans la publication d'ouvrages utiles aux traducteurs). Fonds d'édition de sept titres au 31 décembre 1984.

Première livraison (juin) de l'**AVLIC News**, bulletin de l'Association of Visual Language Interpreters of Canada. À partir d'octobre 1984, le bulletin porte aussi le titre français **Nouvelles d'AILVC.**

Première livraison (octobre) de **Transforum**, bulletin de l'Alberta Association of Translators (AAT).

Colloque (Montréal, 24 février) organisé par la Société des traducteurs du Québec (STQ) et l'Association des conseils en francisation du Québec (ACFQ). Thème : La traduction : seul outil de francisation?

Journée d'étude (Montréal, 6 mars) organisée par l'Association canadienne des humanités et le Département d'études françaises de l'Université Concordia. Thème : La traduction littéraire.

Colloque (Toronto, 20-21 mars) organisé par l'Association des traducteurs et interprètes de l'Ontario (ATIO). Thème : L'actualité en traduction et en interprétation.

Colloque (Montréal, 1er avril) organisé par le Centre de linguistique de l'entreprise (CLE). Thème : La traduction automatique dans l'entreprise : la situation en 1981.

Congrès (Ottawa, 23-24 avril) des cadres du Bureau fédéral des traductions. Thèmes : Le rôle du Bureau. La répartition des tâches. L'évolution de la profession.

1981 (suite)

Colloque (Québec, 26-28 avril) organisé par la Société des traducteurs du Québec (STQ), le Groupe interdisciplinaire de recherche scientifique et appliquée en terminologie (GIRSTERM) et l'Association canadienne des écoles de traduction (ACET). Thème : Les stages en traduction et en terminologie.

Mini-colloque (Ottawa, 11-12 juin) organisé par l'École de traducteurs et d'interprètes de l'Université d'Ottawa. Thème : La traduction juridique.

Atelier (Ottawa, 22-23 août) sur l'interprétation des chants et du théâtre en langage gestuel, organisé par l'Association of Visual Language Interpreters of Canada (AVLIC).

Mini-colloque (Moncton, 19 novembre) organisé par le Centre de traduction et de terminologie juridiques (CTTJ) de l'École de droit de l'Université de Moncton et par le Département de traduction et des langues de l'Université de Moncton. Thème : Le rôle du dictionnaire en traduction.

Colloque (Montréal, 26 novembre) organisé par la Société des traducteurs du Québec (STQ) et l'Association des conseils en francisation du Québec (ACFQ). Thème : Francisation et terminologie.

Inauguration, à l'automne, du service d'interprétation simultanée à l'Assemblée législative du Manitoba.

Le procureur général du Manitoba, Roland Penner, inquiet des répercussions que pourrait avoir l'affaire Bilodeau, propose à la Société Franco-Manitobaine (SFM) d'étendre les services en français et de ne faire traduire que 450 des 4 500 lois manitobaines unilingues anglaises déclarées ultra vires par la Cour suprême, en 1979.

Neuvième Congrès mondial de la Fédération internationale des traducteurs (FIT) à Varsovie. Le Canadien Vladimir Nekrassoff, président du Conseil des traducteurs et interprètes du Canada (CTIC), est élu au Conseil de la Fédération.

1982

Fondation (Montréal, 25-26 septembre) de l'Association québécoise des interprètes francophones en langage visuel (AQIFLV), constituée en corporation en vertu de la Loi sur les corporations canadiennes.

Fondation (Montréal, janvier) du Groupe interentreprises pour la gestion informatique de la terminologie (GITE). Autonome au début, le GITE s'est par la suite joint à l'Association des conseils en francisation du Québec (ACFQ).

1982 (suite)

La Society of Translators and Interpreters of British Columbia (STIBC) adhère au Conseil des traducteurs et interprètes du Canada (CTIC).

Fondation (27 mai) de l'Association internationale de terminologie (TERMIA) à l'Université Laval. Son but est de promouvoir la recherche en terminologie et l'enseignement de cette discipline.

L'Association des traducteurs littéraires (ATL) a, pour la première fois, un kiosque au Salon du livre de Montréal du 23 au 28 novembre.

L'Association des traducteurs littéraires (ATL) décerne pour la première fois le prix John Glassco. Ce prix de 500 $ couronne chaque printemps une traduction parue sous forme de livre dans le cours de l'année précédente et qui constitue, pour le traducteur, une première traduction littéraire. (Voir la section F "Prix de traduction John Glassco" où figurent le nom des lauréats et le titre des traductions primées.)

Exposition sur l'histoire de la traduction au Canada depuis 1534. Réalisée par Jean Delisle avec la collaboration de quatre étudiants, cette exposition est présentée à la Faculté des arts de l'Université d'Ottawa en janvier et en avril.

Inauguration à Paris (10 novembre) d'un terminal donnant accès à la Banque de terminologie du Secrétariat d'État. Terminal remis au Haut Comité de la langue française par Charles Lapointe, ministre d'État aux relations extérieures.

Cours intensif de traduction et de terminologie juridiques (1er-12 mars) et séminaire sur l'interprétation auprès des tribunaux (26-28 mars) organisés par l'École de traducteurs et d'interprètes de l'Université d'Ottawa.

Création de six cours d'interprétation gestuelle et d'un Diplôme de deuxième cycle en interprétation par l'École de traducteurs et d'interprètes de l'Université d'Ottawa.

Attribution de la bourse Paul Patenaude (100 $) de l'Association des traducteurs et interprètes de l'Ontario (ATIO) au Collège Woodsworth, affilié à l'Université de Toronto; ce collège offre un programme de Diplôme en traduction.

Première édition du **Répertoire de traducteurs indépendants dans la région de la capitale nationale** publié par Robert Serré, traducteur indépendant d'Ottawa.

Des représentants du Bureau fédéral des traductions (Philippe Le Quellec et Roch Blais) témoignent (17 juin) devant le Comité mixte spécial du Sénat et de la Chambre des communes sur les

1982 (suite)

langues officielles concernant l'"Étude des Rapports 1978 à 1981 du Commissaire aux langues officielles : les coûts de la traduction".

Le Département de l'information des Territoires du Nord-Ouest réorganise ses services de traduction en créant un Bureau des langues (anciennement Interpreter Corps) qui coordonne tous les services de traduction en inuktitut et en déné dont les cinq langues sont les suivantes : tchippewayan, dogrib, esclave du Sud, esclave du Nord et loucheux.

Première livraison (février) de **TRANSletter**, bulletin de la Society of Translators and Interpreters of British Columbia (STIBC).

Première livraison (juillet) de **Transmission**, bulletin de l'Association des traducteurs littéraires (ATL).

Publication du rapport Poirier-Bastarache **Vers l'égalité des langues officielles au Nouveau-Brunswick.** Groupe d'étude sur les langues officielles.

Atelier (King City, 12-14 février) organisé par l'Association des traducteurs littéraires (ATL). Thème : Les nouvelles technologies utiles aux écrivains et aux traducteurs.

Quatrième colloque (Québec, 28-30 mars) organisé par l'Office de la langue française (OLF) et la Société des traducteurs du Québec (STQ). Thème : L'aménagement de la terminologie : diffusion et implantation.

Colloque (Ottawa, 16-17 avril) organisé par le Département d'anglais de l'Université d'Ottawa. Thème : Translation in Canadian Literature.

Colloque international de terminologie (Sainte-Foy, 23-27 mai) organisé par le Groupe interdisciplinaire de recherche scientifique et appliquée en terminologie (GIRSTERM), l'Office de la langue française (OLF) et la Direction générale de la terminologie et de la documentation (DGTD) du Bureau des traductions.

Réunion fédérale-provinciale (Hull, 2 juin) organisée par le Bureau fédéral des traductions. Thème : L'avenir de la traduction.

Colloque (Toronto, 23 juin) organisé par l'American Society Testing and Materials (ASTM). Thème : Terminology, The Cornerstone of Global Communication Through Standards.

Colloque (Montréal, 14 septembre) organisé par le Centre de linguistique de l'entreprise (CLE). Thème : L'évaluation des programmes de francisation et la diffusion de la terminologie.

1982 (suite)

Journée d'étude (Montréal, 28 octobre) organisée conjointement par la Société des traducteurs du Québec (STQ) et la Banque de terminologie du Québec (BTQ). Thème : Les produits et les services de la BTQ.

Congrès Langue et Société (novembre) organisé par l'Association québécoise des professeurs de français (AQPF) et le Conseil de la langue française (CLF). Thème : Le statut culturel du français au Québec. Nombreuses communications sur la traduction et la terminologie.

Adoption de la nouvelle constitution canadienne et de la **Charte canadienne des droits et libertés.**

Pour protester contre la lenteur du processus de traduction des lois du Manitoba, Roger Bilodeau demande (mars) à la Cour suprême de se prononcer sur la validité de deux lois manitobaines.

1983

Fondation par la Section de Québec de la Société des traducteurs du Québec (STQ) du Grupo Hispanico dirigé par la vice-présidente de la Section, Francine Bertrand-Gonzalez.

Fondation (Calgary, 14 janvier) de l'Interpreters and Translators Association of Western Canada (ITAWC), qui est constituée en vertu de l'Alberta Societies Act. Selon son fondateur, Giovanni De Maria, cette association est fondée dans le seul but de regrouper "tout candidat traducteur et interprète non certifié".

La Maîtrise en linguistique appliquée, option traduction, de l'École de traducteurs et d'interprètes de l'Université d'Ottawa devient une Maîtrise ès arts en traduction.

Création (septembre) du programme de techniques de soutien à la traduction par le collège Algonquin d'Ottawa. Les techniciennes de soutien à la traduction (TST) accomplissent les tâches suivantes : préparation des textes pour la traduction, recherches terminologiques et documentaires de base, interrogation de banques de terminologie, utilisation de machines de traitement de texte, relecture, correction d'épreuves, etc.

Création d'un Baccalauréat spécialisé en traduction par le Collège universitaire de Saint-Boniface (Manitoba). Programme mis sur pied par Annie Brisset.

Le programme de Baccalauréat spécialisé en traduction du Collège universitaire Glendon devient l'École de traduction du Collège Glendon. Son statut est celui d'un département autonome.

Fondation (8 octobre) de l'Association des diplômés du départe-

1983 (suite)

ment de traduction et des langues de l'Université de Moncton (ADDTLUM).

Création par la Canadian Hearing Society du prix d'excellence en interprétation gestuelle Edward C. Bealer. "The award is intended as an acknowledgement to any person worthy of recognition in the interpreting field." Lauréates : Gertrude Kent (1983); Alice Hiscock (1984).

Le Bureau fédéral des traductions installe des Grapho-Braille dans trois de ses centres de documentation. Mis au point par les Services Converto-Braille Cipihot-Galarneau de Hull (Québec), ce terminal permet aux handicapés visuels d'accéder à des bases de données informatisées (dont TERMIUM, la banque de terminologie du gouvernement canadien) et d'obtenir des sorties d'ordinateurs imprimées en braille.

Le mandat du Sous-secrétaire d'État adjoint (Traduction) est élargi et englobe désormais l'orientation globale des programmes portant sur les langues officielles. Le titulaire de ce poste dirige le Programme de promotion des langues officielles et le Bureau fédéral des traductions. Son nouveau titre est : Sous-secrétaire d'État adjoint (Langues officielles et Traduction).

Première livraison (juin) de **Circuit**, magazine d'information sur la langue et la communication, publié par la Société des traducteurs du Québec (STQ).

Première livraison (septembre) de **Termium**, bulletin d'information de la Direction de la terminologie du Bureau des traductions.

Publication par la Société des traducteurs du Québec (STQ) d'un **Annuaire des traducteurs, interprètes et terminologues indépendants et pigistes.**

Publication (octobre) d'un récit humoristique sur les traducteurs et la traduction, **Les obsédés textuels**, par Jean Delisle.

Colloque (Hull, 30 janvier-1er février) organisé par la Société des traducteurs du Québec (STQ) et le Conseil de la langue française (CLF). Thème : Traduction et qualité de langue.

Colloque (Kingston, 11-13 mars) organisé conjointement par l'Association des traducteurs littéraires, The Writers' Union of Canada et l'Union des écrivains québécois. Thème : La diffusion à l'étranger des littératures du Canada.

Colloque (Montréal, 6 avril) organisé par le Centre de linguistique de l'entreprise (CLE) sur la gestion d'un service de traduction en période de crise économique. Thème : Le service de traduction dans l'entreprise : une dépense nécessaire?

1983 (suite)

Colloque (Montréal, 8-10 avril) organisé par le Module de linguistique de l'Université du Québec à Montréal et le Groupe interdisciplinaire de recherche scientifique et appliquée en terminologie (GIRSTERM). Thème : Problèmes et méthodes de la lexicographie terminologique.

Journée d'étude (Trois-Rivières, 26 mai) organisée par le Département de langues modernes de l'Université du Québec à Trois-Rivières. Thème : La traduction assistée par ordinateur.

Colloque (Trois-Rivières, 25 mai) organisé dans le cadre du congrès de l'Association canadienne-française pour l'avancement des sciences (ACFAS). Thème : La traduction littéraire : oeuvre de création et de communication.

Réunion (Hull, 30 mai-3 juin) des exploitants de banques de terminologie, convoquée par la Direction générale de la terminologie et de la documentation (DGTD) du Bureau fédéral des traductions avec la collaboration du Centre international d'information pour la terminologie (Infoterm).

Atelier (Vancouver, juillet) sur "La traduction : la relation entre le traducteur et l'écrivain" dans le cadre du colloque "Les mots et les femmes".

Congrès (Ottawa, 21-22 octobre) de l'Association des traducteurs et interprètes de l'Ontario (ATIO). Thème : Vers le traducteur de demain.

Fondation de l'Alliance Champlain, association québécoise de diffusion internationale du français.

1984

Fondation à Ottawa de l'Association canadienne des entrepreneurs en traduction (ACET). Lettres patentes délivrées le 29 octobre.

L'Alberta Association of Translators (AAT) modifie son nom (septembre) et devient l'Alberta Association of Translators and Interpreters (AATI).

Quatre membres du Conseil de la Société des traducteurs du Québec (STQ) rencontrent des représentants de l'Ordre des professions à propos de la demande de reconnaissance professionnelle.

Le gouvernement des Territoires du Nord-Ouest adopte (28 juin) une ordonnance, l'Official Languages Ordinance, qui rend les Territoires officiellement bilingues et accorde en outre un statut officiel à sept langues autochtones (tchippewayan, cri, dogrib, loucheux, esclave du Nord, esclave du Sud, inuktitut).

Fig. 7 -- Le Bureau des traducteurs militaires en 1944. Première rangée (de g. à dr.) : l[t] H. Mayer, l[t] G. Dunn, capt. C. Lamb, maj. P. Daviault, col. J.-H. Chaballe, capt. L. Lamontagne, maj. P. Bousquet, l[t] H. Champagne, l[t] R. Bellemare. (Photo : CRCCF, Ph 129-112)

Fig. 8 -- Georges Panneton (1883-1947). Ce traducteur réputé fut le précurseur de l'enseignement de la traduction à Montréal en 1940. Il fonda, deux ans plus tard, l'Institut de traduction. En 1945, il présenta à la Faculté des Lettres de l'Université de Montréal la première thèse sur la traduction : **La transposition, principe de la traduction.** (Photo : CRCCF, Ph 129-6)

1984 (suite)

Création (mai) du Comité des gestionnaires des services linguistiques au sein de l'Association des conseils en francisation du Québec (ACFQ).

Le service SVP de la Direction de la terminologie du Bureau fédéral des traductions a répondu à 40 000 demandes de renseignements terminologiques, soit en moyenne 160 demandes par jour ouvrable.

Le logiciel TERMIUM III est mis à l'essai (juillet) au Bureau fédéral des traductions.

Au Manitoba, le gouvernement Pawley propose (janvier) deux mesures : le projet de loi 115, définissant et délimitant les droits des Franco-Manitobains, et une résolution constitutionnelle réaffirmant le statut du français et ajoutant neuf points à l'article 23 de l'Acte du Manitoba de 1870. Ces dispositions prévoient que le gouvernement aurait dix ans pour traduire les lois existantes, mais serait obligé de publier dans les deux langues officielles toutes les lois adoptées après le 31 décembre 1985. Suite à l'opposition du parti conservateur et du groupe Grassroots Manitoba, le gouvernement Pawley laisse mourir son projet de loi au feuilleton (février).

Première livraison (avril) du journal des étudiants en traduction de l'Université Concordia, **Le Contra.**

Cinquième colloque (Montréal, 13-15 février) organisé par la Société des traducteurs du Québec (STQ) et l'Office de la langue française (OLF). Thème : Terminologie et communication.

Conférence-atelier (Montréal, 9 mars) organisée par Sherry Simon à l'Université Concordia. Thème : Traduire la littérature québécoise. *

Journée d'étude (Montréal, 19 avril) organisée par la Société des traducteurs du Québec (STQ). Thème : Les bases de données.

Table ronde (Ottawa, 25 mai) organisée dans le cadre du 15e colloque annuel de l'Association canadienne de linguistique appliquée (ACLA). Thème : La terminologie et ses liens avec la traduction.

Premier congrès (Montréal, 6 juin) de la Société des traducteurs du Québec (STQ). Thème : La traduction au Québec : le passé, le présent, l'avenir.

Congrès (Toronto, 8-9 juin) de l'Association des traducteurs et interprètes de l'Ontario (ATIO). Thème : Le marché du Québec.

Rencontre (Montréal, 1er septembre) de représentants des services

1984 (suite)

linguistiques de différents organismes internationaux (FAO, OACI, GATT, Banque mondiale) afin de discuter du rôle du terminologue dans la fonction linguistique.

Colloque (Montréal, 20 septembre) organisé par le Centre de linguistique de l'entreprise (CLE). Thème : La place du français et l'implantation des terminologies françaises dans l'évolution de la technologie.

National Meeting (Winnipeg, October 3-5) of Sign Language Interpreter Trainers and Service Providers. "The purpose of the meeting is to discuss and share information, problems, and developments in the area of interpreter referred services and interpreter training."

Colloque national (Ottawa, 9-12 octobre) sur les services linguistiques organisé par le Bureau fédéral des traductions. Thème : Les services linguistiques du Canada : bilan et prospective.

Table ronde (Montréal, 21 novembre) sur le rôle de la traduction de livres au Canada, organisée par l'Association des traducteurs littéraires (ATL) dans le cadre du Salon du livre de Montréal. Thème : Traduire : à quoi bon?

Attribution de la nouvelle médaille David Fortin pour excellence en traduction technique. Décernée annuellement à un diplômé de l'École de traducteurs et d'interprètes de l'Université d'Ottawa. Lauréates : 1983-84 Jacqueline Filotas; 1984-85 Suzanne Gasseau-Coulombe.

Dixième Congrès mondial de la Fédération internationale des traducteurs (FIT) à Vienne.

Des délégués du Canada, des États-Unis et du Mexique se rencontrent afin de discuter de la création d'un centre régional nord-américain de la Fédération internationale des traducteurs (FIT) et s'entendent pour tenir à Mexico le Premier congrès nord-américain de traducteurs.

B. ASSOCIATIONS ET ORGANISMES : BUTS ET PRÉSIDENTS

Cette deuxième section du Précis est consacrée aux associations professionnelles de traducteurs, d'interprètes et de terminologues. Y sont inclus également les principaux services de traduction, de terminologie et de linguistique ainsi que les associations d'étudiants en traduction. Cinq tableaux la composent :

- associations provinciales et Conseil national;
- associations professionnelles québécoises;
- associations pancanadiennes;
- organismes divers;
- associations d'étudiants en traduction.

À la suite de chaque tableau figurent a) les buts et objectifs généraux des associations ou organismes qui composent ce tableau et, b) la liste des présidents (ou directeurs, selon le cas) qui se sont succédé à la tête des associations ou des organismes depuis leur fondation jusqu'en 1984.

Les buts, mandats ou objectifs généraux sont extraits des lettres patentes, statuts, chartes, règlements, prospectus, rapports annuels ou répertoires.

À la suite de chacun des tableaux, les associations ou organismes sont classés dans l'ordre alphabétique des sigles.

Enfin, les associations, organismes ou services disparus ou ayant changé de nom sont encadrés de parenthèses.

Tableau 1

ASSOCIATIONS PROVINCIALES ET CONSEIL NATIONAL

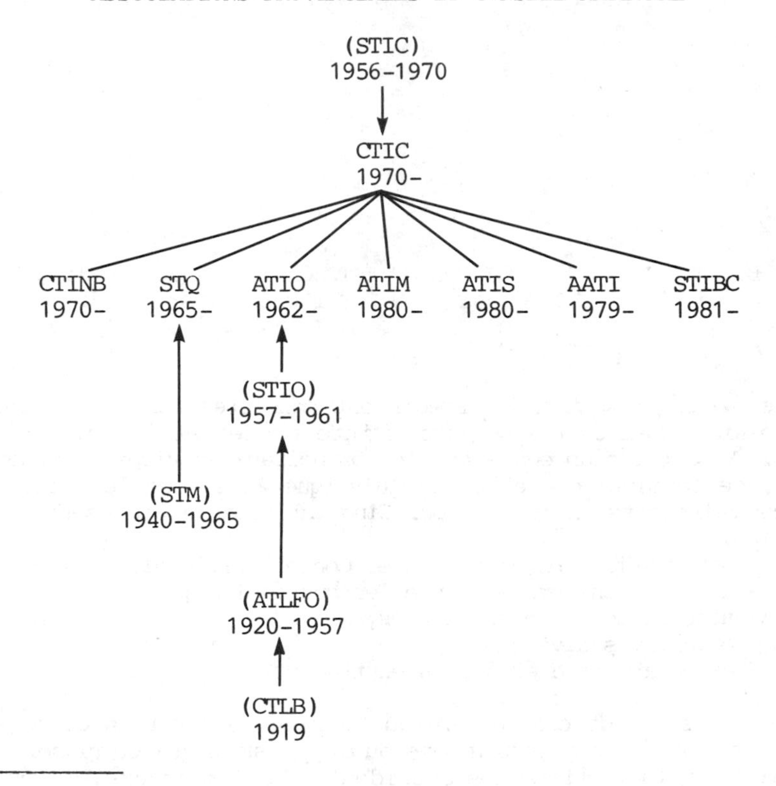

AATI = Alberta Association of Translators and Interpreters
ATIM = Association des traducteurs et interprètes du Manitoba
ATIO = Association des traducteurs et interprètes de l'Ontario
ATIS = Association des traducteurs et interprètes de la Saskatchewan
ATLFO = Association technologique de langue française d'Ottawa
CTIC = Conseil des traducteurs et interprètes du Canada
CTINB = Corporation des traducteurs et interprètes du Nouveau-Brunswick
CTLB = Cercle des traducteurs des Livres Bleus
STIBC = Society of Translators and Interpreters of British Columbia
STIC = Société des traducteurs et interprètes du Canada
STIO = Société des traducteurs et interprètes d'Ottawa
STM = Société des traducteurs de Montréal
STQ = Société des traducteurs du Québec

AATI*
Alberta Association of Translators and Interpreters
Association des traducteurs et interprètes de l'Alberta

"The aims of the Association are:

- To improve the quality of professional translation in the province of Alberta.
- To provide a forum where members may discuss all matters pertaining to the profession.
- To set and uphold standards for persons working or intending to work as part-time and full-time translators in the province of Alberta.
- To encourage and facilitate communication among those engaged in the various areas of translation (legal, scientific, commercial, administrative, and so forth).
- To initiate and maintain friendly and professional relations with similar groups inside and outside Canada.
- To obtain greater recognition for the profession of translator.
- To protect and promote the professional interests of the members." (**Constitution**)

Présidents et présidentes

1979-80	Robert S. Thornberry	1982-83	Barbara Duffus
1980-81	Robert S. Thornberry	1983-84	Barbara Duffus
1981-82	Barbara Duffus		

* Jusqu'en septembre 1984, le nom officiel de cette association a été Alberta Association of Translators (AAT).

ATIM
Association des traducteurs et interprètes du Manitoba
Association of Translators and Interpreters of Manitoba

Les buts de l'ATIM sont les suivants : "Établir et maintenir la qualité professionnelle des services de traduction et d'interprétation, établir un code déontologique et favoriser la formation universitaire." (**Certificat of Incorporation**)

Présidents et présidentes

1980-81	Chris Foley	1982-83	Brian Bendor-Samuel
1981-82	Chris Foley	1983-84	Majella Boissonneault

ATIO

Association des traducteurs et interprètes de l'Ontario
Association of Translators and Interpreters of Ontario

"L'Association groupe les traducteurs et interprètes de toutes catégories (littéraires, techniques, commerciaux, administratifs et autres) de la province de l'Ontario et a pour but :

- de défendre les intérêts professionnels des traducteurs et des interprètes de l'Ontario;
- de favoriser la formation de traducteurs et d'interprètes compétents;
- d'améliorer la qualité de la traduction et de l'interprétation; et
- d'entretenir des relations amicales et professionnelles avec les groupements analogues du Canada et de l'étranger."

(Statuts)

Présidents

1962-63	Maurice Roy	1973-74	Fred Glaus
1963-64	Maurice Roy	1974-75	Fred Glaus
1964-65	Donat Fleury	1975-76	Pierre Danis
1965-66	Donat Fleury	1976-77	Pierre Danis
1966-67	Mario Lavoie	1977-78	Pierre Danis
1967-68	Paul Patenaude	1978-79	Pierre Danis
1968-69	Paul Patenaude	1979-80	Vladimir Nekrassoff
1969-70	Paul Patenaude	1980-81	Vladimir Nekrassoff
1970-71	Paul Patenaude	1981-82	Vladimir Nekrassoff
1971-72	Bernard Malbet	1982-83	Brian Harris
1972-73	Bernard Malbet	1983-84	Hendrik Burgers

ATIS

Association des traducteurs et interprètes de la Saskatchewan
Association of Translators and Interpreters of Saskatchewan

"Objects:

- Defend the ethical and material interests of its members.
- Promote and encourage the training of qualified translators and interpreters.
- Improve the quality of translation and interpretation services.
- Establish the basis of a code of ethics for translators and interpreters.
- Maintain a steady interchange of ideas with similar organizations throughout Canada and abroad.
- Negotiate with the proper authorities in matters pertaining to the preparation and adoption of legislation respecting the professions of translator and interpreter." **(Bylaws)**

Présidents

1980-81	Bernard Wilhelm	1982-83	Brian E. Rainey
1981-82	Bernard Wilhelm	1983-84	Brian E. Rainey

(ATLFO)
Association technologique de langue française d'Ottawa

"L'Association vise :

- au groupement des fonctionnaires fédéraux conscients de l'étude à faire pour assurer une traduction méritoire des documents parlementaires et administratifs;
- à l'adhésion de toutes les personnes désireuses de mettre la langue française en honneur et en splendeur;
- à l'institution de causeries technologiques;
- à l'uniformisation du français officiel." (Charte)

Présidents

1920-21	Arthur Beauchesne	1939-40	Louis-Philippe Gagnon
1921-22	Arthur Beauchesne	1940-41	Louis-Philippe Gagnon
1922-23	Arthur Beauchesne	1941-42	Louis-Philippe Gagnon
1923-24	H.-P. Arsenault	1942-43	Théophile Dumont
1924-25	H.-P. Arsenault	1943-44	Théophile Dumont
1925-26	H.-P. Arsenault	1944-45	Charles Michaud
1926-27	H.-P. Arsenault	1945-46	Charles Michaud
1927-28	Hector Carbonneau	1946-47	Charles Michaud
1928-29	Domitien T. Robichaud	1947-48	Marcel Lacourcière
1929-30	Louis-Joseph Chagnon	1948-49	Antoine Sauvé
1930-31	Louis-Joseph Chagnon	1949-50	Markland Smith
1931-32	Omer Chaput	1950-51	Markland Smith
1932-33	Omer Chaput	1951-52	Markland Smith
1933-34	Pierre Daviault	1952-53	Augustin Potvin
1934-35	Pierre Daviault	1953-54	Augustin Potvin
1935-36	Pierre Daviault	1954-55	Augustin Potvin
1936-37	Pierre Daviault	1955-56	Émile Boucher
1837-38	Pierre Daviault	1956-57	Émile Boucher
1938-39	Louis-Philippe Gagnon	1957	Louis Charbonneau

CTIC
Conseil des traducteurs et interprètes du Canada
Canadian Translators and Interpreters Council

Le CTIC est une fédération qui regroupe, à l'échelle nationale, les sociétés de traducteurs et d'interprètes légalement constituées.

"Le Conseil a pour buts :
- de coordonner l'activité des Sociétés membres et d'encourager leur collaboration;
- d'assurer l'uniformité des normes relatives à l'exercice de la profession;
- de maintenir des liens avec les associations nationales et internationales de traducteurs et d'interprètes." (Statuts)

Présidents

1971-72	Robert Dubuc	1978-79	Yvon Saint-Onge
1972-73	Robert Dubuc	1979-80	Vladimir Nekrassoff
1973-74	Paul A. Horguelin	1980-81	Vladimir Nekrassoff
1974-75	Paul A. Horguelin	1981-82	Pierre Marchand
1975-76	Pierre Danis	1982-83	Pierre Marchand
1976-77	Pierre Danis	1983-84	Brian Harris
1977-78	René Deschamps		Jean-François Joly

CTINB

Corporation des traducteurs et interprètes du Nouveau-Brunswick
Corporation of Translators and Interpreters of New Brunswick

"La Corporation a pour buts :

- de défendre les intérêts moraux et matériels de ses membres;
- de favoriser la formation de traducteurs et interprètes compétents;
- d'améliorer la qualité des services de traduction et d'interprétation;
- de poser les bases d'un code moral du traducteur et de l'interprète;
- d'entretenir des liens étroits avec les groupements analogues du Canada et de l'étranger;
- d'intervenir auprès des pouvoirs publics dans l'établissement de mesures législatives et règlements concernant les professions de traducteur et d'interprète." (Statuts)

Présidents et présidentes

1970-71	Michel Bastarache	1978-79	Yvonne McLaughlin
1971-72	Livain McLaughlin	1979-80	Denis Juhel
1972-73	Livain McLaughlin	1980-81	Margaret Epstein
1974-75	Marc Lapointe	1981-82	Margaret Epstein
1975-76	Léopold Saint-Laurent	1982-83	Yves King
1976-77	Léopold Saint-Laurent	1983-84	Yves King
1977-78	Yvonne McLaughlin		

(CTLB)
Cercle des traducteurs des Livres Bleus

"La "Division" (des Livres Bleus) était à peine constituée (1913) qu'a éclaté la première Grande Guerre. Les soldats que la patrie envoie sous le feu de l'ennemi serrent naturellement les rangs; ils savent que l'union assure contre les dangers une protection d'autant plus efficace que les liens s'avèrent plus étroits. C'est pour obéir au même instinct et à la même nécessité que les traducteurs des Livres Bleus ont songé à se grouper en une association. Le feu nourri des vocables nouveaux ou techniques que les documents de toutes sortes, militaires ou autres, mettaient à tout instant sous leurs yeux a eu pour effet de resserrer les rangs parmi les traducteurs et d'unir les fronts, sinon devant l'ennemi, du moins devant les "faux amis"."

(Charles Michaud, "Noces d'argent", dans **Le Canada Français**, vol. 32, n° 5, 1945, p. 363)

Président

1919 Moïse Lavoie

STIBC
Society of Translators and Interpreters of British Columbia

"The purposes of the Society are:

- to promote the education and training of translators and interpreters in the Province of British Columbia;
- to foster the professional development of translators and interpreters in areas of specialization;
- to serve the public by a system of accreditation with a view to certifying those translators and interpreters who meet the standards of the Society;
- to promote public understanding and awareness of the functions and responsibilities of translators and interpreters;
- to promote the professional interests of translators and interpreters in the Province of British Columbia;
- to maintain an exchange of ideas and information between translators and interpreters in this province and elsewhere;
- to establish a Code of Ethics for its members."

(**Constitution**)

Présidents et présidentes

1981-82 Leslie Miller
1982-83 Jindra Repa
1983-84 Jindra Repa

(STIC)
Société des traducteurs et interprètes du Canada
Society of Translators and Interpreters of Canada

"La STIC est une corporation constituée aux fins suivantes :

- grouper les traducteurs et interprètes du Canada en vue de défendre leurs intérêts tant sur le plan national que sur le plan international;
- améliorer la qualité de la traduction et de l'interprétation au Canada; et
- d'une façon générale, favoriser l'étude des deux langues officielles au Canada." (Statuts)

Présidents

1957-58	Émile-A. Boucher	1964-65	Markland Smith
1958-59	Émile-A. Boucher	1965-66	Émile-A. Boucher
1959-60	Marcel Paré	1966-67	Frédéric Phaneuf
1960-61	Marcel Paré	1967-68	Luc Laforce
1961-62	Markland Smith	1968-69	Luc Laforce
1962-63	Jean-Paul Vinay	1969-70	Mario Lavoie
1963-64	Jean-Paul Vinay	1970-71	Mario Lavoie

(STIO)
Société des traducteurs et interprètes d'Ottawa
Ottawa Translators and Interpreters Society

"La Société des traducteurs et interprètes /.../ a pour but :

- de grouper les traducteurs et interprètes de la région de la capitale nationale du Canada en vue de défendre leurs intérêts;
- d'améliorer la qualité de la traduction et de la langue administrative;
- et, en général, de participer au travail d'épuration de la langue française au Canada." (Statuts)

Présidents

1957-58	Louis Charbonneau	1960-61	Jean-Marc Poliquin
1958-59	Jean-Marie Magnant	1961-62	Jean-Marc Poliquin
1959-60	Jean-Marc Poliquin		Maurice Roy

(STM)
Société des Traducteurs de Montréal
Montreal Translators' Society

Les buts de la Société et la liste de ses présidents et présidentes figurent à la suite du Tableau 2 -- Associations professionnelles québécoises.

STQ
Société des traducteurs du Québec
Translators' Society of Québec

Les buts de la Société et la liste de ses présidents et présidentes figurent à la suite du Tableau 2 -- Associations professionnelles québécoises.

Tableau 2

ASSOCIATIONS PROFESSIONNELLES QUÉBÉCOISES

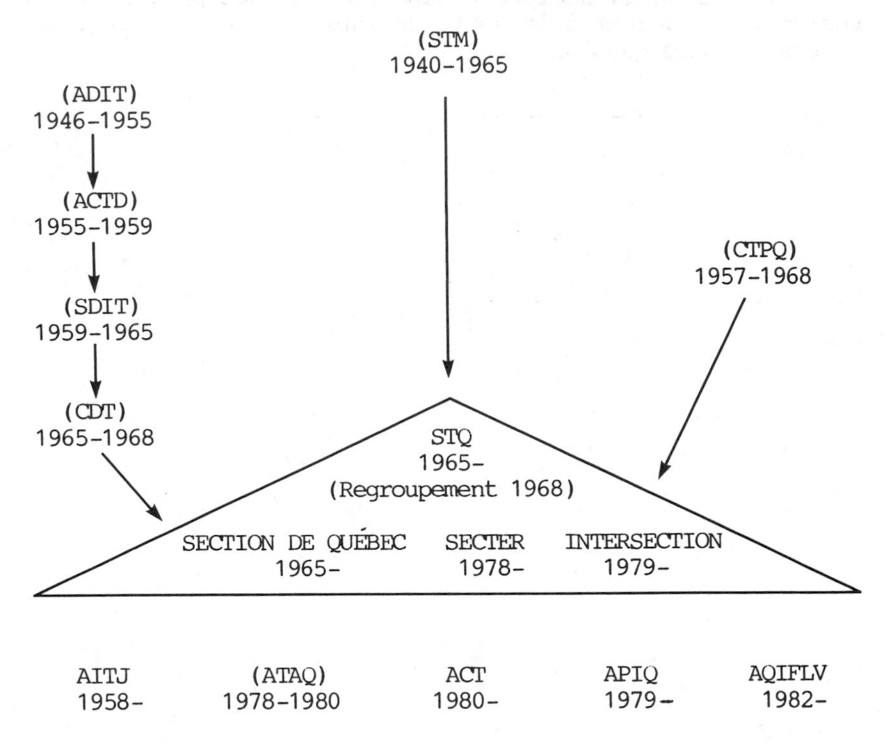

AITJ	(ATAQ)	ACT	APIQ	AQIFLV
1958-	1978-1980	1980-	1979-	1982-

ACT = Association des cabinets de traduction
ACTD = Association canadienne des traducteurs diplômés
ADIT = Association des diplômés de l'Institut de traduction
AITJ = Association des interprètes et des trad. judiciaires
APIQ = Association professionnelle des interprètes du Québec
AQIFLV = Association québécoise des interprètes francophones en langage visuel
ATAQ = Association des traducteurs anglophones du Québec
CDT = Cercle des traducteurs
CTPQ = Corporation des traducteurs professionnels du Québec
INTERSECTION = Section des interprètes de conférence de la STQ
SDIT = Société des diplômés de l'Institut de traduction
SECTER = Section des terminologues de la STQ
SECTION DE QUÉBEC de la STQ
STM = Société des traducteurs de Montréal
STQ = Société des traducteurs du Québec

ACT
Association des cabinets de traduction
Association of Consulting Translators

"Les buts de l'ACT sont les suivants :
- de faire respecter des normes élevées de qualité dans le domaine de la traduction;
- de rendre le public conscient de l'importance de la traduction de qualité;
- de fournir aux membres un lieu de rencontre propice aux échanges d'idées et d'informations;
- de définir, de faire reconnaître et de protéger les droits professionnels des membres." (Statuts)

Président

1980- Raymond Frenette

(ACTD)
Association canadienne des traducteurs diplômés
Canadian Association of Certificated Translators

Présidents

1955-56	Fernand Beauregard	1957-58	Simon L'Anglais
1956-57	Fernand Beauregard	1958-59	Simon L'Anglais

(ADIT*)
Association des diplômés de l'Institut de traduction

Présidents

1946-47	André Lespérance	1950-54	L'ADIT est inactive
1947-48	André Lespérance	1954-55	Fernand Beauregard
1948-49	Marcel Provost		

* L'ADIT était aussi connue sous le sigle ADITUM (Association des diplômés de l'Institut de traduction de l'Université de Montréal)

AITJ*
Association des interprètes et des traducteurs judiciaires
Association of Legal Court Interpreters and Translators

Présidents et présidentes

1958-59	Henri Keleny	1968-72	Armindo Ferreira
1959-60	William Colicos	1972-76	Elisabeth Farkas

1960-64	Carlo di Carlo	1976-80	Suzanne Trautmann
1964-68	Henri Keleny	1980-84	Henri Keleny

* Cette "association" semble être une agence de traduction plutôt qu'une association professionnelle au sens propre du terme. Il nous a été impossible d'en obtenir les lettres patentes, le règlement intérieur et le code de déontologie.

APIQ
Association professionnelle des interprètes du Québec

"L'Association :

- permet à tous les interprètes professionnels du Québec de se grouper afin d'oeuvrer ensemble à l'étude, à la défense et au développement de leurs intérêts économiques, sociaux et moraux;
- offre la reconnaissance professionnelle par l'appartenance à un organisme professionnel ayant existence légale dans la province, seule juridiction possédant le pouvoir d'accorder une telle reconnaissance légale;
- offre le forum aussi vaste que possible permettant à tous les interprètes professionnels du Québec de se faire entendre et de participer activement à la prise des décisions qui touchent leurs intérêts économiques, sociaux et moraux;
- devient le porte-parole de ses membres dans les négociations requises avec d'autres associations professionnelles en activité au Canada et, le cas échéant, avec les employeurs du secteur public, afin d'assurer la sauvegarde, d'une part, de la haute qualité de la prestation des services d'interprétation et, d'autre part, de l'uniformité des tarifs;
- désire établir et maintenir, selon les besoins, les structures de consultations requises pour l'étude, la défense et le développement des intérêts économiques, sociaux et moraux de tous les membres de la profession au Canada et à l'étranger."

(Déclaration de principe)

Président

1979- Louis-Armand Côté

AQIFLV
Association québécoise des interprètes francophones en langage visuel

"Les buts de la Corporation sont :

- pourvoir à la création d'une organisation provinciale chargée de promouvoir la standardisation et l'uniformité de la qualité du service dispensé par les interprètes francophones de langage visuel.
- coordonner et/ou fournir une "accréditation" à tous les interprètes francophones de langage visuel.

- encourager le développement des programmes destinés à faciliter l'éducation et la formation des interprètes francophones de langage visuel, qualifiés au niveau provincial.
- conserver l'intégrité du langage utilisé par les différentes communautés sourdes de la province.
- élaborer des "voies directrices" définissant les normes et les fonctions de l'interprète en langage visuel.
- promouvoir la formation, la connaissance et les compétences des interprètes francophones en langage visuel par la participation à des ateliers, à des rencontres professionnelles, au moyen d'échanges avec des collègues, par la lecture de documents récents disponibles sur le sujet.
- encourager les discussions et stimuler l'apport de solutions reliées au domaine de l'interprétation de langage visuel."
(Statuts)

Présidente

1982- Joane Calvaresi

(ATAQ)
Association des traducteurs anglophones du Québec
Quebec Association of Anglophone Translators

"Aims:
- To provide a forum for all translators who translate into English in Quebec;
- To establish contact between the various English translators working in Quebec, thus encouraging and facilitating the exchange of information vital to the profession;
- To afford the various English translators throughout Quebec the opportunity of meeting each other;
- To encourage awareness of the specific problems and preoccupations of English translators;
- To collaborate with and inform other individuals, businesses and institutions whose interest lies in having professional English translators and translations;
- To provide those courses, lectures, seminars or talks which may be judged necessary by members of the Association;
- To set up and provide access to a documentation centre which will contain information of use to members of the Association;
- To foster understanding and awareness of the translation profession among various external publics;
- To provide members with information regarding potential employment vacancies, either full-time or part-time."
(Constitution)

Président

1978-80 William King

(CDT)
Cercle des traducteurs
Translators' Club

Présidents

1965-66 Lucien Forgues

1966-68 Marcel Deschamps

(CTPQ*)
Corporation des traducteurs professionnels du Québec

"... la Corporation définit ainsi ses objectifs : l'avancement et le rayonnement de la profession de traducteur ainsi que l'étude et la défense des intérêts professionnels, économiques, sociaux et moraux de ses membres." (**Journal des traducteurs,** vol. 2, n° 3, 1957, p. 125)

Présidents

1957-58 Fernand Beauregard
1958-59 Fernand Beauregard
1959-60 André d'Allemagne
1960-61 Gabriel Langlais
1961-62 Roger Moisan
1962-63 Roger Moisan
1963-64 Marcel Paré
1964-65 Marcel Paré
1965-66 Marcel Paré
1966-67 Markland Smith
1967-68 Robert Dubuc

* Familièrement connue sous le nom de "la CORPO".

INTERSECTION

Section des interprètes de conférence
de la Société des traducteurs du Québec

Les buts de l'INTERSECTION sont les suivants :
- définir et représenter la profession d'interprète de conférence au Québec;
- regrouper les interprètes de conférences au sein d'une entité ayant un statut juridique;
- veiller à la protection du public;
- encourager le perfectionnement professionnel de ses membres.

Présidents et présidentes

1980 Noël Salathé

1981-84 Éliane Orléans-Gerstein

(SDIT)
Société des diplômés de l'Institut de traduction
Institute of Translation Graduates' Society

"La SDIT est constituée aux fins suivantes :

- le groupement en société des Diplômés de l'Institut de Traduction et éventuellement, d'autres personnes qui peuvent prouver leur compétence en traduction, ou qui s'intéressent à la qualité de la traduction en général, en vue d'une entraide professionnelle;
- l'étude, la protection et l'avancement de leurs intérêts culturels, économiques ou sociaux, ou d'un caractère analogue;
- l'amélioration de leur pratique de la traduction et l'encouragement à l'étude des langues vivantes et plus particulièrement celle du français et de l'anglais." (Statuts)

Présidents et présidentes

1959-60	Thérèse Dumesnil	1962-63	Maria Corso-Grossman
1960-61	Thérèse Dumesnil	1963-64	Maria Corso-Grossman
1961-62	Lucien Julien	1964-65	Maria Corso-Grossman

SECTER

Section des terminologues de la Société des traducteurs du Québec

"La SECTER poursuit les objectifs suivants :

- favoriser la reconnaissance de la spécificité de la terminologie;
- répondre aux besoins particuliers de cette spécialisation professionnelle;
- favoriser le perfectionnement professionnel de ses membres;
- rapprocher les terminologues;
- contrôler la qualité du travail terminologique : reconnaître un seuil minimal de compétence;
- guider l'employeur dans son recrutement de terminologues."

(Procès-verbal de la réunion du Comité des terminologues, le 8 mars 1977)

Présidents et présidentes

1978-79	Nada Kerpan	1981-82	Gérard Coupal
1979-80	Bruno Couture	1982-83	Catherine Bowman
1980-81	Gérard Coupal	1983-84	Nathalie Cartier

SECTION DE QUÉBEC
de la Société des traducteurs du Québec

Présidents et présidentes

1965-66	William Côté	1975-76	Michelle Guay
1966-67	William Côté	1976-77	Claire Wells
1967-68	William Côté	1977-78	Roda P. Roberts
1968-69	William Côté	1978-79	Roda P. Roberts
1969-70	William Côté	1979-80	Madeleine des Rivières
1970-71	William Côté	1980-81	Vivianne Foster
1971-72	Jean Arvis	1981-82	Marie-Claire Lemaire
1972-73	Jean Arvis	1982-83	Marie-Claire Lemaire
1973-74	Victor Jaar	1983-84	Wallace Schwab
1974-75	Victor Jaar		

(STM)
Société des traducteurs de Montréal
Montreal Translators Society

"Les buts de la société sont de grouper les personnes qui s'intéressent aux travaux de traduction, soit comme carrière, soit comme culture; relever le niveau de compétence de la profession de traducteur en rapport au commerce, à la finance, et à l'industrie; développer l'art de la traduction en facilitant l'acquisition d'une connaissance plus grande des deux langues officielles au Canada, au moyen de conférences et de cours d'initiation et de perfectionnement; instituer un forum pour débattre et résoudre les difficultés de traduction soumises par les membres."
(Charte)

Présidents et présidentes

1940-41	Joseph LaRivière	1953-54	Jean-François Pelletier
1941-42	Joseph LaRivière		Marcelle Brossard
1942-43	Joseph LaRivière	1954-55	Marcelle Brossard
1943-44	Y. Rialland-Morissette	1955-56	David Stewart
	John Perrie	1956-57	David Stewart
1944-45	Albert C. Beaulieu	1957-58	John B. Bilodeau
1945-46	R. Ridley-Cameron	1958-59	John B. Bilodeau
	Laurence Harel-Paquin	1959-60	Michel Pasquin
1946-47	Jean Penverne	1960-61	Michel Pasquin
1947-48	Jean Penverne	1961-62	Robert Assa
1948-49	Paul Galt Michaud		Michel Pasquin
1949-50	Paul Galt Michaud	1962-63	Michel Pasquin
1950-51	Paul Galt Michaud	1963-64	Michel Pasquin
1951-52	Raoul Daigneault	1964-65	Horace Leclerc
1952-53	Jean-François Pelletier		

STQ
Société des traducteurs du Québec
Translators' Society of Quebec

"La corporation a pour buts :

- de grouper les titulaires de diplômes universitaires en traduction;
- d'étudier, de favoriser et de promouvoir de toutes manières les intérêts économiques, sociaux et professionnels de ses membres;
- d'éditer des revues, périodiques et autres publications d'information, de formation et de culture professionnelle, et de mettre à la disposition de ses membres tous autres services d'intérêt professionnel;
- d'édicter des règles d'éthique professionnelle et de les faire respecter par ses membres;
- d'établir les normes de la profession de traducteur agréé, de veiller au maintien de normes professionnelles élevées en dispensant, au besoin, l'enseignement nécessaire, et de faire subir l'examen d'agrément et des examens de compétence;
- de collaborer avec d'autres organismes ayant des buts similaires." (Statuts)

Présidents et présidentes

1965-66	Claire Laroche Kahanov	1975-76	Raymond Frenette
1966-67	Claire Laroche Kahanov	1976-77	René Deschamps
1967-68	Claire Laroche Kahanov	1977-78	René Deschamps
1968-69	Claire Laroche Kahanov	1978-79	René Deschamps
1969-70	Paul A. Horguelin	1979-80	Nada Kerpan
1970-71	Paul A. Horguelin	1980-81	Nada Kerpan
1971-72	Jean-Paul Coty	1981-82	Pierre Marchand
1972-73	Jean-Paul Coty	1982-83	Pierre Marchand
1973-74	Jean-Paul Coty	1983-	Jean-François Joly
1974-75	André Desrochers		

Directrice administrative

1981- Mary Coppin

Tableau 3

ASSOCIATIONS PANCANADIENNES

CTIC 1970-	AIIC-CANADA 1971-	ACET 1973-
ATL 1975-	AVLIC 1979-	IITAC 1980-
ITAWC* 1983-		ACETb** 1984-

ACET = Association canadienne des écoles de traduction
ACETb = Association canadienne des entrepreneurs en traduction
AIIC-CANADA = Association internationale des interprètes de conférence, région du Canada
ATL = Association des traducteurs littéraires
AVLIC = Association of Visual Language Interpreters of Canada
CTIC = Conseil des traducteurs et interprètes du Canada
IITAC = Inuit Interpreters and Translators Association of Canada
ITAWC = Interpreters and Translators Association of Western Canada

* En avril 1986, l'ITAWC se donne une vocation nationale et adopte le nom d'Association of Interpreters and Translators of Canada (AITC) / Association des traducteurs et interprètes du Canada. Il ne faut pas confondre, toutefois, cette association avec le Conseil des traducteurs et interprètes du Canada (CTIC). Depuis 1970, le CTIC regroupe en fédération les sociétés provinciales de traducteurs et interprètes et il est le seul organisme national habilité à représenter officiellement le Canada au sein de la Fédération internationale des traducteurs (FIT).

** Dans le présent ouvrage, un b sert à distinguer l'Association canadienne des entrepreneurs en traduction de l'Association canadienne des écoles de traduction (ACET).

ACET
Association canadienne des écoles de traduction
Canadian Association of Schools of Translation

"L'Association canadienne des écoles de traduction /.../ a pour objet de permettre aux organismes qu'elle représente (écoles, unités universitaires et autres établissements offrant des programmes de traduction) de coordonner leur action en vue d'assurer aux traducteurs professionnels la meilleure formation possible.

L'ACET se propose les buts particuliers suivants :
- harmoniser autant que faire se peut les programmes d'études et les examens;
- permettre des échanges de documentation et de toute forme de communication sur les problèmes que pose la formation du traducteur dans le domaine de l'enseignement et de la recherche;
- faciliter les échanges de professeurs." (Statuts)

Présidents et présidentes

1973-79	Jean Darbelnet	1981-83	Geoffrey Vitale
1979-81	Roda P. Roberts	1983-	Judith Woodsworth

ACETb
Association canadienne des entrepreneurs en traduction
Canadian Association of Translation Contractors

"Les buts de la société sont : défendre et promouvoir les intérêts des entrepreneurs en traduction au Canada."
(Lettres patentes)

Président

1984- Pierre Devinat

AIIC-CANADA
Association internationale des interprètes de conférence
Région du Canada
International Association of Conference Interpreters
AIIC-CANADA Region

"L'Association a pour objet de définir et de représenter la profession d'interprète de conférence, de sauvegarder les intérêts légitimes de ses membres et de servir la coopération internationale en exigeant d'eux une haute valeur professionnelle."
(Statuts)

"L'Association internationale des interprètes de conférence (AIIC), fondée le 11 novembre 1953 à Paris, est un groupement mondial d'interprètes professionnels hautement qualifiés. Elle compte plus de 1 600 membres répartis entre différentes régions, dont la région AIIC-CANADA.

Les membres de l'AIIC-CANADA sont régulièrement appelés à travailler pour l'Organisation des Nations Unies et ses institutions spécialisées, le gouvernement fédéral, les gouvernements provinciaux et de grandes conférences nationales ou internationales." (AIIC-CANADA, **Annuaire 1984**)

Présidentes

1971-75	Renia Romer	1979-83	Marie-Josée Dana
1975-79	Simone Trenner	1983-	Caro Leman

AVLIC
Association of Visual Language Interpreters of Canada
Association des interprètes de langage visuel du Canada

"The objectives of the Corporation are:

- to provide a national organization responsible for promoting the standardization and uniformity of the quality of service provided by Visual Language Interpreters;
- to co-ordinate and/or provide accreditation of all Visual Language Interpreters (VLI's);
- to encourage the development of programs designed to facilitate the education and training of qualified Visual Language Interpreters at the Provincial level;
- to maintain the integrity of the language of individual Hearing Impaired Communities across Canada;
- to promote professional development, knowledge and skills of Visual Language Interpreters through participation in workshops, professional meetings, interaction with colleagues and readings of current literature in the field;
- to promote the discussion and solution of all major issues related to Visual Language Interpreting." **(Constitution)**

Présidents et présidentes

1980-81	Louise Ford	1982-83	Paul Bourcier
1981-82	Louise Ford	1983-84	Dottie Rundles

ATL
Association des traducteurs littéraires
Literary Translators' Association

"L'Association se propose :

- de faire respecter des normes élevées de qualité dans le domaine de la traduction littéraire;

- de rendre le public conscient de l'importance de la traduction de qualité, tout en lui permettant de mieux l'apprécier;
- de fournir aux traducteurs littéraires un lieu de rencontre propice aux échanges d'idées et d'information;
- de définir, de faire reconnaître et de protéger les droits professionnels des traducteurs littéraires." (Statuts)

Présidents et présidentes

1975-79	Patricia Claxton	1979-83	Ray Ellenwood
	Michel Beaulieu	1983-	David Homel

CTIC
Conseil des traducteurs et interprètes du Canada
Canadian Translators and Interpreters Council

Les buts du CTIC et la liste de ses présidents figurent à la suite du Tableau 1 -- Associations provinciales et Conseil national.

IITAC
Inuit Interpreters and Translators Association of Canada
Association des interprètes et des traducteurs inuit du Canada

"Les buts de cette association n'ont jamais été bien précisés, mais elle a pour rôle d'imprimer et de diffuser les listes de mots, de diffuser une brochure regroupant la terminologie acceptée, de former et d'agréer les interprètes et les traducteurs, de préparer un dictionnaire des dialectes et de coordonner la conférence annuelle."

(Kenn Harper, "Traduction de l'inuktitut", dans **Inuktitut**, n° 53, septembre 1983, p. 98)

Présidents et présidentes

1980-84 Bernadette Immaroitok
1984- Nick Amautinnuaq

ITAWC*
Interpreters and Translators Association of Western Canada
Association des interprètes et traducteurs de l'Ouest du Canada

"The objects of the society are:
- to promote, encourage and develop among its members by

discussion, training and education, the skills of interpretation and translation;

- to organize and develop techniques in regard to types of translations such as pragmatic, ethnographic, aesthetic, poetic and linguistic;
- to promote ongoing co-operation and communication among individuals, firms, associations, corporations, and other organizations engaged, involved or interested in interpretation and translation;
- to encourage, promote and establish high standards of competence and performance in the field of interpretation and translation;
- to foster, promote, initiate, organize, coordinate, provide for the holding of and participate in lectures, meetings, programmes, seminars, conferences and like affairs of an educational or professional nature relating to interpretation and translation;
- to provide a centre and suitable meeting place for the various activities of the association;
- to establish and maintain a library and reading room;
- to provide necessary equipment and furniture for carrying on its various objects;
- to provide for the recreation of the members and to promote and afford opportunity for friendly and social activities;
- generally to encourage, foster and develop among its members a recognition of the importance of interpretation and translation;
- to develop a Code of Ethics for the members;
- to acquire lands, by purchase or otherwise, erect or otherwise provide a building or buildings for social and educational purposes;
- to sell, manage, lease, mortgage, dispose of, or otherwise deal with the property of the association;
- to do all such other things as are incidental or conducive to the attainment of the above objects or any of them;
- to be a non-religious, non-political and non-profit-making Association." **(Certificate of Incorporation)**

Président

1983- Omkar Nath Channan

* En avril 1986, l'ITAWC a été rebaptisée Association of Interpreters and Translators of Canada (AITC) / Association des interprètes et traducteurs du Canada et, à cette occasion, le poste de directeur administratif a été créé. Son premier titulaire est Giovanni De Maria.

Tableau 4

ORGANISMES DIVERS

BDT + BTC 1934- 1975-		OLF + BTQ 1961- 1973-
CLE 1972-	ACFQ 1977-	GIRSTERM 1978-
CTTJ 1979-	CTDJ 1981-	GITE 1982-
	ADDTLUM 1983-	

ACFQ = Association des conseils en francisation du Québec
ADDTLUM = Association des diplômés du Département de traduction et des langues de l'Université de Moncton
BDT = Bureau fédéral des traductions
BTC = Banque de terminologie du gouvernement canadien
BTQ = Banque de terminologie du gouvernement du Québec
CLE = Centre de linguistique de l'entreprise
CTDJ = Centre de traduction et de documentation juridiques
CTTJ = Centre de traduction et de terminologie juridiques
GIRSTERM = Groupe interdisciplinaire de recherche scientifique et appliquée en terminologie
GITE = Groupe interentreprises pour la gestion informatique de la terminologie
OLF = Office de la langue française du Québec

ACFQ
Association des conseils en francisation du Québec

"Objectifs :
- déterminer, conseiller et promouvoir des moyens efficaces à prendre en rapport avec les possibilités et les difficultés que soulèvent les législations linguistiques et la gestion linguistique en entreprise, notamment par la mise en commun des expériences des membres et par la recherche de critères d'éthique dans l'administration et l'application des dossiers relatifs à la connaissance et à l'utilisation des langues;
- établir toutes relations utiles à l'avancement de ces dossiers avec les entreprises, les organismes et les autorités gouvernementales intéressés;
- organiser des réunions, des conférences, des comités de travail et des échanges de vues à cet effet et établir un secrétariat pour servir de lien entre les membres." (Prospectus)

Présidents et présidentes

1977-78 Richard Malo
1978-79 Raymond Frenette
1979-80 Richard Malo
1980-81 Christiane Faure
1981-82 Pierre Bouchard
1982-83 Richard Malo
1983-84 Hélène Audet

ADDTLUM
Association des diplômés du Département de traduction et des langues de l'Université de Moncton

Cette association, qui a le caractère d'une "Amicale d'anciens", cherche à développer la conscience professionnelle de ses membres et se veut une porte d'accès au milieu du travail pour les nouveaux diplômés.

Présidente

1983-84 Monique Collette

BDT
Bureau des traductions, Secrétariat d'État
Translation Bureau, Secretary of State

Le rôle du Bureau des traductions du gouvernement canadien est de "... collaborer avec tous les départements du service public et les deux Chambres du Parlement du Canada, ainsi que tous les bureaux, branches, commissions et agents créés ou nommés en vertu d'une loi du Parlement ou par arrêté du Gouverneur en conseil, en faisant et revisant toutes les traductions, d'une langue dans une autre, de tous les rapports administratifs et autres, de tous documents, débats, bills, lois, procès-verbaux et correspondance". (Loi concernant le Bureau des traductions, article 3)

Depuis 1974, le Bureau a en outre pour mandat de "vérifier et de normaliser la terminologie anglaise et française dans la Fonction publique fédérale et chez (sic) tous les corps publics qui relèvent du Parlement du Canada". (Arrêté ministériel)

Surintendants

1934-46	Domitien T. Robichaud	1964-73	Henriot Mayer
1946-55	Aldéric-Hermas Beaubien	1974-78	Paul Larose
1955-64	Pierre Daviault		

À partir de janvier 1978, le surintendant porte le titre de Sous-secrétaire d'État adjoint (Traduction).

Sous-secrétaires d'État adjoints (Traduction)

1978	Paul Larose (janvier à juillet)
1978-82	Philippe Le Quellec (jusqu'en octobre)
1982-83	Alain Landry

À partir d'août 1983, ce poste reçoit une nouvelle désignation. Désormais, son titulaire est un Sous-secrétaire d'État adjoint (Langues officielles et Traduction)

Sous-secrétaire d'État adjoint
(Langues officielles et Traduction)

1983- Alain Landry

BTC
Banque de terminologie du gouvernement canadien
Canadian Government Terminology Bank

Les principaux objectifs de la Banque de terminologie du gouvernement canadien sont :

- "accroître la productivité des services de traduction du gouvernement fédéral;
- mettre une terminologie sûre à la disposition des unités de travail en français;
- uniformiser la qualité des manuels qui servent d'instruments de travail dans la Fonction publique du Canada;
- normaliser la terminologie des lois et règlements des différents ministères". (**La Banque de terminologie du gouvernement canadien.** Aperçu général. 1977)

BTQ
Banque de terminologie du gouvernement du Québec

"La Banque de terminologie du Québec a pour mandat de mettre sur support informatique les ressources terminologiques du monde francophone à la disposition des usagères et usagers québécois et de contribuer ainsi à la francisation des entreprises et de l'Administration.

La B.T.Q. est le système central de gestion et de diffusion des terminologies et de la documentation terminologique que l'Office a mis au point pour produire le matériel nécessaire au processus de francisation. Elle sert également d'outil de référence pour ce qui est des terminologies existantes."

(OLF, **Rapport d'activité 1982-1983**, p. 11)

CLE
Centre de linguistique de l'entreprise
Business Linguistic Center

"Le CLE poursuit les objectifs suivants :

- assister les compagnies membres en ce qui a trait à la formulation et à l'implantation de politiques et programmes linguistiques de l'entreprise;
- aider les compagnies membres en ce qui concerne la disponibilité et l'amélioration des programmes de formation linguistique, des services de traduction et des autres domaines concernés;
- servir de point d'appui pour les compagnies et les autres groupes intéressés à discuter et à traiter des différents aspects des priorités linguistiques changeantes." (**Intercom**, mars 1975)

Présidents du Conseil

1972-76	Frank Brady	1981-83	André Boutin
1977-80	Guy H. Laurin	1984-	James Mills

Directeurs généraux

1972-80	Manon Vennat	1980-	Michel Guillotte

CTDJ
Centre de traduction et documentation juridiques
Center for Legal Translation and Documentation

Le Centre "a pour mandat de créer la documentation juridique en langue française rendue nécessaire par la décision du gouvernement provincial d'améliorer les services juridiques en langue française offerts à la population francophone de l'Ontario. Le Secrétariat d'État fédéral et le ministère du Procureur général de l'Ontario ont mis des fonds à la disposition de l'Université d'Ottawa et de l'Association des juristes d'expression française de l'Ontario pour leur permettre de mettre ce Centre sur pied. Celui-ci est situé sur le campus de l'Université d'Ottawa". (Prospectus)

Directeur

1981-84 Peter Annis

CTTJ
Centre de traduction et de terminologie juridiques

"Créé en 1979 par l'École de droit de l'Université de Moncton pour répondre aux besoins des francophones du Nouveau-Brunswick et du reste du Canada en matière de francisation de la common law, le CTTJ offre aux juristes les instruments nécessaires à la pratique de la common law en français, assurant ainsi à la communauté francophone une plus grande accessibilité aux services juridiques dans sa langue.

Le CTTJ poursuit les activités suivantes :
- développer un vocabulaire français de la common law avec la collaboration de professeurs de droit;
- traduire des ouvrages juridiques à grande diffusion en vue de les rendre plus accessibles aux francophones;
- rédiger des manuels professionnels bilingues;
- traduire des lois et des règlements;
- depuis 1981, traduire dans les deux langues officielles du Nouveau-Brunswick tous les arrêts de la Cour d'appel et la majorité des arrêts de la Cour du Banc de la Reine et de la Cour provinciale." (Prospectus)

Directeurs

1979-81 Gérard Snow
1981-83 David Reed
1983- Gérard Snow

GIRSTERM
Groupe interdisciplinaire de recherche scientifique et appliquée en terminologie

"Principaux objectifs généraux :
a) promouvoir la recherche scientifique en terminologie :
- en réunissant des chercheurs du département, de la Faculté des lettres ainsi que d'autres facultés pour discuter de problèmes communs;
- en organisant des rencontres d'experts dans le but de favoriser l'avancement de la terminologie comme discipline autonome;

- en publiant des monographies et des études sur différents aspects de la recherche scientifique en terminologie;
- en offrant à de jeunes chercheurs la possibilité de faire des stages de formation;
- en assurant la liaison entre les chercheurs sur le plan international, au moyen d'un bulletin faisant état des recherches en cours.

b) favoriser la formation des terminologues :
- en collaborant étroitement à la réalisation des programmes d'études, notamment celui de 2e cycle en terminologie et traduction;
- en développant sur commande du matériel didactique."

(Prospectus)

Directeur

1978- Guy Rondeau

GITE
Groupe interentreprises pour la gestion informatique de la terminologie

"Le GITE a pour objectifs premiers :
- l'évaluation des besoins d'ensemble en matière d'automatisation de la terminologie;
- la définition de systèmes de gestion de banque de terminologie conformes aux besoins d'abord spécifiques, puis communs des entreprises; et
- l'accès aux divers fonds terminologiques sur une base de réciprocité." (**Mémoire** du GITE)

Président

1982- Raymond Frenette

OLF
Office de la langue française du Québec

Lors de sa création par la Loi créant le ministère des Affaires culturelles, en 1961, l'OLF avait reçu le mandat très général de "voir à l'enrichissement du français parlé et écrit au Québec".

Présidents

1961-63 Jean-Marc Léger
1963-71 Maurice Beaulieu
1971-74 Gaston Cholette

Il fallut attendre 1974 afin que des pouvoirs véritables soient remis à l'Office pour la conduite de son mandat. De 1974 à

1977, sous la Loi sur la langue officielle (ou Loi 22), l'Office a porté le nom de Régie de la langue française (RLF).

"La Régie a pour rôle :

- de donner son avis au ministre sur les règlements prévus par la présente loi;
- de veiller à la correction et à l'enrichissement de la langue parlée et écrite;
- de donner son avis au gouvernement sur les questions que celui-ci lui soumet;
- de mener les enquêtes prévues par la présente loi afin de vérifier si les lois et les règlements relatifs à la langue française sont observés;
- de donner son avis au ministre sur l'attribution, par le ministre, des crédits destinés à la recherche en linguistique et à la diffusion de la langue française;
- de collaborer avec les entreprises à l'élaboration et la mise en oeuvre de programmes de francisation;
- de normaliser le vocabulaire utilisé au Québec et d'approuver les expressions et les termes recommandés par les commissions de terminologie." (Loi sur la langue officielle)

Président

1974-77 Claude Forget

L'Office de la langue française (deuxième version) fut créé en 1977 par la Charte de la langue française "pour définir et conduire la politique québécoise en matière de recherche linguistique et de terminologie, et pour veiller à ce que le français devienne, le plus tôt possible, la langue des communications, du travail, du commerce et des affaires, tant dans l'Administration que dans les entreprises". (Charte de la langue française, article 100)

"L'Office doit :

- normaliser et diffuser les termes et expressions qu'il approuve;
- établir les programmes de recherche nécessaires à l'application de la présente loi;
- préparer les règlements de sa compétence qui sont nécessaires à l'application de la présente loi et les soumettre pour avis au Conseil de la langue française;
- définir, par règlement, la procédure de délivrance, de suspension ou d'annulation du certificat de francisation;
- aider à définir et à élaborer les programmes de francisation prévus par la présente loi et en suivre l'application."

(Charte de la langue française, article 113)

Présidents

1977-82 Raymond Gosselin
1982- Claude Aubin

Tableau 5

ASSOCIATIONS D'ÉTUDIANTS EN TRADUCTION

STSC 1970-	AETUL 1971-	AETI 1975-
AETUM 1975-	ASEMOLAM 1980-	CTC 1980-

AETI = Association des étudiants traducteurs et interprètes de l'Université d'Ottawa
AETUL = Association des étudiants de traduction de l'Université Laval
AETUM = Association des étudiants en traduction de l'Université de Montréal
ASEMOLAM = Association des étudiants du Module Langues modernes de l'Université du Québec à Trois-Rivières
CTC = Club de traduction de Concordia de l'Université Concordia
STSC = School of Translators' Student Council, Laurentian University

AETI
Association des étudiants traducteurs et interprètes
de l'Université d'Ottawa
Students' Association of the School of Translators
and Interpreters, University of Ottawa

"Buts de l'Association :
- servir d'intermédiaire entre l'École de traducteurs et d'interprètes (ETI) et les étudiants pour les questions d'ordre pédagogique et administratif;
- favoriser les rencontres et les échanges entre traducteurs, étudiants et toutes personnes ayant un intérêt pour la traduction;
- organiser des activités sociales et culturelles." (Charte)

AETUL
Association des étudiants de traduction
de l'Université Laval

"Les buts de l'Association sont de susciter, promouvoir et protéger les intérêts de ses membres. Plus particulièrement, elle veut :
- aider à l'intégration de ses membres dans leur milieu d'étude;
- assurer la meilleure information possible;
- collaborer avec les autres associations ayant des objectifs similaires;
- inciter les membres à une participation active au sein de l'Association." (Charte)

AETUM
Association des étudiants en traduction
de l'Université de Montréal

"Buts de l'AETUM :
- servir d'intermédiaire entre l'École de traduction et les étudiants pour les questions d'ordre pédagogique et administratif;
- favoriser les échanges et les rencontres entre les traducteurs et les étudiants et toute autre personne ayant un intérêt pour la traduction;
- organiser des activités sociales et culturelles." (Charte)

ASEMOLAM
Association des étudiants du Module Langues modernes
Université du Québec à Trois-Rivières

"L'Association des étudiants du Module des Langues modernes (ASEMOLAM) est une organisation à but non lucratif qui entend promouvoir les échanges d'information entre le Conseil intermodulaire de l'Association générale des étudiants de l'UQTR le Conseil du module des langues modernes et l'ensemble des étudiants inscrits aux activités des divers programmes.

L'Association vise à améliorer la qualité de la vie étudiante au Module des Langues modernes en faisant des recommandations sur le contenu des cours, l'orientation des programmes et l'implantation de projets de recherche, en servant de lien entre l'A.G.E. et les étudiants du module, et en organisant des activités sociales, culturelles, sportives ou autres." (Charte)

CTC
Club de traduction de Concordia
Concordia's Translation Club

Le CTC poursuit les buts suivants :

- promouvoir le programme de traduction à Concordia;
- fournir à l'étudiant, dans la mesure du possible, un service de consultation d'ouvrages de réféfences reliés au domaine de la traduction : dictionnaires, lexiques, fichier terminologique, etc.;
- rendre la vie étudiante plus enrichissante et plus agréable au sein du programme de traduction par l'organisation de différentes activités." (Charte)

STSC
School of Translators' Student Council
Laurentian University
Conseil des étudiants de l'École de traducteurs
Université Laurentienne

"Purpose :

- to initiate and coordinate activities in order to promote a spirit of unity and fellowship among the students of the Laurentian University School of Translators and Interpreters;
- to function as the recognized communication medium between students and governing administration of Laurentian and other universities and schools of translation and interpretation, and to delegate student representatives of the students of the School of Translators and Interpreters on other councils and committees;
- to act as the representative body of the Laurentian University School of Translators and Interpreters at university and college functions and on public occasions." (**Constitution**)

C. SOURCES D'ARCHIVES

Cette section fournit, par ordre alphabétique, la liste et l'adresse des principaux dépôts d'archives, centres de recherche et secrétariats d'associations professionnelles où l'on peut consulter des sources primaires d'information : fonds personnels, procès-verbaux, chartes, lettres patentes, règlements intérieurs, rapports inédits, etc.

Cette liste n'est pas exhaustive, et les adresses peuvent avoir changé depuis la publication du présent ouvrage.

Il peut arriver, enfin, qu'une autorisation soit requise pour avoir accès, en tout ou en partie, aux documents conservés par les organismes énumérés ci-dessous.

AIIC-CANADA

Note : Le secrétariat général de l'AIIC est à Genève. La région du Canada n'a pas de secrétariat permanent. Son secrétaire est dépositaire des dossiers et documents relatifs aux affaires du Conseil. Pour renseignements, s'adresser à un membre de l'AIIC-CANADA.

* * *

Alberta Association of Translators and Interpreters (AATI)

P.O. Box 11636
Edmonton (Alberta) T5J 3K8

* * *

Archives nationales du Québec (ANQ)

La Maison des archives
C.P. 10450
Sainte-Foy (Québec) G1V 4N1

Centre régional de Montréal
100, rue Notre-Dame est
Montréal (Québec) H2Y 1C1

* * *

Archives publiques du Canada (APC)

395, rue Wellington
Ottawa (Ontario) K1A 0N3

Note : Les archives du Bureau des traductions sont classées dans le fonds du Secrétariat d'État et y occupent quatre boîtes (RG G2 vol. 741, 742, 743 et 744). On trouve aussi des renseignements sur la traduction dans les fonds de la plupart des ministères.

* * *

Association canadienne des écoles de traduction (ACET)

Note : L'ACET n'a pas de secrétariat permanent. Son secrétaire est dépositaire des procès-verbaux et autres documents de l'Association. Pour renseignements, s'adresser à l'une des écoles de traduction membres de cette Association.

* * *

Association des traducteurs et interprètes de l'Ontario (ATIO)

969, av. Bronson
Bureau 212
Ottawa (Ontario) K1S 4G8

* * *

Association des traducteurs et interprètes du Manitoba (ATIM)

200, av. de la Cathédrale
C.P. 83
Saint-Boniface (Manitoba) R2H 0H7

* * *

Association des traducteurs et interprètes de la Saskatchewan (ATIS)

University of Regina
Département de français
Regina (Saskatchewan) S4S 0A2

* * *

Association des traducteurs littéraires (ATL)

1030, rue Cherrier
Bureau 510
Montréal (Québec) H2L 1H9

* * *

Association of Interpreters and Translators of Canada (AITC)

P.O. Box 4716, Station "C"
Calgary (Alberta) T2T 5P1

* * *

Association of Visual Language Interpreters of Canada (AVLIC)

116, Lisgar St.
Suite 203
Ottawa (Ontario) K2P 0C2

* * *

Association québécoise des interprètes francophones en langage visuel (AQIFLV)

3600, rue Berri
Montréal (Québec) H2L 4G9

* * *

Bibliothèque du Parlement canadien

Édifice du Parlement
Ottawa (Ontario) K1A 0A9

Note : Accès restreint. Autorisation requise.

* * *

Bureau fédéral des traductions, Dépôt central des dossiers

7e étage, pièce 7 E 26
Terrasse de la Chaudière
15, rue Eddy
Hull (Québec) K1A 0M5

Note : Importante collection de documents officiels relatifs aux activités du Bureau. On y trouve également des témoignages et notices biographiques de traducteurs, aujourd'hui à la retraite ou décédés. Consultation restreinte. Autorisation requise.

* * *

Centre de recherche en civilisation canadienne-française (CRCCF)

Université d'Ottawa
Pavillon Lamoureux, 2e étage
651, rue Cumberland
Ottawa (Ontario) K1N 6N5

Note : Le dépôt d'archives de ce centre de recherche, fondé en 1958, renferme une trentaine de fonds de traducteurs professionnels et de fonds d'organismes de traduction, dont les archives de la Société des traducteurs et interprètes du Canada (STIC), celles de l'Institut de traduction de Montréal et celles de l'Association technologique de langue française d'Ottawa (ATLFO). Parmi les principaux fonds personnels, mentionnons ceux de Hector Carbonneau, Louis Charbonneau, Pierre Daviault, Thérèse Denoncourt, David Fortin, Fred Glaus, Jacques Gouin, Denys Goulet, Jeanne Grégoire, Markland Smith, Jean-Paul Vinay. Importante collection de photographies, notamment le fonds Ph 129.

* * *

Centre d'études acadiennes (CEA)

Université de Moncton
Moncton (Nouveau-Brunswick) E1A 3E9

Note : Collections presque complètes (originaux et microfilms) de tous les journaux acadiens. Fonds Pascal Poirier, Placide Gaudet, Hector Carbonneau, Société des Acadiens du Nouveau-Brunswick (SANB).

* * *

Conseil des traducteurs et interprètes du Canada (CTIC)

a/s du Secrétariat, Société des traducteurs du Québec
1010, rue Sainte-Catherine ouest, Bureau 640
Montréal (Québec) H3B 1G7

Note : Il existe un index des archives du CTIC. Ses neuf grandes divisions sont les suivantes : Généralités. Affaires du Conseil. Sociétés membres. Examens d'agrément. Finances. FIT. Documents légaux. Autres organisations. Documents historiques.

* * *

Corporation des traducteurs et interprètes du Nouveau-Brunswick (CTINB)

P.O. Box 427
Fredericton (Nouveau-Brunswick) E3B 4Z9

* * *

Institut canadien de l'information scientifique et technique (ICIST)

Répertoire canadien des traductions scientifiques
Conseil national de recherches du Canada
Chemin de Montréal
Ottawa (Ontario) K1A 0R6

Note : L'ICIST tient à jour un fichier permettant de localiser les traductions techniques et scientifiques effectuées au Canada, aux États-Unis, au Royaume-Uni et dans plusieurs autres pays. L'utilité du Répertoire est double : éviter que l'on traduise deux fois le même document et faciliter la consultation des publications scientifiques et techniques en langues étrangères.

* * *

Inuit Interpreters and Translators Association of Canada (IITAC)

Inuit Cultural Institute
Eskimo Point (N.W.T.) X0C 0E0

* * *

Ministère de la Défense nationale, Service historique

Quartier général des Forces canadiennes
Ottawa (Ontario) K1A 0K2

* * *

Office de la langue française (OLF)

700, boul. Saint-Cyrille est
Québec (Québec) G1R 5G7

800, square Victoria
C.P. 316
Montréal (Québec) H4Z 1G8

* * *

Public Archives of Nova Scotia (PANS)

6016 University Avenue
Halifax (Nova Scotia) B3H 1W4

Note : La série RG1 renferme les originaux (et microfilms) des documents officiels et livres de la province sous le régime anglais. On y trouve également de nombreux documents traduits, notamment dans les fonds RG1, volumes 14, 20, 21, 22, 163, 164, 186, 187, 188 et 483. Dans la série MG se trouve le fonds du traducteur et interprète Isaac Deschamps.

* * *

Société des traducteurs du Québec (STQ)

1010, rue Sainte-Catherine ouest
Bureau 640
Montréal (Québec) H3B 1G7

Note : Outre les archives du Conseil des traducteurs et interprètes du Canada (CTIC), le chercheur trouvera à ce secrétariat tous les procès-verbaux de la Société des traducteurs de Montréal (1940-1965), du Cercle des traducteurs (1965-1968) et de la Société des traducteurs du Québec (1965-), de nombreuses photos ainsi que des "Dossiers historiques" sur la STQ elle-même, la Société des diplômés de l'Institut de traduction (SDIT), le Cercle des traducteurs (CDT), la Société des traducteurs de Montréal (STM) et la Corporation des traducteurs professionnels du Québec (CTPQ). Un index détaillé d'une quinzaine de pages facilite les recherches dans ce fonds bien tenu. Ses huit grandes divisions sont les suivantes : Généralités. Conseil et comités. Secrétariat. Administration. Agrément. Secter. Intersection. Dossiers historiques. (Consultation sur rendez-vous)

* * *

Society of Translators and Interpreters of British Columbia (STIBC)

905 W. Pender St.
Suite 400
Vancouver (British Columbia) V6C 1L6

* * *

Syndicat canadien des employés professionnels et techniques. Groupe des traducteurs, interprètes et terminologues

77, rue Metcalfe
Bureau 505
Ottawa (Ontario) K1P 5L6

* * *

D. ÉCOLES DE TRADUCTION

On trouvera ci-dessous la liste des écoles et principaux programmes de traduction au Canada. Les organismes qui la composent sont membres "électeurs, associés ou correspondants" de l'Association canadienne des écoles de traduction (ACET). Ils sont regroupés par province.

"Pour devenir membre électeur de l'ACET-CAST, un organisme doit réunir les conditions suivantes :

1. Son programme ou ses programmes d'études en traduction sont de type professionnel et du niveau minimum d'un baccalauréat d'université.

2. Son personnel de direction est choisi parmi les professeurs de carrière qui relèvent de l'établissement universitaire auquel il appartient.

3. Ses conditions d'admission des étudiants sont conformes aux normes d'accès aux études universitaires de premier cycle.

Peut être invité à devenir membre associé de l'ACET-CAST tout organisme universitaire oeuvrant dans le domaine de l'enseignement de la traduction, et qui ne remplit pas les conditions exigées pour être membre électeur de l'Association. Un membre associé peut assister aux assemblées et y dispose du droit de parole, mais non du droit de vote.

Peut être invité à devenir membre correspondant de l'ACET-CAST tout organisme post-secondaire oeuvrant dans le domaine de l'enseignement de la traduction, et qui ne remplit pas les conditions exigées pour être membre électeur ou associé de l'Association." (Statuts)

ALBERTA

Department of Romance Languages (Membre associé)
University of Alberta
Edmonton (Alberta) T6E 2E6

COLOMBIE-BRITANNIQUE

Department of French (Membre associé)
University of British Columbia
1973 East Mall, # 797
Vancouver (British Columbia) V6T 1W5

* * *

NOUVEAU-BRUNSWICK

Département de traduction et des langues (Membre électeur)
Université de Moncton
Moncton (Nouveau-Brunswick) E1A 3E9

* * *

ONTARIO

Département de français (Membre électeur)
Université Queen's
Kingston (Ontario) K7L 3N6

Department of French (Membre associé)
Translation Section
University of Western Ontario
London (Ontario) N6X 3K7

École de traducteurs et d'interprètes (Membre électeur)
Université d'Ottawa
5, rue Hastey
Ottawa (Ontario) K1N 6N5

École des traducteurs et interprètes (Membre électeur)
Université Laurentienne
Chemin du Lac Ramsey
Sudbury (Ontario) P3E 2C6

Programme de traduction (Membre électeur)
Université York, Campus Glendon
2275, avenue Bayview
Toronto (Ontario) M4N 3M6

* * *

QUÉBEC

Département des sciences humaines (Membre correspondant)
Université du Québec à Hull
C.P. 1250, Succursale B
Hull (Québec) J8X 3X7

Département de linguistique et philologie (Membre électeur)
Université de Montréal
C.P. 6128, Succursale A
Montréal (Québec) H3C 3J7

Department of French Language (Membre associé)
McGill University, Peterson Hall
3460 McTavish Street
Montréal (Québec) H3A 1X9

Department of Languages (Membre associé)
McGill University
Centre for Continuing Education
3461 McTavish Street
Montréal (Québec) H3A 1Y1

Département d'études françaises (Membre électeur)
Université Concordia, Campus Loyola
7141, rue Sherbrooke ouest
Montréal (Québec) H4B 1R6

Programme de traduction (Membre électeur)
Département de langues et linguistique
Université Laval
Québec (Québec) G1K 7P4

Module langues modernes (Membre électeur)
Université du Québec à Trois-Rivières
C.P. 500
Trois-Rivières (Québec) G9A 5H7

* * *

SASKATCHEWAN

Department of French (Membre associé)
University of Regina
Regina (Saskatchewan) S4S 0A2

* * *

E. PRIX DE TRADUCTION DU CONSEIL DES ARTS DU CANADA

"Depuis 1973, le Conseil des arts signale par deux prix annuels de 5 000 $ chacun les meilleures traductions d'oeuvres canadiennes en français et en anglais. Deux jurys de spécialistes nommés par le Conseil, l'un de langue française et l'autre de langue anglaise, choisissent ces livres, dont l'auteur et le traducteur doivent être canadiens, parmi toutes les traductions de recueils de poésie, de pièces de théâtre, de romans et d'essais publiées au cours de l'année civile écoulée. Il n'est pas nécessaire de soumettre de demande. Les noms des lauréats sont proclamés au printemps." (Prospectus)

PALMARÈS

1973

Jean Paré	**Docteur Bethune** (traduction de **The Scalpel and the Sword** de Sydney Gordon et Ted Allan)
Alan Brown	**The Antiphonary** (traduction de **L'Antiphonaire** de Hubert Aquin)

1974

Michelle Tisseyre	**Telle est ma bien-aimée** et **L'hiver** (traduction de **Such is My Beloved** et **Winter** de Morley Callaghan) et **Les Saisons de l'Eskimo** (traduction de **Seasons of the Eskimo** de Fred Bruemmer)

1974 (suite)

Sheila Fischman — **They Won't Demolish Me** (traduction de **Le deux-millième étage** de Roch Carrier) et **The Wolf** (traduction de **Le Loup** de M.-C. Blais)

1975

Jean Simard — **Mon père, ce héros** (traduction de **Son of a Smaller Hero** de Mordecai Richler)

John Glassco — **Complete Poems of Saint-Denys Garneau**

1976

Joyce Marshall — **Enchanted Summer** (traduction de **Cet été qui chantait** de Gabrielle Roy)

(Un seul prix attribué)

1977

Jean Paré — **Un homme de week-end** (traduction de **The Weekend Man** de Richard B. Wright)

Frank Scott — **Poems of French Canada** (traduction de poèmes de onze poètes québécois)

1978

Gilles Hénault — **Sans parachute** (traduction de **Without a Parachute** de David Fennario)

Michael Bullock — **Stories for Late Night Drinkers** (traduction de **Contes pour buveurs attardés** de Michel Tremblay)

1979

Collette Tonge — **La danse des ombres** (traduction de **Dance of the Happy Shades** d'Alice Munro)

Allan Van Meer — Version anglaise de trois oeuvres dramatiques : **Greta the Divine** (**La céleste Gréta** de Rénald Tremblay), **Looking for a Job** (**Une job** de Claude Roussin) et **A Little Bit Left** (**Encore un peu** de Serge Mercier)

1980

Yvan Steenhout — **Construire sa maison en bois rustique** (traduction de **The Complete Log House Book** de Dale Mann et Richard Skinulis)

1980 (suite)

Larry Shouldice — **Contemporary Quebec Criticism** (traduction d'essais de dix écrivains et critiques littéraires du Québec)

1981

Yvan Steenhout — **John A. Macdonald** (traduction de **John A. Macdonald** de Donald Creighton)

Ray Ellenwood — **Entrails** (traduction de **Les Entrailles** de Claude Gauvreau)

1982

Claude Aubry — **Je t'attends à Peggy's Cove** (traduction de **You Can Pick Me Up At Peggy's Cove** de Brian Doyle)

Raymond Chamberlain — **Joe Connaissant** (traduction de **Joe Connaissant** de Victor-Lévy Beaulieu)

1983

Georges Khal — **Système et structure : essais sur la communication et l'échange** (traduction de **System and Structure, Essays in Communication and Exchange** de Anthony Wilden)

Dorothy Crelinsten — **Why Delinquency?** (traduction de **Délinquants pourquoi?** de Maurice Cusson)

1984

Michel Buttiens — **Le Voyage de l'iceberg** (traduction de **Voyage of the Iceberg** de Richard Brown)

Sheila Fischman — **Lady with Chains** (traduction de **La Dame qui avait des chaînes aux chevilles** de Roch Carrier) et **Thérèse and Pierrette and the Little Hanging Angel** (traduction de **Thérèse et Pierrette à l'école des Saints-Anges** de Michel Tremblay)

Fig. 9 -- Table d'honneur au banquet du quinzième anniversaire de la Société des traducteurs de Montréal (1955). De g. à dr. : le juge Édouard-Fabre Surveyer, Annette Caie, le père Aumont, Jean Darbelnet, Marcelle Brossard, présidente, Jean-Paul Vinay, Me Jean Penverne, Jean Bilodeau, Mariette O'Shea et Jean Lortie. (Photo : CRCCF, Ph 129-14)

Fig. 10 -- John Glassco (1909-1981), traducteur du poète Saint-Denys Garneau et de romanciers québécois. L'Association des traducteurs littéraires créa un prix de traduction à sa mémoire en 1982. (Photo : Gracieuseté de William Toye, Oxford University Press Canada)

F. PRIX JOHN GLASSCO

Le prix John Glassco, créé par l'Association des traducteurs littéraires (ATL) à la mémoire de ce grand écrivain et traducteur canadien, couronne chaque année une traduction parue sous forme de livre au cours de l'année précédente. La valeur du prix est de cinq cents dollars.

Les conditions d'admissibilité sont les suivantes :

1. L'oeuvre soumise doit constituer, pour le traducteur, une première traduction littéraire publiée sous forme de livre.
2. Le livre doit être paru au Canada au cours de l'année qui précède l'attribution du prix.
3. Toute langue d'origine est acceptée; la langue d'arrivée, toutefois, doit être le français ou l'anglais.
4. Ce concours s'adresse uniquement aux traducteurs résidant au Canada.
5. Les genres admissibles comprennent : romans, biographies, ouvrages historiques, fiction ou non-fiction, poésie, littérature-jeunesse, créations collectives, oeuvres choisies... bref, tout ce qui entre dans le domaine de la littérature. Sont exclus les guides pratiques, les manuels scolaires, les dictionnaires, les lexiques et autres ouvrages analogues.
6. Les traductions admissibles doivent parvenir à l'Association en trois exemplaires, accompagnées de l'original.

PALMARÈS

1981

Suzanne de Lotbinière-Harwood	**Neons in the Night** (Montréal, Véhicule Press, 1981). Poèmes choisis par la traductrice dans les cinq premiers livres de Lucien Francoeur. Édition bilingue.

1982

Michèle Venet
Jean Lévesque

L'Invasion du Canada (Montréal, Éditions de l'Homme, 1982). Traduction des deux livres de Pierre Berton, **The Invasion of Canada** et **Flames across the Border** (Toronto, McClelland & Stewart, 1980). Documentaire.

1983

Barbara Mason

Description of San Marco (Fredericton, York Press, 1983). Traduction de **La Description de San Marco** de Michel Butor (Paris, Gallimard, 1963). Roman.

1984

Wayne Grady

Christopher Cartier of Hazelnut, Also Known as Bear (Toronto, Methuen, 1984). Traduction de **Christophe Cartier de la Noisette dit Nounours** d'Antonine Maillet (Montréal, Leméac, 1981). Jeunesse.

DEUXIÈME PARTIE

Bibliographie analytique

Descriptive Bibliography

P R É S E N T A T I O N

La bibliographie analytique qui compose la deuxième partie du présent ouvrage fournit, sous forme de codes, des indications descriptives ou analytiques renseignant sur le contenu des références documentaires recensées.

La section A, "Liste des codes de la base de données", donne la signification des cent trente-cinq codes figurant dans l'un des huit champs de classement de l'information documentaire de la bibliographie. Ces champs, répétés dans le haut de chaque page, correspondent à autant de colonnes. Ce sont :

a) Livres et documents

AUTEURS/TITRES DATE T:GEN T:SPE INTER TERM ASSO

b) Articles de périodiques

AUTEURS/TITRES PER DATE T:GEN T:SPE INTER TERM ASSO

c) Articles de journaux

AUTEURS/TITRES JOUR DATE T:GEN T:SPE INTER TERM ASSO

Ainsi, sous T:GEN (Traduction -- Domaine générique), peut figurer le code de l'un ou l'autre des douze grands secteurs où s'exerce l'activité des traducteurs au Canada : ADMI (Traduction administrative), ENTR (Traduction dans les entreprises), JURI (Traduction juridique et législative), LITT (Traduction littéraire), PARL (Traduction parlementaire), etc.

Sous T:SPE (Traduction -- Domaine spécifique), on retrouvera l'un des trente-neuf codes spécifiques de classement de l'information : BIOG (Biographies, notices, décorations, décès), INDE (Index et répertoires), STAT (Statistiques, sondages, enquêtes sur la traduction), STAG (Stages en traduction), etc.

Il en va de même pour les autres champs : AUTEURS/TITRES, DATE (Année de publication), PER (Périodiques), JOUR (Journaux), INTER (Interprétation : 14 codes), TERM (Terminologie et documentation : 13 codes) et ASSO (Associations, écoles, organismes et services : 57 codes).

Les codes des périodiques et des journaux composent la section B, "Liste des périodiques dépouillés". Cette section comprend deux subdivisions : dans la première, les publications sont classées alphabétiquement par titres, dans la seconde, elles sont classées par codes.

Enfin, la section C de ce premier chapitre, "Liste des sujets", est un relevé exhaustif de tous les aspects de la traduction au Canada sur lesquels on trouve des renseignements bibliographiques dans le présent ouvrage. Il est fortement conseillé de consulter d'abord ce répertoire thématique avant d'entreprendre sa recherche documentaire.

Cette bibliographie analytique présente plusieurs avantages, croyons-nous, pour le chercheur :

a) elle apporte des précisions utiles sur le contenu d'un livre, d'un chapitre de livre, d'un document ou d'un article de revue ou de presse traitant d'histoire de la traduction au Canada ou de l'évolution de cette profession. Ces renseignements se révèlent même indispensables lorsque le titre de la publication recensée n'est pas suffisamment explicite. (Cf. ci-dessous "Agneaux ou béliers");

b) elle permet de regrouper facilement tous les titres traitant d'un même sujet. Par exemple, en relevant dans la colonne INTER (Interprétation) tous les codes MULT (Interprétation multilingue), il est possible de constituer une bibliographie sectorielle sur cet aspect particulier de l'interprétation;

c) elle accélère les recherches documentaires en évitant la consultation de références non pertinentes au domaine étudié;

d) elle offre, enfin, une grille inédite de classement de l'information relative à la traduction au Canada, y compris les domaines connexes.

Exemples :

AUTEURS/TITRES	PER	DATE	T:GEN	T:SPE	INTER	TERM	ASSO
Dubuc,R/Agneaux ou béliers	BATIO	1962		RECO			ATIO

BATIO = **Bulletin de l'ATIO**
1962 = Année de publication
RECO = Reconnaissance professionnelle, statut du traducteur
ATIO = Association des traducteurs et interprètes de l'Ontario

AUTEURS/TITRES	JOUR	DATE	T:GEN	T:SPE	INTER
On pourra diriger procès en fran	EVANG	1967	JURI	NEWB	COUR

EVANG = **L'Évangéline**
1967 = Année de publication

JURI = Traduction juridique et législative
NEWB = Traduction au Nouveau-Brunswick
COUR = Interprétation auprès des tribunaux

À chacune des entrées de la bibliographie analytique correspond une adresse bibliographique complète. Celle-ci se trouve dans la troisième partie, "Bibliographie annotée". Les annotations placées entre barres obliques à la fin des références apportent un autre complément d'information utile. Ainsi, dans le cas des deux exemples ci-dessus, les adresses bibliographiques complètes sont les suivantes :

DUBUC, Robert. "Agneaux ou béliers". **Bulletin de l'ATIO**, vol. 1, n° 1, juin 1962. p. 3-4. /Les associations devraient délivrer des cartes de compétence. Défense de la profession/

"On pourra bientôt diriger un procès en français au Nouveau-Brunswick". **L'Évangéline**, 20 avril 1967. p. 1. /Création d'un service de traduction juridique au ministère de la Justice du Nouveau-Brunswick/

On trouvera d'autres précisions utiles sur le contenu de la présente bibliographie, notamment sur les critères de sélection des titres, dans le texte de présentation de la troisième partie.

Il est facile, pour qui possède copie des disquettes de la bibliographie analytique, d'obtenir en quelques secondes tout genre de listage. Exemples : tous les titres portant sur la déontologie (T:SPE : DEON); tous les titres parus entre 1900 et 1910; tous les titres publiés par tel auteur sur tel sujet, etc. On arrive, bien sûr, au même résultat en dépouillant la bibliographie page par page. On ne bénéficie pas, cependant, de la rapidité, de l'efficacité ni de la fiabilité de l'ordinateur. Voici sur quel système a été réalisée la saisie des données :

Ordinateur	Apple IIe, 64 Ko
Système d'exploitation	CP/M
Gestion de fichier	dBASE II, version 2.38
Traitement de texte	WordStar, version 3.3
Imprimante à marguerite	Daisywriter (Peacock)
Disquettes	5 1/4", 128 Ko

INTRODUCTION

The second part of this book is a descriptive bibliography which uses codes to provide information on the content of each work listed. Section A, "Liste des codes de la base de données," gives the meaning of the 135 codes used in the eight categories of information analyzed in the bibliography. The categories appear at the top of each page with information listed in columns under them:

a) Books and Documents

AUTEURS/TITRES DATE T:GEN T:SPE INTER TERM ASSO

b) Articles in Periodicals

AUTEURS/TITRES PER DATE T:GEN T:SPE INTER TERM ASSO

c) Newspaper Articles

AUTEURS/TITRES JOUR DATE T:GEN T:SPE INTER TERM ASSO

Under T:GEN (Translation--General Field), then, will appear a code designating one of the 12 major sectors of translation activity in Canada: ADMI (Administrative Translation), ENTR (Business Translation), JURI (Legal and Legislative Translation), LITT (Literary Translation), PARL (Parliamentary Translation), and so on.

Under T:SPE (Translation--Specific Field) will be found one of the 39 specific codes for categorizing information: BIOG (Biographies, Biographical Notes, Awards, Obituaries), INDE (Indexes and Directories), STAT (Statistics, Polls, Surveys on Translation), STAG (Translation Practicums), and so on.

The other categories are treated in the same way: AUTEURS/ TITRES (Authors/Titles), DATE (Year of Publication), PER (Periodicals), JOUR (Newspapers), INTER (Interpretation--14 codes), TERM (Terminology and Documentation--13 codes), and ASSO (Associations, Schools, Organizations, and Services--57 codes). Section B, "Liste des périodiques dépouillés," gives the codes of periodicals and journals. This section is divided into two parts: in the first, publications are listed alphabetically by title; in the second, they are listed by code.

Finally, Section C, "Liste des sujets," is a complete list of all aspects of translation in Canada covered by the bibliography. Users are strongly advised to consult this subject catalog before they begin their search of the literature.

In my opinion, the descriptive bibliography offers several advantages for the researcher:

a) It provides useful information on the content of books, chapters of books, documents, and newspaper and magazine articles dealing with the history of translation in Canada and the development of the profession. Sometimes such information is essential when the title of a publication cataloged is not explicit (e.g., "Agneaux ou béliers," below).

b) Titles can easily be organized by subject. For example, by selecting all the MULT (Multilingual Interpretation) codes from the INTER (Interpretation) column, the researcher can draw up a special bibliography for that particular aspect of interpretation.

c) It helps the researcher eliminate references that are not relevant to the area studied, thus speeding up research.

d) It provides a new classification system for information on translation in Canada and related fields.

Examples:

AUTEURS/TITRES	PER	DATE	T:GEN	T:SPE	INTER	TERM	ASSO
Dubuc,R/Agneaux ou béliers	BATIO	1962		RECO			ATIO

BATIO = **Bulletin de l'ATIO**
1962 = Année de publicaton
RECO = Reconnaissance professionnelle, statut du traducteur
ATIO = Association des traducteurs et interprètes de l'Ontario

AUTEURS/TITRES	JOUR	DATE	T:GEN	T:SPE	INTER
On pourra diriger procès en fran	EVANG	1967	JURI	NEWB	COUR

EVANG = **L'Évangéline**
1967 = Année de publication
JURI = Traduction juridique et législative
NEWB = Traduction au Nouveau-Brunswick
COUR = Interprétation auprès des tribunaux

Further information concerning the content of the bibliography, particularly the criteria used to select titles, can be found in the introduction to Part III.

The researcher can easily obtain listings of all kinds in a matter of seconds by using diskettes of the descriptive bibliography. For example, all works related to ethics could be called up (T:SPE:DEON), or all works published between 1900 and 1910, or all works by a given author on a given subject, and so forth. Of course, a page-by-page manual search of the bibliography would yield the same results; it would not, however, be as quick, efficient, or reliable as a computer search. Data were compiled on the following system:

Computer	Apple IIe, 64 K
Operating System	CP/M
File Management	dBASE II, version 2.38
Word Processing	WordStar, version 3.3
Daisy Printer	Daisywriter (Peacock)
Diskettes	5 1/4", 128 K

Chapitre premier

S T R U C T U R E   E T   C O D E S

A. L I S T E   D E S   C O D E S   D E   L A   B A S E   D E   D O N N É E S

Champ 1 - AUT:TITRE = Nom de l'auteur ou titre du document

Champ 2 - PERIOD = Codes des périodiques
JOUR = Codes des journaux

Champ 3 - DATE = Année de parution du document. Quatre zéros (0000) dans ce champ indiquent que plusieurs références à une même association professionnelle ont été regroupées sous une seule entrée.

Champ 4 - T:GEN = Traduction (domaine générique)

ADMI Traduction administrative
BIBL Traduction biblique
DOUB Doublage cinématographique, postsynchronisation
ENTR Traduction dans les entreprises
INFO Traduction informatisée
JOUR Traduction journalistique
JURI Traduction juridique et législative
LITT Traduction littéraire
MULT Traduction multilingue
PARL Traduction parlementaire
PUBL Traduction publicitaire
TECH Traduction technique et scientifique

Champ 5 - T:SPE = Traduction (domaine spécifique)

ACAD Traduction en Acadie (1710-1867)
BDT Bureau des traductions, Secrétariat d'État
BIOG Biographies, notices, décorations, décès
BULL Bulletins, revues, journaux de traduction
CBRI Traduction en Colombie-Britannique
CENT Centralisation (Bureau des traductions, 1934)

Champ 5 - T:SPE (suite)

COND Conditions de travail, conventions collectives, marché
CONG Congrès, colloques, journées d'études
CREA Traduction et traducteurs dans la litt. québ. et canad.
DEON Déontologie, codes d'éthique
EDIT Publications sur la traduction
EVAL Évaluation de trad., rendement, examens, recrutement
FAUT Erreurs de trad., compétence des traducteurs, critiques
FEDE Traduction au gouvervenent fédéral de 1867 à 1934
FORM Formation (écoles, programmes, cours de perfectionnement)
FRAN Traduction et francisation des entreprises au Québec
GENE Généralités
GNOR Traduction dans le Grand Nord canadien
GREV Grèves, conflits syndicaux, mises à pied, manifestations
HIST Histoire
INDE Index et répertoires
IPED Traduction à l'Île-du-Prince-Édouard
LITI Litiges, poursuites judiciaires
MANI Traduction au Manitoba
MILI Traduction dans les Forces armées canadiennes
NEWB Traduction au Nouveau-Brunswick
ONTA Traduction en Ontario (sauf services fédéraux)
PIGE Traduction à la pige, cabinets, agences, indépendants
POLI Politique et traduction
QUEB Services de traduction au gouvernement du Québec
RANG Régime anglais (1760-1867)
RECO Reconnaissance professionnelle, statut du traducteur
REMU Rémunération, droit d'auteur, coût de la traduction
REVI Révision
SASK Traduction en Saskatchewan
STAG Stages en traduction
STAT Statistiques, sondages, enquêtes sur la traduction
SUBV Subventions, bourses, fondations, prix, contrats
TRAS Trad. assistée, traitement de texte, techniques, aides

Champ 6 - INTER = Interprétation

BIOG Biographies, notices, décorations, décès
CONF Interprétation de conférence
CONS Interprétation consécutive
COUR Interprétation auprès des tribunaux
FORM Formation
GENE Généralités
GEST Interprétation gestuelle
HIST Histoire
ISEC Intersection (Section des interprètes de la STQ)
MULT Interprétation multilingue
PARL Interprétation parlementaire
RANG Régime anglais (1760-1867)
RFRA Régime français (1534-1760)
SIMU Interprétation simultanée

Champ 7 - TERM = Terminologie et documentation

BDT Banque du Secrétariat d'État
BIOG Biographies, notices, décorations, décès
BTQ Banque de l'Office de la langue française du Québec
BTUM Banque de terminologie de l'Université de Montréal
DOC Documentation
FORM Formation
GENE Généralités
GIRS Groupe interdisc. de rech. scient. et appl. en termino.
HIST Histoire
SECT Secter (Section des terminologues de la STQ)
STAG Stages en terminologie
STER Service de terminologie, Secrétariat d'État (1953-)
TENT Terminologie dans les entreprises

Champ 8 - ASSO = Associations, écoles, organismes, services.

AATI Alberta Association of Translators and Interpreters
ACET Association canadienne des écoles de traduction
ACETb Association canadienne des entrepreneurs en traduction
ACFQ Association des conseils en francisation du Québec
ACT Association des cabinets de traduction
ACTD Association canadienne des traducteurs diplômés
ADIT Association des diplômés de l'Institut de traduction
AETI Association des étudiants traducteurs de l'Univ. d'Ottawa
AETUL Association des étudiants de traduction de l'Univ. Laval
AETUM Association des étudiants en trad. de l'Univ. de Montréal
AFTER Association française de terminologie
AIIC Association internationale des interprètes de conférence
AITJ Association des interprètes et des traducteurs judiciaires
APIQ Association professionnelle des interprètes du Québec
AQIFL Association québéc. des interp. franco. en langage visuel
ATAQ Association des traducteurs anglophones du Québec
ATIM Association des traducteurs et interprètes du Manitoba
ATIO Association des traducteurs et interprètes de l'Ontario
ATIS Association des traducteurs et interprètes de la Saskatch
ATL Association des traducteurs littéraires
ATLFO Association technologique de langue française d'Ottawa
AVLIC Association of Visual Language Interpreters of Canada
BDT Bureau fédéral des traductions
CDA Conseil des arts du Canada
CDT Cercle des traducteurs
CLE Centre de linguistique de l'entreprise
CLO Commissaire aux langues officielles
CONC Programme de traduction de l'Université Concordia
CORPO Corporation des traducteurs professionnels du Québec
CTDJ Centre de traduction et documentation juridiques, Ottawa
CTIC Conseil des traducteurs et interprètes du Canada
CTINB Corporation des trad. et interp. du Nouveau-Brunswick
CTLB Cercle des traducteurs des Livres Bleus
CTTJ Centre de traduction et de terminologie juridiques, Moncton
ETI École de traducteurs et d'interprètes de l'Univ. d'Ottawa

Champ 8 - ASSO (suite)

FIT	Fédération internationale des traducteurs
GITE	Groupe interentrepr. pour la gest. inform. de la termino.
GLEN	École de traduction, Glendon College
INSTI	Institut de traduction de Montréal
IPSPC	Institut professionnel du Service public du Canada
LAUR	École de traduction de l'Université Laurentienne
LAVAL	École de traduction de l'Université Laval
LBNWT	Language Bureau of the Northwest Territories
MCGIL	Programme de traduction de l'Université McGill
MONCT	École de traduction de l'Université de Moncton
MONTR	École de traduction de l'Université de Montréal
OLF	Office (ou Régie) de la langue française du Québec
SDIT	Société des diplômés de l'Institut de traduction
SQUE	Section de Québec de la STQ
STIBC	Society of Translators and Interpreters of British Columbia
STIC	Société des traducteurs et interprètes du Canada
STIO	Société des traducteurs et interprètes d'Ottawa
STM	Société des traducteurs de Montréal
STQ	Société des traducteurs du Québec
STSC	School of Translators' Student Council, Laurentian Univ.
TRMIA	Association internationale de terminologie (TERMIA)
UQTR	École de traduction de l'Univ. du Québec à Trois-Rivières

B. LISTE DES PÉRIODIQUES

La liste des quelque cent soixante périodiques qui figurent ci-dessous est celle des revues, journaux et bulletins dépouillés en tout ou en partie. Seuls les titres présentant un intérêt pour l'étude de l'évolution de la traduction (et des disciplines connexes) au Canada ont été retenus.

Toutes les publications canadiennes de traduction ont été dépouillées en totalité depuis leur première livraison jusqu'au 31 décembre 1984.

Certains journaux ont également fait l'objet d'un dépouillement exhaustif. C'est le cas, notamment, des journaux suivants : **Le Devoir, Le Droit, L'Évangéline** et **La Réforme.**

Le code attribué à chacune des publications identifie la source d'une référence. Il figure sous les rubriques PER (périodiques) ou JOUR (journaux).

La colonne TYPES précise le genre de publication dépouillée : B = Bulletin J = Journal R = Revue.

Enfin, un astérisque (*) placé à droite de ce renseignement indique qu'il s'agit d'un périodique canadien de traduction ou de terminologie.

* * *

a. Classement par titres

TITRES	CODES	TYPES
Action, L'. Québec, 1962-1971.	ACTIO	J
Action catholique, L'. Québec, 1915-1962.	ACATH	J
Action sociale, L'. Québec, 1907-1915.	ACSOC	J

TITRES	CODES	TYPES
Action universitaire, L'. Montréal, 1934-1960.	ACTUN	R
Actualité, L'. Montréal, 1960 -- .	ACTUA	R
Actualité terminologique, L'. Ottawa, 1968 -- .	AT	B *
Ami du peuple, L'. Québec, 1876.	AMI	J
Annales, Les. Ottawa, 1922-1925.	ANNAL	R
Antenne, L'. Montréal, 1969 -- .	ANTEN	B *
Argus. Montréal, 1946-1958.	ARGUS	B *
ATA Chronicle. New York. 1962 -- .	ATAC	B
ATAQ Journal. Montréal, 1978-1979.	ATAQ	B *
Aurore, L'. Montréal, 1817-1819.	AUROR	J
Aurore des Canadas. Montréal, 1839-1849.	AUCAN	J
AVLIC News. Ottawa, 1981 -- .	AVLIC	B *
Babel. Budapest, 1955 -- .	BABEL	R
Books in Canada. Toronto, 1971 -- .	BOOKS	R
Bulletin de l'ACLA. Montréal, 1980 -- .	BACLA	R
Bulletin de l'ATIO. Ottawa, 1962-1966.	BATIO	B *
Bulletin de l'ATIS. Régina, 1980 -- .	BATIS	B *
Bulletin de l'ATLFO. Ottawa, 1951-1957.	BAT	B *
Bulletin de l'ETI. Ottawa, 1976 -- .	BETI	B *
Bulletin de l'OACI. Montréal, 1946 -- .	BOACI	R
Bulletin de la BNQ. Montréal, 1973-1983.	BBNQ	R
Bulletin de la CTINB. Fredericton, 1980 -- .	BCORP	B *
Bulletin de recherche historique. Lévis, 1895-1923.	BRH	R
Bulletin du CRCCF. Ottawa, 1970-1983.	BCR	R
Bulletin du parler fran. du Canada. Québec,1902-1914.	BPFC	R
Cahiers de l'Académie canad-franç. Montréal, 1956 --.	CACF	R
Cahiers des Dix, Les. Montréal/Québec. 1936 -- .	CADIX	R
Cahiers laurentiens. Sudbury, 1968 -- .	CLAUR	R
Canada, Le. Montréal, 1903-1953.	CANAD	J
Canada français, Le. Québec, 1918-1946.	CFRAN	R
Canadian Bar Review. Ottawa, 1928 -- .	CABAR	R
Canadian Ethnic Studies. Calgary, 1969 -- .	CES	R
Canadian Scene, The. Toronto, 1951 -- .	CASCE	J
Cercle des traducteurs. Montréal, 1966.	CDT	B *
C'est-à-dire. Montréal, 1960 -- .	CAD	B
Cinéma Québec. Montréal, 1971 -- .	CINEQ	R
Circuit. Montréal, 1983 -- .	CIRCU	R *
Citizen, The. Ottawa, 1944 -- .	CITIZ	J
Civil Service Review. Ottawa, 1928 -- .	CSR	R
Communication. Ottawa, 1975 -- .	COMMU	B *
Communiqué. Université de Montréal.	COMUM	B
Communiqué. Secrétariat d'État.	COMSE	B
Continuum, Le. Montréal, 1978 -- .	CONTI	J
Contra, Le. Montréal, 1984 -- .	CONTR	B *
Courrier français, Le. Montréal, 1953 -- .	COURF	J
Courrier sud. Toronto, 1973-1976.	COSUD	J
Culture. Québec, 1981.	CULTU	R
Culture vivante. Québec, 1966-1973.	CULVI	R
Cultures du Canada français. Ottawa, 1984 -- .	CULCF	R
Deux mille un (2001). Ottawa, 1977-1980 (+ 1984).	DEUMI	J *
Devoir, Le. Montréal, 1910 -- .	DEVOI	J

TITRES	CODES	TYPES
Dialogue. Ottawa, 1974 -- .	DIALO	B
Diplômés, Les. Montréal, 1973 -- .	DIPUM	R
Dire et traduire. Toronto, 1968-1970.	DIRE	B *
Droit, Le. Ottawa, 1913 -- .	DROIT	J
Écho. Ottawa, 1977 -- .	ECHO	J
Edmonton Journal, The. Edmondon, 1903 -- .	EDJOU	J
Éducation Québec. Québec, 1970 -- .	EDQUE	R
Ellipse. Sherbrooke, 1969 -- .	ELLIP	R *
En Route. Weston, 1974 -- .	ENROU	R
Entre nous. Montréal, 1963-1966.	ENNOU	B *
Essays on Canadian Writing. Toronto, 1974-1978.	ECW	R
Évangéline, L'. Digby,Moncton, 1887-1982.	EVANG	J
Evening News, The. Québec, 1869-1870.	EVENI	J
Express, L'. Toronto, 1980 -- .	EXPRE	J
External Affairs. Ottawa, 1949-1971.	EXTAF	B
Financial Post. Toronto, 1907 -- .	FPOST	J
Flaire. Toronto, 1978 -- .	FLAIR	R
Francisation en marche, La. Montréal, 1980 -- .	FRMAR	B
Furet, Le. Montréal, 1977-1983.	FURET	B *
Gazette, The. Montréal, 1778 -- .	GAZET	J
Gazette de Québec, La. Québec, 1764-1832.	GAQUE	J
Gazette de l'Université d'Ottawa. Ottawa, 1966 -- .	GAZUO	B
Globe and Mail, The. Toronto, 1844 -- .	GLOBE	J
Herald, The. Calgary, 1983 -- .	HERAL	J
Indépendance, L'. Montréal, 1962-1968.	INDEP	J
Industrial Canada. Toronto, 1966-1971.	INCAN	R
Info-Cadres. Ottawa, 1978 -- .	INFOC	B *
InformATIO. Ottawa, 1971 -- .	INFOR	B *
Informatique et Bureautique. Montréal, 1980 -- .	INFBU	R
Intercom. Montréal, 1974 -- .	INCOM	B
Interdit, L'. Montréal, 1966-1972.	INTER	R
Intra. Ottawa, 1980 -- .	INTRA	B *
Inuktitut. Ottawa, 1977 -- .	INUK	R
Jour, Le. Montréal, 1937-1946.	LEJOU	J
Jour, Le. Montréal, 1974-1976.	JOUR	J
Journal, The. Ottawa, 1885-1949.	JOURN	J
Journal de Montréal. Montréal, 1964 -- .	JMONT	J
Journal de l'Institut professionnel. Ottawa, 1972 --.	JIP	R
Journal des traducteurs. Montréal, 1955-1965.	JDT	R *
Kingston Whig Standard, The. Kingston, 1926 -- .	KWST	J
Langue et société. Ottawa, 1979 -- .	LANSO	R
Lebende Sprachen. Berlin, 1956 -- .	LEBEN	R
Lettres québécoises. Montréal, 1976 -- .	LETQU	R
Liaison. Ottawa, 1978 -- .	LISON	R
Liberté, La. Winnipeg, 1913-1941.	LIBER	J
Linguiste, Le. Bruxelles, 1955 -- .	LINGU	R
Lurelu. Montréal, 1978 -- .	LUREL	R
MacLean's. Toronto, 1961 -- .	MACLE	R
Management News v. Info-Cadres		
McGill Reporter. Montréal, 1968 -- .	MGREP	J
Mémoire de la SRC. Ottawa, 1883 -- .	MSRC	R

TITRES	CODES	TYPES
Meta. Montréal, 1966 -- .	META	R *
Mieux dire. Québec, 1962-1969.	MIEUX	B
Minerve, La. Montréal, 1826-1899.	MINER	J
Montreal Star, The. Montréal, 1869 -- .	MSTAR	J
Mot, Le. Moncton, 1981-1985.	MOT	B
Multilingua. Amsterdam/New York, 1982 -- .	MULTI	R
Nationaliste, Le. Montréal, 1904-1922.	NATIO	J
Nouvelles d'AILVC v. AVLIC News		
Nouvelles de la FIT (Nouvelle série) 1982 -- .	NFIT	R
Ordre, L'. Montréal, 1934-1935.	ORDRE	J
Ottawa Journal. Ottawa, 1949-1979.	OJOUR	J
Panorama. Ottawa, 1970 -- .	PANO	R
Patrie, La. Montréal, 1935-1957.	PATRI	J
Perspectives universitaires. Montréal, 1982 -- .	PERSP	R
Petit Journal, Le. Montréal, 1926-1977.	PJOUR	J
Presse, La. Montréal, 1884 -- .	PRESS	J
Professional Public Service. Ottawa, 1951-1972.	PPS	R
Quebec Gazette v. Gazette de Québec		
Recherche, La. Paris, 1960 -- .	RECHE	R
Réforme, La. Montréal, 1955-1966.	REFOR	J
Renaissance, La. Montréal, 1935.	RENAI	J
Revue Commerce. Montréal, 1898 -- .	RECOM	R
Revue d'histoire d'Amér. franç. Montréal, 1947-1977.	RHAF	R
Revue de l'Institut professionnel. Ottawa, 1951-1972.	RIP	R
Revue de l'Université Laurentienne. Sudbury, 1968 --.	RULAU	R
Revue de l'Université Laval. Québec, 1946-1966.	RULAV	R
Revue du Barreau. Montréal, 1941 -- .	BARRE	R
Revue du Droit. Québec, 1922-1939.	REVDR	R
Revue trimestrielle canadienne. Montréal, 1915-1955.	RETRI	R
Saint-Boniface. Saint-Boniface/Winnipeg, 1920 -- .	SBONI	J
Saturday Night. Toronto, 1887 -- .	SATUR	J
Soleil, Le. Québec, 1896 -- .	SOLEI	J
Soleil de Colombie. Vancouver, 1968-1971.	SOCOL	J
Spark, The. New York, 1970 -- .	SPARK	R
Star Weekly, The. Toronto, 1910-1968.	STARW	J
Stratford Beacon. Stratford (Ontario), 1887 -- .	STRAT	J
Technical Communication. Washington, 1953 -- .	TECOM	R
Technostyle. Vancouver, 1982 -- .	TECNO	R
Temps, Le. Ottawa, 1979-1984.	TEMPS	J
Terminogramme. Québec, 1979 -- .	TER	B *
Terminology Update v. Actualité terminologique, L'.		
Termium. Ottawa, 1983 -- .	TERMI	B *
Toronto Star. Toronto, 1892 -- .	TSTAR	J
Toronto Sun. Toronto, 1971 -- .	TSUN	J
Trad, Le. Montréal, 1976 -- .	TRAD	B *
Traducteur, Le. Montréal, 1940-1941.	TRADU	B *
Traduire. Paris, 1955 -- .	TRAFR	R
Transforum. Edmonton, 1981 -- .	TFOR	B *
Translatio. Ottawa, 1967-1974.	TRANS	B *
Translator, The. v. Traducteur, Le.		
Transletter. Vancouver, 1982 -- .	TLET	B *

TITRES	CODES	TYPES
Transmission. Montréal, 1982 -- .	TMISS	B *
Travailleur, Le. Worcester, 1931-1977.	TRAVA	J
TV Hebdo. Montréal, 1960 -- .	HEBDO	R
University of Ottawa Gazette v. Gazette de l'U d'O.		
Vancouver Sun. Vancouver, 1886 -- .	VSUN	J
Vibrations. Toronto, 1974 -- .	VIBRA	R
Voix & Images. Montréal, 1975 -- .	VOIX	R
Winnipeg Free Press. Winnipeg, 1931 -- .	WFPRE	J
Winnipeg Sun. Winnipeg, 1980 -- .	WSUN	J

---

b. Classement par codes

CODES	TITRES	TYPES
ACATH	Action catholique, L'. Québec, 1915-1962.	J
ACSOC	Action sociale, L'. Québec,1907-1915.	J
ACTIO	Action, L'. Québec, 1962-1971.	J
ACTUA	Actualité, L'. Montréal, 1960 -- .	R
ACTUN	Action universitaire, L'. Montréal, 1934-1960.	R
AMI	Ami du peuple, L'. Québec, 1876.	J
ANNAL	Annales, Les. Ottawa, 1922-1925.	R
ANTEN	Antenne, L'. Montréal, 1969 -- .	B *
ARGUS	Argus. Montréal, 1946-1958.	B *
AT	Terminology Update. Voir le suivant.	
AT	Actualité terminologique, L'. Ottawa, 1968 -- .	B *
ATAC	ATA Chronicle. New York, 1962 -- .	B
ATAQ	ATAQ Journal. Montréal, 1978-1979.	B *
AUCAN	Aurore des Canadas. Montréal, 1839-1849.	J
AUROR	Aurore, L'. Montréal, 1817-1819.	J
AVLIC	Nouvelles d'AILVC. Voir le suivant.	
AVLIC	AVLIC News. Ottawa, 1981 -- .	B *
BABEL	Babel. Budapest, 1955 -- .	R
BACLA	Bulletin de l'ACLA. Montréal, 1980 -- .	R
BARRE	Revue du Barreau. Montréal, 1941 -- .	R
BAT	Bulletin de l'ATLFO. Ottawa, 1951-1957.	B *
BATIO	Bulletin de l'ATIO. Ottawa, 1962-1966.	B *
BATIS	Bulletin de l'ATIS. Régina, 1980 -- .	B *
BBNQ	Bulletin de la BNQ. Montréal,1973-1983.	R
BCORP	Bulletin de la CTINB. Fredericton, 1980 -- .	B *
BCR	Bulletin du CRCCF. Ottawa, 1970-1983.	R
BETI	Bulletin de l'ETI. Ottawa, 1976 -- .	B *
BOACI	Bulletin de l'OACI. Montréal, 1946 -- .	R
BOOKS	Books in Canada. Toronto, 1971 -- .	R
BPFC	Bulletin du parler franç. du Canada.Québec, 1902-1914.	R
BRH	Bulletin de recherche historique. Lévis, 1895-1923.	R
CABAR	Canadian Bar Review. Ottawa, 1928 -- .	R
CACF	Cahiers de l'Académie canad-franç. Montréal, 1956 --.	R
CAD	C'est-à-dire. Montréal, 1960 -- .	B

CODES	TITRES	TYPES
CADIX	Cahiers des Dix, Les. Montréal/Québec. 1936 -- .	R
CANAD	Canada, Le. Montréal, 1903-1953.	J
CASCE	Canadian Scene, The. Toronto, 1951 -- .	J
CDT	Cercle des traducteurs. Montréal, 1966.	B *
CES	Canadian Ethnic Studies. Calgary, 1969 -- .	R
CFRAN	Canada français, Le. Québec, 1918-1946.	R
CINEQ	Cinéma Québec. Montréal, 1971 -- .	R
CIRCU	Circuit. Montréal, 1983 -- .	R *
CITIZ	Citizen, The. Ottawa, 1844 -- .	J
CLAUR	Cahiers laurentiens. Sudbury, 1968 -- .	R
COMMU	Communication. Ottawa, 1975 -- .	B *
COMSE	Communiqué du Secrétariat d'État.	B
COMUM	Communiqué. Université de Montréal.	B
CONTI	Continuum, Le. Montréal, 1978 -- .	J
CONTR	Contra, Le. Montréal, 1980 -- .	B *
COSUD	Courrier sud. Toronto, 1973-1976.	J
COURF	Courrier français, Le. Montréal, 1953 -- .	J
CSR	Civil Service Review. Ottawa, 1928 -- .	R
CULCF	Cultures du Canada français. Ottawa, 1984 -- .	R
CULTU	Culture. Québec, 1981 -- .	R
CULVI	Culture vivante. Québec, 1966-1973.	R
DEUMI	Deux mille un (2001). Ottawa, 1977-1980. 1984.	J *
DEVOI	Devoir, Le. Montréal, 1910 -- .	J
DIALO	Dialogue. Ottawa, 1974 -- .	B
DIPUM	Diplômés, Les. Montréal, 1973-1980.	R
DIRE	Dire et traduire. Toronto, 1968-1970.	B *
DROIT	Droit, Le. Ottawa, 1913 -- . .	J
ECHO	Écho. Ottawa, 1977 -- .	J
ECW	Essays on Canadian Writing. Toronto, 1974-1978.	R
EDJOU	Edmonton Journal, The. Edmonton, 1903 -- .	J
EDQUE	Éducation Québec. Québec, 1970 -- .	R
ELLIP	Ellipse. Sherbrooke, 1969 -- .	R *
ENNOU	Entre nous. Montréal, 1963-1966.	B *
ENROU	En Route. Weston, 1974 -- .	R
EVANG	Évangéline, L'. Digby,Moncton. 1887-1982.	J
EVENI	Evening News, The. Québec, 1869-1870.	J
EXPRE	Express, L'. Toronto, 1980 -- .	J
EXTAF	External Affairs. Ottawa, 1949-1971.	B
FLAIR	Flaire. Toronto, 1978 -- .	R
FPOST	Financial Post. Toronto, 1907 -- .	J
FRMAR	Francisation en marche, La. Montréal, 1980 -- .	B
FURET	Furet, Le. Montréal, 1977-1983.	B *
GAQUE	Quebec Gazette. Voir le suivant.	
GAQUE	Gazette de Québec, La. Québec, 1764-1832.	J
GAZET	Gazette, The. Montréal, 1778 -- .	J
GAZUO	University of Ottawa Gazette. Voir le suivant.	B
GAZUO	Gazette de l'Université d'Ottawa. Ottawa, 1966 -- .	B
GLOBE	Globe and Mail, The. Toronto, 1844 -- .	J
HEBDO	TV Hebdo. Montréal, 1960 -- .	R
HERAL	Herald, The. Calgary, 1883 -- .	J
INCAN	Industrial Canada. Toronto, 1966-1971.	R

CODES	TITRES	TYPES
INCOM	Intercom. Montréal, 1974 -- .	B
INDEP	Indépendance, L'. Montréal, 1962-1968.	J
INFBU	Informatique et Bureautique. Montréal, 1980 -- .	R
INFOC	Management News. Voir le suivant.	
INFOC	Info-Cadres. Ottawa, 1978 -- .	B *
INFOR	InformATIO. Ottawa, 1971 -- .	B *
INTER	Interdit, L'. Montréal, 1966-1972.	R
INTRA	Intra. Ottawa, 1980 -- .	B *
INUK	Inuktitut. Ottawa, 1977 -- .	R
JDT	Journal des traducteurs. Montréal, 1955-1965.	R *
JIP	Journal de l'Institut professionnel. Ottawa, 1972 -- .	R
JMONT	Journal de Montréal. Montréal, 1964 -- .	J
JOUR	Jour, Le. Montréal, 1974-1976.	J
JOURN	Journal, The. Ottawa, 1885-1949.	J
KWST	Kingston Whig Standard, The. Kingston, 1926 -- .	J
LANSO	Langue et société. Ottawa, 1979 -- .	R
LEBEN	Lebende Sprachen. Berlin, 1956 -- .	R
LEJOU	Jour, Le. Montréal, 1937-1946.	J
LETQU	Lettres québécoises. Montréal, 1976 -- .	R
LIBER	Liberté, La. Winnipeg, 1913-1941.	J
LINGU	Linguiste, Le. Bruxelles, 1955 -- .	R
LISON	Liaison. Ottawa, 1978 -- .	R
LUREL	Lurelu. Montréal, 1978 -- .	R
MACLE	MacLean's. Toronto, 1961 -- .	R
META	Meta. Montréal, 1966 -- .	R *
MGREP	McGill Reporter. Montréal, 1968 -- .	J
MIEUX	Mieux dire. Québec, 1962-1969.	B
MINER	Minerve, La. Montréal, 1826-1899.	J
MOT	Mot, Le. Moncton, 1981-1985.	B
MSRC	Mémoire de la SRC. Ottawa, 1883 -- .	R
MSTAR	Montreal Star, The. Montréal, 1869 -- .	J
MULTI	Multilingua. Amsterdam/New York, 1982 -- .	R
NATIO	Nationaliste, Le. Montréal, 1904-1922.	J
NFIT	Nouvelles de la FIT. Gand (Belgique), 1982 -- .	R
ORDRE	Ordre, L'. Montréal, 1934-1935.	J
OJOUR	Ottawa Journal. Ottawa, 1949-1979.	J
PANO	Panorama. Ottawa, 1970 -- .	R
PATRI	Patrie, La. Montréal, 1935-1957.	J
PERSP	Perspectives universitaires. Montréal, 1982 -- .	R
PJOUR	Petit Journal, Le. Montréal, 1926-1977.	J
PPS	Professional Public Service. Ottawa, 1951-1972.	R
PRESS	Presse, La. Montréal, 1884 -- .	J
RECHE	Recherche, La. Paris, 1960 -- .	R
RECOM	Revue Commerce. Montréal, 1898 -- .	R
REFOR	Réforme, La. Montréal, 1955-1956.	J
RENAI	Renaissance, La. Montréal, 1935.	J
RETRI	Revue trimestrielle canadienne. Montréal, 1915-1955 .	R
REVDR	Revue du droit. Québec, 1922-1939.	R
RHAF	Revue d'histoire d'Amérique franç.Montréal, 1947-1977.	R
RIP	Revue de l'Institut professionnel. Ottawa, 1951-1972.	R
RULAU	Revue de l'Université Laurentienne. Sudbury, 1968 -- .	R

CODES	TITRES	TYPES
RULAV	Revue de l'Université Laval. Québec, 1946-1966.	R
SATUR	Saturday Night. Toronto, 1887 -- .	J
SBONI	Saint-Boniface. Saint-Boniface/Winnipeg, 1920 -- .	J
SOCOL	Soleil de Colombie. Vancouver, 1968-1971.	J
SOLEI	Soleil, Le. Québec, 1896 -- .	J
SPARK	Spark, The. New York, 1970 -- .	R
STARW	Star Weekly, The. Toronto, 1910-1968.	J
STRAT	Stratford Beacon. Stratford (Ont.), 1887 -- .	J
TECNO	Technostyle. Vancouver, 1982 -- .	R
TECOM	Technical Communication. Washington, 1953 -- .	R
TEMPS	Temps, Le. Ottawa, 1979-1984.	J
TER	Terminogramme. Québec, 1979 -- .	B *
TERMI	Termium. Ottawa, 1983 -- .	B *
TFOR	Transforum. Edmonton, 1981 -- .	B *
TLET	Transletter. Vancouver, 1982 -- .	B *
TMISS	Transmission. Montréal, 1982 -- .	B *
TRAD	Trad, Le. Montréal, 1976 -- .	B *
TRADU	Translator. Voir le suivant.	
TRADU	Traducteur, Le. Montréal, 1940-1941.	B *
TRAFR	Traduire. Paris, 1955 -- .	R
TRANS	Translatio. Ottawa, 1967-1974.	B *
TRAVA	Travailleur, Le. Worcester, 1931-1977.	J
TSTAR	Toronto Star. Toronto, 1892 -- .	J
TSUN	Toronto Sun. Toronto, 1971 -- .	J
VIBRA	Vibrations. Toronto, 1974 -- .	R
VOIX	Voix & Images. Montréal, 1975 -- .	R
VSUN	Vancouver Sun. Vancouver, 1886 -- .	J
WFPRE	Winnipeg Free Press. Winnipeg, 1931 -- .	J
WSUN	Winnipeg Sun. Winnipeg, 1980 -- .	J

C. LISTE DES SUJETS

La liste ci-dessous est celle de tous les aspects de l'évolution de l'histoire de la traduction au Canada (et des disciplines connexes) qui font l'objet de références bibliographiques dans le présent ouvrage.

Grâce aux codes qui la complètent, il est possible, au stade initial d'une recherche, de réunir toutes les références portant sur un même sujet. Pour ce faire, il suffit de parcourir la bibliographie analytique (Deuxième partie -- Chapitre II) et de relever dans la colonne pertinente (T:GEN, T:SPE, INTER, TERM ou ASSO) le code correspondant au sujet choisi.

Un même code peut regrouper plusieurs sujets. C'est le cas, entre autres, des codes BIOG (biographies, notices, décorations, décès), GREV (grèves, conflits syndicaux, mises à pied, manifestations), TRAS (traduction assistée, traitement de texte, techniques, aides à la traduction). Le faible nombre de références pour chacun de ces sous-domaines ne justifiait pas l'attribution de codes distincts.

SUJETS	CODES
Abus de traduction	GENE
Acculturation	GENE
Agences de traduction	PIGE
Aides à la traduction	TRAS
Alberta Association of Translators and Interpreters	AATI
Association canadienne des écoles de traduction	ACET
Association canadienne des entrepreneurs en traduction	ACETb
Association canadienne des traducteurs diplômés	ACTD
Association des cabinets de traduction	ACT
Association des conseils en francisation du Québec	ACFQ
Association des diplômés de l'Institut de traduction	ADIT

SUJETS	CODES
Association des étudiants de traduction, Université Laval	AETUL
Association des étudiants en trad., Université de Montréal	AETUM
Association des étudiants traducteurs, Université d'Ottawa	AETI
Association des interprètes et des traducteurs judiciaires	AITJ
Association des interprètes et des traducteurs inuit	GNOR
Association des traducteurs anglophones du Québec	ATAQ
Association des traducteurs et interp. de la Saskatchewan	ATIS
Association des traducteurs et interprètes de l'Ontario	ATIO
Association des traducteurs et interprètes du Manitoba	ATIM
Association des traducteurs littéraires	ATL
Association française de terminologie	AFTER
Association internationale de terminologie	TRMIA
Association internationale des interprètes de conférence	AIIC
Association of Visual Language Interpreters of Canada	AVLIC
Association professionnelle des interprètes du Québec	APIQ
Association québéc. des interpr. franco. en lang. visuel	AQIFL
Association technologique de langue française d'Ottawa	ATLFO
Banque de terminologie du Québec	BTQ
Banque de terminologie de l'Université de Montréal	BTUM
Banque de terminologie, Secrétariat d'État	BDT
Bilinguisme et traduction	GENE
Biographies	BIOG
Bourses de traduction	SUBV
Bulletins de traduction	BULL
Bureau des traductions, Secrétariat d'État	BDT
Cabinets de traduction	PIGE
Centralisation (Bureau fédéral des traductions, 1934)	CENT
Centre de linguistique de l'entreprise	CLE
Centre de traduction et terminologie juridiques (Moncton)	CTTJ
Centre de traduction et documentation juridiques (Ottawa)	CTDJ
Cercle des traducteurs	CDT
Cercle des traducteurs des Livres Bleus	CTLB
Charte (d'associations professionnelles)	GENE
Codes d'éthique	DEON
Colloques	CONG
Comités intersociétés	GENE
Commissaire aux langues officielles	CLO
Compétence des traducteurs	FAUT
Concours de recrutement	EVAL
Conditions de travail	COND
Conflits syndicaux	GREV
Congrès	CONG
Conseil des arts du Canada	CDA
Conseil des traducteurs et interprètes du Canada	CTIC
Contrats de recherche en traduction	SUBV
Conventions collectives	COND
Corporation des trad. et interpr. du Nouveau-Brunswick	CTINB
Corporation des traducteurs professionnels du Québec	CORPO
Cour (interprétation auprès des tribunaux)	COUR
Cours de perfectionnement	FORM
Coût de la traduction	REMU

SUJETS	CODES
Critique de traductions	FAUT
Décès	BIOG
Décorations	BIOG
Déontologie	DEON
Documentation	DOC
Doublage cinématographique	DOUB
Droit d'auteur	REMU
École de traducteurs et d'interprètes, Université d'Ottawa	ETI
École de traduction, Université Laurentienne	LAUR
École de traduction, Université Laval	LAVAL
École de traduction, Université de Moncton	MONCT
École de traduction, Université de Montréal	MONTR
École de traduction, Université du Québec à Trois-Rivières	UQTR
École de traduction, Glendon College	GLEN
Écoles de traduction (généralités)	FORM
Enquêtes sur la traduction	STAT
Erreurs de traduction	FAUT
Évaluation des traducteurs	EVAL
Examens d'admission aux sociétés professionnelles	EVAL
Exposition sur la traduction	GENE
Fédération internationale des traducteurs	FIT
Féminisation de la profession de traducteur	GENE
Fondations créées en hommage à un traducteur	SUBV
Formation	FORM
Francisation des entreprises au Québec	FRAN
Généralités	GENE
Girsterm	GIRS
Gite	GITE
Grèves	GREV
Groupe interentrepr. pour gestion informat. de termino.	GITE
Groupe interdis. de rech. scient. et appliq. en termino.	GIRS
Histoire	HIST
Indépendants (traducteurs)	PIGE
Index et répertoires	INDE
Institut de traduction de Montréal	INSTI
Institut professionnel du Service public du Canada	IPSPC
Interprétation auprès des tribunaux	COUR
Interprétation consécutive	CONS
Interprétation de conférence	CONF
Interprétation gestuelle	GEST
Interprétation multilingue	MULT
Interprétation parlementaire	PARL
Interprétation simultanée	SIMU
Intersection (Section des interpr. de conférence, STQ)	ISEC
Journaux de traduction	BULL
Journées d'études	CONG
Language Bureau of the Northwest Territories	LBNWT
Literary Translators Association	ATL
Litiges	LITI
Manifestations de traducteurs	GREV
Marché du travail	COND

SUJETS	CODES
Médailles décernées à des traducteurs	BIOG
Militaire (traduction dans les Forces armées canadiennes)	MILI
Notices biographiques	BIOG
Notices nécrologiques	BIOG
Office de la langue française du Québec	OLF
Politique et traduction	POLI
Postsynchronisation	DOUB
Poursuites judiciaires	LITI
Prix de traduction	SUBV
Productivité des traducteurs	EVAL
Programmes de traduction	FORM
Programme de traduction, Université Concordia	CONC
Programme de traduction, Université McGill	MCGIL
Qualité de la langue et traduction	GENE
Qualité des traductions	GENE
Reconnaissance professionnelle	RECO
Recrutement	EVAL
Rédaction	GENE
Régie de la langue française du Québec	OLF
Régime anglais (1760-1867)	RANG
Régime français (1534-1760)	RFRA
Rémunération	REMU
Rendement des traducteurs	EVAL
Répertoires de traductions ou de traducteurs	INDE
Révision	REVI
Revues de traduction	BULL
School of Translators' Student Council, Laurentian Univ.	STSC
Secter	SECT
Section de Québec (de la STQ)	SQUE
Section des terminologues (de la STQ)	SECT
Service de terminologie, (Secrétariat d'État, 1953-)	STER
Services de traduction au gouvernement du Québec	QUEB
Société des diplômés de l'Institut de traduction	SDIT
Société des traducteurs de Montréal	STM
Société des traducteurs du Québec	STQ
Société des traducteurs et interprètes d'Ottawa	STIO
Société des traducteurs et interprètes du Canada	STIC
Society of Translators and Interpreters of British Columbia	STIBC
Sondages sur la traduction	STAT
Stages en terminologie	STAG
Stages en traduction	STAG
Statistiques	STAT
Statut du traducteur	RECO
Subventions	SUBV
Techniques (aides à la traduction)	TRAS
Termia	TRMIA
Terminologie dans les entreprises	TENT
Traducteurs et leur rôle dans la société	GENE
Traducteurs indépendants	PIGE
Traduction administrative	ADMI
Traduction à l'Île-du-Prince-Édouard	IPED

SUJETS	CODES
Traduction à la pige	PIGE
Traduction assistée (par ordinateur)	TRAS
Traduction au gouvervenent fédéral de 1867 à 1934	FEDE
Traduction au Manitoba	MANI
Traduction au Nouveau-Brunswick	NEWB
Traduction biblique	BIBL
Traduction dans le Grand Nord canadien	GNOR
Traduction dans les entreprises	ENTR
Traduction dans les Forces armées canadiennes	MILI
Traduction en Acadie (1710-1867)	ACAD
Traduction en Colombie-Britannique	CBRI
Traduction en Ontario (sauf les services fédéraux)	ONTA
Traduction en Saskatchewan	SASK
Traduction et francisation des entreprises au Québec	FRAN
Traduction et traducteurs dans la litt. québéc. et canad.	CREA
Traduction informatisée	INFO
Traduction journalistique	JOUR
Traduction juridique	JURI
Traduction législative	JURI
Traduction littéraire	LITT
Traduction multilingue	MULT
Traduction parlementaire	PARL
Traduction publicitaire	PUBL
Traduction technique et scientifique	TECH
Traitement de texte	TRAS
Tribunaux (interprétation auprès des)	COUR

Chapitre II

B I B L I O G R A P H I E   A N A L Y T I Q U E

A. L I V R E S   E T   D O C U M E N T S

AUTEURS / TITRES	DATE	TGEN	TSPE	INTER	TERM	ASSO
Abuse of Government Translation Serv	1982	ADMI	LITI			
Accusations contre 200 traducteurs	1983	ADMI	LITI			
Agence litt éditeurs can-fran/Ouvrages	1971	LITT	INDE			
Agence litt éditeurs can-fran/Ouvrages	1971	MULT	INDE			
Albert,L. Voir Delisle,J.						
Alberta Association of Trans/By-Laws	1982					AATI
Album-Souvenir. Premier congrès trad	1956		CONG			
Allard,P/Stat de édition Qué 1968-1982	1984		STAT			
Amyot,M. Voir Conseil (CLF)						
Arbique,H/Revision of translator class	1960	ADMI	BDT			
Arbique,H/Unit survey of Bur for Trans	1960	ADMI	BDT			
Archambault,A/Qual lang enseign et pub	1982		FRAN			
Assemblée nat Comm corp prof/Débats	1972		RECO			STQ
Association (ACB)/Rapport à comm B&B	1965		FORM			
Association (ACET)/Statuts			FORM			ACET
Association (ACETb)/Mémoire	1984		PIGE			ACETb
Association (ACETb)/Statuts	1984		PIGE			ACETb
Association (ACFQ)		ENTR				ACFQ
Association (ACT)/Statuts	1980		PIGE			ACT
Association (AETUL)/Statuts & Règlem	1983					AETUL
Association (AIIC)/Code d'éthique	1983		DEON	CONF		AIIC
Association (AIIC)/Règlement intérieur	1979			CONF		AIIC
Association (AIIC)/Statuts & annexes	1983			CONF		AIIC
Association (AIIC-CAN)/Cond trav Canad	1985			CONF		AIIC
Association (AIIC-CAN)/Répertoire	1984		INDE			AIIC
Association (AIIC-CAN)/Règlement intér	1971			CONF		AIIC
Association (AQIFLV)/Statuts & Lettres	1982			GEST		AQIFL
Association (ATIM)/Règlem & Code déont	1980		DEON			ATIM
Association (ATIO)/Dépliant			HIST			ATIO
Association (ATIO)/Annuaire de l'ATIO	1970		INDE			ATIO
Association (ATIO)/Avant-projet règlem						ATIO
Association (ATIO)/Code d'éthique prof			DEON			ATIO
Association (ATIO)/Règlement	1972					ATIO
Association (ATIS)/Bylaws	1980		DEON			ATIS
Association (ATL)/Mémoire droit auteur	1978	LITT	REMU			ATL
Association (ATL)/Répertoire	1984		INDE			ATL
Association (ATL)/Statuts	1975	LITT				ATL
Association (ATLFO)/Mémoire Comm d'enq	1949					ATLFO

AUTEURS / TITRES	DATE	TGEN	TSPE	INTER	TERM	ASSO
Association (AVLIC)/By-laws	1980			GEST		AVLIC
Association Serv Civil/Mém révis class	1960	ADMI	BDT			
Auger,P/Com de termi et normalisa OLF	1984				BTQ	OLF
Aupy,R/Doctrine traductionnelle	1977	ADMI	BDT			
Aupy,R/Serv de tra comptes rendus	1966	PARL				
Bastarache,M. Voir Direction lang off						
Bastarache,M/Nécess vocab fran Com Law	1982	JURI				
Batts,M/Transl Interp Multi-Cult Cont	1975	MULT	CONG			
Beattie,C/La carrière de traducteur	1972	ADMI	BDT			
Beaubien,AH/Memo to M. Hughes	1948	ADMI	BDT			
Beaubien,AH/Memo to M. Hughes	1948	ADMI	REMU			
Beaubien,AH/Mémoire trad délibérations	1947	PARL				
Bedal,CL/Translator and Interpreter	1979		GENE	GENE		
Bédard,S/Le projet TAUM-MÉTÉO	1983	INFO	HIST			
Behne,AH/Serv des confér multilingues		MULT				
Bélanger,N/Qu'est-ce que la SECTER?	1979				SECT	
Bell Canada/Liste serv trad et termino	1984		INDE		GENE	
Bennett,J/Court interpreting in Canada	1981			COUR		
Benoît,P/A l'ombre du Mancenillier	1981	ADMI	BIOG			BDT
Bernard,H/La Maison vide	1926		CREA			
Besoins en services ling dans entrepr	1985	ENTR	PIGE			
Bibeau,G. Voir Conseil (CLF)						
Bibliothèque (BNQ)/Stat édition au Qué	1982		STAT			
Binsse,H/Preface In Quest of Splendour	1955	LITT				
Blais,R/Interview de P. Le Quellec	1982	ADMI	BDT			
Blodgett,E/How Do You Say "G. Roy""?	1983	LITT	GENE			
Blue Book, The	1864	ADMI	FEDE			
Blue Book, The	1864	ADMI	REMU			
Boissonnault,JR/Les services de trad	1983	MILI	HIST			
Bonenfant,JC/Persp hist rédac des lois	1977	JURI	HIST			
Brent,E/Traduction fiches bibliograph	1980		GENE			
Breton,M/Trad simult Chambre des Com	1957			PARL		
Bureau des tr/D'une langue à l'autre	1979	ADMI	EDIT			
Bureau des tr/Formulaire pour la trad	1938	PARL	EDIT			
Bureau des tr/Introduc au Bur des trad	1982	ADMI	BDT			
Bureau des tr/Liste d'ouvrages franç	1968	ADMI	EDIT		STER	
Bureau des tr/Mémoire radio-télé	1977			PARL		
Bureau des tr/Plan de 8 ans	1976	ADMI	BDT			
Bureau des tr/Plan directeur (1979-85)	1980	ADMI	BDT			
Bureau des tr/Recommandations Lambert	1979	ADMI	BDT			
Bureau des tr/Règles régis trad Débats	1947	PARL	EDIT			
Bureau des tr/Trad au service de État	1978	ADMI	GENE			BDT
Bureau des traductions	1964	ADMI	BDT			
Bureau for Tr/Organization survey	1953	ADMI	STAT			
Bureau for Tr/Organization survey	1953	ADMI	REMU			
Bureau of Translations, A	1935	ADMI	BDT			
Cahiers de traductologie	1979		EDIT			ETI
Calverly,M/Utilité banque term inform	1974	MULT			GENE	
Cambridge L.R.U./Pilot research	1965	INFO				
Canada-Uni.Législ./Acte pour pourvoir	1841	JURI	RANG			
Canadian Bible Society/Report	1961	BIBL				
Canadian Index	1948		INDE			
Carbonneau,H/Services fédéraux de trad	1962	ADMI	FEDE			
Carbonneau,H/Services fédéraux de trad	1962	ADMI	HIST			
Cardin,M/Termium	1985				BDT	
Carrier,H/Le sociol can Léon Gérin	1960		BIOG			
Cas des traduct, chasse aux sorcières	1983	ADMI	LITI			

AUTEURS / TITRES	DATE	TGEN	TSPE	INTER	TERM	ASSO
Centre de trad et term juridiques	1984	JURI			GENE	CTTJ
Cercle des trad/Rap annuels, 1962-64	1962					CDT
Chagnon,LJ/A mes amis traducteurs	1925		CREA			
Chan,L/Traduc autom au Canad (1965-)	1983	INFO	HIST			
Chandioux,J/MÉTÉO:système trad automat	1976	INFO	BDT			
Chantal,R/Rapport sur la qualité	1969		GENE			
Charbonneau,L/Toussaint Charbonneau	1952			BIOG		
Charges laid for breach of trust	1983	ADMI	LITI			
Charges laid in connection trans	1983	ADMI	LITI			
Chartrand,C/Les diplômés en traduction	1974		COND			
Civil Serv Comm/Civil Ser List, -1918	1885	ADMI	FEDE			
Civil Serv Comm/Civil Ser List, -1918	1885	ADMI	REMU			
Civil Serv Comm/Unit survey-Bur for Tr	1954	ADMI	HIST			
Civil Serv Comm/Unit survey-Bur for Tr	1954	ADMI	BDT			
Civil Serv Comm/Unit survey-Bur for Tr	1954	ADMI	STAT			
Claxton,P/A Model Contract for Liter	1978	LITT	REMU			
Claxton,P/Congrès de fondation de ATL	1975	LITT	CONG			ATL
Claxton,P/Translation and creation	1984	LITT				
Cloutier,F/Politique du Qué en termino	1976				BTQ	
Code criminel. Langue de l'accusé		JURI		COUR		
Collège Glendon/École de traduction	1984		FORM			GLEN
Comité d'étude pol cult/Compte rendu	1982	LITT				
Commissaire (CLO)/Rap annuels, 1971-	1971					CLO
Commission roy sur enseig prov Québec	1964		GENE			
Commission roy sur gestion financière	1979	ADMI	BDT			
Commission roy sur organisa du gouv	1962	ADMI	BDT			
Conditions d'admission à l'examen ATIO	1970					ATIO
Conseil (CDA)/Rap annuels, 1958-	1958	LITT	SUBV			CDA
Conseil (CLF)/Actes-Trad et Qual lang	1984		CONG			
Conseil (CLF)/Francisation des entrepr	1981	ENTR	FRAN			
Conseil (CLF)/Statut culturel fran Qué	1984		CONG			
Conseil (CNRC)/Répertoire de l'ICIST		TECH	INDE			
Conseil (CTIC)/Projet uniformi examens	1973		EVAL			ATIO
Conseil du trésor/Budget des dépenses	1868	ADMI	BDT			
Conseil du trésor/La demande de trad	1980	ADMI	BDT			
Conseil du trésor/Les lang officielles	1981	ADMI	BDT			
Conseil du trésor/Particip équilibrée	1973	ADMI	BDT			
Conseil du trésor/Règle traitement	1965	ADMI	REMU			BDT
Conseil du trésor/Translation Demand	1980	ADMI	BDT			
Corbeil,J/Examen de polit de trad RLF	1975		POLI			
Coriat,A/Interférences angl dans franç	1971	PUBL	FAUT			
Cormier,M/Les écrivains traducteurs	1981	LITT	INDE			
Corporation (CTINB)/Statuts & Règlem	1970					CTINB
Corporation (CTINB)/Statuts et règlem	1977		DEON			CTINB
Côté,L/Origine d'interp simult au Can	1983			HIST		
Côté,Y/La trad dans enseign au Québec	1984		GENE			
Coulombe,P/Relatio entre franc et angl	1978	ADMI	GENE			
Cousin,F/Où en est la trad automat	1975	INFO				
Covacs,A/Doctrine traductionnelle	1977	ADMI	GENE			BDT
Covacs,A/La version franç des lois	1980	JURI				
Covacs,A/Version franç des lois fédér	1984	JURI				
Création d'une fédér des sociétés prov	1969					CTIC
Cserepy,F/Native Languages in N.W.T.	1985	MULT	GNOR	MULT		LBNWT
Cumming,C/Service franç de Canad Press	1981	JOUR				
Daigle,B/Association trad et int Ontar	1982					ATIO
Daigneault,R/La trad et la publicité	1940	PUBL				
Darbelnet,J/Le fr en contact avec angl	1976		GENE			

AUTEURS / TITRES	DATE	TGEN	TSPE	INTER	TERM	ASSO
Daviault,P/Cours de traduction	1937		FORM			ETI
Daviault,P/Dict militaire (Introduc)	1945	MILI	GENE			
Daviault,P/Dict militaire (Introduc)	1945	MILI	RANG			
Daviault,P/Function of a terminol cent	1964	ADMI			BDT	
Daviault,P/L'expression juste en trad	1931		EDIT			
Daviault,P/La langue franç au Canada	1951		GENE			
Daviault,P/Langue et traduction	1938		GENE			
Daviault,P/Langue et traduction	1938		FORM			
Daviault,P/Mémoire sur retard des trad	1956	ADMI	FAUT			
Daviault,P/Observations rapport de CSC	1960	ADMI	BDT			
Daviault,P/Questions de langage	1933		EDIT			
Daviault,P/Rendement des traducteurs	1955	ADMI	EVAL			
Daviault,P/Retards diffusion textes	1959	ADMI	FAUT			
Daviault,P/Réponse au Mémoire	1961	ADMI	BDT			
Debates of Legis Assemb United Canada	1841	ADMI	RANG			
Debates of Legis Assembly of Manitoba	1880	ADMI	MANI			
Débats Assemblée législative Québec	1867	PARL	QUEB			
Débats de la Chambre des communes	1867	PARL	BDT			
Débats du Sénat	1867	PARL	BDT			
Delisle,J. Voir Edridge,S.						
Delisle,J/Au coeur du trialogue canad	1984	ADMI	HIST	HIST	HIST	HIST
Delisle,J/Enseignement interpr et trad	1981		EDIT	FORM		
Delisle,J/Guide bibliog trad, réd, ter	1979		EDIT		DOC	ETI
Delisle,J/Hist enseign trad à U.d'O.	1981		HIST			ETI
Delisle,J/Interp sous le régime franç	1975			RFRA		
Delisle,J/L'Analyse du discours...	1980		FORM			ETI
Delisle,J/Les Obsédés textuels	1983		CREA			
Delisle,J/Plaidoyer renouveau enseign	1984		FORM			
Department of Pub & Station/Annual Rep		ADMI	INDE			
Desautels,A/ Évolution fonction trad	1972	ADMI	BDT			
Deschamps,R/Révolution électronique	1985		TRAS			
Deschâtelets,L/Traduction dans le film	1981	DOUB				
Després,R/Ma carrière...	1982		BIOG	BIOG		
Desy,J. Voir Beattie, C.						
Dictionnaire biographique du Canada	1966		BIOG	BIOG		
Dionne,R/A.Gérin-Lajoie, homme de lett	1978		BIOG			
Direction com U M/Étape en trad autom	1979	INFO				
Direction des lang off/Lang off N.-B.	1982		NEWB			
Djwa,S/On F.R.Scott:Essays on His Cont	1983	LITT	BIOG			
Documents de traductologie	1976		EDIT			ETI
Doyle,J/A.Howells and A. Fréchette	1979		BIOG			
Dubuc,R/Colloque de Stanley House	1965		CONG		GENE	
Dubuc,R/Doc préparatoire au colloque	1984		HIST			
Dubuc,R/Traduction et médias parlés	1984		GENE			
Duchesne,C. Voir Lavallée,L.						
Dumas,F. Voir Jaubert,YP.						
Dumont,T/Traducteurs	1984		CREA			
Durand,C/Étud prél situa serv d'interp	1983			GENE		
Durand,C/Étud prél situa serv d'interp	1983			SIMU		
École (ETI)/Rapports annuels	1971		FORM			ETI
École (ETI)/Renseignements généraux	1984		FORM			ETI
Éconosult/Composante interprétation	1983	ADMI		PARL		
Éconosult/Étude préparat évalua du BdT	1982	ADMI	BDT			
Éconosult/Éval BdT--Rapport prélimin	1982	ADMI	BDT			
Éconosult/Sous-composante:traduction	1983	ADMI	BDT			
Éconosult/Termino:étude préparatoire	1983	ADMI			BDT	
Edridge,S/Entrevue A-H Beaubien	1982		BIOG			

AUTEURS / TITRES	DATE	TGEN	TSPE	INTER	TERM	ASSO
Ellenwood,R/Actualities Can Lit Trans	1983	LITT	GENE			
Ellenwood,R/Report on New Technologies	1982	LITT	TRAS			
Entrevue avec J.-C. Corbeil	1983		GENE			
Étude sur qualité des trad au BdT	1967	ADMI	EVAL			
Étude sur qualité des trad au BdT	1967	ADMI	BDT			
Ewert,C/No Man's Brother	1984		CREA	BIOG		
Faubert,A/Serv de trad dans entreprise	1978	ENTR				
Fillion,L/Cinquantenaire du BdT	1984	ADMI	BDT			
Fischman,S/Translator's note	1970	LITT	POLI			
Flamand,J. Voir Thomas,A.						
Fortier,D/Réalisme et polit linguist	1985		GENE			
Fortin,J/Mémoire conseils ling RLF	1976				BTQ	OLF
Fortin,JM/Banque de termino du Québec	1985				BTQ	
Fraude des traducteurs à Ottawa	1983	ADMI	LITI			
Fréchette,A/Report on the Enquiry	1910	ADMI	FEDE			
Fréchette,A/Report on trans services	1920	ADMI	FEDE			
Garneau,M/Le mot de M. Garneau	1975	LITT				
Gascon,W/Guide pour la réd des débats	1914	PARL	FEDE			
Gauld,G/Étude des opérations (comités)	1980	ADMI	BDT	PARL		
Gauvin,L/Guide culturel du Québec	1982		GENE			
Gawn,P/Pragmatic Evolution of Transl	1984	ADMI	EVAL			BDT
Gémar,JC/Fonctions de trad juridique	1982	JURI				
Gémar,JC/Langage du droit et traduc	1982	JURI	EDIT			
Gémar,JC/Les 3 états de politique ling	1983	JURI	HIST			
Geoffrion,LP/Notre vocab parlementaire	1918	PARL	RANG			
Gérin,L/Antoine Gérin-Lajoie	1925		BIOG			
Giguère,R/Trad litt et image de litt	1983	LITT	GENE			
Giroux,B/BTQ- outil de francisation	1977				TENT	
Glassco,J/PoetryFrenchCan in Transl	1970	LITT	INDE			
Glaus,F/Foreign Lang Division		MULT				
Gnarowski,M/Study Can Lit translation	1967	LITT	INDE			
Gobeil,F/Les banques de terminologie	1983	INFO	BDT		BDT	
Gobeil,F/Trad autom. Situation canad	1982	INFO	HIST			
Gobeil,F/Trad automatique au Canada	1981	INFO	HIST			
Gordon,J/La traduction tous azimuts	1984	JURI				
Gordon,J/Un réseau d'ordinateurs	1981	INFO	BDT		BDT	
Gouin,J/Hist de l'ATIO (1920-1970)	1971		HIST			ATIO
Gouin,J/Historique trad et rôle ATIO	1970		HIST	HIST		ATIO
Gouin,J/Souvenir 30 ans au BdT	1982	ADMI	BIOG			
Government (NWT)/Annual Report	1984	ADMI	GNOR			LBNWT
Grâce,JG de/Tribulations ...d'un trad	1972		CREA			
Gravel,H/Traduction au gouv du Québec	1972	ADMI	QUEB			
Grégoire,J/Hist de l'Institut de tra	1960		HIST			INSTI
Grégoire,JF/Trad autom au serv des tra	1977	INFO				
Guay,JP/Lorsque notre litt était jeune	1983	LITT	GENE			
Guide du traducteur	1978	ENTR	EDIT			
Guitard,A/Les virus ambiance	1983		CREA			
Hayne,D/Literary Transl in 19th Cent	1983	LITT	RANG			
Hoffman,D/Biling and Bicult in H of C	1970	PARL				
Horguelin,PA/Anthologie manière de tra	1981		BIOG			
Horguelin,PA/Hist rech termi au Canada	1974				HIST	
Horguelin,PA/La trad, une profession	1978		CONG			
Horguelin,PA/Pratique de la révision	1978		REVI			
Horguelin,PA/Trad à l'ère des communic	1984		HIST			
Horguelin,PA/Un peuple de traducteurs?	1984		HIST			
Index Translationum, 1932-1940	1932		INDE			
Index Translationum, 1948 --	1948		INDE			

AUTEURS / TITRES	DATE	TGEN	TSPE	INTER	TERM	ASSO
Influence milieu sur compétence profes	1985		GENE			
Institut (ICIST)/Répert trad scientif	1983	TECH	INDE			
Institut de trad/ Annuaire 1959-1960	1960		FORM			INSTI
Institut de trad/Historique de l'Inst	1960		HIST			INSTI
Institut de trad/Mémoire Comm d'enquêt	1950		GENE			INSTI
Interview on the trans serv fed	1982	ADMI	BDT			
Interview with Denis Roberge	1983		SUBV			OLF
Isabelle,P/Perspectives groupe TAUM	1981	INFO				
Jain,G. Voir Trudel,M.						
Jaubert,Y/Rap sur utilisation machines	1979	ADMI	TRAS			
Jesuit Relations, The	1959			RFRA		
Jones,DG/F.R.Scott as Translator	1983	LITT				
Journean,R/Le "business" de la trad	1981		COND			
Journean,R/Le "business" de la trad	1981		ONTA			
Juhel,D/Bilinguisme et trad au Canada	1982		GENE			
Kerpan,N. Voir Rondeau,G.						
Kerpan,N/L'entreprise à l'heure de tr	1984	ENTR				
Kerpan,N/Implantation terminologie	1985				TENT	
Kerpan,N/Place & rôle terminologue	1977				TENT	
Kingstone,B/Official Status of Transl	1982	JURI	HIST			
Labelle,G/Étude langue de l'affichage	1970	PUBL	GENE			
Laforce,L/Trad au Canada.Organisation	1968		HIST			
Landry,A/Banque de termino du gouvern	1979				BDT	
Landry,A/Normalisat terminol au BdT	1982		BDT			
Landry,A/Notes d'allocution (ATIO)	1983	ADMI	BDT			
Langues autochtones : patrim précaire	1985	MULT	GNOR			
Lapointe,G/Essais sur Fonc publ québ	1971	ADMI	QUEB			
Larivière,J/La trad dans la Fonc publ	1966	ADMI	BDT			
Larose,P/Causerie sur le BdT	1978	ADMI	BDT			
Larose,P/La trad au gouvern du Canad	1976	ADMI	BDT			
Larose,P/La terminologie au BdT	1974				BDT	
Lauzière,L/Législation interp judici	1981			COUR		
Lavallée,L/Enq satisfaction du client	1980	ADMI	BDT			
Lavallée,L/Enquête satisfac clients	1979	ADMI	STAT			
Lavallée,L/Identif utilisateurs au BdT	1981	ADMI	STAT		BDT	
Lavallée,L/Organisat section parlement	1981	PARL	BDT			
Lavallée,L/Qualité trad serv multiling	1980	MULT	BDT			
Lectures européennes de la litt Québ	1982	LITT				
Lectures européennes de la litt Québ	1982	MULT				
Lépine,P. Voir Allard,P.						
Le Quellec,P/Gestion fonds terminol	1978				BDT	
Le Quellec,P/La Banque de terminol	1978				BDT	
Le Quellec,P/La technologie moderne	1981	INFO	BDT		BDT	
Le Quellec,P/Le français et la traduc	1980		GENE			
Le Quellec,P/Serv de term du gouv Cana	1976				STER	
Lévesque,J/Trad offic au Qué (1760-)	1981	ADMI	HIST			
Lévesque,J/Trad offic au Qué (1760-)	1982	ADMI	RANG			
Literary Translators' Association	1984	LITT	REMU			ATL
Loi constituant en corpo la STQ	1970		RECO			STQ
Lois révisées N.-B./Lois lang off	1973		NEWB			
Long,J/J.Long,trafiquant et interprète	1980			RANG		
Long,J/J.Long,trafiquant et interprète	1980			BIOG		
Long,J/Voyages and Travels of Indian	1791			BIOG		
Long,J/Voyages and Travels of Indian	1791			RANG		
Longstoff,S. Voir Beattie, C.						
Lozano,L/Old Times at Translation Bur	1982	MULT	BIOG			
Macdonald,J. Voir Djwa,S.						

AUTEURS / TITRES	DATE	TGEN	TSPE	INTER	TERM	ASSO
Machado,B/Fonction trad dans minist	1972	ADMI	STAT			
Magnon,M. Voir Archambault,A						
Mailhot,L. Voir Gauvin,L.						
Manson-Daoust,A/Estéquois... eux-mêmes	1974		STAT			STQ
Martineau,J/Anglais collège Sainte-Foy	1976		GENE			
Massicotte,B/213 ans de traduction	1972	ADMI	HIST			
Maurais,J. Voir Dubuc,R.						
Mayer,H/Politique en matière de traduc	1972	ADMI	BDT			
Mémoire Univ.McGill à Commission B&B	1965		FORM			
Mémoire du GITE à Comm commun culturel	1983	ENTR			GENE	GITE
Mendel,GA/Do You Know Foreign Language		MULT	BDT			
Mendel,GA/History of Multiling Service	1982	MULT	HIST			
Metro Service for the Deaf/Annual Rep	1984			GEST		
Metro Service for the Deaf/Interp Serv	1984			GEST		
Mezei,K/Bridge of Sorts:Tr of Québ lit	1985	LITT				
Mineau,S/Trad des annonces de presse	1972	PUBL				
Minist Commu/Rapport polit cult fédér	1982	LITT	GENE			
Minist Défense nat/Directive C.P. 6/72	1972	MILI				
Minist Défense nat/Serv term,trad,int	1974	MILI	GENE	GENE	GENE	
Minist Revenu/Rapp Audit gén à Ch com	1895	ADMI	REMU			
Moody,BM/A Just and Disinterested Man	1976	ADMI	BIOG	BIOG		
Morisset,P/La traduction dans médias	1984	JOUR				
Morisset,P/Traduc dans médias écrits	1984	JOUR				
Morissette,A/Mécan au service de prof	1981	ADMI	TRAS		BDT	
Nekrassoff,V/Self-Employed Translators	1979	MULT	PIGE			
New-Brunswick,Legislature,Assembly	1837	PARL	NEWB			
Newman,M. Voir Stratford,P.						
Nilski,T/Conference interp in Canada	1969		CONF			
Northwest Territories Ass/Ordinance	1984	MULT	GNOR			LBNWT
Notre expertise linguistique	1982				BDT	
Novelli,N/Trad ital Maria Chapdelaine	1982	LITT				
Novelli,N/Trad ital Maria Chapdelaine	1982	MULT				
Office de la langue française/BTQ					BTQ	
Officiel de la publicité au Qué, L'	1982	PUBL	INDE			
Panneton,G/La transposition	1945		EDIT			
Panneton,G/Précis de traduction	1946		EDIT			
Paré,M/Banque de termino de l'U.de M.	1974				BTUM	
Paré,M/Machine à traduire a mission?	1981	INFO				
Parlement/Bill 4 (Bureau for transl)	1934	ADMI	BDT			
Parlement/Comité mixte sur lang offic	1978	ADMI	BDT			
Parlement/Comité mixte sur lang offic	1983	ADMI	BDT			
Parlement/Comité spéc Loi serv civil	1934	ADMI	CENT			
Parlement/Comité spéc. Loi élect 1938	1951	ADMI	BDT		GENE	
Parlement/Loi concernant Bur des trad	1970	ADMI	BDT			
Parlement/Règlement du Bur des trad	1968	ADMI	BDT			
Parlement/Règlements Chambre des comm	1969	PARL				
Parlement/Spec Comm on Civil Service	1924	ADMI	FEDE			
Pelletier,JF/Publicité en quête qualit	1977	PUBL	GENE			
Pétrin,H/Droit d'auteur du traducteur	1974	LITT	REMU			
Pétrin,L/Tuez le traducteur	1961		CREA			
Picken,C/The Translator's Handbook	1983		GENE			
Piperno,S. Voir Chartrand,C.						
Plourde,M/Allocution de synthèse	1984		GENE			
Poirier,B. Voir Direction des lang off						
Poisson,J/Administ langue et culture	1984	ADMI	POLI			
Poisson,J/Manuels trad et allégeance	1984		GENE			
Poisson,J/Rôle théor du rédact profes	1984		GENE			

AUTEURS / TITRES	DATE	TGEN	TSPE	INTER	TERM	ASSO
Poisson,J/Trad, facteur d'acculturat?	1977		POLI			
Portrait du bon traducteur	1973		GENE			
Potvin,A/Aux membres de l'Assoc techno	1952					ATLFO
Poulin,J/Les Grandes marées	1978		CREA			
Pratique du travail à la pige	1983	ADMI	PIGE			
Pratique du travail à la pige	1983	ADMI	LITI			
Pratique était connue	1983	ADMI	LITI			
Proulx,J/Bio-bibliog canad françaises	1970		BIOG			
Qualité de la traduction au fédéral	1983	ADMI	FAUT			
Qualité de la traduction au fédéral	1983	ADMI	BDT			
Recherche sur traduction automatique	1966	INFO				
Reed,D. Voir Bastarache,M.						
Règlement Loi sur lang off N.-B.	1976	JURI		COUR		
Réorganisation Division générale trad	1955	ADMI	BDT			
Richard,M/Mémoire à Comm roy enq B&B	1964		MILI			
Rivard,A/Notre législation	1938	JURI				
Roberts,RP. Voir Rondeau,G.						
Roberts,RP/Court interpreting in B. C.	1981			COUR		
Roberts,RP/Evol trans since 1966-Meta	1983		EDIT			
Roberts,RP/Interprét auprès tribunaux	1981		EDIT	COUR		
Roberts,RP/Specificity School STI	1983		FORM			ETI
Roberts,RP/Training for trans tomorrow	1981		FORM			
Roberts,RP/Training progr court interp	1981			COUR		
Robichaud,DT/Mémoire sur traduction	1946	PARL				
Robichaud,R/A.-H. Beaubien	1982		BIOG			
Robichaud,R/Débuts de l'interprétation				HIST		
Robichaud,R/Interp in Canada-Survey	1980		GENE			
Robichaud,R/Le métier d'interprète				GENE		
Robichaud,R/Mon père D. T. Robichaud	1982		BIOG			
Rôle des associations professionnelles	1985		RECO			
Rondeau,G. Voir Vinay,JP.						
Rondeau,G/Colloque sur les stages	1982		STAG		STAG	
Rondeau,G/Introd à la terminologie	1981				HIST	
Rousseau,L/Incidence de trad sur term	1984				GENE	
Roy,PG/Réception de Vicomte d'Argenson	1890		CREA			
Saint-Denis,Y/Étude des anglicismes	1967		GENE			
Saint-Georges,J/Notes de traduction	1954		GENE			
Sauvé,C/Traduction en Ontario	1985	ADMI	ONTA			
School (STSC)/Constitution of the TSC	1983					STSC
Schwab,W/Aménagement de la traduction	1978		GENE			
Schwab,W/Prix de revient de la traduc	1978		STAT			
Schwab,W/Traduction moyen de francisa	1978	ENTR	FRAN			
Secrétariat d'É/BDT 1934-1984	1984		BDT			
Secrétariat d'É/Budg dépenses 1982/83	1982	ADMI	BDT			
Secrétariat d'É/Budg dépenses 1983/84	1983	ADMI	BDT			
Secrétariat d'É/Publ subv par multicu	1980	MULT	INDE			
Secrétariat d'É/Publ subv par multicu	1980	MULT	SUBV			
Secrétariat d'É/Rapports annuels	1936	ADMI	BDT			
Secretary of State/Return of the Names	1882	ADMI	FEDE			
Secretary of State/Return of the Names	1882	ADMI	REMU			
Sereda,S/Practical exper machine trans	1985	INFO				
Serré,R/Répertoire trad indépendants	1982		INDE			
Serré,R/Répertoire trad indépendants	1982		PIGE			
Services linguistiques au Canada	1985	ADMI	CONG			
Sheppard,CA/Law of Languages in Canada	1971	JURI	HIST			
Shouldice,L/Politics of Literary Trans	1983	LITT	POLI			
Situation dans les provinces et territ	1985	ADMI	NEWB			

AUTEURS / TITRES	DATE	TGEN	TSPE	INTER	TERM	ASSO
Situation dans les provinces et territ	1985	ADMI	GNOR			
Smith,M/Mémoire au surintendant du BdT		ADMI	FAUT			
Smyth,JT. Voir Vinay,JP.						
Snow,G/Centre de trad et de termi juri	1985	JURI				CTTJ
Société (SDIT)/Rapport annuel	1962					SDIT
Société (SRC)/Rapport à Commission B&B	1965		FORM			
Société (STIC)/Charte de la STIC	1957					STIC
Société (STM)/Fiches comité du Forum						STM
Société (STM)/Rapports des Forum	1942					STM
Société (STM)/Rapports du président	1951					STM
Société (STQ)/Annuaire lang étrangères	1984	MULT	INDE			
Société (STQ)/Annuaire trad...indépend	1983		INDE			STQ
Société (STQ)/Document de service ling	1982				DOC	STQ
Société (STQ)/Interprète de conférence	1983			CONF		STQ
Société (STQ)/Mémoire à Commis Gendron	1969		GENE			STQ
Société (STQ)/Profession de traducteur	1971		GENE			STQ
Société (STQ)/Rapports annuels	1967					STQ
Société (STQ)/Reviseur, Le	1982		REVI			STQ
Société (STQ)/Répertoire de la STQ	1970		INDE			STQ
Société (STQ)/Règlement intérieur	1983					STQ
Société (STQ)/Sondage sal + condi trav	1977		STAT			STQ
Société (STQ)/Sondage sal + condi trav	1977	ENTR	COND			STQ
Société (STQ)/Sondage sur cond de trav	1983	ENTR	STAT			STQ
Société (STQ)/Sondage sur cond de trav	1983	ENTR	COND			STQ
Société (STQ)/Séances d'études-Rapport	1965					STQ
Société (STQ)/Terminologue, Le	1982				SECT	STQ
Société (STQ)/Traducteur, Le	1982		GENE			STQ
Society (STIBC) Directory 1983	1983		INDE			
Society (STIBC)/Annual Report 1982/83	1983					STIBC
Spécial cinquantenaire BDT	1984	ADMI	HIST			
Spécial cinquantenaire BDT	1984	ADMI	BDT			
Spiridonakis,AM/Probl trad française	1971	LITT				
Statuts du Bas-Canada	1793	PARL	RANG			
Stratford,P/Anatomy of Trans:Pélagie	1983	LITT	GENE			
Stratford,P/Bibliog of Canadian Books	1975	LITT	INDE			
Stratford,P/Bibliog of Canadian Books	1977	LITT	INDE			
Stratford,P/Translation as Creation	1978	LITT	GENE			
Survey made in select fed govt	1965	ADMI	BDT			
Survey made in select fed govt	1965	ADMI	EVAL			
Survey of duties and personnel	1951	PARL	COND			
Sussmann,F/Biling and Law in Canada	1969	JURI				
Ta et Tao:essais des systèmes	1985	INFO	TRAS			
Tassie,J/Proposed school trans & inter	1965		FORM	FORM		ETI
Tchilinguirian,C/Conditions de travail	1980		COND			
Termium III Spécifications et caract	1984	ADMI			BDT	
Tessier,L. Voir Allard,P.						
Thaon,B/M. Garneau's Macbeth	1984	LITT				
Thomas,A/Trad:universitaires et pratic	1984	EDIT				
Thouin,B/Automatiser trad jugements	1979	JURI				
Thouin,B/Automatiser trad jugements	1979	INFO				
Thouin,B/Operational Systems Canada	1983	INFO				
Thouin,B/Pour les trad par des trad	1981	INFO				
Traducteurs accusés de conflit	1983	ADMI	LITI			
Traducteurs accusés de fraude	1983	ADMI	LITI			
Traducteurs fédéraux accusés	1983	ADMI	LITI			
Traducteurs ignoraient la loi	1983	ADMI	LITI			
Traduction des lois manitobaines	1983	JURI	MANI			

AUTEURS / TITRES	DATE	TGEN	TSPE	INTER	TERM	ASSO
Traitement informatisé des lang natur	1984	INFO				
Translation probl affecting arts	1982		GENE			
Translation's Cost. Translation Bur	1983	ADMI	REMU			
Translation's costs.Interview A.Landry	1983	ADMI	REMU			
Translator Series	1945	ADMI	BDT			
Translators charged with fraud	1983	ADMI	LITI			
Tremblay,R/Une pièce sans nom	1888		CREA			
Trudel,M/Hist du Canada. Manuels trad	1969		GENE			
Upper Canada,Legislat,House Ass Journ	1792	ADMI	RANG			
Veaudelle,JM/Le service de traduction	1974	ENTR				
Vézina,F/Avant-propos. Traductions	1952		HIST			INSTI
Vigeant,P/Journalistes-traducteurs (1)	1942	JOUR				
Vigeant,P/Journalistes-traducteurs (2)	1942	JOUR				
Vinay,JP/De la pluralité des langues	1979		HIST			
Vinay,JP/Discours Université d'Ottawa	1975		GENE			
Vinay,JP/La section de linguist.Bilan	1953		FORM			MONTR
Vinay,JP/La traduction, une profession	1978		GENE			
Vinay,JP/Le traducteur	1965		GENE			
Vinay,JP/Traductions:mélanges-Panneton	1952		EDIT			
Virjee,M/Translation as a day-to-day	1975	MULT				
Watier,M/Homme se penche sur métier	1984	PUBL				
Watier,M/La Publicité	1983	PUBL				
Wesemael,R/Évaluat des interpr au BdT	1984			FORM		
Woodley,EC/The Bible in Canada	1953	BIBL	HIST			
Woodsworth,J/Training Transl in Canada	1985		STAG			
Young,J/The Unheard Voices	1982	MULT	GENE			

B. ARTICLES DE PÉRIODIQUES

AUTEURS / TITRES	PER	DATE	TGEN	TSPE	INTER	TERM	ASSO
Adaptation publicitaire	META	1972	PUBL				
Aide-terminologue, L'	TERMI	1984				GENE	
Alberta (AATI)	META	0000					AATI
Alberta Ass of Trans: a History	TFOR	1981					AATI
Andersen,A/Inter exch guidelines	AT	1982				BDT	
Andersen,L/Want to be interpret	ANTEN	1982			FORM		
Anderson,L/The intersect examina	ANTEN	1983			ISEC		
Arcand,R/Trad, outil de communi	FRMAR	1982	ENTR	FRAN			
Aris,G/Traduc et Tranglia	CIRCU	1984		FORM			ETI
Asselin,G/Rapport du président	TRANS	1974					ATIO
Assemblée génér et congrès ATIO	TRANS	1974		CONG			ATIO
Association (APIQ)	META	0000					APIQ
Association (ATIO) O = Ontario	META	0000					ATIO
Association (ATIO) O = Ontario	JDT	0000					ATIO
Association (ATIO) O = Ottawa	JDT	0000					ATIO
Association (ATL)	META	0000					ATL
Audet,FJ/Traductions d'autrefois	ANNAL	1923		RANG			
Auger,M/Implant term chez Albany	FRMAR	1983				GENE	
Auger,P/Problématique aménag ter	TER	1982		FRAN		GENE	OLF
Auger,P/Présenta de terminogram	TER	1979		EDIT			OLF
Aupy,R/Division qualité linguis	COMMU	1976	ADMI	BDT			
Avis Office Profession du Québec	ANTEN	1979		RECO			STQ
Baillargé,M/Ça bouge à l'U.de M.	ANTEN	1974		FORM			MONTR
Baillargé,M/Du côté de l'U.de M.	ANTEN	1974		FORM			MONTR
Baillargé,M/Tarif du pigiste	ANTEN	1978		REMU			
Banque termino accessible à tous	FRMAR	1982				BTQ	
Banque termino accessible France	INTRA	1982				BDT	
Banque termino du Québec	FRMAR	1982				BTQ	
Banque termino du Québec	INCOM	1983		STAT		BDT	
Banque termino fait peau neuve	COMMU	1982				BDT	
Barbeau,V/Paul Morin	CACF	1970	LITT	BIOG			
Basil,L/R.Dubuc se détach du rés	FRMAR	1983				GENE	
Baudot,J/Mini banque term bilin	META	1981				GENE	
Baudry,R/Histoire et traductions	RHAF	1956		GENE			
Beaubien,AH/Rapport Congrès FIT	BAT	1955		CONG			FIT
Beauchesne,A/Association (ATLFO)	ANNAL	1922					ATLFO
Beaucoup de chiffres	ANTEN	1984		PIGE			

AUTEURS / TITRES	PER	DATE	TGEN	TSPE	INTER	TERM	ASSO
Beaucoup de chiffres	ANTEN	1984		STAT			
Beaudry,P/Situat du traducteur	META	1969		RECO			
Beaulieu,D/Langues étrangères	CIRCU	1984	MULT			DOC	
Beauregard,F/1957,année fructueu	JDT	1957		GENE			
Beauregard,F/Le trad au journal	JDT	1956	JOUR				
Beauregard,F/Mot du prés de ACTD	JDT	1955					ACTD
Beauregard,F/On demande interpr	JDT	1958			GENE		
Beauregard,F/Trad dans grand quo	JDT	1966	JOUR				
Béguin,LP/Portrait d'un trad	DIRE	1969		CREA			
Béguin,LP/Refrancisa de l'assura	META	1968		FRAN			
Behne,AH/Foreign lang inter need	TRANS	1972			MULT		
Behne,AM/Convention Report	TRANS	1968		FORM			ATIO
Bélanger,C/Commis de termino	TER	1980				BTQ	OLF
Bélanger,C/Commis termi de l'édu	FRMAR	1982				BTQ	
Bélanger,N/Documentaliste ling	META	1980	ENTR			DOC	
Bélanger,N/Licence en traduction	META	1968		FORM			MONTR
Benoît,RA/Infl de trad sur parl	CFRAN	1922		GENE			
Bernier,JP/Pigiste m'a raconté	ANTEN	1977		PIGE			
Bernier,JP/Rencontre du 1er nov	ANTEN	1977		RECO			STQ
Bernier,N/Création comi termino	META	1968				GENE	
Bernuy,J/A propos certif compét	BATIO	1962		RECO			ATIO
Bernuy,J/Trad la à statistique	BATIO	1963		BIOG			
Bertrand,G/Reparti à l'Off prof	ANTEN	1984		RECO			STQ
Bertrand,L/STQ au serv des lang	FRMAR	1980	ENTR	GENE			STQ
Bertrand,L/Second congr of trans	JDT	1963		CONG			
Bézier,D/Examen unif du CTIC	BCORP	1983		EVAL			CTIC
Bibliographie poésie franco-cana	BRH	1900	LITT	GENE			
Bilan de l'année et orient assoc	BATIO	1962					STIC
Bilodeau,L/Vie de l'Association	BAT	1955					ACTD
Bilodeau,L/Visite Min Aff extér	BAT	1957	ADMI	BDT			
Blais,R/Compte rendu Obsédés tex	INFOR	1984		CREA			
Blais,R/Délibérations des comit	DEUMI	1979	PARL	BDT			
Blais,R/L'interprétation	DEUMI	1979			HIST		
Blais,R/Traduc des délibérations	DEUMI	1979	PARL	BDT			
Blodgett,ED/Can lit in Com persp	ECW	1979	LITT				
Boivineau,R/Pige et bureaux trad	META	1976		PIGE			
Bonenfant,JC/Nouv trad constitut	BARRE	1944	JURI	FEDE			
Bookless,M/Comm from Court inter	ANTEN	1980			COUR		
Bossé,J/Collo trad et qual lang	META	1983		CONG			
Boucher,É/2e cong de la STIC	JDT	1962		CONG			STIC
Boucher,É/Discours présid STIC	JDT	1959					STIC
Boucher,É/Nouv société de traduc	BAT	1956					STIC
Boucher,M/Sond traductrice québ	META	1982		STAT			
Boudreau,É/Émile Boucher	TRANS	1973		BIOG			STIC
Boudreau,É/Orient de soc de trad	JDT	1958					GENER
Boulad,G/Montréal:relat jeunesse	AT	1984		HIST			
Boulanger,JC/Situa termi au Québ	LEBEN	1984				BTQ	
Boutin,R/Colloque canadien	META	1976		CONG		GENE	
Boutin,R/Colloque canadien	META	1976		CONG		DOC	
Breton,G/L'A.T.A.Q.	ANTEN	1978					ATAQ
Breton,G/Subv Cons Arts 1974-75	META	1976	LITT	GENE			
Brisson,M/Trad autonome: étude	DEUMI	1977		GENE			
Brown,JE/The NRC library	PPS	1959	TECH	GENE			
Bruchési,J/Médaille à P.Daviault	MSRC	1952		BIOG			
Bruyère,É/Traduc à la Métropolit	TRANS	1968	ENTR	GENE			
Bureau accueille des Camerounais	DIALO	1983	ADMI	BDT			
Bureau aux États-Unis	INFOD	1981	ADMI	BDT			

AUTEURS / TITRES	PER	DATE	TGEN	TSPE	INTER	TERM	ASSO
Bureau de traduction N.-B.	META	1967	ADMI	NEWB			
Bureau des trad - Rapport annuel	COMMU	1981	ADMI	BDT			BDT
Bureau prend une nouv allure	INFOC	1979	ADMI	BDT			
Bureau section Qué (STQ) 1981-82	ANTEN	1982					SQUE
Butler,M/Romance lang section	DEUMI	1979	MULT	BDT			
Caillé,PF/Congrès de Montréal	BABEL	1977		CONG			FIT
Caillé,S/Grève au BdT (1)	ANTEN	1980		GREV			
Caillé,S/Grève au BdT (2)	ANTEN	1980		GREV			
Campagna,L/Recherche sur trad	INFOR	1977		FORM			
Canada Council Transl Prizes 83	INFOR	1984	LITT	SUBV			CDA
Canada joint ONU à réseau termin	CONSE	1983				BDT	
Capaldo,S/Russian Interp in Cana	BCORP	1984	MULT	COND			
Carbonneau,H/Caractère technique	CSR	1929	ADMI	RECO			ATLFO
Carbonneau,R/Sursis pour TAUM	DIPUM	1981	INFO				
Cardin,M/Banq de term se concert	AT	1983				GENE	BDT
Cardin,M/Termi: bond dans avenir	AT	1984				HIST	
Cardinal,P/Regard crit sur trad	META	1978		GENE			
Carle,G/Traduisez avec lèvres	MACLE	1965	DOUB				
Cercle (CDT)	JDT	0000					CDT
Cercle (CDT)	META	0000					CDT
Certificat en trad pour adultes	META	1968		FORM			MONTR
Chandioux,J/Hist trad autom Cana	META	1977	INFO	HIST			
Chandioux,J/METÉO: Épreuve temps	META	1981	INFO				
Chandioux,J/METÉO: Syst opérat	META	1976	INFO	BDT			
Chandioux,J/Syst trad auto éval?	INFBU	1981	INFO				
Chandioux,J/Trad autom.Un essai	INFBU	1982	INFO				
Chantal,R/Fra univ au pays trad	CLAUR	1970		GENE			
Chapdelaine,J/Obsédés textuels	LETQU	1984		CREA			
Charest,L/Le cauchemar des uns	BCORP	1984		IPED			
Charette,F/Colloque du DPI Ottaw	DIALO	1982	INFO	BDT			
Charte du trad : contre-projet	JDT	1962		DEON			
Chartrand,C/Dipl en trad et trav	META	1974		STAT			
Chartrand,LP/Visite min Trav Pub	BAT	1957	ADMI	BDT			
Chénard,C/La SECTER à l'écoute	ANTEN	1983				SECT	
Choisir un cabinet de traduction	INCOM	1980		PIGE			
Clas,A. Voir Baudot,J.							
Clas,A/Banque de terminologie	META	1969				BTUM	
Clas,A/Éditorial	META	1975		STAT			
Claxton,P/Copyright for translat	ANTEN	1979	LITT	REMU			
Claxton,P/Culture Vulture	META	1967	LITT				
Claxton,P/Droit d'auteur	ANTEN	1984	LITT	REMU			
Clearing house for translators	BATIS	1980					ATIS
Clément,L/Hommage à P.Daviault	BAT	1953		BIOG			
Climats de trad-Faits & chiffres	BABEL	1981		STAT			
Cloutier,L/1er congrès de l'ATIO	TRANS	1967		CONG			ATIO
Code d'éthique professionnelle	BATIO	1966		DEON			ATIO
Code of Ethics (AATI)	TFOR	1981		DEON			AATI
Code of Ethics (AVLIC)	AVLIC	1984		DEON			AVLIC
Coderre,G/Dépouill des lois N-B	BCORP	1981	JURI			GENE	
Collation des diplômes 1958	JDT	1958		GENE			INSTI
Collinge,P. Voir Painchaud,L.							
Colloque OLF-STQ sur term et com	INCOM	1984		CONG		GENE	
Colloque des diplômés U de Mtl	META	1967		FORM			MONTR
Colloque sur traduction automati	META	1967	INFO	CONG			
Colpron,G/Fonctions serv de trad	META	1976	ENTR	PIGE			
Comité de traduction : activités	INCOM	1975		FRAN			CLE
Comité trad indép/Résul sondage	ANTEN	1980		STAT			

AUTEURS / TITRES	PER	DATE	TGEN	TSPE	INTER	TERM	ASSO
Commentaires	BATIO	1964					ATIO
Commonwealth ind of scient trans	EXTAF	1953	TECH	INDE			
Compte-mots automatique	INCOM	1978		TRAS			
Conseil (CTIC)	META	0000					CTIC
Conseil (CTIC)	ANTEN	0000					CTIC
Conseil (STQ) 1983-1984	ANTEN	1983					STQ
Convention ESIT/ETI	BETI	1980		FORM			ETI
Conversation avec JC Corbeil-RLF	META	1976					OLF
Conversation avec M. Paré-BTUM	META	1976				BTUM	
Coppin,M/Measure of trans skills	META	1977		STAT			STQ
Coppin,M/STQ:82% trad satisfaits	ANTEN	1977		STAT			STQ
Coppin,M/STQ:full speed ahead	ANTEN	1977					STQ
Coppin,M/The administrator	ANTEN	1981					STQ
Corporation (CORPO/CTPQ)	JDT	0000					CORPO
Corporation trad prof du Québec	BAT	1957					CORPO
Coty,JP/A Man of Words	ANTEN	1984		BIOG			
Coty,JP/Colloque de la solidar	META	1971		CONG			STQ
Coty,JP/Nominations à la BT	META	1970				BTUM	
Coty,JP/Un bilan positif	META	1970					STQ
Coupal,G/La SECTER a cinq ans	ANTEN	1983				SECT	
Cours de traduction	TRADU	1941		FORM			STM
Couture,B/BT au serv de l'entrep	META	1976	ENTR			GENE	
Covacs,A/Bilinguisme offi et loi	META	1979	JURI	GENE			
Crampton,P/Copyright and Transl	NFIT	1985	LITT	REMU			
CTIC Standard Examination	BATIS	1983		EVAL			CTIC
CTIC Standard examination	TLET	1983		EVAL			CTIC
Dagenais,G/Resp et droits du tra	JDT	1961		GENE			
Daigle,B/ATIO	CULCF	1984		HIST	HIST		ATIO
Daigneault,P/Collo lang et publ	META	1969	PUBL	CONG			
D'amour,E/Prime au mérite	DIALO	1983			MULT		
D'amour,E/Prime au mérite	DIALO	1983			SIMU		
Danis,P/Dans les coulisses	META	1979		GENE			
Danis,P/Trad autonome : une idée	DEUMI	1977		GENE			
Daoust,G/JP Vinay à l'honneur	META	1973		BIOG			
Daoust,G/Nouv maît en trad U.Mtl	META	1974		FORM			MONTR
Daoust,G/Rapport du C.L.E.	META	1975	ENTR				CLE
Darbelnet,J/Coord rech et docum	CULTU	1965				DOC	
Darbelnet,J/Form génér du trad	META	1966		FORM			MCGIL
Darbelnet,J/Trad:voie à anglicis	CULVI	1968		GENE			
Daviault,P/Enseig trad à Ottawa	JDT	1957		FORM			ETI
Daviault,P/Evol Fr & Eng in Cana	MSRC	1959		GENE			
Daviault,P/Lang et littér canad	MSRC	1960	LITT	GENE			
Daviault,P/Le jargon parlementai	MSRC	1962	PARL				
Daviault,P/Rôle trad de l'État	BABEL	1956	ADMI	GENE			
Daviault,P/Trad & vie de esprit	RHAF	1944		GENE			
Daviault,P/Traducteurs au Canada	MSRC	1944		RANG			
Daviault,P/Traducteurs au Canada	MSRC	1944		HIST			
David Homel in Vienna	TMISS	1984	LITT				
Décès de Philippe Le Quellec	CONSE	1983		BIOG			
De la traduction des actes	RENOT	1904	JURI	FAUT			
Delisle,J. Voir Aris,G.							
Delisle,J/À la claire fontaine	CIRCU	1984		CENT			
Delisle,J/Affaire des "béotiens"	CULCF	1984	JURI	LITI		GENE	
Delisle,J/Archives de traducteur	FURET	1981		GENE			
Delisle,J/Discip en quête méthod	ANTEN	1979		FORM			
Delisle,J/Orig rech termi Canada	RULAU	1980		BIOG		HIST	
Delisle,J/Où va le Bur des trad?	CIRCU	1984	ADMI	BDT		BDT	BDT

AUTEURS / TITRES	PER	DATE	TGEN	TSPE	INTER	TERM	ASSO
Delisle,J/P.Daviault et débuts	BCR	1981		HIST			ETI
Delisle,J/Pionniers de l'interp	META	1977			RFRA		
Delisle,J/Profil statist du Bdt	CIRCU	1984	ADMI	STAT			BDT
Delisle,J/Projet d'hist de trad	META	1977		HIST	HIST	HIST	
Delisle,J/Terminologie & communi	AT	1984		CONG		GENE	
De Lotbinière-Harwood Wins	TMISS	1982	LITT	SUBV			
Dernier colloque:vers nouv horiz	INFOC	1979	ADMI	CONG			BDT
Deschamps,R. Voir Bernuy,J.							
Deschamps,R/1977,année du traduc	ANTEN	1977		GENE			
Deschamps,R/Éditorial	ANTEN	1977		PIGE			
Deschamps,R/Hier et aujourd'hui	CIRCU	1984		COND			
Deschamps,R/Nul peut serv 2 maît	ANTEN	1982		EVAL			
Deschamps,R/Trad à rescousse fr	ANTEN	1980		GENE			
Desjardins,C/Div qualité ling	AT	1981		BDT			
Desormeaux,M/Une interview	BCORP	1981			HIST		
Després,R/Hommage à P.Patenaude	TRANS	1972		BIOG			ATIO
Després,R/Services d'interprétat	AT	1984			HIST		
Desrochers,A/Étape vers reconnai	ANTEN	1974		RECO			STQ
Desroches,Y/Doublage,cet inconnu	CIRCU	1984	DOUB				
Deuxième congrès de la STIC	JDT	1963		CONG			
Diplômes de Paris	JDT	1958		GENE			INSTI
Diverses facettes du trav termin	TERMI	1984		COND		GENE	
Division des stagiaires	BATIO	1964	ADMI	STAT			BDT
Documentation : Bell Canada	INCOM	1979				DOC	
Dubeau,G/Activité termi au Canad	BABEL	1970				GENE	
Dubeau,G/Documentation du traduc	META	1966				SECT	
Dubeau,G/Projet d'examen	BATIO	1966		REMU			ATIO
Dubé-Golubowska,G/Bilan STM 1954	ARGUS	1954					STM
Dubuc,R/18 ans dans chantier ter	INCOM	1978		FRAN		GENE	
Dubuc,R/Agneaux ou béliers	BATIO	1962		RECO			
Dubuc,R/Apprent de la traduction	TRANS	1967		FORM			
Dubuc,R/Apprent de la traduction	TRANS	1967		REMU			
Dubuc,R/Banque de termi et trad	BABEL	1974				GENE	
Dubuc,R/Colloque participation	META	1969		CONG			STQ
Dubuc,R/Colloque sur traduction	MIEUX	1969		RECO			
Dubuc,R/Compte rendu Obsédés tex	CIRCU	1984		CREA			
Dubuc,R/Description Termium BTUM	LEBEN	1978				BTUM	
Dubuc,R/Pas vers orga profession	META	1968		RECO			
Dubuc,R/Regards neufs sur traduc	JDT	1965		GENE			
Dubuc,R/Robert Dubuc s'explique	ANTEN	1980		LITI			
Dubuc,R/Révol qui en a pas l'air	META	1976	ENTR				
Dubuc,R/STQ en marche	META	1968					STQ
Dubuc,R/Terminologie et traduct	CAD	1977				GENE	
Dubuc,R/Trad, métier ou profes?	JDT	1965		RECO			
Dufour,J/Circuit au jour le jour	ANTEN	1984		EDIT			
Dufour,J/Longue vie à l'INTERSEC	ANTEN	1980			ISEC		
Dufour,J/Revue touj sans titre	ANTEN	1982		EDIT			STQ
Dufour,J/Vote confi Circuit META	ANTEN	1983		EDIT			STQ
Dugal,J/Les forum de traduction	ARGUS	1958		FORM			STM
Duhamel,R/P.Daviault 1899-1964	MSRC	1965		BIOG			
Dumas,H/Parlez-vous multilingue?	AT	1984	MULT				
Duplessis,D/Où va trad en 1983?	BCORP	1983		GENE			
Dupont,C/2001:informer & divert	META	1978	ADMI	EDIT			
Dupont,C/Accord syndical au BdT	META	1977	ADMI	REMU			
Dupont,C/Faibles gains trad BdT	META	1979	ADMI	REMU			
Dupont,C/P.Le Quellec tête Bdt	META	1979	ADMI	BIOG			
Dupont,C/Profession & efficacité	META	1978		BDT			

AUTEURS / TITRES	PER	DATE	TGEN	TSPE	INTER	TERM	ASSO
Durantaye,LJ/Clarté législative	BARRE	1952	JURI	FAUT			
Durantaye,LJ/Fr dans textes légi	RETRI	1937	JURI	FAUT			
Durdin,T/Projet-pilo fait heureu	DIALO	1984	ADMI	BDT			
Duval,P/Une allocution...	BCORP	1981		NEWB			CTINB
École d'inter & trad U.d'Ottawa	META	1967		FORM			ETI
Eighth World Congress of FIT	INCOM	1977		CONG		BDT	FIT
Ellenwood,R/ Writes Can Council	TMISS	1982	LITT	REMU			
Emond,P/Trad dans agences public	META	1976	PUBL				
Essai de traduction assistée	COMMU	1980	INFO	TRAS			BDT
Étape décis en trad automatique	COMUM	1979	INFO				
Être aveugle et traducteur? Oui	ANTEN	1980		GENE			
Évaluation diffusion termino	INCOM	1982				TENT	
Évaluation syst trad automatique	INCOM	1981	INFO				
Expérience de traduction assist	INFOC	1979	ADMI	TRAS			
Expolangues	INFOC	1983	ADMI	GENE			
Extrait du 100e rap ann du vérif	INFOC	1978	ADMI	STAT			
Extrait débats Comm parl éducat	ANTEN	1974		RECO			
Extraits de l'exposé président	BATIO	1964		HIST			ATLFO
Favre,A/ACET et STQ	ANTEN	1978					ACET
Fillion,L/BdT a cinquante ans	DIALO	1984	ADMI	HIST			
Flamand,J/Bureau prov de trad	INFOR	1981	ADMI	ONTA			
Flamand,J/CTIC après Winnipeg	INFOR	1983					CTIC
Flamand,J/Communicat et ateliers	INFOR	1981		GENE			ATIO
Flamand,J/Cours perfectionnement	BCORP	1981		FORM			ATIO
Flamand,J/Cours perfectionnement	BCORP	1982		FORM			ATIO
Flamand,J/Jean-Marc Poliquin	INFOR	1093		BIOG			
Flamand,J/Mario Lavoie	INFOR	1983		BIOG			
Flamand,J/Prov à l'autre. (CTIC)	INFOR	1983		GENE			CTIC
Flamand,J/Rapport Applebaum	INFOR	1983	LITT	POLI			
Fleury,D/Certif de compétence	BATIO	1962		RECO			ATIO
Fleury,D/L'ATIO fait le point	JDT	1965					ATIO
Fleury,D/Visite Division Débats	BAT	1956	PARL	BDT			
Fontana,MT/Autre pigiste raconte	ANTEN	1977		PIGE			STQ
Fontana,MT/Nouvelle association	ANTEN	1979		PIGE			
Fontana,MT/Pigistes,trad indép	ANTEN	1979		PIGE			
Fontana,MT/Traduc indép s'identi	ANTEN	1978		PIGE			
Forgues,L/Chers amis (lettre)	CDT	1966		STAT			CDT
Foucault,G/Form technique trad	ANTEN	1980	ENTR	FORM			
Foucault,G/Nouv présenta Furet	ANTEN	1983		EDIT			STQ
Francoeur,A/Interp Can dep 1946	JDT	1956			HIST		
Francoeur,A/Interp simul au Parl	JDT	1958			PARL		
Francoeur,A/Procéd parl conféren	JDT	1956	PARL		CONF		
Frenette R/Traduction dans entr	META	1976	ENTR				
Frenette,R/Trad:seul outil franc	ANTEN	1980		FRAN			
Gagnon,PA/Peur du ridicule	FRMAR	1984	ENTR	FRAN			
Gallant,C/Acadie,berceau de trad	CULCF	1985		ACAD			
Gallant,C/Les Obsédés textuels	BCORP	1984		CREA			
Gascon,S/Bureau des traductions	BAT	1955	ADMI	STAT			
Gascon,S/Section française	RIP	1955		BIOG			
Gates,N/Colloq formation du trad	TRANS	1967		CONG			
Gates,N/Colloq formation du trad	TRANS	1967		GENE			
Gaumond,JC/Comités interentrepr	TER	1980		FRAN			OLF
Gauthier,C/Conseil des arts & tr	INFOR	1973		SUBV			CDA
Gauthier,HE/Visite Comm serv civ	BAT	1956	ADMI	BDT			
Gauvin,D/3e congrès de l'ATIO	TRANS	1969		CONG			ATIO
Gauvin,D/BdT:Section outre-mer	DIALO	1980		BDT			
Gauvin,D/Congrès ATIO Faits sail	TRANS	1970					ATIO

AUTEURS / TITRES	PER	DATE	TGEN	TSPE	INTER	TERM	ASSO
Gavrel,G/Trad au Canada en 1965	BABEL	1965	ADMI	GENE			
Gendron,C/Bureau:spéc de langue?	DEUMI	1979	ADMI	BDT			
Gendron,C/Collab entre 5 banques	DIALO	1983	ADMI			GENE	
Gendron,C/Inaugur terminal Paris	DIALO	1982	ADMI			BDT	
Gendron,C/Le repos du guerrier	DIALO	1980	ADMI	BIOG			
Gendron,C/Législat bilin au Mani	DIALO	1980	JURI	BDT			
Gendron,C/Nouv dir gén serv trad	DEUMI	1978	ADMI	BDT			
Gendron,C/Nouveau SSEA lang off	DIALO	1983	ADMI	BIOG			
Gendron,C/Serv d'interp gestuell	DIALO	1980	ADMI		GEST		
Germain,GH/Hauts et bas vie lit	ACTUA	1983	LITT	GENE			
Gestion de trad en périod crise	INCOM	1983	ENTR	PIGE			
Giard,L/Stage en traduction	BCORP	1983		STAG			
Giguère,R/Réflex sur trad poét	ELLIP	1977	LITT				
Giguère,R/Une ou des litt canad?	VOIX	1984	LITT				
Gill,R/Progr de trad de Glendon	INFOR	1983		FORM			GLEN
Giroux,M/Rapport annuel ATIO	BATIO	1964					ATIO
Glassco,J/On translat of poetry	META	1969	LITT				
Glaus,F/Convention report	TRANS	1968		FORM			ATIO
Glaus,F/English verboten?	TRANS	1967		GENE			ATIO
Glaus,F/Reconnais prof de l'ATIO	TRANS	1967		RECO			ATIO
Glaus,F/Réseau de terminaux	COMMU	1981				BDT	
Glaus,F/The $60 000 question	TRANS	1967					ATIO
Globensky,R/Enseign termi U Conc	TER	1979				FORM	CONC
Gobeil,F/Avis à trad et int Onta	TRANS	1967		EVAL			ATIO
Gobeil,F/Banq de term,outil mod	AT	1981				BDT	
Gobeil,F/Trad automat au Canada	AT	1981	INFO				
Gobeil,F/Traduction automatique	COMMU	1980	INFO				BDT
Gouin,J/Hist trad & inter au Can	TRANS	1968		HIST	HIST		
Gouin,J/Hist trad & inter au Can	TRANS	1970		HIST	HIST		
Gouin,J/Origines bil dans armée	TRANS	1968	ADMI	MILI			
Gouin,J/Trad au Can 1791 à 1867	META	1977	ADMI	RANG			
Goulet,D/Trad fonctionnaire	META	1966	ADMI	GENE			
Goulet,L/Le sondage "motivation"	ANTEN	1974		STAT			STQ
Goulet,L/Que gagne un traduct?	ANTEN	1974		REMU			
Goulet,P/Term et rôle normal-BdT	AT	1980				BDT	
Grégoire,J/Historique Inst trad	TRAD	1982		HIST			INSTI
Grégoire,J/Import cours du soir	JDT	1963		FORM			STIC
Grégoire,J/Inst de trad- Hist	JDT	1960		HIST			INSTI
Grégoire,J/Regard sur tra au Can	JDT	1960		GENE			
Grégoire,JF. Voir Dubuc,R.							
Groënendaal,MC/Collo interp juri	ANTEN	1982			COUR		
Gross,H. Voir Baudot,J.							
Grou,F. Voir Globensky,R.							
Grugean,G/Troc mots et émotions	COURF	1983	DOUB				
Guilloton,N/3e collo OLF-STQ	TER	1980		CONG		GENE	
Guillotte,M/Fran lang trav Qué	LANSO	1981	ENTR	FRAN			
Guillotte,M/Loi 22 et traduction	META	1976	ENTR	POLI			
Guitard,A/Gestation du retraduct	ANTEN	1980	INFO	REVI			
Guitard,A/L'ordinat a la parole	CIRCU	1983		TRAS			
Haeseryn,R/Montréal, mai 1977	BABEL	1977		CONG			FIT
Hambleton,J/Trad prête nouv sens	JDT	1962		GENE			
Hanna,BT/Écoles de traduction	JDT	1965		FORM			INSTI
Hanna,BT/Écoles de traduction	JDT	1965		FORM			MCGIL
Hanna,BT/Écoles de traduction	JDT	1965		FORM			MONTR
Harper,K/Traduc de l'inuktitut	INUK	1983		GNOR	HIST	HIST	
Harper,K/Traduc de l'inuktitut	INUK	1983		HIST	HIST	HIST	
Harris,B/Another first for inter	INFOR	1982			COUR		

AUTEURS / TITRES	PER	DATE	TGEN	TSPE	INTER	TERM	ASSO
Harris,B/Another first for trans	GAZUO	1982			COUR		
Harris,B/Can CTIC be revivified?	INFOR	1983					CTIC
Harris,B/Interpreters' trials	INFOR	1981			COUR		
Harvey,R/Commis termino de l'OLF	TER	1979				BTQ	OLF
Harvey,R/Compte ren.Aménag termi	TER	1982		CONG		GENE	
Harvey,R/Compte ren.Aménag termi	TER	1982		FRAN			
Hénault,M/Nouv concept du travai	META	1978		REMU			
Henri,A/Actualité du français	TRANS	1967				DOC	
Histoire traduction au Canada	META	1977		HIST	HIST	HIST	
Hommage à J.Grégoire	JDT	1955		BIOG			INSTI
Hommage à L. Gareau-des Bois	JDT	1964	LITT	BIOG			
Hommage à P.Daviault	JDT	1955		BIOG			
Honsberger,JD/Biling in Can Stat	CABAR	1965	JURI	HIST			
Horguelin,P/Après Congrès Mtl	BABEL	1977		CONG			FIT
Horguelin,P/Enseig trad à Mtl	META	1966		FORM			INSTI
Horguelin,P/Où en est le répert?	JDT	1963		INDE			STQ
Horguelin,P/Prem trad 1760-1791	META	1977	ADMI	RANG			
Horguelin,P/Prop sur enseig trad	DEUMI	1979		FORM			
Horguelin,P/Société prof: 20 ans	META	1975		HIST			
Hubert,P/Du pigiste piégé	ANTEN	1978		PIGE			
Hubert,P/Joual pour traduc anglo	ANTEN	1977		FORM			ATIO
Hubert,P/Rencontre RLF-STQ	META	1977		CONG			OLF
Hurteau,P/Relations ext et trad	JDT	1961	ENTR	GENE			
Ils se succèdent	BCORP	1981		HIST			CTINB
In memoriam : Gabriel Langlais	JDT	1963		BIOG			
Informatech France-Québec	INCOM	1979				TENT	
Informations en lang fr et BdT	BATIO	1963	ADMI	BDT			
Instant translation? Impossible!	PANO	1982	ADMI	REMU			
Institut de traduction	ENNOU	1965					INSTI
Institut de traduction	JDT	0000					INSTI
Instruments informat aide à trad	INCOM	1980		TRAS			
Interprétation	BETI	1982			FORM		ETI
Interprétation gestuelle	BETI	1983			GEST		ETI
Interprétation simult à l'OACI	BOACI	1950			HIST		
Interprète Jean Amyot	BRH	1939			BIOG		
Interprète Jean Nicolet	BRH	1929			BIOG		
Interpreter Services Program	VIBRA	1981			GEST		
Interpreter training in Canada	AVLIC	1984			GEST		AVLIC
Introduction to New Board	AVLIC	1984			GEST		AVLIC
Jaar,V/La section du Québec--STQ	ANTEN	1974					SQUE
Jaar,V/La traduction à la pige	ANTEN	1975		PIGE			
Jaar,V/Tarif du trad pigiste	META	1975		PIGE			
Jaar,V/Tarif du trad pigiste	META	1975		REMU			
Jacot,M/B. Morin et G. Delmas	COURF	1983	DOUB				
Jacot,M/Français figé ds superbe	COURF	1983	DOUB				
Jacques Brault et R. Giguère	ELLIP	1977	LITT				
Jean,M/Doublage et sous-titres	CONTI	1983	DOUB				
JMQ/Il n'est bon bec que Ottawa	INFBU	1981	INFO	LITI			
Joly,JF/La STQ explique son rôle	ANTEN	1984					STQ
Joly,JF/Profession au Québec	BCORP	1984					STQ
Joly,JF/Se sentir utile et appré	ANTEN	1982		GENE			
Jordan,A/Fr and Eng attitudes	ANTEN	1980		GENE			
Jordan,A/Why a Univ Trans Progr?	ANTEN	1975		FORM			
Journée d'étude sur éval traduc	ANTEN	1982		EVAL			
Juhel,D/Rôle socioling trad Can	META	1981		GENE			
Juhel,D/Trad et qual de langue	MULTI	1984		GENE			
Kerby,J/Probl trad jur au Canada	INFOR	1981	JURI				

AUTEURS / TITRES	PER	DATE	TGEN	TSPE	INTER	TERM	ASSO
Kerpan,N/Doc & serv linguistique	META	1980				DOC	
Kerpan,N/Hist term Canada & Québ	META	1977				HIST	
Kerpan,N/Secter : an 1	ANTEN	1979				SECT	
Kerpan,N/Section des termi fut!	ANTEN	1978				SECT	
Kerpan,N/Sondage sur recon prof	ANTEN	1980		STAT			
Kerpan,N/Termino dans entreprise	INCOM	1975				TENT	
Kerpan,N/Termino de l'entreprise	META	1975				TENT	
Kerpan,N/Traducteur et spécialis	META	1977		GENE			
Kerpan,N/Universités et STQ	META	1979		FORM			STQ
King,N/A Word From the Editor	ATAQ	1978		STAT			ATAQ
King,N/A Word From the Editor	ATAQ	1978		EDIT			ATAQ
King,N/Dispelling Bit Nonsense	ATAQ	1978		PIGE			
King,N/Dispelling Bit Nonsense	ATAQ	1978		COND			
King,N/Teleglobe Canada	TECOM	1982	TECH	GENE			
King,N/Translation Survey	ATAQ	1978		STAT			ATAQ
King,W/Some reflect on Eng Trans	ATAQ	1978					ATAQ
King,Y/L'avenir de la profession	BCORP	1983		GENE			
Kittredge,RI/Devel of Aut Transl	LEBEN	1981	INFO	HIST			
Lafleur,M/Canad joint ONU à term	DIALO	1983	ADMI			BDT	
Laforce,L/Trad au serv d'expo un	JDT	1965		GENE			
Lafrenière,S/Destitution de trad	BCR	1981	ADMI	POLI			
Lajoie,M/Interprétation judici	META	1979	JURI				
Landa,M/Trad dans tour d'ivoire?	ANTEN	1980		GENE			
Landry,A/Biennale de Lisbonne	DIALO	1984		CONG			
Landry,A/Cap sur le centenaire	AT	1984	ADMI	HIST			
Langlais,G/Nouvelles d'Ottawa	JDT	1961		BIOG		BDT	
Langue des actes-Interprète-Trad	RENOT	1899	JURI				
Lapierre,S/Comment être amérind	CIRCU	1984	DOUB				
Laporte,PÉ/Office langue franç	TER	1980				GENE	OLF
Lard,F/Nouv prog de dével profes	DEUMI	1979		FORM			
LaRivière,J/Annual report-1940	TRADU	1941					STM
Larocque,L/Sonda trad dans entr	META	1980	ENTR	STAT			
Larocque,L/Trad au magnétophone	META	1981		TRAS			
Larose,P/Persp et nouv affecta	COMMU	1977	ADMI	BDT			BDT
Larose,P/Périodique-maison (BdT)	COMMU	1977	ADMI	EDIT			BDT
Larose,P/Réorg service termino	AT	1976				BDT	
Larose,R. Voir Orsoni,J.							
Larose,R/Projets pédago à l'UQTR	META	1981		FORM			UQTR
Larrue,J/Techn trans in Canada	TECOM	1982	TECH				
Larue-Langlois,J/M Garneau:poète	ACTUA	1977	LITT				
Laurence,JM/Hommage à P.Daviault	CAD	1964		BIOG			
Lauzière,L/Vocab juri biling Can	META	1979	JURI				
Lavoie,M/Rap de Comm traitements	BATIO	1962		REMU			ATIO
Lebel,M/FX Garneau, traducteur	META	1977		BIOG			
Lebel,M/Remarques sur traduction	CULTU	1956		GENE			
Leblanc,M/Traduc, un choix sûr	GAZUO	1982		FORM			ETI
Leduc,D/L'ATLFO	BCR	1982		HIST			ATLFO
Le Fort,P/1934 : débats Ch des c	DEUMI	1980	ADMI	HIST			
Le Fort,P/C'était en 1934...	DEUMI	1979	ADMI	HIST			
Léger,JM/État de la langue	JDT	1962		GENE			
Leland,M/F. J. Cugnet, 1720-1789	RULAV	1966	JURI	BIOG			
Leland,M/F. J. Cugnet, 1720-1789	RULAV	1966	JURI	RANG			
Lemay,D/STQ devant Com parlement	META	1972		RECO			STQ
Lemay,D/Terminol research study	INCOM	1978				GENE	
Lenéal,J/De source sûre	ANTEN	1983				SECT	
Léon,J/Exploitants banque term	DIALO	1983				GENE	
Léon,J/Kiosque Canada Expo-lang	DIALO	1983	ADMI	GENE			

AUTEURS / TITRES	PER	DATE	TGEN	TSPE	INTER	TERM	ASSO
Léonard,M/Impasse public biling	META	1972	PUBL				
Le Quellec,P/La banque de term	COMMU	1976				BDT	
Lesage,L/Langue juridique	RENOT	1944	JURI	FAUT			
Lessard,L/Coll trad et qual lang	FRMAR	1983		CONG			
Lessard,L/Trad seul outil de fra	FRMAR	1981	ENTR	FRAN			
Lessard,M/Le beau métier de trad	ENROU	1983		CREA			
Lettre communiquée par R.Blais	TRANS	1974	ADMI	REMU			
Lévesque,F/Trad autono:plaidoyer	DEUMI	1977	ADMI	COND			
Lévy,M/Art raffiner grille éval	ANTEN	1982		EVAL			
Licence en trad à l'U. de Mtl	TRANS	1968		FORM			MONTR
Limbos,M/Congrès annuel ATIO	TRANS	1972		CONG	GENE		ATIO
Lindfelt,B/TERMIA voit le jour	TER	1982					TRMIA
Liste du personnel du Bdt - 1934	DEUMI	1984	ADMI	INDE			
Lorrain,L/Le vocabulaire	CACF	1960		GENE			
Lozano,L/Visite Div lang étrang	BAT	1955	MULT	BDT			
Machine à traduire	RECOM	1969	INFO				
Machine translation enters ETI	BETI	1977		FORM			ETI
Maillet,JS/Stages de perfect	BCORP	1984		STAG			
Maillet,JS/Stages de perfect	BCORP	1984		NEWB			
Maîtrise en trad à U. d'Ottawa	META	1968		FORM			ETI
Major,MA/Section de linguistique	JDT	1961		FORM			MONTR
Malherbe,JL/Marché pige--Ontario	INFOR	1983		PIGE			
Malo,R/Trad sect techni ou indus	META	1976	TECH				
Marchand,P. Voir Goulet,L.							
Marchand,P. Voir Guitard,A.							
Marchand,P. Voir Hubert,P.							
Marchand,P/À propos de Meta	META	1975		EDIT			
Marchand,P/À quoi sert la STQ?	ANTEN	1983					STQ
Marchand,P/Conversation-Claxton	META	1977	LITT				
Marchand,P/Double sens de commu	ANTEN	1982		GENE		GENE	
Marchand,P/Découpez-moi baie	CIRCU	1984	DOUB				
Marchand,P/La ? existe-t-elle?	ANTEN	1982		REMU			
Marchand,P/Libre opinion	ANTEN	1977		GENE			
Marchand,P/Opération nouv visage	ANTEN	1977					STQ
Marchand,P/Place trad dans entr	ANTEN	1974	ENTR				
Marchand,P/Québec langue et trad	META	1975		GENE			
Marchand,P/Réflex sur Cahier Dev	ANTEN	1981		EDIT			STQ
Marchand,P/Trad au Québ en 1976	META	1976		GENE			STQ
Marchand,P/Un ministre a dit...	CIRCU	1984		GENE			
Marica,I/Consecutive rendering	ANTEN	1981			CONS		
Marion,S/Traducteurs et traîtres	CADIX	1969		FAUT			
Marquis,M/Dép du surint et direc	META	1974	ADMI	BDT			
Marquis,M/Ottawa:convent collect	META	1972	ADMI	REMU			
Marquis,M/Progr perm sélect révi	META	1974	ADMI	REVI			
Martineau,J/Une grande pitié	RENOT	1951	JURI	FAUT			
Massicotte,EZ/Interp sous rég fr	BRH	1928			RFRA		
Massicotte,EZ/Memento historique	MSRC	1933			RFRA		
Masters,S/Assoc de ses débuts	AVLIC	1981			HIST		AVLIC
Mayer,H/Remaniement struct à Ott	JDT	1965	ADMI	BDT			
Mayrand,R/Secrétariat en trad	TRAFR	1984		FORM			
Mayrand,R/Secrétariat en trad	INFOR	1982		FORM			
McArthur,D/Réponse du ministre	BATIS	1981					ATIS
McCarthy,M/Comité cours de trad	ARGUS	1950					STM
McCormick,M/Life in translation	BOOKS	1977	LITT	GENE			
McLaughlin,H/L. Bacon, simul int	FLAIR	1982			SIMU		
McPhee,C/Indep transl at Nat Def	DEUMI	1978	ADMI	MILI			
Mécanicien devenu terminologue	FRMAR	1984				GENE	

AUTEURS / TITRES	PER	DATE	TGEN	TSPE	INTER	TERM	ASSO
Meeting foreign trans at Ottawa	JDT	1958	MULT				
Méléka,F/BdT 1934-1977	META	1977	ADMI	HIST			
Méléka,F/BdT:place en trad aut	COMMU	1976	INFO	BDT			
Méléka,F/Bureau des traductions	DEUMI	1979	ADMI	HIST			
Méléka,F/Enseigner traduction	COMMU	1976	ADMI	FORM		FORM	
Méléka,F/Entretien P.É Larose	COMMU	1975	ADMI	BDT			
Méléka,F/Le Bureau féd des trad	AT	1984	ADMI	HIST			
Méléka,F/Tâche de Dir gén Plan	COMMU	1975	ADMI	BDT			
Méléka,F/Terminol centre nerveux	COMMU	1976				BDT	
Méléka,F/Traducteurs regroupés	COMMU	1976	ADMI	BDT			
Mémoire STQ Com d'enq lang franç	META	1970					STQ
Mémoire STQ Com parl éducation	ANTEN	1974		RECO			STQ
Mendel,GA/Carrefour de la traduc	DIALO	1982	MULT	BDT			
Mendel,GA/Conquering tower Babel	DEUMI	1978	MULT	BDT			
Mendel,GA/Foreign lang div:recru	PPS	1970	MULT	BDT			
Mendel,GA/Foreign lang serv fede	PPS	1964	MULT	BDT			
Mendel,GA/Foreign lang training	PPS	1965	MULT	BDT			
Mendel,GA/Foreign lang translat	TRANS	1969	MULT	BDT			
Mendel,GA/Import of Foreig lang	JDT	1965	MULT	BDT			
Mendel,GA/Multilingual Translat	AT	1984	MULT	BDT			
Mercier,R/Direction de Québec	AT	1984		HIST			BDT
Meredith,R/Client relations	META	1980		GENE			
Message de l'IPSPC (GTI)	BATIO	1965		REMU			IPSPC
Michaud,C/Noces d'argent (ATLFO)	CFRAN	1945		HIST			ATLFO
Michaud,C/Noces d'argent (ATLFO)	CFRAN	1945		HIST			CTLB
Michaud,C/Trad : matière & forme	MSRC	1945		GENE			
Michaud,PG/Dix ans après	ARGUS	1950					STM
Miller,L/Diploma in tr-U of BC	INFOR	1982		FORM			
Miller,L/Editorial notes Presid	TLET	1982					STIBC
Mineau,S/Place de trad automat	COMMU	1979	INFO	HIST			
Montpetit,É/L.Gérin 1863-1951	MSRC	1951		BIOG			
Moore,C/Sign lang interp:link	BCORP	1982			GEST		
Morand,A/BTQ rencont homol inter	FRMAR	1983				GENE	
Morisset,P/Trad ennemi de franci	ANTEN	1980	ENTR	FRAN			
Morissette,A/3e collo OLF-STQ	META	1980		CONG			STQ
Morissette,A/Au rendez-vous Rio	DIALO	1981		BDT			
Morissette,A/Coop féd-prov trad	DIALO	1981	ADMI	BDT			
Mouzard,F/Banque de termino	DIALO	1983				BDT	
Nadeau,A/Rédaction franc lois	BARRE	1957	JURI	FAUT			
Nadeau,A/Trad à Queen's Park	LISON	1984	JURI	ONTA			
Nagao,M/Traduction automatique	RECHE	1983	INFO	HIST			
Neumann,K/Parl orat lose in tran	JDT	1961	PARL	GENE			
New salary for translators	PPS	1964	ADMI	REMU			
New salary rates for translators	PPS	1962	ADMI	REMU			
Newman,M. Voir Stratford,P.							
Nicklen,L/Interp in far North	META	1983	ADMI	GNOR			
Nicoleau,B/Tribune libre	BATIO	1963					ATIO
Notes de la rédaction	BATIO	1965		EDIT		GENE	
Notre collabor:Jean Darbelnet	JDT	1964		BIOG			
Notre collabor:Jeanne Grégoire	JDT	1963		BIOG			INSTI
Notre collabor:Kos-Rabcewicz-Zub	JDT	1963		BIOG			
Notre collabor:Maurice Roy	JDT	1964		BIOG			
Notre collabor:Robert Dubuc	JDT	1965		BIOG			
Notre division de la rech term	AT	1973				BDT	
Nouveau Centre va aider usag jur	GAZUO	1981	JURI				CTDJ
Nouveau service aux membres	ANTEN	1983		LITI			STQ
Nouveau surintendant adjoint	BATIO	1965	ADMI	BIOG			BDT

AUTEURS / TITRES	PER	DATE	TGEN	TSPE	INTER	TERM	ASSO
Nouvelles de traduc automatique	INFBU	1981	INFO				
Nouvelles structures	INFOC	1978	ADMI	BDT			
Offensives dans fief doubl franç	CINEQ	1978		DOUB			
Office (OLF)-rédact presse tech	BATIO	1963				GENE	OLF
On seconde trad du Proc général	GAZUO	1984	JURI	ONTA			
Oriol,R/Banque de termino Québec	FRMAR	1984				BTQ	
Orr,RJ/Paper explosion in scienc	INCAN	1962	TECH				
Orsoni,J/Enseign de trad et trav	ANTEN	1979		FORM			
Où allons-nous?	BAT	1951					ATLFO
Ouellet,J/Assemblée gén annuelle	ANTEN	1982					STQ
Ouellet,J/Indus québ du doublage	CIRCU	1984	DOUB				
Ouellet,J/L'Antenne au Conseil	ANTEN	1982					STQ
Ouellet,J/Profession:traductrice	CIRCU	1983		GENE			
Ouellet,J/Traduction sans front	ANTEN	1982		GENE			
Ouimet,P/Fantômes du petit écran	ACTUA	1978	DOUB				
Our Society (STIBC)	TLET	1982					STIBC
Ouverture de Comm Term sur publi	ANTEN	1982				FORM	
Painchaud,L/Rédaction-recherche	ANTEN	1979		GENE			
Painchaud,L/Rédaction-recherche	TECNO	1982		FORM			
Panneton,G/Le traducteur	TRADU	1940		EDIT			
Panneton,G/Neutralité-Unité	TRADU	1940					STM
Panneton,G/Notre société	TRADU	1940					STM
Paquette,R/La traduction	LUREL	1982	DOUB				
Paradis,J/Trad au minist Mines	ANNAL	1922	ADMI	BDT			
Paradis,P/Notre lang commercial	BPFC	1907	PUBL				
Paré,M. Voir Dubuc,R.							
Paré,M/Avenir des trad au Canada	JDT	1961		GENE			
Paré,M/Des mots en banque	RECOM	1971				BTUM	
Paré,M/Esprit,lettre et machine	LANSO	1980	INFO	HIST			
Paré,M/Hist publicit franc Canad	META	1972	PUBL	HIST			
Paré,M/Lang public dans pays B-B	RECOM	1968	PUBL				
Paré,M/Langage et publicité	RECOM	1969	PUBL				
Paris,J/Activité de la STIC 1958	JDT	1959					STIC
Paris,J/La STIC	BAT	1957					STIC
Partensky,JP/Canada possède ATL	ANTEN	1975	LITT				ATL
Partensky,JP/Fondation de l'ATL	META	1975					ATL
Patenaude,P/Avez des objections?	TRANS	1967		EVAL			ATIO
Patenaude,P/Projet de loi?	TRANS	1968		FORM			ATIO
Patenaude,P/Projet de loi?	TRANS	1968		RECO			ATIO
Pavel,S/Banque de termi du Canad	PERSP	1984				BDT	
Pavel,S/SVP 1978-1979	DEUMI	1979		STAT		BDT	
Pavlovic,M/Postsynchronisation	HEBDO		DOUB				
Pelletier,C/Le groupe GITE	ANTEN	1982			GENE		
Pelletier,JF/Gran et serv tr pub	CIRCU	1983	PUBL				
Personals...	PPS	1953	ADMI	BIOG			
Personnel du BdT au 31 mars 1984	DEUMI	1984	ADMI	INDE			
Pérusse,D/Les machines à trad	ACTUA	1981	INFO				
Pérusse,D/Machine Translation	ATAC	1983	INFO				
Phaneuf,F/Trad entr publi Canada	META	1976	ENTR				
Pineau,L/Traduttore,traditore	LISON	1983	LITT				
Piperno,S. Voir Chartrand,C.							
Plan-Cadre	DEUMI	1978	ADMI	BDT			
Planel,G/Cours traduc U.Laval	JDT	1965		FORM			LAVAL
Plourde,F/Coll entre CNSR et BdT	AT	1979				BDT	
Poisson,J/Analyse trad accultura	ANTEN	1977		GENE			
Poisson,J/Trad artis condamnée?	META	1975		GENE			
Pokorn,D/Diviser pour réorganis	DEUMI	1977	ADMI	BDT			

AUTEURS / TITRES	PER	DATE	TGEN	TSPE	INTER	TERM	ASSO
Poliquin,JM/École de journ et tr	JDT	1960		FORM			
Poliquin,JM/P.Daviault, biogr	JDT	1961		BIOG			
Portrait-robot de la STQ	ANTEN	1975		STAT			STQ
Portrait-robot de la STQ	ANTEN	1975		COND			STQ
Potvin,A/Centre de lexicologie	BAT	1953				DOC	ATLFO
Potvin,A/Faut-il adhérer à FIT?	BAT	1954					ATLFO
Potvin,A/Uniformisation termes	BAT	1953				GENE	
Potvin,H/Traduction dans industr	RECOM	1972	ENTR				
Poulin,L. Voir Boudreau,H.							
Poulin,L/Visite Div Agriculture	BAT	1956	ADMI	BDT			
Premier sténographe can-français	BRH	1923		BIOG			
Président répond aux critiques	INFOR	1974		GENE			ATIO
Prince,JÉ/Français dans nos lois	BPFC	1906	JURI				
Prince,JÉ/Trad fr des textes off	BPFC	1908	JURI				
Prince,JÉ/Traductions	BPFC	1909		FAUT			
Prince,P/J.É.Prince:hom & oeuvre	CULCF	1985		BIOG		BIOG	
Prix d'excellence E.C. Bealer	AVLIC	1981		SUBV	GEST		AVLIC
Professional Training	TLET	1983		FORM			
Professionnalisation de la trad	INCOM	1974		RECO			
Programme aide à trad internat	BCORP	1982	MULT	SUBV			CDA
Programme d'aide de Fonct publ	TRANS	1970	ADMI	FORM			
Programme d'aide de Fonct publ	TRANS	1970	ADMI	SUBV			
Projet de fédération	BAT	1954					FIT
Projet national administ justice	TERMI	1984	JURI	GENE			
Proposal graduate dipl leg trans	BETI	1982	JURI	FORM			ETI
Qualité des textes est assurée	DIALO	1980	ADMI	GENE			
Quatre services de traduction	INCOM	1976	ENTR	EVAL			
Québec:Office de la langue franç	BABEL	1973					OLF
Quelques observ comm docum STIC	JDT	1964				DOC	STIC
Quelques stat sur service SVP	TERMI	1984		STAT		BDT	
Quinzième réunion--Conseil STIC	JDT	1958					STIC
Rainey,B/Famous last words...	BATIS	1984					ATIS
Rapport du CLO	INFOC	1979	ADMI	BDT			CLO
Rapport du comité direct 10-3-64	BATIO	1964					ATIO
Rapport du président (ATIO(	BATIO	1966					ATIO
Rapport du président (ATIO)	BATIO	1965		REMU			ATIO
Rapport presenté à l'ATIO	BATIO	1965		COND			ATIO
Ray Chamberlain: lecture to STQ	TMISS	1983	LITT				
Recruter des traducteurs	INCOM	1975	ENTR	EVAL			
Reed,D/Centr trad et term jurid	INFOR	1984					CTTJ
Reed,D/Le mot du directeur	MOT	1982				GENE	CTTJ
Reed,D/Probl de trad juri au Qué	META	1979	JURI				
Relèvement traitements trad féd	META	1966	ADMI	REMU			
Renaud,G/Québec:paradis des trad	ANTEN	1977		PIGE			
Rencontre de trad et linguistes	JDT	1965		CONG			STIC
Repa,J/A word from the president	TLET	1983					STIBC
Repa,J/Training prog Court inter	META	1981			COUR		
Réseau, le fonds, mise à jour	TERMI	1983		STAT		BDT	
Résultats question sur serv ATIO	INFOR	1984		STAT			ATIO
Rialland,Y/Souvenirs heureux	ARGUS	1955		HIST			STM
Richer,S/Docum dans prog de trad	COMMU	1984		FORM		DOC	
Richer,S/Gestion de doc au BdT	META	1980	ADMI	BDT		DOC	
Richer,S/Gestion et org doc BdT	META	1983	ADMI	BDT		DOC	
Rivard,A/Le franç administratif	BPFC	1906	ADMI	FEDE			
Rivard,M/Compte rendu. Coll ACFQ	TER	1982		FRAN			
Rivard,M/Compte rendu. Coll ACFQ	TER	1981		CONG		GENE	
Roberts,RP/Frenglish or Influen	BACLA	1983		GENE			

AUTEURS / TITRES	PER	DATE	TGEN	TSPE	INTER	TERM	ASSO
Roberts,RP/Origina BA trad Laval	ANTEN	1978		STAG			LAVAL
Robichaud,R/Form et perf des int	COMMU	1976			FORM		
Robichaud,R/Journ l'inter parlem	JDT	1964			PARL		
Robichaud,R/Service cent:Débats	AT	1984	ADMI	HIST			
Rodrigue,N/Banque de term & ATIO	META	1983				GENE	ATIO
Roht,T/Problems & work of transl	CULTU	1968	LITT				
Romer,T/Mot de l'interprète	META	1975			GENE		
Romney,C/Enquête trad Canad 1972	META	1974	ENTR	STAT			
Rondeau,G/Termin Bank of Canada	AT	1978				BDT	
Rosseel,D/Licence trad U. de Mtl	META	1968		FORM			MONTR
Rosseel,D/Nouvelles brèves	META	1969		FORM			MONTR
Rosseel,D/Rap de Comm du tarif	BATIO	1963		REMU			ATIO
Rosseel,D/Trad automat au Canada	META	1969	INFO				
Rouah,J/Traduction en C.-B.	INFOR	1984		CBRI			
Rousseau,LA/Style et exactitude	RENOT	1919	JURI	FAUT			
Rousseau,LA/Virage vers français	RENOT	1937	JURI	FAUT			
Rousseau,LJ/De la traduction	CIRCU	1984		GENE			
Roy,M/Tais-toi, pis traduis!	ACTUA	1977	JOUR				
Rubrique de la STIC	JDT	1958					STIC
Russell,R/Statutes of Québec	META	1979	JURI				
Ryan,J/Tranglia	INTRA	1984		FORM			ETI
Ryan,J/Tranglia	INTRA	1984		STAG			ETI
Sailly,P/Traduttore, traditore	BRH	1911		RANG			
Saint-Denis,R. Voir Schwab,W.							
Saint-Georges,JA/Visite Div Trav	BAT	1956	ADMI	BDT			
Salvail,B/Rencontre trad & term	META	1976		CONG		GENE	
Sauvé,A/Visite Div Santé et BES	BAT	1957	ADMI	BDT			
Schmit,C/Self-Taught translator	META	1966		RECO			
Schouwers,P/Gener multiling sect	DEUMI	1979	MULT	BDT			
Schultz,B/Diploma in interpret	INTRA	1982			FORM		ETI
Schultz,B/Inscrip 82-83:chiffres	INTRA	1982		FORM			ETI
Schultz,B/STI program changes	INTRA	1982		FORM			ETI
Schultz,B/STI program changes	INTRA	1982		STAG			ETI
Schwab,W/Freelance & Independant	ANTEN	1984		PIGE			
Schwab,W/Platerm : Banque Platon	META	1980				GENE	
Schwab,W/Trad et inform:persp 80	META	1981	INFO				
Séance plénière de l'après-midi	BATIO	1962		GENE			ATIO
Serré,R/Il y a 25 ans...	INFOR	1980		HIST			
Service SVP	COMMU	1983	ADMI			BDT	
Services du CLE à ses membres	INCOM	1977		FRAN			CLE
Shek,BZ/Trad dans contex can-qué	ELLIP	1977	LITT				
Shouldice,L/Transl as comparati	ECW	1979	LITT				
Sign-langua interp.STI fed supp	GAZUO	1982			GEST		ETI
Situation du traducteur	CAD	1968		GENE			
Smith,M/Nouvelles de Montréal	BATIO	1964	ADMI	BDT			
Smith,M/Souvenirs d'un 30e anniv	INFOR	1978					ATLFO
Smith,M/Visite Min Citoyenneté	BAT	1957	ADMI	BDT			
Snook,D/Comités normalisa au BdT	AT	1981				BDT	
Société (SDIT)	JDT	0000					SDIT
Société (STIC)	JDT	0000					STIC
Société (STIC)	META	0000					STIC
Société (STIO)	BAT	1957					STIO
Société (STIO)	JDT	1959					STIO
Société (STM)	JDT	0000					STM
Société (STQ)	META	0000					STQ
Société (STQ)	JDT	0000					STQ
Société (STQ)	NFIT	1984					STQ

AUTEURS / TITRES	PER	DATE	TGEN	TSPE	INTER	TERM	ASSO
Soixante-douze heures/semaine	DIALO	1984	ADMI	HIST			
Sommaire des délib de la matinée	BATIO	1962					ATIO
Stanislas,F/Hommage à SPLEF	JDT	1956		BIOG			
Statistiques de l'édition au Qué	BBNQ	1977		STAT			
Stratford,P/Bridge betw 2 solitu	LANSO	1983	LITT				
Stratford,P/Fr-Can liter in tran	META	1968	LITT	STAT			
Stratford,P/Liter trans in Canad	META	1977	LITT	HIST			
Stratford,P/Trad can 1580-1974	META	1975	LITT	INDE			
Strauss,M/Ontar incr trans budg	INFOR	1978		ONTA			
Sulte,B/Inter temps de Champlain	MSRC	1882			RFRA		
Surveyer,É/Français au prétoire	REVDR	1938	JURI	FAUT			
Sylvestre,PF/Écri pour être trad	LISON	1984		REMU			
Table ronde enseign de la trad	META	1975		FORM			
Table ronde formation du trad	META	1967		FORM			
Table ronde servi trad dans entr	META	1976	ENTR				
Table ronde sur documentation	META	1980				DOC	
Table ronde sur évol de trad	META	1975		GENE			
Taschereau,V/En service commandé	BATIO	1962		REMU			ATIO
Taschereau,V/Projet code éthique	TRANS	1967		DEON			ATIO
TAUM/AVIATION:new syst comp tran	INCOM	1979	INFO				
Tchilinguirian,C/Évol trad Toron	META	1982		PIGE			
Tchilinguirian,C/Évol trad Toron	META	1982		ONTA			
Télélog:télécom term comm bullet	INCOM	1976				GENE	
TERMIA	FRMAR	1983					TRMIA
Terminal à l'Assoc franç de term	FURET	1980				BTQ	AFTER
Terminogramme	BABEL	1981		EDIT		BTQ	
Terminologie à l'OLF : diffusion	INCOM	1982				BTQ	
Terminologie:avis de normalisat	INCOM	1980				BTQ	
Terminologie:malaise général?	INCOM	1981				TENT	
Terminologies 76:Québec-France	INCOM	1976				GENE	
Terminology Comm of Petrol firms	INCOM	1976		FRAN		GENE	CLE
Tessier,L/Stat édit Québécoise	BBNQ	1974		STAT			
Tessier,P. Voir Dubeau,G.							
Tessier,P/La banque de termino	COMMU	1976				BDT	
Thirty lang spoken at Cent Hosp	SPARK	1971		ONTA	MULT		
Thomas,J. Voir Boucher,H.							
Thouin,B/Le système Météo	MULTI	1982	INFO				
Tison-Tessier,M/ L'AETUM	ANTEN	1978					AETUM
Tisseyre,P/Point de vue de édit	META	1969	LITT				
Tomlinson,J/Serv documentaires	AT	1984		HIST		DOC	
Toutant,S/Vers égalité lang off	BCORP	1984		NEWB			
Traducteur autonome : expérience	DEUMI	1977	ADMI	GENE			
Traducteur devant fut négoc coll	BATIO	1964		REMU			BDT
Traducteur et l'industriel	EDQUE	1971	ENTR	FORM			
Traducteur multilingue	ARGUS	1958	MULT				
Traduction : STQ veille au grain	INCOM	1979		FORM			STQ
Traduction automatisée:jugements	INCOM	1979	INFO				
Traduction automatisée:jugements	INCOM	1979	JURI				
Traduction dans entr & à Toronto	META	1976	ENTR	PIGE			
Traduction des Anciens Canadiens	BRH	1940	LITT	BIOG			
Traduction du Canadien Errant	BRH	1926	LITT				
Traduction française	BPFC		PARL	FEDE			
Training Program	TLET	1982		FORM			
Traitements en vigueur 1-2-1962	BATIO	1963	ADMI	REMU			
Traitements en vigueur 1-7-1963	BATIO	1964	ADMI	REMU			
Tran,H/Porte étroite ou main ten	ANTEN	1983		REMU			STQ
Translation Bureau	BATIS	1982	ADMI	PIGE			ATIS

AUTEURS / TITRES	PER	DATE	TGEN	TSPE	INTER	TERM	ASSO
Translation Comm:Work Organizat	INCOM	1976	ENTR	COND			
Translation at Sunoco	INCOM	1979	ENTR	COND			
Translation group	JIP	1973		REMU			
Translation: Too much granted?	ECHO	1969	ADMI	GENE			
Travaux terminologiques à l'OLF	INCOM	1979		FRAN		TENT	
Tremblay,G/Termino en publicité	FRMAR	1984	PUBL			GENE	
Tremblay,J/ATLFO Procès verbal	TRANS	1969					ATLFO
Tremblay,Y/Formation du trad	BATIO	1962		FORM		GENE	ATIO
Trente-cinq (35) ans	ANTEN	1978		HIST			STQ
Trudeau,H/Réponse au sondage	ANTEN	1980		RECO			STQ
Trudeau,H/Saviez-vous que...	ANTEN	1980		RECO			STQ
Université Laurentienne-ETI	BABEL	1972		FORM			
Un pas dans la bonne direction	RIP	1951	ADMI	REMU			
Un pas dans la bonne direction	RIP	1951	ADMI	BDT			
Usubiaga,J. Voir Butler,M.							
Vallée,JP. Voir Dubeau,G.							
Vallée,JP. Voir Dubeau,G.							
Vallée,JP/ATIO : mise au point	JDT	1962					ATIO
Vallée,JP/Cotisation	BATIO	1962					ATLFO
Valois-Hébert,G/Historique STM	ARGUS	1953		HIST			STM
Van Hoof,H/Enseig pour tr et int	LINGU	1958		FORM			MCGIL
Van Hoof,H/Enseig pour tr et int	LINGU	1958		FORM			MONTR
Van Hoof,H/Enseig pour tr et int	LINGU	1958		FORM			INSTI
Van Hoof,H/Enseig pour tr et int	LINGU	1958		FORM			ETI
Van den Eynden,P/Chiffres et ref	ANTEN	1977	MULT	STAT			STQ
Van den Eynden,P/STQ en chiffres	ANTEN	1980		STAT			
Vaut-il la peine d'avoir serv tr	INCOM	1976	ENTR	FRAN			
Veaudelle,JM/Comité trad & stage	INCOM	1975		STAG			CLE
Veaudelle,JM/Rapport de trad	INCOM	1974	ENTR				
Veaudelle,JM/Traduction	INCOM	1975	ENTR	EVAL			
Veillette,L/Term au bout du fil	AT	1980				BDT	
Vers l'automatisation	AT	1973				BDT	
Vers une profession organisée	BATIO	1962					ATIO
Vézina,F/In memoriam : T.Guérin	JDT	1963		BIOG			INSTI
Vie de l'Association	BAT	1957					STIC
Vinay,JP. Voir Francoeur,A.							
Vinay,JP/Acceptance Speech-ATA	ATAC	1973		BIOG			
Vinay,JP/Acceptance speech	BABEL	1974		HIST			
Vinay,JP/Deuxième congr trad can	JDT	1963		CONG			
Vinay,JP/Éditorial	JDT	1965		EDIT			
Vinay,JP/Enseig de la trad à Mtl	JDT	1957		FORM			INSTI
Vinay,JP/Enseig de la trad à Mtl	JDT	1957		FORM			MONTR
Vinay,JP/Enseig de la trad à Mtl	JDT	1957		FORM			MCGIL
Vinay,JP/Journ des trad au serv	JDT	1959		EDIT			
Vinay,JP/La Section de linguist	ACTUN	1956			FORM		MONTR
Vinay,JP/Organisation de la prof	JDT	1955		GENE			
Vinay,JP/Renc de trad et de ling	JDT	1965		CONG			STIC
Vinay,JP/Répert des trad canad	JDT	1962		INDE			
Vinay,JP/STIC-Élections et proj	BABEL	1962					STIC
Vinay,JP/Subvent à des traductio	JDT	1964		SUBV			
Visage familier nous quitte	DIALO	1983	ADMI	BIOG			
Visite du BDT	INCOM	1976	ADMI	BDT			
Visite service traduction SCHL	BAT	1955	ADMI	BDT			
Walker,EA/New transl prog U of T	INFOR	1982		FORM			
Watier,M/En publicité, le franç	CULVI	1968	PUBL				
Watier,M/Publicité lang vivante	RECOM	1965	PUBL				
Watier,M/Réfl sur aspect publici	INTER	1976	PUBL				

AUTEURS / TITRES	PER	DATE	TGEN	TSPE	INTER	TERM	ASSO
Whitfield,A/Fr-Eng tr prog Queen	INFOR	1982		FORM			
Wilhelm,B/Lettre au ministre	BATIS	1981					ATIS
Wilhelmy,F/Trad gagne au tribuna	ANTEN	1981		LITI			
Woodsworth,J/Stag int Concordia	ANTEN	1982		STAG			CONC
Young,J/Can lit in non-off lang	CES	1982	MULT	INDE			

C. ARTICLES DE JOURNAUX

AUTEURS / TITRES	JOUR	DATE	TGEN	TSPE	INTER	TERM	ASSO
Acadien directeur fédéral de tra	EVANG	1934	ADMI	BIOG			BDT
Acadien qui a préparé un diction	EVANG	1960		EDIT			
Activités de Société des traduc	CANAD	1944					STM
Adaptation entre tech et imagina	JMONT	1978	DOUB				
A.-H. Beaubien succède à L.Gérin	DROIT	1936	PARL	BIOG			
À la Société des Traducteurs	DROIT	1941					STIO
À la Société généalogique	TRAVA	1953		BIOG			
Albert,A/Français "servile"	DEVOI	1934		FAUT			
Algonquin:techniciens aident tra	DROIT	1984		FORM			
All aboard	DEVOI	1965		POLI			
À l'université	DROIT	1936		BIOG			ETI
À l'université	DROIT	1936		FORM			ETI
Anderson,I/Cashing in on lang	GAZET	1978		REMU			
Anderson,I/Cashing in on lang	GAZET	1978		COND			
Anderson,I/Overworked translator	GAZET	1978		PIGE			
Anderson,I/Overworked translator	GAZET	1978		REMU			
Andrès,B/Surprises Macbeth québé	DEVOI	1978	LITT				
Anger,P/La machine à traduire	DEVOI	1928			SIMU		
Anger,P/La machine à traduire	DEVOI	1928			PARL		
Anger,P/Les traducteurs	DEVOI	1930	LITT	SUBV			
Anger,P/Traduction	DEVOI	1930		FAUT			
Année de traduction	DROIT	1940		BDT			
Anniversaire de l'Inst de trad	DEVOI	1965					INSTI
Après la calcul, traduct de poch	SOLEI	1979	INFO	TRAS			
À propos de traduction	EVANG	1927		NEWB			
À propos de traduct bilingues	EVANG	1974	ADMI	NEWB			
Archambault,A/Accusation rejetée	DROIT	1983	ADMI	LITI			BDT
Archambault,A/Comparution des ac	DROIT	1983	ADMI	LITI			BDT
Archambault,A/Larrue condamné	DROIT	1984	ADMI	LITI			BDT
Archambault,A/Ordonn non publica	DROIT	1983	ADMI	LITI			BDT
Archambault,A/Pige pas défendue	DROIT	1984	ADMI	LITI			BDT
Archambault,A/Procès L. avorte	DROIT	1984	ADMI	LITI			BDT
Argus/Trad simultanée en France	DEVOI	1954			GENE		
Argus/Trad simultanée en France	DEVOI	1954			SIMU		
Arsenault,HP/Trad et américanism	DROIT	1950		GENE			
Art difficile de la traduction	PRESS	1946		GENE			
Asselin,O/Bennett et serv d'État	ORDRE	1935	ADMI	REMU			BDT

AUTEURS / TITRES	JOUR	DATE	TGEN	TSPE	INTER	TERM	ASSO
Asselin,O/Bennett et serv d'État	ORDRE	1935	ADMI	LITI			BDT
Asselin,O/Débats parlementaires	NATIO	1906	PARL	FEDE			
Asselin,O/Notre franç officiel	RENAI	1935	JURI	FAUT			
Asselin,O/Trad discours Bennett	ORDRE	1935	ADMI	REMU			
Asselin,O/Traduction à Ottawa	ORDRE	1934	ADMI	CENT			
Asselin,O/Traduction officielle	ORDRE	1934	ADMI	CENT			
Assemblée annuelle des traduct	PRESS	1950					STM
Association internationale term	DEVOI	1982					TRMIA
Association technologique	DROIT	1944					ATLFO
Association veut reconnaissance	DROIT	1968		RECO			ATIO
À temps pour conférence des P.M.	DROIT	1979	ADMI	GREV			BDT
Aubry,J/3 direct. gov conflicts	CITIZ	1984	ADMI	LITI			BDT
Aubry,J/Mistrial in tr's case	CITIZ	1984	ADMI	LITI			BDT
Aubry,J/Resig trans pleads guilt	CITIZ	1984	ADMI	LITI			BDT
Aubry,J/Tr not given directive	CITIZ	1984	ADMI	LITI			BDT
Aucun conseil municipal desservi	EVANG	1973		NEWB			
Audet,F/Traduc,une profession	DROIT	1923		RECO			
Auger,M/Débat,droit être compris	DROIT	1984			COUR		
Auger,M/Manitoba:7 juges délibèr	DROIT	1984	JURI	MANI			
Au ministère des Approvisionnem	EVANG	1977	ADMI	NEWB			
Au Parlement d'Ottawa : fonct	PRESS	1924	ADMI	FEDE			
Avis	GAQUE	1768		RANG			
Avocats recommandent trad simult	EVANG	1974			COUR		
Ayotte,A/Expression juste en tra	DEVOI	1936		EDIT			
Ayotte,A/La traduction paie	DEVOI	1935	TECH				
Baby,R/Les dépêches	DEVOI	1935	JOUR				
Baillargeon,P/Au commenc de trad	PJOUR	1951	LITT	GENE			
Baillargeon,P/Erreur du lanceur	PATRI	1949		GENE			
Baillargeon,P/La traduction	PJOUR	1951	LITT	GENE			
Baillargeon,P/Paradoxes sur trad	PATRI	1947		POLI			
Baillargeon,P/Trad, ce pis-aller	PJOUR	1950	LITT	GENE			
Balcer, Courtemanche, Rinfret...	DROIT	1951	JURI	GENE			
Banque de terminologie en France	DEVOI	1982				BDT	
Banque de terminologie. Ententes	DROIT	1983				GENE	
Barbeau R/Le traducteur,inquiet	INDEP	1966		GENE			
Barrette,V/Encore Parisian Fren	DROIT	1955		FAUT			
Barrette,V/Le français comique	DROIT	1954	PUBL	FAUT			
Barrette,V/Mérites publ bon fran	DROIT	1950	PUBL				
Barrette,V/Nouveau Parisian Fren	DROIT	1953		FAUT			
Bastarache,M/Droit peut être fra	EVANG	1981	JURI		COUR		
Bathurst aura son bureau de trad	EVANG	1973	ADMI	NEWB			
Baxter,C/Transl bottleneck in Ot	FPOST	1967	ADMI	EVAL			BDT
Baxter,C/Transl bottleneck in Ot	FPOST	1967	ADMI	FAUT			BDT
Bayard/Parisian French	DROIT	1951					IPSPC
Beaubien,AH/Le Bureau des traduc	DROIT	1939	ADMI	BDT			
Beaudet,A/Promotion du français	DROIT	1970		FORM			
Beaudet,A/Promotion du français	DROIT	1971		FORM			
Beauregard,F/Chronique -- Bilan	REFOR	1956		GENE			
Beauregard,F/Chronique du traduc	REFOR	1955		RECO			
Beauregard,F/Chronique du traduc	REFOR	1956		GENE			
Beauregard,F/Chronique du traduc	REFOR	1956		RECO			
Beauregard,F/Chronique du traduc	REFOR	1956		GENE			
Beauregard,F/Chronique du traduc	REFOR	1956		GENE			
Beauregard,F/Chronique du traduc	REFOR	1956		EDIT			
Beauregard,F/Chronique du traduc	REFOR	1956		EDIT			STM
Beauregard,F/Chronique du traduc	REFOR	1956		EDIT			
Beauregard,F/STIC conv états gén	PRESS	1962		CONG			STIC

AUTEURS / TITRES	JOUR	DATE	TGEN	TSPE	INTER	TERM	ASSO
Bédard,P/Trad ne demand pas char	DEVOI	1980	ADMI	GREV			BDT
Béguin,LP/Au fil...La conf plate	DEVOI	1982			SIMU		
Béguin,LP/Frustrations ontarienn	DEVOI	1982		EDIT			STM
Béguin,LP/La mauvaise traduction	DEVOI	1976		FAUT			
Béguin,LP/Souveraineté linguisti	DEVOI	1980		GENE			
Béguin,LP/Traduc et bilinguisme	DEVOI	1967		FAUT			
Bellefeuille,P/1 h avec Daviault	DROIT	1946		BIOG			
Bellefeuille,P/La journée politi	DROIT	1951	ADMI	GENE			
Bennett veut abolition 2 postes	DROIT	1937	ADMI	BDT			
Bennett,P/Journalistes franco	EVANG	1976	JOUR	BDT			
Benoist,E/A propos de trad franç	DEVOI	1935	PARL	CENT			
Benoist,E/Lignes en langue angl	DEVOI	1946		FAUT			
Benoît,J/Notre langue se dégrade	PATRI	1967		GENE			
Bergeron,P/Pas trad, pas Canada	DROIT	1980	ADMI	GREV			BDT
Bernard,F/Québ a besoin collège	PRESS	1967		FORM			
Berre,C/Trad simul et chèques bi	REFOR	1958			PARL		
Besoin urgent d'interprètes	EVANG	1956			GENE		
Bessette,H/Traduction	DEVOI	1952	JURI	LITI			
Better in Translation	JOURN	1964		FAUT			
Bi-Bi translated means big-busin	TSTAR	1967		PIGE			
Bilingual Policy Demand for Tran	JOURN	1968		GENE			
Bilingual services at a cost	CITIZ	1974		ONTA			
Bilingualism violated. Strike	TSUN	1980		GREV			
Bilingues ou simultanées...	DROIT	1955	ADMI	GENE			
Bilinguism by degree	STRAT	1964		POLI			
Bilinguisme : altérer vieux docu	DEVOI	1983		GENE			
Bilinguisme a encore des ennemis	JMONT	1983		GENE			
Bilinguisme des lois : Lesage	DEVOI	1965	JURI				
Bilinguisme quand tu nous tiens	DEVOI	1965		FAUT			
Bill Cahan ira au comité du S.C.	DROIT	1934	ADMI	CENT			BDT
Bill Cahan soumis à expertise?	DROIT	1934	ADMI	CENT			BDT
Bilodeau,L/Lettre au directeur	DEVOI	1960		FORM			
Bindman,S/Trans probl delays	CITIZ	1983	ADMI	GREV			
Binsse,HL/Intellec iron curtain?	MSTAR	1962	LITT	GENE			
Biron,É/Correction des épreuves	DEVOI	1935	JOUR	REVI			
Black,B/Introducing translators	GAZET	1984	LITT				
Blais,R/$20 000 pour trad simult	EVANG	1979		SUBV	SIMU		
Blais,R/10 cents le mot pour tra	EVANG	1979	JURI	REMU			
Books of war dead can't be chang	CITIZ	1983		LITI			
Boone,M/Quebec firms dubbing	GAZET	1982	DOUB				
Bouchard,J/Ministre Cloutier	DROIT	1976				GENE	
Bouchard,R/L. Larkin avoue piges	DROIT	1984	ADMI	LITI			BDT
Bouchard,R/Larkin acquittée	DROIT	1984	ADMI	LITI			BDT
Bouchard,R/Larkin:juge délib	DROIT	1984	ADMI	LITI			BDT
Bouchard,R/Quest de discipline	DROIT	1984	ADMI	PIGE			BDT
Bouchard,R/Traduc 3 000 $ amende	DROIT	1984	ADMI	LITI			BDT
Boucher,P/Projet de loi Cahan	ORDRE	1934	ADMI	CENT			BDT
Boucher,R/Traduc joue rôle impor	DROIT	1968		FORM			
Boucher,R/Traduc joue rôle impor	DROIT	1968		POLI			
Boudreau dépose devant com Kent	EVANG	1981	JOUR	GENE			
Boudreau,É/Charbonneau:in memor	DROIT	1984		BIOG			
Boudreau,É/Traducteurs en grève	DEVOI	1979	ADMI	GREV			
Boudreau,JG/Parties reviennent	DROIT	1980	ADMI	GREV			
Boudreault,B/Traduc inopportune	DROIT	1968		FAUT			
Boudria se plaint du serv de tra	DROIT	1982	ADMI	FAUT			
Bouey,G/More transl in demand	CITIZ	1981	ADMI	REMU			
Bouey,G/More translat in demand	CITIZ	1981	ADMI	BDT			

AUTEURS / TITRES	JOUR	DATE	TGEN	TSPE	INTER	TERM	ASSO
Bourgeois/Croquis de Bytown	PRESS	1924	ADMI	FEDE			
Bourque,C/Avis aux lecteurs	EVANG	1978	ADMI	GREV			BDT
Bouthillier,A/Télidon	DEVOI	1982				DOC	OLF
Boyer,G/Grand prix de l'humour	SOLEI	1961		CREA			
Brochu,B/Lois 70 et 105 inconsti	DROIT	1983	JURI	GENE			
Brousseau,JP/Tra:Babel ou Icare?	PRESS	1970				BTUM	
Brown,C/Trad simul,très bien	DEVOI	1958			PARL		
Brown,C/Trad simult aux Communes	DEVOI	1958			PARL		
Bruce,M/Transl industry boom	GAZET	1977		GENE			
Bruce,M/What's the English for	GAZET	1977		FAUT			
Brûleur à l'huile (JC Beauchamp)	DROIT	1951		BIOG			
Brunet,A/Causerie de P.Daviault	DROIT	1940		FAUT			
Brunette,L/Serv lingu d'entrepri	DEVOI	1981	ENTR				
Bureau central trad approuv Séna	DROIT	1934		CENT			
Bureau de trad du N.-B. ouvre	EVANG	1967		NEWB			
Bureau de traduction de Bathurst	EVANG	1973		NEWB			
Bureau fédéral. Décès Le Quellec	DROIT	1983		BIOG			
Bureau fédéral: succursale à Mtl	DEVOI	1964	ADMI	BDT			
Butler,J/Yukon gets speedy bilin	GLOBE	1984	ADMI	GNOR			
Cadres devront se subst aux trad	SOLEI	1980	ADMI	GREV			BDT
Campaign attracts translators	CITIZ	1967	ADMI	BDT			
Canada Council names tran winner	GAZET	1974	LITT	SUBV			
Cantin,A/Communic angl électeurs	DROIT	1984		GENE			
Cantin,A/Interp juri-syst d'accr	DROIT	1983			COUR		
Cantin,A/Trois fonct compar cour	DROIT	1983		LITI			
Caouette,M/Le traducteur ami	SOLEI	1979	INFO	TRAS			
Carrier,JG/BdT:entrep $15 millio	DROIT	1972	ADMI	REMU			BDT
Carrier,JG/Chaque jour de traduc	DEVOI	1972	ADMI	BDT			
Carrier,JG/Trans Bur grows $15 M	CITIZ	1972	ADMI	REMU			BDT
Carter,FAG/Biling et traduction	DEVOI	1967		COND			
Carter,FAG/Biling et traduction	DEVOI	1967		FAUT			
Case for a "no" vote	WFPRE	1983	JURI	MANI			
Casgrain,P/Voyage pays des mots	DEVOI	1941		POLI			
Centralisation condamnée	DROIT	1934	ADMI	CENT			
Centralisation et traduction	SOLEI	1934	ADMI	CENT			
Ce que peut provoquer une erreur	EVANG	1967		FAUT			
Chamberlain,R/Trad littéraires	DEVOI	1979	LITT				
Chambre des Comm accueil projet	DEVOI	1957			PARL		
Chandioux,J/Opinion différente	DEVOI	1981	INFO				
Chantal,R/Du nouv en lexicogra	DROIT	1955				STER	
Chantal,R/Traduction & traduct	DROIT	1953		FAUT			
Chantal,R/Traductions	DROIT	1961	JOUR	FAUT			
Charpentier,J/Traduct se perdent	DROIT	1965		EVAL			
Charron,G/Trad féd:grève inévita	DROIT	1980	ADMI	GREV			BDT
Charron,G/Traducteurs pas payés	DROIT	1980	ADMI	GREV			BDT
Chevalier,W/L'âge de la retraite	DROIT	1966	ADMI	COND			BDT
Chevalier,W/Les traducteurs	DROIT	1967	ADMI	COND			BDT
Chevalier,W/Traduc outrageante	DROIT	1966	ADMI	FAUT			BDT
Chevrier,É/Abolition postes trad	DROIT	1933	ADMI	FEDE			
Chevrier,É/Abolition postes trad	DROIT	1933	ADMI	CENT			
Chez les trad prof : Smith prés	PRESS	1966					CORPO
Cinq-Mars,A/La traduction	PATRI	1945		GENE			
Cinq-Mars,A/Nos traduc officiels	PATRI	1952	ADMI	GENE			BDT
Cinq-Mars,A/Notre fran en traduc	PATRI	1949		GENE			
Cinq-Mars,A/Trad et bilinguisme	PATRI	1949		EVAL			
Civil serv's bid to speak denied	CITIZ	1967	ADMI	LITI			BDT
Clavet,R/Ott promet biling jurid	DROIT	1984	JURI				

AUTEURS / TITRES	JOUR	DATE	TGEN	TSPE	INTER	TERM	ASSO
Cléroux,R/French rights plan	GLOBE	1983	JURI	MANI			
Cléroux,R/Manitoba would limit	GLOBE	1983	JURI	MANI			
Cléroux,R/Québec updates jargon	GAZET	1971				GENE	OLF
Cloutier,S/Sec d'État gère mal	DROIT	1984	ADMI	BDT			
Club conservateur défend trad	DROIT	1934	ADMI	CENT			
Colloque des traducteurs & inter	DROIT	1962		CONG			STIC
Colloque sur serv linguistiques	DROIT	1984		CONG			
Colonisés québécois rappelés	INDEP	1966	JOUR	POLI			
Comité de traduction	DROIT	1984	JURI				
Comité de traduction Chamb haute	DROIT	1934	ADMI	CENT			BDT
Comité du service civil entendra	DROIT	1934	ADMI	CENT			BDT
Comité special étudiera bill 4	DROIT	1934	ADMI	CENT			BDT
Comité sur réforme constitution	DROIT	1980		MANI	SIMU		
Commons work sputtering in absen	GLOBE	1980	PARL	GREV			
Conflit d'intérêts qui durait	DROIT	1984	ADMI	LITI			BDT
Congé maternité acquis aux trad	DEVOI	1981	ADMI	GREV			BDT
Conseil de la femme annule confé	DROIT	1980	ADMI	GREV			BDT
Constant,P/Premiers avocats	DEVOI	1941		GENE			
Contrat pour recherches en trad	SOLEI	1983	INFO				OLF
Coopération avec l'Algérie	DEVOI	1983				BDT	
Corrections:on veut blâmer trad	DROIT	1934	ADMI	CENT			
Côté,B/Real backbone	CITIZ	1980		POLI			
Cours de traduction	DEVOI	1965		FORM			MONTR
Cours de traduction	DEVOI	1965		FORM			INSTI
Cours de traduction à McGill	PATRI	1943		FORM			MCGIL
Cours de traduction à université	DROIT	1938		FORM			ETI
Cours de traduction bilingue	PRESS	1944		FORM			MCGIL
Cours spécial de trad à l'U d'O	DROIT	1936		FORM			ETI
Court quest.Acadians'lang appeal	GAZET	1984			COUR		
Couturier,J/Gazette royale bil	EVANG	1977		NEWB			
Couturier,J/Grâce à octroi CTTJ	EVANG	1978	JURI			GENE	CTTJ
Création centre de terminologie	DROIT	1964				STER	
Crosby,L/Agency finds praise	CITIZ	1981		PIGE			
Cruickshank,J/Accused becomes	GLOBE	1984			COUR		
CS To Pay To Train Translators	JOURN	1968	ADMI	SUBV			BDT
CS To Pay To Train Translators	JOURN	1968	ADMI	FORM			BDT
CS Translators Seek More Pay	JOURN	1969	ADMI	REMU			BDT
Cumming,C/Parf bili:oiseau rare	DROIT	1968			SIMU		
Curran,P/Transl protest stalled	GAZET	1980	ADMI	LITI			BDT
Dagenais,G/Nos façons d'écrire	DEVOI	1960		FAUT			
Dagneau,GH/Besoin de traducteurs	DROIT	1949	ADMI	EVAL			
Dagneau,GH/La traduction	DROIT	1951					IPSPC
Daigle,E/Centr trad et trad simu	EVANG	1967	ADMI	NEWB	PARL		
Dandonneau,A/Diffus termino loi	DEVOI	1984	JURI				
Daoust,JC/Conserv à la déf franç	DROIT	1951	JURI	GENE			
Daoust,JC/MM Pouliot et Picard	DROIT	1951	PARL	FAUT			
Darbelnet,J/Trad trop peu rémuné	CANAD	1946		REMU			
Dassylva,M/R Dionne et adapt	PRESS	1975	LITT				
Daviault,P/Asservis par traduc?	DEVOI	1957		GENE			
Daviault,P/Propos sur notre fran	PATRI	1959		GENE			
Daviault,P/Propos sur notre fran	PATRI	1960		GENE			
Daviault,P/Traduction, art diffi	DEVOI	1937		GENE			
Daviault,P/Vocab prat ang au fra	DROIT	1937		BIOG			
Daviault,P/Vocab prat ang au fra	DROIT	1937		EDIT			
Daviault,P/Vocab prat ang-fra II	DROIT	1937		EDIT			
David,M/Trad décrets 1,5 $ milli	SOLEI	1983	JURI	GENE			
Debate translated	GLOBE	1984	ADMI	GENE			

AUTEURS / TITRES	JOUR	DATE	TGEN	TSPE	INTER	TERM	ASSO
Débats de la Chambre d'Assemblée	AUROR	1818	PARL	RANG			
Débrayage général	DROIT	1980	ADMI	GREV			BDT
Décès de M. Edgar Gaudet, trad	EVANG	1965	JOUR	BIOG			
Décision fait avancer cause bil	ACATH	1964	ADMI	BDT			
Décrets traduits en ang temps re	DEVOI	1983	JURI	GENE			
Defalco,J/Ex-gov trans acquitted	CITIZ	1984	ADMI	LITI			BDT
Defalco,J/Former transl head	CITIZ	1984	ADMI	LITI			BDT
Delisle,J/Trad doit s'enseigner	DROIT	1971		FORM			
Delisle,J/Trad et réalité québéc	DEVOI	1981		HIST	HIST		
Delisle,N/Désormais en bon franç	DROIT	1984		GENE			
Déménagement des traducteurs	DROIT	1936	PARL	BDT			
Demers,E/C.Aubry:2 contes en Chi	DROIT	1984	LITT	GENE			
Denis,JA/M. Cahan & serv de trad	DEVOI	1934	ADMI	CENT			BDT
Députation canad-franç unanime	DROIT	1934	ADMI	CENT			BDT
Députes pourront étud procéd fra	DEVOI	1964	PARL	GENE			
Dernière offre aux traducteurs	DROIT	1980	ADMI	GREV			BDT
Dès mille (1973), trad des lois	EVANG	1972	JURI	NEWB			
Desautels,A/Grève des trad fédér	DROIT	1980	ADMI	GREV			BDT
Deschamps,R/Prendre trad aux mot	DEVOI	1981		DEON			
Deschamps,R/Prendre trad aux mot	DEVOI	1981		REMU			
Descôteaux,B/Décrets trad en fra	DEVOI	1983	JURI	GENE			
Deshaies,G/Ottawa abandonne aide	DEVOI	1981	INFO	SUBV			
Des Rivières,P/Cordonnier mal...	DEVOI	1983	JURI				
Desrosiers,LP/L'ATLFO	DEVOI	1925					ATLFO
Desrosiers,LP/La session fédér	DEVOI	1921	PARL	FEDE			
Desrosiers,LP/Pierre Daviault	DEVOI	1932		EDIT			
Desrosiers,LP/Probl de trad I	DEVOI	1933		EDIT			
Desrosiers,LP/Probl de trad II	DEVOI	1933		EDIT			
Desrosiers,LP/Questions de langa	DROIT	1933		EDIT			
Deux ans pour traduire des lois	SOLEI	1984	JURI	MANI			
Deux cents trad songent à banque	DROIT	1974				GENE	
Deux écrivains couronnés	DROIT	1934		BIOG			
Deux mille 400 employés classés	DROIT	1930	ADMI	RECO			
Deux mille 400 employés classés	DROIT	1930	ADMI	FEDE			
Deux ouvrages sur la traduction	DROIT	1937		EDIT			
Deux traducteurs acquittés	DROIT	1984	ADMI	LITI			BDT
Deveau,D. Voir Grognier,F.							
Developing first compreh lexicon	MGREP	1983	JURI				OLF
Deveney,A/Tr dept employ fired	CITIZ	1984	ADMI	LITI			BDT
Dexter,A/Pas de mises à pied BdT	DROIT	1974	ADMI	GREV			BDT
Dictionnaire termes militaires	DROIT	1943		EDIT			
Dictionnaire termes militaires	DROIT	1943		MILI			
Dilschneider,D/Tran bur shake up	CITIZ	1964	ADMI				BDT
Dîner intime honneur Beauchesne	DROIT	1926		FEDE			
Dîner intime honneur Beauchesne	DROIT	1926		COND			
Discharges given to translators	CITIZ	1984	ADMI	LITI			BDT
Dix questions sur traduction	DROIT	1934	ADMI	CENT			BDT
Dix huit positions trad abolies	DROIT	1934	ADMI	CENT			
Don't worry, say translators	GAZET	1980		LITI			
Droits du franç,débat sur amende	DROIT	1960			GENE		
Droits et devoirs des traduct	DROIT	1977		GENE			
Drouin,L/Govt trans go back to	CITIZ	1980	ADMI	GREV			BDT
Dubé,JP/Deux ans pour traduire	LIBER	1984	JURI	MANI			
Dubuc,R/Excès de trad:menace	DROIT	1969		GENE			
Dubuc,R/Instr de précision:term	DEVOI	1981				GENE	
Duchesne,L/Se retrouver en trad	DEVOI	1979		FAUT			
Du franglais dans la mode	EVANG	1966		FAUT			

AUTEURS / TITRES	JOUR	DATE	TGEN	TSPE	INTER	TERM	ASSO
Dufresne,B/Parl Rulebook in Fr	GLOBE	1964	PARL	GENE			
Duhamel,R/Traduction simultanée	PATRI	1957			PARL		
Dumont,É/Inquiétudes des traduct	DEVOI	1975				BTUM	
Duncan,A/Machine can lick tongue	GLOBE	1981	INFO	BDT			
D'un océan à l'autre - Ottawa	DEVOI	1963		GENE			
Dupire,L/Traduction du Hansard	DEVOI	1920	PARL	FEDE			
Échos du congrès de langue franç	DROIT	1937		GENE			
École de traduction pour U de M?	EVANG	1970		FORM			MONCT
Éditeur doit verser 4000$ à trad	DEVOI	1981	ADMI	LITI			BDT
Éditeurs proposent un mode	DEVOI	1965	LITT				
Edsforth,J/Fed govt trans booms	EDJOU	1971	ADMI	BDT			
Edsforth,J/Looking for a career?	CITIZ	1971		GENE			
Eight transl being trained Commo	GLOBE	1958			PARL		
Élection nouvel exécutif CTINB	EVANG	1974					CTINB
Élections à l'ATLFO	DROIT	1943					ATLFO
Élections chez les technologues	PRESS	1945					ATLFO
Ellenwood,R/Giving credit due	GLOBE	1983	LITT	LITI			
Éloge du Bureau des traductions	DROIT	1937	ADMI	BDT			
Éloquente causerie de Beaubien	DROIT	1950	ADMI	RECO			
En faveur de la trad simultanée	EVANG	1956			PARL		
En septembre, cours de maîtrise	DROIT	1968		FORM			ETI
Entrevue sur la traduction	DROIT	1934	ADMI	BDT			
Éphrem Boudreau trad en chef	EVANG	1947	ADMI	BIOG			
Erreur de traduction	AMI	1832		RANG			
Erreur de traduction?	EVANG	1978		FAUT			
État-major prête 18 trad aux É-U	DROIT	1942		MILI			
Éthier-Blais,J/Les linguicides	DEVOI	1971		FAUT			
Et le terminologue?	DEVOI	1979				GENE	
Être bilingue au fédéral:obligat	DROIT	1958			PARL		
Evans,D/Translators walk out	OJOUR	1980	ADMI	GREV			BDT
Eveleigh,R/Ces traducteurs!	DROIT	1966	ADMI	LITI			BDT
Eveleigh,R/Ces traducteurs!	DROIT	1966	ADMI	REMU			BDT
Every translated word costs 3.5	CITIZ	1969	ADMI	REMU			BDT
Examen de trad le 8 mai prochain	DROIT	1937	ADMI	EVAL			BDT
Examen du service civil	DROIT	1943	ADMI	EVAL			BDT
Examens de traduction	DROIT	1937	ADMI	EVAL			BDT
Examens de traduction 18 avril	DROIT	1936	ADMI	EVAL			BDT
Expérience de trad simultanée	EVANG	1973			SIMU		
Fauteux,A/Sieur de Langoiserie	PATRI	1933			RFRA		
F.B./Les traducteurs	DROIT	1966		BDT			
Federal transl bill a bargain	GAZET	1982	ADMI	GREV			BDT
Federal transl bill a bargain	GAZET	1982	ADMI	REMU			BDT
Federal translat given probation	CITIZ	1984	ADMI	LITI			BDT
Fed transl win maternity leaves	TSUN	1981	ADMI	GREV			BDT
Fed transl win maternity leaves	TSUN	1981	ADMI	COND			BDT
Fernand Beauregard, prés CORPO	REFOR	1957					CORPO
Ferri,J/Doct break lang barrier	TSTAR	1984		GENE			
Filiale de la Société des Trad	DROIT	1941					STM
Filiales de la Société des Trad	DROIT	1941					STM
Filion,H/Des nuances	PRESS	1984	LITT				
Final fight to roust the no vote	WSUN	1983		MANI			
Final fight to roust the no vote	WSUN	1983		SUBV			
Find far too few Can Parlez-vous	FPOST	1964	ADMI	EVAL			BDT
Flamand,J/Automation et poli lin	DEVOI	1974		CONG			ATIO
Fleury,R. Voir Caouette,M.							
Fleury,R/Amis ou pas amis	SOLEI	1980	INFO	TRAS			
Fonctionnaires unil patienteront	PRESS	1968	ADMI	FAUT			

AUTEURS / TITRES	JOUR	DATE	TGEN	TSPE	INTER	TERM	ASSO
Fortin,N/Trad féd:prem débrayage	DROIT	1980	ADMI	GREV			BDT
Fortin,R. Voir Dumont,E.							
Frais de trad aux olymp:325 000$	DEVOI	1976		REMU			
Free-lance trans sought for scie	KWST	1968	MULT				
Frenette,R/Trad et francisation	DEVOI	1981	ENTR				INSTI
Gage,R/Norrie,Ernst accused of	WFPRE	1983	JURI	MANI			
Gagnon,H/M.Chapin:esprit cultivé	DEVOI	1965	LITT	BIOG			
Gagnon,JL/M.Breton repose quest	REFOR	1957			PARL		
Gagnon,JL/Trad simul inaugurée	REFOR	1958			PARL		
Gagnon,JL/Traduire = comprendre	REFOR	1955		EDIT			
Gagnon,LP/Traduction	DEVOI	1941		EDIT			
Gagnon,LP/Traduction de Daviault	DROIT	1941		EDIT			
Garneau,L/Dieppe: offre et deman	EVANG	1982			SIMU		
Garneau,L/Trad simult à Dieppe	EVANG	1981			SIMU		
Gauthier,Cl/Conseil des Arts	DROIT	1973	LITT	SUBV			CDA
Gauthier,F. Voir Delisle,J.							
Gautier,C/A propos de traduction	DROIT	1936		ONTA			
Gautier,C/A propos de traduction	DROIT	1936		FAUT			
Gautier,C/Arguments de M.Cahan	DROIT	1934	ADMI	CENT			BDT
Gautier,C/Bill Cahan condamné	DROIT	1934	ADMI	CENT			BDT
Gautier,C/Bill Cahan soumis	DROIT	1934	ADMI	CENT			BDT
Gautier,C/Bureau des traductions	DROIT	1937	ADMI				BDT
Gautier,C/Central des bur trad	DROIT	1935	ADMI	CENT			BDT
Gautier,C/Centralisat de la trad	DROIT	1933	ADMI	CENT			BDT
Gautier,C/Centralisation de trad	DROIT	1934	ADMI	CENT			BDT
Gautier,C/Centralisation et trad	DROIT	1924	ADMI	FEDE			BDT
Gautier,C/Centralisation et trad	DROIT	1934	ADMI	CENT			BDT
Gautier,C/Comité assignera témoi	DROIT	1934	ADMI	CENT			BDT
Gautier,C/Comité spécial	DROIT	1934	ADMI	CENT			BDT
Gautier,C/Comment bureau fonct	DROIT	1934	ADMI	CENT			BDT
Gautier,C/Corrections et central	DROIT	1934	ADMI	CENT			BDT
Gautier,C/Corrections et retards	DROIT	1934	ADMI	CENT			BDT
Gautier,C/Docum fédér et biling	DROIT	1943	ADMI	GENE			
Gautier,C/Déclarations contradic	DROIT	1934	ADMI	CENT			BDT
Gautier,C/La centralisation	DROIT	1934	ADMI	CENT			BDT
Gautier,C/L'ATLFO	DROIT	1923					ATLFO
Gautier,C/Le bill Cahan	DROIT	1934	ADMI	CENT			BDT
Gautier,C/Le bill Cahan condamné	DROIT	1934	ADMI	CENT			BDT
Gautier,C/Le gouvernement hésite	DROIT	1934	ADMI	CENT			BDT
Gautier,C/Les masques tombent	DROIT	1934	ADMI	CENT			BDT
Gautier,C/Les publications franç	DROIT	1936	ADMI	STAT			BDT
Gautier,C/L'État et la traduct	DROIT	1934	ADMI	CENT			BDT
Gautier,C/L'État et la traduct	DROIT	1934	ADMI	STAT			BDT
Gautier,C/Nouveaux cours à U d'O	DROIT	1936		FORM			ETI
Gautier,C/Opposés à la centralis	DROIT	1934	ADMI	CENT			BDT
Gautier,C/Origines de la central	DROIT	1934	ADMI	CENT			BDT
Gautier,C/Premier ministre et tr	DROIT	1935		COND			
Gautier,C/Projet démoli	DROIT	1934	ADMI	CENT			BDT
Gautier,C/Projet loi mal préparé	DROIT	1934	ADMI	CENT			BDT
Gautier,C/Publications et trad	DROIT	1935	ADMI	FAUT			
Gautier,C/Quelques raisons	DROIT	1934	ADMI	CENT			BDT
Gautier,C/Son véritable but	DROIT	1934	ADMI	CENT			BDT
Gautier,C/Tissu de contradiction	DROIT	1934	ADMI	CENT			BDT
Gautier,C/Tous les moyens bons	DROIT	1934	ADMI	CENT			BDT
Gautier,C/Traduc dans ministères	DROIT	1923	ADMI	FEDE			
Gautier,C/Traduc dans ministères	DROIT	1923	ADMI	STAT			
Gautier,C/Traduc dans ministères	DROIT	1923	ADMI	FEDE			

AUTEURS / TITRES	JOUR	DATE	TGEN	TSPE	INTER	TERM	ASSO
Gautier,C/Traduc dans ministères	DROIT	1923	ADMI	STAT			
Gautier,C/Traduc dans ministères	DROIT	1923	ADMI	FEDE			
Gautier,C/Traduc et centralisat	DROIT	1933	ADMI	CENT			
Gautier,C/Traduc et centralisat	DROIT	1933	ADMI	CENT			
Gautier,C/Travail du comité	DROIT	1934	ADMI	CENT			BDT
Gautier,C/Témoin qu'il faut	DROIT	1934	ADMI	CENT			BDT
Gay,P/Les obsédés textuels	DROIT	1984		CREA			
Gertler,M/Polit nation de trad	DEVOI	1976	LITT				
Gertler,M/Transl always credited	GLOBE	1983	LITT	LITI			
Gessell,P/Govt trans more costly	CITIZ	1983	ADMI	PIGE			BDT
Gessell,P/Govt trans more costly	CITIZ	1983	ADMI	REMU			BDT
GIBUS/Traquenards de la traduc	DROIT	1955		LITI			
GIBUS/Traquenards de la traduc	DROIT	1955		FAUT			
Gingras,M/Pauvres traducteurs	DROIT	1967	ADMI	LITI			
Girard,M/Manuels franç à l'univ	SOLEI	1983		GENE			
Globe and Mail s'adresse en fran	DROIT	1958			PARL		
Godfrey,S/Transl,non-fict writer	GLOBE	1984	LITT	REMU			CDA
Godfrey,S/Transl,writers benefit	GLOBE	1984	LITT	REMU			CDA
Gory,B/Judge use tr in Fr trial	GLOBE	1984			COUR		
Gouin,J/Guide du traducteur	DROIT	1973		EDIT			
Gouin,J/Mémoire d'I.de Buisseret	DEVOI	1973		BIOG			
Gouvernement Qué aura serv trad	SOLEI	1964	ADMI	QUEB			
Gouvernement d'Ottawa s'occupera	SOLEI	1936	ADMI	CENT			BDT
Gouvernement fédé achète BTUM	EVANG	1976				BTUM	
Government abandons war books	CITIZ	1983		LITI			
Government needs more interpret	GAZET	1963			PARL		
Government offer "an invitation"	CITIZ	1980	ADMI	GREV			BDT
Grande forme	SOCOL	1984					STIBC
Grande tâche du serv féd des tra	PRESS	1949	ADMI	BDT			
Gray,L/Notre Droit et le françai	DROIT	1951	JURI				
Gray,W/Instant translations soon	GLOBE	1958			PARL		
Grégoire : pour trad plus rapide	DEVOI	1964	PARL	GENE			
Grève des interp crée l'illégali	DEVOI	1980	ADMI	GREV	PARL		
Grève des trad sera possible ven	DROIT	1980	ADMI	GREV			BDT
Grève des trad:on ne fait pas la	SOLEI	1980	ADMI	GREV			BDT
Grève des traducteurs	DEVOI	1980	ADMI	GREV			BDT
Grève des traducteurs:bil respec	DROIT	1980	ADMI	GREV			BDT
Grève des traducteurs:tentative	DROIT	1980	ADMI	GREV			BDT
Grève du zèle des traducteurs	PRESS	1980	ADMI	GREV			BDT
Grève est difficilement évitable	DROIT	1980	ADMI	GREV			BDT
Grève générale est évitée	DROIT	1977	ADMI	LITI			BDT
Grognier,F/La trad au N.-B.	EVANG	1977	ADMI	NEWB			
Groupe de traducteurs de l'IP	DROIT	1934		COND			
Gruslin,A/Le Macbeth de Garneau	DEVOI	1979	LITT				
Haeck,P/Trav mélancol J.Brault	DEVOI	1975	LITT				
Hall,C/Judge gives woman chance	CITIZ	1983	ADMI	LITI			BDT
Hansard en retard	DROIT	1980	PARL	GREV			
Hansard hit by strike	GAZET	1980	PARL	GREV			
Harvey,B/Un journal "bilingue"	SOLEI	1965		FAUT			
Hausse de salaires	ACATH	1964	ADMI	REMU			BDT
Hausse des traitements des trad	DEVOI	1963	ADMI	REMU			BDT
Haynes,D/Translators'rate	GLOBE	1984	LITT	REMU			CDA
Heald,H/Govt translation grants	OJOUR	1972			GENE		
Heard,R/Translation post opens	MSTAR	1964	ADMI	BDT			
Hébert,D/Grégoire fondat Institu	DROIT	1980		BIOG			INSTI
Henriot Mayer surintendant trad	DROIT	1964	ADMI	BIOG			
Héroux,O/Ce projet de loi	DEVOI	1934	ADMI	CENT			BDT

AUTEURS / TITRES	JOUR	DATE	TGEN	TSPE	INTER	TERM	ASSO
Héroux,O/Gazette et proclam bil	DEVOI	1920	JURI	GENE			
Héroux,O/Projet de loi Cahan	DEVOI	1934	ADMI	CENT			BDT
Héroux,O/Traduction	DEVOI	1917	ENTR	GENE			
Heures de travail des trad	DROIT	1934	ADMI	CENT			
Heures de travail des trad	DROIT	1934	ADMI	COND			
Hill,B/Automated transl prove	CITIZ	1980	INFO	REMU			
Hill,B/End urged to trans strike	CITIZ	1980	ADMI	GREV			BDT
Hill,B/Freelance pay for managem	CITIZ	1980	ADMI	PIGE			BDT
Hill,B/Govt orders cutback on tr	CITIZ	1980	ADMI	GREV			BDT
Hill,B/Leaves by back door	CITIZ	1980	ADMI	GREV			BDT
Hill,B/Mother-to-be wants matern	CITIZ	1980	ADMI	COND			BDT
Hill,B/PSAC quits bargaini talks	CITIZ	1982	ADMI	GREV			BDT
Hill,B/Religious spat costs boss	CITIZ	1981		GENE			
Hill,B/Striking trans determined	CITIZ	1980	ADMI	GREV			BDT
Hill,B/Trans call for mediator	CITIZ	1980	ADMI	GREV			BDT
Hill,B/Trans close Marin probe	CITIZ	1980	ADMI	GREV			BDT
Hill,B/Trans won't talk:Managem	CITIZ	1980	ADMI	GREV			BDT
Hill,B/Transl's strike stall Han	CITIZ	1980	ADMI	GREV			BDT
Hill,L/Prov costs for translat	WFPRE	1984	JURI	MANI			
Hodgson,D/Commons language team	TSUN	1983		LITI			
Hodgson,D/Erik had last word ...	TSUN	1983		LITI			
Hommage des trad à E.A.Boivin	DROIT	1962		BIOG			
Hon. Mr. Cahan Blue Books	CITIZ	1934	ADMI	FAUT			BDT
Hon. Mr. Cahan Blue Books	CITIZ	1934	ADMI	CENT			BDT
Horguelin,P/Échapper périls trad	DEVOI	1983		GENE			
Horguelin,P/Linguicides et trad	DEVOI	1971		GENE			
Hotte,M/Traduc réclam statut jur	DROIT	1967		RECO			ATIO
Hotte,M/Traduction et bilinguism	DROIT	1967		GENE			
Hould,R/Restructuration au BdT	DROIT	1965	ADMI	REMU			BDT
Howard,F/Bureaucrats-14 juin	CITIZ	1984			SIMU		
Howard,F/Bureaucrats-25 juin	CITIZ	1984			SIMU		
Howard,F/Bureaucrats-A.Landry	CITIZ	1983	ADMI	BDT			
Howard,F/Bureaucrats-H.Bennett	CITIZ	1983	ADMI	GENE			
Howard,F/Bureaucrats-Le Quellec	CITIZ	1983	ADMI	SUBV			
How bilingual?	GLOBE	1984			COUR		
Hudon,C/Communiquer en français	DROIT	1969		GENE			
Huit trad prêts pour interp simu	DROIT	1958			PARL		
Hull. Capitale de trad 3 jours	DROIT	1983		GENE			
Hull. Capitale de trad 3 jours	DROIT	1983		CONG			
Huot,M/Un parfait bilingue	DROIT	1964		FAUT			
Il n'y aura pas de renvois	DROIT	1934	ADMI	CENT			BDT
Il y aura trad simultanée	EVANG	1964			SIMU		
Importante assemblée ATLFO	DROIT	1927					ATLFO
Imposantes obsèques D'Ornano	DROIT	1932		BIOG			ATLFO
Imprimerie française	EVANT	1937		NEWB			
In other words, oui	GLOBE	1981	INFO				
Institut	DROIT	1934	ADMI	CENT			BDT
Interpreters'elite,want be edito	MSTAR	1969			GENE		
Interprétation simul pour procès	EVANG	1979			COUR		
It's a two way street	GAZET	1978		GENE			
Ittinuar hearing delayed March	CITIZ	1984			COUR		
Ittinuar hearing delayed March	CITIZ	1984			MULT		
Ittinuar missed trip, juge told	CITIZ	1984			MULT		
Ittinuar's hearing waits transl	GAZET	1984			COUR		
Ittinuar's hearing waits transl	GAZET	1984			MULT		
J-M Laurence préconise collège	DROIT	1967		FORM			
J.A.F./Expression juste en trad	PRESS	1932		EDIT			

AUTEURS / TITRES	JOUR	DATE	TGEN	TSPE	INTER	TERM	ASSO
Jean Paré reçoit un prix de trad	PRESS	1974	LITT	SUBV			
Jensen,D/Wycliffe seeks Bibl tra	CITIZ	1983	BIBL				
Jeudi les députés seront saisis	DEVOI	1983	JURI	GENE			
Johansen,P/Comput trans develop	CITIZ	1969	INFO				
Judge can use tr Man court decid	TSTAR	1984		MANI	COUR		
Jurivoc...comment solutionner	DROIT	1975	JURI				
Kanovsky,E/Electr brains for tra	MSTAR	1969	INFO				
Karon,Dan/Freelance trans needed	CITIZ	1968	ADMI	PIGE			
Kattan,N/Trav sur propre langue	DEVOI	1975		GENE			
Keddy,B/Try a pocket translator	GLOBE	1979	INFO				
Kerpan,N/Trad, une profession	DEVOI	1981		GENE			
Kessel,J/Deaf trial doub transl	CITIZ	1984			GEST		
Ketchum,WQ/Antonio Tremblay	OJOUR	1962		BIOG			
King,J/Transl work when please	GLOBE	1977		COND			
Knickerbocker,N/Trans sort out	VSUN	1983		GENE	GENE		
Kritzwiser,K/Matter of adaptatio	GLOBE	1983	LITT				
Lachance,L/Trad,source de correc	SOLEI	1967		GENE			
Lachapelle,D/Que vaudra cette tr	DEVOI	1973		GENE			
Lamy,C/Rédaction dans l'entrepri	DEVOI	1981	ENTR	FRAN			
Landry,N/Le franç parlé en péril	EVANG	1978		CONG			
Landry,P/Trad simult Hôtel Ville	DROIT	1974			SIMU		
Langlais,M/Espéranto,égal lang	SOCOL	1984		GENE			
Langlois,G/Académie de tra à Ott	PRESS	1950					ATLFO
Langlois,G/Députés préoc de lang	DROIT	1951	JURI	GENE			
Langlois,G/M. Léon Gérin	ORDRE	1935		BIOG			
Language Student Get Pay	JOURN	1969		SUBV			ETI
Languages changes war dead books	GAZET	1983		GENE			
Langue de la bureaucratie	DROIT	1951	PARL	FAUT			
Lapointe,R/Minutes de vérité	PRESS	1968		FORM			
Lapointe,R/Minutes de vérité	PRESS	1968		FAUT			
Lapointe,R/Ne tuez pas le traduc	PRESS	1968	ADMI	SUBV			BDT
Larivière,F/Trad font la grève	DROIT	1977	ADMI	GREV			BDT
Larue,J/S Fischman:schizophrénie	DEVOI	1982	LITT	BIOG			
Lauchlin,A/Fr translations, tech	GAZET	1984		GENE		GENE	
Laurence,JM/Mauvaise traduction	DEVOI	1945		FAUT			
Laurence,JM/Traduc pas du biling	DEVOI	1965	JURI	LITI			
Lawrence,CA/Too much power	CITIZ	1980	ADMI	GREV			BDT
Leblanc,G/Fonct publ dominée ang	DEVOI	1972	ADMI	NEWB			
Lebolt,F/Queb offer h-tech trans	TSTAR	1983		TRAS		BTQ	
Ledoux,P/Défense de notre langue	DROIT	1951		GENE			
Lefebvre,J/Fin du débrayage nat	DROIT	1980	ADMI	GREV			BDT
Lefebvre,R/Trad des décrets qué	DROIT	1983	JURI	GENE			
Lefebvre,R/Trad décrets terminée	PRESS	1983	JURI	GENE			
Le Franc,P/Autour langue françai	PRESS	1920	ADMI	FEDE			
Le Franc,P/Autour langue françai	PRESS	1920	ADMI	FAUT			
Le Franc,P/Hist circulaire bilin	PRESS	1920	ADMI	FAUT			
Le Franc,P/La traduction	PRESS	1920		GENE			
Le Franc,P/Le traducteur canad	PRESS	1920		GENE			
Le Franc,P/Traduction étrange	PRESS	1920	ADMI	FEDE			
Le Franc,P/Traduction étrange	PRESS	1920	ADMI	FAUT			
Legault,O/Avenir meill pour trad	DROIT	1964					ATIO
Legault,O/Avenir meill pour trad	DROIT	1964					STIC
Léger,JM/Pitié de nos manuels	DEVOI	1961		FAUT			
Léger,JM/Trad fact de dégrad lan	DEVOI	1968		GENE			
Léger,JM/Trad fact de dégrad lan	DEVOI	1968		POLI			
Léger,JM/Trad simult à l'U de M	PRESS	1951			FORM		MONTR
Léger,JM/Trans into French Canad	DEVOI	1966		FAUT			

AUTEURS / TITRES	JOUR	DATE	TGEN	TSPE	INTER	TERM	ASSO
Léger,N/A Moncton le bur de trad	EVANG	1976	ADMI	NEWB			
Léger,N/Bureau provinc de trad	EVANG	1976	ADMI	NEWB			
Lemelin,C/BdT totalement débordé	DEVOI	1972	ADMI	BDT			
Lenteur obtention version franç	DROIT	1964	PARL	GENE			
Léon Gérin en faveur du système	DROIT	1934	ADMI	CENT			BDT
Leseleuc,JL/ATIO mérite reconnai	DROIT	1974		RECO			ATIO
Lessard,H/Franç qui fait sursaut	DROIT	1949	ADMI	FAUT			
Lettre aux abonnés	MINER	1828	JOUR	RANG			
Lettre des éditeurs	MINER	1824	JOUR	RANG			
Lévesque demande trad simultanée	EVANG	1965			PARL		
Lexique bilingue de la radio	DROIT	1941		GENE			
L'Heureux,C/Bureau des traduc	DROIT	1951	ADMI				BDT
L'Heureux,C/Ce sont des impérial	DROIT	1951	JURI	GENE			
L'Heureux,C/Créat centre lexico	DROIT	1952				DOC	ATLFO
L'Heureux,C/Pourquoi en est-il?	DROIT	1958			PARL		
L'Heureux,C/Routine ou corr fran	DROIT	1951	JURI	GENE			
L'Heureux,E/Injustice et provoca	ACATH	1934	ADMI	CENT			BDT
Lisée,JF/Français ont accès term	DROIT	1982				BDT	
List,W/Unilingual Franc overturn	GLOBE	1980		GENE			
Livres	DEVOI	1933		EDIT			
Livres Avon dans édi de poche fr	PRESS	1983	LITT				
Loi réparatrice présentée jeudi	SOLEI	1983	JURI	GENE			
Lois provinciales biling en 1973	EVANG	1972	JURI	NEWB			
Lost for words	CITIZ	1964		COND			
Lost in translation	WFPRE	1984		MANI			
Lynch,C/Bafflegab at 25c a word	CITIZ	1982	ADMI	REMU			BDT
Lynch,C/Let vets rest in peace	CITIZ	1983		LITI			
Lynch,C/Tower of Babel	GAZET	1980		GENE			
MacDonald,V/Trans help make hist	CITIZ	1964			RFRA		
Machine à traduire	PRESS	1969	INFO				
Machine a traduire	DROIT	1978	INFO				
Machine trad simult langues étra	PRESS	1978	INFO				
Maclean,JP/Manit law trans cost	FPOST	1984	JURI	MANI			
Maillet dir du Bureau de trad	EVANG	1981		NEWB			
Mandefield,H/Scien et mét de tra	DEVOI	1947	TECH				ADIT
Manitoba didn't spurn offer	GAZET	1984	JURI	MANI			
Manitoba dix mille pages à trad	EVANG	1980	JURI	MANI			
Manitoba govt moves step closer	GAZET	1983	JURI	MANI			
Manitoba legislation sought	CITIZ	1982	JURI	MANI			
Manitoba ne mérite pas de délai	PRESS	1984	JURI	MANI			
Manitoba PCs hit cost of French	GAZET	1983	JURI	MANI			
Manitoba PCs hit cost of French	GAZET	1983	JURI	REMU			
Manitoba test	GLOBE	1983	JURI	MANI			
Manitoba 31 years to translate	GAZET	1984	JURI	MANI			
Marchand,P/Fin ère du soupçon?	DEVOI	1981		GENE			
Marchand,P/Les mues de la STQ	DEVOI	1978					STQ
Marchand,P/Un pays traduisant	DEVOI	1978		POLI			
Marchand,P/Un pays traduisant	DEVOI	1978		STAT			
Marica,I/Rôle interprète de conf	DEVOI	1981			CONF		
Markland Smith chef BdT Montréal	DROIT	1964	ADMI	BDT			
Marleau,B/3 top PS charged	CITIZ	1983	ADMI	LITI			BDT
Marleau,B/Buckingham wins fight	CITIZ	1983		LITI			
Marquis,M. Voir Delisle,J.							
Marsolais,P/Que s'est-il passé?	DEVOI	1960		FAUT			
Martel,J/Franç de dernière minut	DROIT	1971	ADMI	FAUT			
Martel,J/Prem au pays:évan en fr	SOLEI	1982	BIBL				
Martel,J/Rapport Croll	DROIT	1971	ADMI	FAUT			

AUTEURS / TITRES	JOUR	DATE	TGEN	TSPE	INTER	TERM	ASSO
Martel,R/Enfin la Bible vint	PRESS	1975		EDIT			
Martel,R/Enfin la Bible vint	PRESS	1975		FORM			
Martel,R/Nouvelle prof libérale	PRESS	1968		RECO			
Martel,R/Si trad était pas oblig	PRESS	1968		CONG			
Martel,R/Si trad était pas oblig	PRESS	1968		POLI			
Martin,JC/Trad documents officie	ORDRE	1935	ADMI	FAUT			
Martineau,J/Le style de nos lois	DEVOI	1951	JURI	LITI			
Maser,P/War-dead won't be altere	CITIZ	1983		LITI			
McAuley,L/War-dead books biling	CITIZ	1983		GENE			
McCall,S/Only translat get rich	GAZET	1983		LITI			OLF
McDowell,S/Transl puts bilingual	GLOBE	1972		BDT			BDT
McKenzie,R/Trans Bur gets stride	GAZET	1964	ADMI				BDT
McNeill,M/Lyon condemns lang pro	WFPRE	1983	JURI	MANI			
M.C.Michaud réélu prés ATLFO	DROIT	1945					ATLFO
Mediation called off in transl	GAZET	1980	ADMI	GREV			BDT
M. É. Fauteux, traducteur décédé	DROIT	1941		BIOG			
Mémoire des traducteurs à CSC	DROIT	1961	ADMI	COND			BDT
Mémoire projet de loi traduction	DROIT	1934	ADMI	CENT			BDT
Mémoire sur projet loi rel à tra	SOLEI	1934	ADMI	CENT			BDT
Menace de grève des traducteurs	DEVOI	1980	ADMI	GREV			BDT
M.Henry Grignon trad en chef Déf	DROIT	1938	ADMI	BIOG			
Michener,W/Bilingual food-packag	SATUR	1967		GENE			
Mille cent vingt candidats exam	DROIT	1936	ADMI	EVAL			
Million de pages à traduire	DEVOI	1975	ADMI	MILI			BDT
Milot,G/La traduction	PRESS	1977		GENE			
Mise en commun résult rech lang	DEVOI	1965		CONG			
Mistrial pour une traductrice	PRESS	1984	ADMI	LITI			BDT
M. J.-F. Pouliot opposé au BdT	DROIT	1936	ADMI	BDT			
M. J.-M. Lavoie à L'ATLFO	DROIT	1923					ATLFO
MLAS to get translation in Manit	GLOBE	1982		MANI	PARL		
MM. Cannon & Pouliot s'en prenne	DEVOI	1951	JURI	LITI			
Monde de la traduction	EVANG	1979	LITT	GENE			
More translators charged	CITIZ	1983	ADMI	LITI			BDT
Morin,D/Abs uniform cause prob	DROIT	1983	JURI			GENE	
Morin,D/Fonc pub resserre embauc	DROIT	1977	ADMI	SUBV			
Morin,D/Fonc pub resserre embauc	DROIT	1977	ADMI	EVAL			
Morin,D/Société des traducteurs	PJOUR	1944					STM
Morin,D/Terminol et Common Law	DROIT	1983	JURI			GENE	
Morin,G/Égalité des deux langues	DROIT				PARL		
Morin,G/Interp prêts pour sessio	DROIT	1958			PARL		
Morin,G/Interp simult fonct bien	DROIT	1959			PARL		
Morin,G/Interp simult:faveur	DROIT				PARL		
Morin,G/Projet le plus important	DROIT	1958		POLI	PARL		
Morin,G/Rôle majeur des trad féd	DROIT	1958	ADMI	HIST			BDT
Morisset,M/Doyen des journalist	DROIT	1958		BIOG			
Morisset,P/106 000 $ par année	DEVOI	1978	ENTR	FRAN			
Morisset,P/Biling féd:industrie	DEVOI	1981	ADMI	REMU			
Mort subite de M. D'Ornano	DROIT	1932		BIOG			ATLFO
Most transl don't meet standards	CITIZ	1984	ADMI	EVAL			BDT
Mot omis du texte français	SOLEI	1967		FAUT			
Mots polluent	DEVOI	1972				BTUM	
M. Paul Ouimet,trad en chef loi	DROIT	1937	JURI	BIOG			
M. Pouliot veut trad initialées	DROIT	1935	PARL	LITI			
MPs told of trouble in meeting	GLOBE	1968			GENE		
M. Robert Rumilly nommé traduct	EVANG	1936	ADMI	FEDE			
M. Robichaud assermenté chef	DROIT	1934	ADMI	BDT			
M. Robichaud chez M.Cahan	DROIT	1934	ADMI	BDT			

AUTEURS / TITRES	JOUR	DATE	TGEN	TSPE	INTER	TERM	ASSO
M. Robichaud est fêté hier	DROIT	1934	ADMI	BIOG			
M. Robichaud, directeur fédéral	DROIT	1934	ADMI	BIOG			BDT
M. Rufin Arsenault	EVANG	1960		BIOG			
Name New Transl Bureau Chief	JOURN	1964	ADMI	BIOG			BDT
National Bureau of Translation	JOURN	1965	ADMI	GENE			
Négociations devraient reprendre	DROIT	1980	ADMI	GREV			BDT
Negotiator ill translator walk	GAZET	1980	ADMI	GREV			BDT
News releases badly translated	CITIZ	1983	JOUR	FAUT			
Nicol,JY/Now Instant translation	STARW	1959			PARL		
Nilski,T/Trad simul congr libéra	DEVOI	1968			SIMU		
Nineteen 1/2 Per Cent Raise	JOURN	1969	ADMI	REMU			BDT
Noël,A/Dangers de trad sauvage	PRESS	1984	ADMI	PIGE			
Nombre traducteurs insuffisant	DROIT	1934	ADMI	CENT			
Non-publication dans aff des tra	JMONT	1983		LITI			
No negotiations in sight	GAZET	1980	ADMI	GREV			BDT
Normand,M/Excell public en fran	PATRI	1949	PUBL				
Notes de traduction, P. Daviault	DROIT	1941		EDIT			
Notice historique	DEVOI	1981				HIST	
Nôtres à Ottawa	EVANG	1914	ADMI	FEDE			
Nous voulons + d'impres en franç	EVANG	1925	ADMI	FEDE			
Nouveau diplôme à U de Mtl en tr	DEVOI	1968		FORM			MONTR
Nouveau-Brunswick deviendra 2e	EVANG	1967	ADMI	NEWB			
Nouveau-Brunswick et trad simult	EVANG	1969			COUR		
Nouvelles nominations sect acadé	EVANG	1974		BIOG			MONCT
O'Brien,D/Statute translation	WFPRE	1984	JURI	MANI			
O. Chaput président (ATLFO)	DROIT	1931					ATLFO
O'Donnell,J/Tr sub-par, Dye says	TSTAR	1984		REMU			
Oeuvres en quête de traducteurs	DEVOI	1974	LITT	CONG			CDA
Office de linguistique	SOLEI	1938		GENE			
O'Hearn,W/Canadian writing	MSTAR	1955	LITT				
O'Hearn,W/Too deep for tears or	MSTAR	1962	LITT				
On a compris le français	DROIT	1982		MANI	PARL		
On demande des traducteurs	DROIT	1945	ADMI	EVAL			BDT
O'Neill,J/Full-scale walkout	GAZET	1980	ADMI	GREV			BDT
On l'a bien surnommé Encyclopéd	EVANG	1961			BIOG		
On légifère sur la traduction	SOLEI	1934	ADMI	CENT			BDT
On pourra diriger procès en fran	EVANG	1967	JURI	NEWB	COUR		
On recherche des trad Moncton	EVANG	1974	ADMI	NEWB			
On se penche sur le sort interpr	DROIT	1965			PARL		
Ontario.Trans service for MLAs	CITIZ	1982	ADMI	ONTA			
On traduit "Le Droit"	DROIT	1938	JOUR	GENE			
Ont réussi au concours traduct	DROIT	1925	ADMI	EVAL			
On utilisera trad simultanée	EVANG	1965			SIMU		
On va les écoeurer	PRESS	1980	ADMI	GREV			BDT
On va bientôt s'entendre mieux	CANAD	1952			PARL		
Ordinateur portatif	PRESS	1979	INFO				
Ordinateur traducteur	SOLEI	1983	INFO				
Organisation services de traduc	DROIT	1934	ADMI	CENT			BDT
Original System of Translation	JOURN	1965			CONS		
Ottawa contribue à trad Manitoba	DEVOI	1983	JURI	MANI			
Ottawa man used interp gets new	CITIZ	1983			COUR		
Ottawa refuse à fonct biennale	PRESS	1967		POLI			
Ottawa transl return to work	GLOBE	1980	ADMI	GREV			BDT
Ottawa's costs transl:23c word	TSTAR	1983	ADMI	REMU			BDT
Oui l'ordinateur traduit	DEVOI	1979	INFO				
Ouimet,M/C'est un coup bas	DROIT	1980	ADMI	GREV			BDT
Ouimet,M/Conseil du Trésor	DROIT	1980	ADMI	GREV			BDT

AUTEURS / TITRES	JOUR	DATE	TGEN	TSPE	INTER	TERM	ASSO
Ouverture d'un bur de trad N.-B.	EVANG	1974	ADMI	NEWB			BDT
Ouverture des cours à la STM	DROIT	1941		FORM			STM
P. Pacifique publ gram micmaque	EVANG	1938	MULT	HIST			
Pact talks set today in strike	GAZET	1980	ADMI	GREV			BDT
Palsy victim testifies thr symbo	GLOBE	1982			GEST		
Palsy victim testifies thr symbo	GLOBE	1982			COUR		
Paquin,G/200 trad féd accus frau	PRESS	1983	ADMI	LITI			BDT
Paquin,G/Abus de conf:deux accus	PRESS	1984	ADMI	LITI			BDT
Paquin,G/Trad accusés de fraude:	PRESS	1983	ADMI	LITI			BDT
Paradis,J/M.Jobson Paradis	NATIO	1905		BIOG			
Paradis,O/Centralisation désorga	DROIT	1934	ADMI	CENT			BDT
Paradis,P/Lettre d'Ottawa	SOLEI	1951	JURI	GENE			
Paré,J/Notes marge de la traduc	DEVOI	1975	LITT	GENE			
Paré,L/Mécan et extens du biling	ACATH	1959		LITI			
Paré,M/Âge de pierre,mach à trad	DEVOI	1978	INFO	TRAS			
Paré,M/Terminologue,terminograph	DEVOI	1978				GENE	
Paré,M/Traduisez-moi ça!	DEVOI	1979	INFO	TRAS			
Parizeau,L/Trad polices d'assura	ORDRE	1934		FAUT			
Parlement élimine mot Dominion	DEVOI	1951	JURI	GENE			
Pas de traduction, pas de Canada	DROIT	1980	ADMI	GREV			BDT
Pas de traduction, pas de Canada	DROIT	1980	ADMI	POLI			BDT
Paul É. Larose nommé au BdT	DROIT	1974	ADMI				BDT
P. Daviault réélu présidence	DROIT	1934					ATLFO
Pearce,P/English viewers slept	MSTAR	1966	DOUB	FAUT			
Pearson to consid Dept of transl	CITIZ	1965	ADMI				BDT
Pelletier,C/Trad simult des déba	ACATH	1955			PARL		
Pelletier,G/Traduct françaises	DEVOI	1920	ADMI	FEDE			
Pelletier,G/Traduction	DEVOI	1935	JOUR				
Pelletier,G/Traduction traîtress	PRESS	1964		FAUT			
Pénurie de trad à Queen's Park	DROIT	1982	ADMI	ONTA			
Pénurie de traducteurs	DEVOI	1963	ADMI	BDT			
Pépin,M/Seul 11 bêtes de somme	DROIT	1965			PARL		
Personnel serv trad Great-West	SBONI	1959	ENTR	HIST			
Petites nouvelles	EVANG	1927	ADMI	FEDE			
Pétition contre bill de centrali	DROIT	1934	ADMI	CENT			BDT
PétroCan signs may violate Const	CITIZ	1983		LITI			
Petrowski,N/Quest doubl réglée	DEVOI	1983	DOUB				
Phantom of the Commons strikes	GLOBE	1983		GENE			
Philizot,J/Cabinets,agences,pigi	DEVOI	1981		PIGE			
Picketing transl halt CBC labor	GAZET	1980	ADMI	GREV			BDT
Pierre Daviault nommé adjoint	DROIT	1941	ADMI	BIOG			BDT
Pierre Daviault nommé adjoint	DROIT	1941	ADMI	MILI			BDT
Pilon,F/Système Weidner à Ottawa	DROIT	1979	INFO				
Pilon,F/Trad accusés de fraude	DROIT	1983	ADMI	LITI			BDT
Pincince,M/Québéc franc consomm	DROIT	1983		GENE			
Pincince,M/Trad omniprés au Qué	DROIT	1983		GENE			
Plaice,M/Et que dire de anglais	DEVOI	1981		GENE			
Plante,E/Hommage à un traducteur	DROIT	1972		BIOG			
Plourde,S/Au lieu d'intég,on tra	DROIT	1972		GENE			
Plus ou moins égal	EVANG	1980	JURI	MANI			
Poirier,J/La traduction	PRESS	1934		GENE			
Poirier,P/Autre son de cloche	DROIT	1983	ADMI	PIGE			BDT
Poirier,P/Campagne de maraudage	DROIT	1984	ADMI	COND			
Poirier,P/Formul impôt diff à tr	DROIT	1983		GENE			
Poirier,P/Pigistes coûtent moins	DROIT	1983	ADMI	PIGE			
Poirier,P/Pigistes coûtent moins	DROIT	1983	ADMI	REMU			
Poisson,J/À la rech du français	DEVOI	0000		GENE			

AUTEURS / TITRES	JOUR	DATE	TGEN	TSPE	INTER	TERM	ASSO
Poisson,J/À la rech du français	DEVOI	1968		POLI			
Poisson,J/À la rech du français	DEVOI	1968		GENE			
Poisson,J/Obsédés textuels	DEVOI	1984		CREA			
Poisson,J/Paraissons nous compl	DEVOI	1960		POLI			
Poisson,J/Pour un franç vivant	DROIT	1963	JOUR	FAUT			
Poisson,J/Trad,facteur d'accultu	JOUR	1977		POLI			
Poisson,J/Traductions ineptes	DEVOI	1957		FAUT			
Poisson,J/Traduire le Québec	DEVOI	1972		GENE			
Poisson,J/Traduit du québécois	DEVOI	1972		POLI			
Poliquin,JM/Compétence des trad	DEVOI	1960		FAUT			
Poliquin,JM/Français aux comités	DROIT	1960	PARL	BDT			
Poliquin,JM/Français des bacheli	DROIT	1960		EVAL			
Poor Translations	JOURN	1970	ADMI	FAUT			
Postiers,trad perturbent enquête	DEVOI	1980	ADMI	GREV			BDT
Pour J.Dussault bilinguisme paie	DROIT	1967		PIGE			
Pour attirer des traducteurs	DROIT	1977		FORM			ATIO
Pour la première fois au N.-B.	EVANG	1974	JURI	NEWB			
Pour renseigner	EVANG	1925	JOUR	NEWB			
Prairie dam in French. Language	GLOBE	1958		GENE			
Précieux interprète	PRESS	1967			COUR		
Premier pas vers adopt lang offi	EVANG	1975			SIMU		
Premier prix trad J Paré A Brown	DEVOI	1974	LITT	SUBV			CDA
Première mondiale pour Canada	EVANG	1976				GENE	
Première mondiale, banque termin	DROIT	1976				BDT	
Première trad franç des évangile	EVANG	1982	BIBL				
Prestigieux Médéric Lanctôt	DROIT	1958	ADMI	BIOG			
Prestigieux Médéric Lanctôt	DROIT	1958	ADMI	FEDE			
Prix de trad du Conseil des arts	DEVOI	1980	LITT	SUBV			CDA
Prix de traduction	DROIT	1981	LITT	SUBV			CDA
Prix de traduction pour Aubry	DROIT	1983	LITT	SUBV			CDA
Problèmes d'interp à la cour	DEVOI	1972			COUR		
Programme de trad reçoit accrédi	EVANG	1973		FORM			MONCT
Projet centralisation reste vagu	DROIT	1934	ADMI	CENT			BDT
Projet de centralisation	DROIT	1934	ADMI	CENT			BDT
Projet de loi d'Étienne Parent	AUCAN	1841	JURI	RANG			
Promotion d'un Acadien	EVANG	1927	ADMI	FEDE			
Proposition soumise au ministère	DROIT	1934	ADMI	CENT			BDT
Provencher,J/Advanced green when	DEVOI	1973		FAUT			
Provencher,J/Colonial cultur (1)	DROIT	1972		LITI			
Provencher,J/Colonial cultur (1)	DROIT	1972		EVAL			
Provencher,J/Colonial cultur (2)	DROIT	1972		LITI			
Provencher,J/Colonial cultur (2)	DROIT	1972		EVAL			
Provencher,J/Mainmise étrangère	DEVOI	1972		LITI	PARL		
Provencher,J/Trad,fief étranger?	DEVOI	1972		LITI			
Provost,G/Mini-ord à tout faire	DEVOI	1979	INFO	TRAS			
Provost,G/Traduc informatisée	DEVOI	1983	BIBL	PUBL			
Provost,G/Traduc informatisée	DEVOI	1983	INFO				
PS translators plan strike today	OJOUR	1980	ADMI	GREV			BDT
PSAC to shun talks without trans	CITIZ	1982		LITI	GENE		
Public servants appear in court	CITIZ	1983	ADMI	LITI			BDT
Qualité du travail en souffre	DROIT	1979		COND			BDT
Quand le courrier fran va - vite	EVANG	1979		GENE			
Quart d'heure avec P.Daviault	DROIT	1937		EDIT			
Quatre cent (468) étudiants	EVANG	1978				GENE	
Quatre fois plus de traducteurs	DROIT	1974	ADMI	EVAL			
Quatre mille (4500$) pour trad	EVANG	1965	ADMI	REMU			
Quatre nouveaux bac à l'U de M	EVANG	1972		FORM			MONCT

AUTEURS / TITRES	JOUR	DATE	TGEN	TSPE	INTER	TERM	ASSO
Québec et Ottawa termino Paris	DEVOI	1976		CONG		GENE	
Quel que soit le coût	DROIT	1967		REMU	GENE		
Questions de M.Chevrier sur trad	DROIT	1935	PARL	BDT			
Quinet,F/Heur et malheur du trad	DROIT	1956		GENE			
Quinet,F/Heur et malheur du trad	DROIT	1956		POLI			
Qu'on le veuille ou non:trad=édu	DROIT	1957		GENE			
Raisons invoquées contre Cahan	DROIT	1934	ADMI	CENT			BDT
Rapport Gendron donne raison	DEVOI	1973	PUBL				
Rapport de M. Robichaud sur BdT	EVANG	1938	ADMI	BDT			
Rapport de M.Robichaud déposé	DROIT	1937	ADMI	BDT			
Rédaction des lois franc et angl	ACTIO	1966	JURI				
Réduction des effectifs du BdT	DROIT	1979	ADMI	BDT			
Règle touchant la langue	GAQUE	1793		RANG			
Regroupement de rensei essentiel	DROIT	1971				GENE	
Réouverture des séances ATLFO	DROIT	1923					ATLFO
Reprise de l'enquête bill 4	DROIT	1934	ADMI	CENT			BDT
Reprise des activités à la STM	DEVOI	1963					STM
Résultats des examens de traduc	DROIT	1936	ADMI	EVAL			
Résultats des examens de traduc	DROIT	1940	ADMI	EVAL			
Retour au travail des 1200 trad	DROIT	1979	ADMI	GREV			BDT
Réunion annuelle des traducteurs	DROIT	1935		COND			
Réunion des trad et interp	EVANG	1977					CTINB
Rhéault,G/Décrets en fra inconst	SOLEI	1983	JURI	LITI			
Rice,R/Système traduc installé	DROIT	1959			GENE		
Richard,PÉ/De parole aux actes	EVANG	1978			CONS		
Richard,PÉ/Deux langues parlées	EVANG	1976		NEWB	PARL		
Richer,L/À la défense de la cent	DROIT	1934	ADMI	CENT			BDT
Richer,L/Au jour le jour	DROIT	1936	ADMI	GENE			BDT
Richer,L/Bill Cahan étudié	DROIT	1934	ADMI	CENT			BDT
Richer,L/Chef des traducteurs	DROIT	1934	ADMI	CENT			BDT
Richer,L/Discours du trône	DEVOI	1939	PARL	GENE			
Richer,L/Expression juste en tra	DROIT	1936		EDIT			
Richer,L/La Traduction	DROIT	1932	PARL	FEDE			
Richer,L/Motion Chevrier battue	DROIT	1934	ADMI	CENT			BDT
Richer,L/Parlement à l'oeuvre	DROIT	1934	ADMI	CENT			BDT
Richer,L/Traducteurs et traduct	DROIT	1934	ADMI	CENT			BDT
Richmond,J/Canada Council prizes	MSTAR	1974	LITT	SUBV			
Rivard,A/De la technique législa	DEVOI	1965	JURI				
Rivest,F/Nouv progr secrét de tr	DROIT	1982		FORM			
Roberts,B/Sunday sound-off	TSUN	1983		GENE			
Robichaud se retire de la Commis	DROIT	1934	ADMI	BIOG			
Robichaud,R/Question de vocabula	DROIT	1984	ADMI	GENE			
Robillard,D/Évangile franç d'ici	DEVOI	1982	BIBL				
Robillard,JP/Spéciali trad simul	PJOUR	1957			PARL		
Robillard,L/Person n'abuse dict	DEVOI	1935	JOUR				
Robitaille,L/Trad sauve éd québ	PRESS	1976	LITT	REMU			
Roesler,M/Loi 101 bouscule rien	PRESS	1977	ENTR	FRAN			
Rôle du traducteur plus scientif	DROIT	1964	TECH	RECO			
Rouah,J/Jérômiades	SOCOL	1983		CBRI			
Rouleau,CE/Le bilinguisme	DROIT	1966		GENE			
Roy,LP/En un français ...atroce	ACATH	1961		FAUT			
Roy,M/Probl des manuels scientif	DEVOI	1965	TECH				CDA
Roy,M/Trad mémoires de Pearson	DEVOI	1973	LITT	GENE			
Ruimy,J/Canned English laughter	CITIZ	1982	DOUB				
Ruling delayed Bilodeau appeal	GAZET	1984	JURI	MANI			
Rusk,J/Fed expend details grow	GLOBE	1982	ADMI	REMU			
Ryan,C/Égalité linguistique	DEVOI	1972		POLI			

AUTEURS / TITRES	JOUR	DATE	TGEN	TSPE	INTER	TERM	ASSO
Ryan,C/Version franç rapp Croll	DEVOI	1971		FAUT			
Sallot,J/Uniling regulati probed	GLOBE	1982		GENE			
Santerre,LA/Journalistes franco?	DEVOI	1971			SIMU		
Sellard,D/Blame it on translator	CITIZ	1972	ADMI	COND			
Sénat affirme ses droits	DROIT	1934	ADMI	CENT			BDT
Serge,J/Interpr work for less	TSTAR	1971			GENE		
Service de trad sect langues étr	SOLEI	1971	MULT				
Service de trad simul à Ass N.-B	SOLEI	1967		NEWB	SIMU		
Service de traduction simultanée	EVANG	1970			COUR		
Services de traduction	PATRI	1924	ADMI	FEDE			
Simard,G/Traduction fautive	DEVOI	1956	LITT	FAUT			
Simpson,J/The opposing view	GLOBE	1984	JURI	MANI			
Simultaneous court trans Manito	CITIZ	1984			COUR		
Simultaneous transl urged in Hou	GAZET	1956			PARL		
Sinotte,Y/Appui à exécutif synd	DROIT	1980	ADMI	GREV			BDT
Sinotte,Y/Conciliation des trad	DROIT	1980	ADMI	GREV			BDT
Sinotte,Y/Conflit des traduct	DROIT	1980	ADMI	GREV			BDT
Sinotte,Y/Délégation surprise	DROIT	1980	ADMI	GREV			BDT
Sinotte,Y/Épidémie de la traduc	DROIT	1981	ADMI	GENE			BDT
Sinotte,Y/Négoc des commis et tr	DROIT	1980	ADMI	GREV			BDT
Sinotte,Y/Négociations se poursu	DROIT	1980	ADMI	GREV			BDT
Sinotte,Y/Règlement satisfaisant	DROIT	1980	ADMI	GREV			BDT
Sinotte,Y/Trad en campag harcèle	DROIT	1980	ADMI	GREV			BDT
Sinotte,Y/Trad féd:4e jour grève	DROIT	1980	ADMI	GREV			BDT
Sinotte,Y/Trad:conflit sort ombr	DROIT	1980	ADMI	GREV			BDT
Sinotte,Y/Trad:manif devant CdT	DROIT	1980	ADMI	GREV			BDT
Sloan,T/Translator's lot hazard	MSTAR	1967		GENE			
Slotek,J/Verd on debate:tr won	TSUN				GENE		
Snow,D/Transl elicits PS skeptic	JOURN	1979	INFO				
Soaring translation costs anger	GAZET	1983	ADMI	REMU			
Société des traducteurs	DEVOI	1943		FORM			MCGIL
Société des traducteurs Montréal	LEJOU	1944		FORM			STM
Soisfranc,J/Traduction	DEVOI	1951	JURI	LITI			
Soixante millions $ l'an dernier	DROIT	1982	ADMI	REMU			
Soixante-treize % annonces=adapt	DEVOI	1975	PUBL	STAT			
Soucy,É/La pollution de la trad	EVANG	1970	JOUR	FAUT			
Soulié,JP/H.Filion,traductrice	PRESS	1984	LITT	BIOG			
Spilka,I/Formation du traducteur	DEVOI	1981		FORM			
Stanton,GJ/J'écris ... j'entends	DEVOI	1979	LITT				
Star déplore retard trad franç	DEVOI	1963	ADMI	FAUT			
Stewart,W/From English to French	CASCE	1983		HIST			
STQ et ses objectifs	DEVOI	1981					STQ
Straram,P/Le film doublé tue	JOUR	1977	DOUB				
Strauss,M/Manit defends perform	GLOBE	1984	JURI	MANI			
Strauss,S/Teaching computer tran	GLOBE	1983	INFO	SUBV			
Subvention du Sec d'État à 5 ass	EVANG	1976		SUBV	SIMU		
Subventions $136 712 à l'édition	DEVOI	1972		SUBV			CDA
Supreme Court to hear appeal tra	CITIZ	1983	ADMI	LITI			
Surintendant de centrale nommé	DROIT	1934	ADMI	CENT			BDT
Sylvestre,PF/Humour et style	TEMPS	1983		CREA			
Système d'interp simult prêt jan	DROIT	1958			PARL		
Taber,J/Testimony moves courtroo	CITIZ	1982			GEST		
Taber,J/Testimony moves courtroo	CITIZ	1982			COUR		
Tableaux des salaires accordés	DROIT	1965	ADMI	REMU			BDT
Tadros,JP/Arcand a décontenancé	DEVOI	1972	DOUB				
Talk certainly isn't cheap	FPOST	1971	ADMI	REMU			
Talks don't translate into agree	TSUN	1980	ADMI	GREV			

AUTEURS / TITRES	JOUR	DATE	TGEN	TSPE	INTER	TERM	ASSO
Tard,LM/Au rayon des horreurs	DEVOI	1968		FAUT			
Tardif,G/Polyanski franc seulem	PRESS	1967		GENE			
Tarr,L/Trans Bible for the nativ	CITIZ	1972	BIBL				
Tchilinguirian,C/ATIO à Toronto	EXPRE	1978					ATIO
Tchilinguirian,C/ATIO en campagn	COSUD	1976		EVAL			ATIO
Tchilinguirian,C/B.Harris inaugu	EXPRE	1979					ATIO
Tchilinguirian,C/Congrès de ATIO	EXPRE	1978		CONG			ATIO
Tchilinguirian,C/Dernier congrès	EXPRE	1979					ATIO
Tchilinguirian,C/Entrev pré ATIO	COSUD	1976					ATIO
Tchilinguirian,C/Entrevue Glaus	COSUD	1976					ATIO
Tchilinguirian,C/Livre captivant	EXPRE	1982		EDIT			
Tchilinguirian,C/Message de v-p	EXPRE	1979					ATIO
Tchilinguirian,C/Pouls de trad	EXPRE	1977				BDT	
Tchilinguirian,C/Regards sur tra	COSUD	1975		GENE			
Tchilinguirian,C/Rendez-vous MTL	EXPRE	1977		CONG			FIT
Tchilinguirian,C/Si trad et term	COSUD	1974		CONG			ATIO
Tchilinguirian,C/Thème cong ATIO	EXPRE	1979		CONG			ATIO
Témoins seront-ils entendus?	DROIT	1934	ADMI	CENT			BDT
Terminologie du traité de Paix	DROIT	1923				DOC	ATLFO
Tessier,J/Traducteurs et interpr	DROIT	1985	ADMI	BDT			
Tessier,P/Grand et servit termi	EXPRE	1979				BDT	
Thériault,J/Le métier de trad	DEVOI	1975	LITT	COND			
Thériault,J/Trad ces étouffeurs	DEVOI	1975		GENE			
Thériault,PE/Traduire = trahir	EVANG	1968		NEWB			
Thériault,PE/Traduire = trahir	EVANG	1968		FAUT			
Thibault,B/Franç à la Presse can	DROIT	1967	JOUR				
This baby is sponsored by...	GLOBE	1980	ADMI	GREV			BDT
Thoughts of translators	EVENI	1965		COND			
Three civil servants charged fra	TSTAR	1983	ADMI	LITI			BDT
Time limit transl laws cost:Man	GAZET	1984	JURI	MANI			
Time to lead on French	TSTAR	1983	ADMI	ONTA			
Tisseyre,M/Québec traduc litt	DEVOI	1976	LITT				CDA
Too much French for Ottawa	MSTAR	1964		GENE			
Toussaint Charbonneau interprète	DROIT	1952			BIOG		
Toutes les lois et ententes disp	PRESS	1984	JURI				
Traducteur	SOLEI	1931		GENE			
Traducteur É. Dulac est décédé	EVANG	1956	JOUR	BIOG			
Traducteur de poche électronique	DEVOI	1979	INFO	TRAS			
Traducteur du N.-B. nommé CTIC	EVANG	1978					CTIC
Traducteur électronique	DEVOI	1978	INFO	TRAS			
Traducteur qui ne traduit pas	SOLEI	1980	INFO	TRAS			
Traducteur très affairé au Sd'É	DROIT	1934	MULT	FEDE			
Traducteurs (Offre d'emploi)	DEVOI	1964		GENE			
Traducteurs d'Ottawa défendent	JMONT	1983		PIGE			
Traducteurs demande prof reconnu	REFOR	1955		RECO			
Traducteurs du fédéral en grève	DEVOI	1980	ADMI	GREV			BDT
Traducteurs débrayent	DROIT	1980	ADMI	GREV			BDT
Traducteurs en colère	DEVOI	1980	ADMI	GREV			BDT
Traducteurs en grève	DROIT	1979	ADMI	GREV			BDT
Traducteurs en grève Campbellton	EVANG	1980	ADMI	GREV			BDT
Traducteurs en quête de statut	DEVOI	1963		RECO			
Traducteurs et inter se regroupe	DROIT	1955					STIC
Traducteurs et interp de retour	PRESS	1980	ADMI	GREV			BDT
Traducteurs et interp.Grande for	SOCOL	1983					STIBC
Traducteurs et interprètes:manif	DROIT	1980	ADMI	GREV			BDT
Traducteurs et publicitaires	DEVOI	1967	PUBL	GENE			
Traducteurs et sténog d'Ottawa	SOLEI	1950	ADMI	BDT			

AUTEURS / TITRES	JOUR	DATE	TGEN	TSPE	INTER	TERM	ASSO
Traducteurs fédéraux, débrayage	SOLEI	1980	ADMI	GREV			BDT
Traducteurs fédéraux:nouv offre	DROIT	1980	ADMI	GREV			BDT
Traducteurs fédéraux:piquetage	EVANG	1980	ADMI	GREV			BDT
Traducteurs feront pression	DEVOI	1977		RECO			
Traducteurs français	MINER	1836		RANG			
Traducteurs grève peut retar bud	SOLEI	1980	ADMI	GREV			BDT
Traducteurs invités à promouvoir	CANAD	1950		POLI			
Traducteurs libérés sous condit	DROIT	1984	ADMI	LITI			BDT
Traducteurs ont élu un conseil	EVANG	1975					CTINB
Traducteurs piquetage sur collin	DROIT	1980	ADMI	GREV			BDT
Traducteurs recrutés à l'étrang	DROIT	1967	ADMI	EVAL			
Traducteurs répondent insultes	DEVOI	1952	JURI	LITI			
Traducteurs retour au travail	DROIT	1980	ADMI	GREV			BDT
Traducteurs retournés au travail	DROIT	1980	ADMI	GREV			BDT
Traducteurs sur colline parlemen	DROIT	1980	ADMI	GREV			BDT
Traducteurs tenus comme techni	DROIT	1930	ADMI	RECO			
Traducteurs tenus comme techni	DROIT	1930	ADMI	FEDE			
Traducteurs tiennent à titre rés	DEVOI	1980		RECO			STQ
Traducteurs toujours impatients	DEVOI	1980	ADMI	GREV			BDT
Traducteurs une rencontre	DROIT	1980	ADMI	GREV			BDT
Traduction	DROIT	1941		EDIT			
Traduction Winnipeg cherch porte	DROIT	1982	JURI	MANI			
Traduction au Manitoba	DROIT	1983	JURI	MANI			
Traduction au niveau provincial	EVANG	1965		NEWB			
Traduction bien reçue du manuel	EVANG	1957		GENE			
Traduction de ces discours	DROIT	1935		GENE			
Traduction de la poésie	EVANG	1979	LITT				
Traduction de poèmes en hongrois	EVANG	1957	LITT				
Traduction des discours français	ACATH	1920	PARL	FEDE			
Traduction des lois en français	AUCAN	1841	JURI	RANG			
Traduction des statuts:Manitoba	DROIT	1983	JURI	MANI			
Traduction du budget	DROIT	1935	ADMI	BDT			
Traduction électronique demain	DROIT	1969	INFO				
Traduction et conflit d'intérêts	DEVOI	1984		LITI			
Traduction et qualité de langue	DEVOI	1983		FRAN			
Traduction excellente ou défectu	DROIT	1934	ADMI	CENT			BDT
Traduction excellente ou défectu	DROIT	1944	ADMI	FAUT			BDT
Traduction fautive	DEVOI	1963		FAUT			
Traduction fautive	DEVOI	1963		LITI			
Traduction fédérale coûte 0,24 $	DEVOI	1982	ADMI	REMU			
Traduction française textes offi	ACSOC	1908	ADMI	FAUT			
Traduction n'y était pas	DROIT	1984		MANI			
Traduction simul à 1 seul député	EVANG	1973			PARL		
Traduction simul d'ici mi-décemb	EVANG	1967			PARL		
Traduction simult aux Communes	DEVOI	1956			PARL		
Traduction simult débats aux Com	DEVOI	1957			PARL		
Traduction simult pas gaspillage	DEVOI	1963			SIMU		
Traduction simultanée	PRESS	1967			SIMU		
Traduction simultanée	EVANG	1956			SIMU		
Traduction simultanée : motion	EVANG	1967			PARL		
Traduction simultanée à l'église	EVANG	1961			SIMU		
Traduction simultanée Canada	PRESS	1970			PARL		
Traduction simultanée au N.-B.	EVANG	1969			COUR		
Traduction simultanée aux Commun	DEVOI	1958			PARL		
Traduction, une industrie	DEVOI	1972	ADMI	GENE			
Traductions de l'abbé Duchaîne	AUCAN	1839		RANG			
Traductrice de poche fait évolue	DROIT	1979	INFO				

AUTEURS / TITRES	JOUR	DATE	TGEN	TSPE	INTER	TERM	ASSO
Traductrices obtiennent congé	DROIT	1981	ADMI	COND			
Traduire les lois manitobaines	DROIT	1982	JURI	MANI			
Transfert des traducteurs	DROIT	1934	ADMI	BDT			
Translaters (sic) start Spanish	HERAL	1943		FORM			STM
Translating laws costly Manitoba	TSTAR	1984	JURI	MANI			
Translating staff beefed up for	MSTAR	1964	ADMI	BDT			
Translation Bureau Staff 348	JOURN	1969	ADMI	BDT			
Translation causes delay to bill	GAZET	1967	ADMI	FAUT			
Translation costs $11 millions	CITIZ	1971	ADMI	REMU			
Translation costs soar	GAZET	1984	ADMI	REMU			
Translation in Manit courtroom	GAZET	1984		MANI	COUR		
Translation tips distributed	GLOBE	1980	ADMI	GREV			BDT
Translation to be taught U of O	CITIZ	1968		FORM			ETI
Translation work sparks probe	GLOBE	1983	ADMI	GREV			BDT
Translation would be amusing tod	CITIZ	1923		RANG			
Translations Delay Blamed On Gov	JOURN	1964	ADMI	FAUT			
Translator Says: Rules required	CITIZ	1970		RECO			ATIO
Translator blows up	CITIZ	1964	ADMI	GREV			BDT
Translator blows up	CITIZ	1964	ADMI	COND			BDT
Translator pleads guilty	CITIZ	1984	ADMI	LITI			BDT
Translators Get 16% Pay Boost	JOURN	1971	ADMI	REMU			BDT
Translators are on strike but	GAZET	1980	ADMI	GREV			BDT
Translators assist the military	CITIZ	1972	ADMI	MILI			
Translators decide gener strike	CITIZ	1980	ADMI	GREV			BDT
Translators expected back at wor	GAZET	1980	ADMI	GREV			BDT
Translators get ... in wage figh	CITIZ	1969	ADMI	GREV			BDT
Translators get top of $13,500	CITIZ	1963	ADMI	REMU			BDT
Translators go into mediation	CITIZ	1980	ADMI	GREV			BDT
Translators hold up postal probe	GAZET	1980	ADMI	GREV			BDT
Translators in demand	CITIZ	1968	ADMI	SUBV			BDT
Translators interp get diplomas	JOURN	1969		FORM			ETI
Translators meet challenge	TSTAR	1981	ADMI	GENE			BDT
Translators sign contract	GLOBE	1980	ADMI	GREV			BDT
Translators sign contract	GLOBE	1980	ADMI	REMU			BDT
Translators stall postal probe	GAZET	1980	ADMI	GREV			BDT
Translators talks break off	CITIZ	1980	ADMI	GREV			BDT
Translators talks resume Monday	GAZET	1980	ADMI	GREV			BDT
Translators to make laws constit	GAZET	1983	JURI	LITI			
Translators to strike BNA talks	CITIZ	1980	ADMI	GREV			BDT
Translators unsung heroes	OJOUR	1968	MULT	BDT			
Translators want charter	CITIZ	1967		RECO			ATIO
Translators won't move to Ottawa	CITIZ	1964	ADMI	POLI			
Translators won't move to Ottawa	CITIZ	1964	ADMI	BDT			
Trois femmes aux examens de trad	DROIT	1936	ADMI	EVAL			
Troisième tranche rapp Glassco	DEVOI	1963	ADMI	STAT			
Trois ministères fédéraux	DEVOI	1972	ADMI	BDT			
Trois traducteurs des années 20	DROIT	1971	ADMI	BIOG			
Trois traducteurs font grève	DROIT	1980	ADMI	LITI			BDT
Trudeau spars with translators	CITIZ	1980	ADMI	GREV			BDT
Turcotte,C/Camionage (sic) en fr	DEVOI	1983	ENTR	FRAN			
Turcotte,C/Interpétation simult	DEVOI	1979			PARL		
Turcotte,E/Avant ou dang biling	CANAD	1933	ADMI	CENT			
Two hundred fed trans block entr	GLOBE	1980	ADMI	GREV			BDT
Two hundred transl may face char	GAZET	1983	ADMI	LITI			BDT
Two translators discharged	CITIZ	1984	ADMI	LITI			BDT
U de Moncton traduira lois manit	EVANG	1982	JURI	MANI			
Unilingual CS Must Wait for Tran	JOURN	1968	ADMI	FAUT			

AUTEURS / TITRES	JOUR	DATE	TGEN	TSPE	INTER	TERM	ASSO
Union translates report by govt	CITIZ	1983		PIGE			
Union translates report by govt	CITIZ	1983		LITI			
Université Mtl offre licen en tr	PRESS	1968		FORM			MONTR
Université d'Ottawa inaug cours	DROIT	1943		FORM			ETI
Universities Study New School Tr	JOURN	1966		FORM			ETI
Un quart d'heure avec Daviault	DEVOI	1937		EDIT			
Unus multorum/Lettre au rédact	AUROR	1817	PARL	RANG			
Usage du français au pays	DROIT	1923	ADMI	RANG			
Valiquette,M/Nouv hom-orch:termi	DEVOI	1981				GENE	
Vennat,P/Débray sélectifs des tr	PRESS	1980	ADMI	GREV			BDT
Venne,M/Toronto French	PRESS	1961		FAUT			
Version française du Hansard	DROIT	1935	PARL	BDT			
Vienneau,D/Sauvé unmasks carving	TSTAR	1983		LITI			
Vienneau,H/1.4 million de mots	EVANG	1979	JURI	NEWB			
Vigeant,P/3e congrès langue fran	DEVOI	1952	JURI				
Vigeant,P/BdT et administ fédéra	DEVOI	1949	ADMI	BDT			
Vigeant,P/Béotiens triomphent	DEVOI	1951	JURI	LITI			
Vigeant,P/Expér de trad simultan	DEVOI	1957			PARL		
Vigeant,P/Juris se soucient fran	DEVOI	1952	JURI	LITI			
Vigeant,P/Jurist + phil béotiens	DEVOI	1951	JURI	LITI			
Vigeant,P/Les trad avaient amis	DEVOI	1952	JURI	LITI			
Vigeant,P/Trad conseillers techn	DEVOI	1952	JURI	LITI			
Vigeant,P/Trad dans adminis fédé	DEVOI	1960	PARL	BDT			
Vigeant,P/Trad simul.Institu can	DEVOI	1957			PARL		
Vigeant,P/Trad simult à Ottawa	DEVOI	1953			PARL		
Vigeant,P/Trad simult aux Commun	DEVOI	1957			PARL		
Vigeant,P/Trad simult aux Commun	DEVOI	1957			PARL		
Vigeant,P/Trad simult et mécanis	DEVOI	1952			PARL		
Vigeant,P/Trad simult s'en vient	DEVOI	1957			PARL		
Vigeant,P/Traduc simult et bilin	DEVOI	1952			PARL		
Vigeant,P/Traduction simultanée	DEVOI	1957			PARL		
Vigeant,P/Traduction simultanée	DEVOI	1957			PARL		
Vigeant,P/Traduction simultanée	DEVOI	1959			PARL		
Vincent,P/Compagnon voyage discr	PRESS	1979	INFO				
Vingt-huit ans rédacteur en chef	DROIT	1958		BIOG			
Vingt-trois traduct maintenus	DROIT	1935	ADMI	BDT			
Vont-ils modifier même les croix	DROIT	1983		GENE			
Wallin,P/Ottawa's pet policy	TSTAR	1980		LITI			
Ward,N/Parliament biling at last	SATUR	1959	PARL	HIST			
Weinmann,H/Traduire Wagner	DEVOI	1983	LITT				
Weissel,O/Diff de trad simul déb	PJOUR	1957			PARL		
Weissel,O/Trad simult Ch Commerc	PRESS	1953			SIMU		
Wesemael,R/Oeuvre d'une traductr	DEVOI	1973		BIOG			
Wesemael,R/Oeuvre d'une traductr	DEVOI	1973		EDIT			
Weston,G/Rev Can recov PS netw	CITIZ	1984	ADMI	LITI			
Where the jobs are booming	FPOST	1968	ADMI	EVAL			
Whittaker,S/Bilingual computer	GAZET	1980	INFO				
Why tamper with history?	TSTAR	1983		GENE			
Wicks,B/Cutback lead to tr short	JOURN	1979	ADMI	BDT			
Williamson,B/Prod French Hansard	CITIZ	1973	PARL	COND			
Wills,T/100 transl sought by fed	GLOBE	1974	ADMI	EVAL			
Wilson,M/Pick the right translat	FPOST	1980		GENE			
Wolfson,N/Franç et manuels scien	DEVOI	1967	TECH	LITI			
Women have gift of tongues	GAZET	1965		FORM			
Women have gift of tongues	GAZET	1965		GENE			
Wood,C/Anger in two languages	MACLE	1985	ADMI	NEWB			
Word bank	FPOST	1982				BDT	

AUTEURS / TITRES	JOUR	DATE	TGEN	TSPE	INTER	TERM	ASSO
Work Under Way of Transl Facilit	JOURN	1967		NEWB	SIMU		
Yazar,M/Can,bil more than transl	CITIZ	1984		GENE			
York,G/Words fail for Inuit Cons	GLOBE	1983		GNOR	MULT		
York,G/Words fail for Inuit Cons	GLOBE	1983		GNOR	SIMU		

TROISIÈME PARTIE

Bibliographie annotée

Annotated Bibliography

P R É S E N T A T I O N

Cette dernière partie complète le volet Bibliographie en fournissant la référence précise de tous les titres figurant dans la bibliographie analytique (Deuxième partie). Des annotations placées entre barres obliques à la fin des références apportent un complément d'information utile sur leur contenu. Les 2 472 titres de cette bibliographie se répartissent de la façon suivante :

- 466 livres et documents,
- 839 articles de périodiques,
- 1 167 articles de journaux.

Quelques précisions s'imposent concernant les critères de sélection ayant servi à l'établissement de cette bibliographie spécialisée. N'ont été retenues que les publications renfermant des renseignements de quelque nature que ce soit sur l'**histoire de la traduction au Canada** ou toute information pouvant servir à l'étude de l'**évolution** de la profession au Canada et de la **place** qu'elle y occupe du triple point de vue linguistique, politique et culturel.

Ce serait une erreur de croire que le présent ouvrage recense tout ce qui s'est écrit et publié sur la traduction au Canada. Ses objectifs sont à la fois plus modestes et plus spécifiques. Ainsi, c'est en vain que l'on chercherait dans les pages de ce livre des références à des publications traitant de théorie de la traduction, des analyses comparées de traductions, des études terminologiques ou des publications savantes sur la traduction technique, informatisée, littéraire, etc. Le traducteur professionnel n'y trouvera pas non plus de dictionnaires, lexiques ou vocabulaires pouvant faciliter son travail quotidien.

On pourra s'étonner, par exemple, que l'ouvrage de Guy Rondeau, **Initiation à la terminologie**, y soit inclus, alors que le **Manuel pratique de terminologie** de Robert Dubuc n'y figure pas. La raison en est que le professeur Rondeau consacre des sections de chapitres de son ouvrage à l'histoire de la terminologie au Québec et au Canada, et retrace l'évolution de nos deux grandes banques de termes, ce que Robert Dubuc ne fait pas dans son manuel pratique. L'exclusion de cette dernière publication n'équivaut aucunement à un jugement de valeur. Le **Manuel pratique de terminologie** est recensé, par ailleurs, dans la première partie (Précis) sous l'année 1978, car nous avons jugé que cette contribution marquait, non pas un précédent en pédagogie de la terminologie, -- l'Office de la langue française avait fait paraître en 1973 le premier **Guide de travail en terminologie** --, mais un événement digne de mention en ce qui concerne l'enseignement de cette discipline au pays. En revanche, l'**Initiation à la terminologie** de Guy Rondeau ne figure pas dans le Précis.

Nous avons exclu également de cette bibliographie les innombrables articles portant sur les questions de langue. Le recensement des chroniques de langage publiées dans les journaux a d'ailleurs déjà fait l'objet d'une publication :

Bibliographie des chroniques de langage publiées dans la presse au Canada. Observatoire du français moderne et contemporain, sous la direction d'André Clas. Département de linguistique et philologie. Université de Montréal. Volume I -- 1950-1970. 1975. 466 p. Volume II -- 1879-1949. 1976. 1008 p.

Enfin, notre bibliographie est exhaustive en ce sens que tout titre (inédit ou non) qui satisfaisait à notre critère très large de sélection a été retenu, indépendamment de l'exactitude de son contenu d'information. Nous avons estimé qu'au stade actuel de la recherche en histoire de la traduction au Canada, c'est au chercheur qu'il revient de juger de la valeur de ses sources plutôt qu'au bibliographe.

Si nous avons agi ainsi, c'est qu'on peut appliquer à la traduction l'hypothèse que François Ricard formule à propos de la littérature : les ouvrages dits de référence -- dictionnaires d'auteurs, répertoires d'oeuvres, manuels scolaires, bibliographies, etc. -- se doublent, selon l'essayiste, d'un "pouvoir de sanction, de consécration et de signification. Ces ouvrages sont à la Littérature (sic) ce que le registre des passeports ou les fichiers de police sont à la société : ils confèrent existence, mérite et statut[1]".

Les traducteurs ne sont-ils pas eux aussi à la recherche d'une reconnaissance professionnelle? Ne cherche-t-on pas, dans les milieux universitaires, à accréditer l'existence de la traduction comme discipline autonome?

Or, plus une discipline a besoin d'affirmer son existence, plus les inventaires qu'elle produit ont tendance à se multiplier et à être exhaustifs. Ces inventaires sont alors dits "créateurs", par opposition aux "inventaires-reflet" qui sont plus

---

1. **La littérature contre elle-même**, coll. "Papiers collés", Montréal, Boréal Express, 1985, p. 165, passim.

sélectifs et qui ne donnent qu'un échantillon représentatif d'un corpus -- une littérature bien établie, par exemple.

Le précis et la bibliographie qui composent les deux volets complémentaires du présent ouvrage appartiennent à la catégorie des inventaires "créateurs".

INTRODUCTION

The annotated bibliography is the second half of the bibliographic section. It gives the exact reference for each title appearing in the descriptive bibliography (Part II). Helpful information on the content of each work is provided by an annotation enclosed within slant lines following each entry.

The 2472 titles in this bibliography fall into three categories:

- 466 books and documents,
- 839 periodical articles,
- 1167 newspaper articles.

A few comments are in order about the criteria used for selecting the works in this specialized bibliography. The only publications included are those with information of some sort on the **history of translation in Canada** or the **development** of the profession and the **place** it occupies in Canadian society from the linguistic, political, or cultural point of view. It should not be supposed that everything that has been written and published on translation in Canada is cataloged in this inventory. Its objectives are both more modest and more specific. As a result, users will not find any references to publications on the theory of translation, comparative analyses of translations, terminological studies, or scholarly works on technical, computer-assisted, literary, or other specialized types of translation. Nor will professional translators find any dictionaries, glossaries, or vocabularies to assist them in there daily work.

The user might be surprised to note that, for example, Guy Rondeau's **Initiation à la terminologie** appears in the bibliography while Robert Dubuc's **Manuel pratique de terminologie** does not. The reason for this is that Professor Rondeau devotes sections of his book to the history of terminology in Quebec and Canada and describes the development of the country's two major terminology banks, something that Dubuc's handbook does not attempt. The fact that Dubuc's publication is not included in the bibliography, however, should not be interpreted as a judgment on its value. In any case, it is listed in Part I ("Précis") under the year 1978 because I deemed its appearance, though not a precedent--the Office de la langue française published the first **Guide de travail en terminologie** in 1973--an event worthy of mention sofar as the teaching of terminology in Canada is concerned. Guy Rondeau's **Initiation à la terminologie**, on the other hand, is not included in the "Précis."

I have also omitted from the bibliography the countless articles on language questions. Newspaper columns on language have already been cataloged elsewhere:

Bibliographie des chroniques de langage publiées dans la presse au Canada. Observatoire du français moderne et contemporain, sous la direction d'André Clas. Département de linguistique et philologie. Université de Montréal. Volume I--1950-1970. 1975. 466 pp. Volume II--1879-1949. 1976. 1008 pp.

The present bibliography is exhaustive in the sense that all titles, published or unpublished, that met my very broad selection criteria were included regardless of whether the information contained in them is accurate. I felt that research into the history of translation in Canada had reached the stage where the researcher, not the bibliographer, should pass judgment on the value of the sources.

My reason for proceeding in this way is that I thought it appropriate to apply to translation François Ricard's hypothesis regarding literature: he holds that reference works, such as dictionaries of literary biography, lists of works, student handbooks, bibliographies, and the like, are also invested with a power of sanction, consecration, and significance. Their function in relation to literature is the same as that of the passport registry office or police files in relation to society: they confer existence, merit, and status.[1] Are not translators, too, in quest of professional recognition? And is not translation seeking accreditation as a separate university discipline? The more a discipline needs to affirm its existence, the more numerous and complete its inventories tend to be. Such inventories create a discipline, not simply reflect it as do more selective bibliographies that provide only a representative sample of a corpus--a firmly established literature, for example. This work, a historical outline complemented by a bibliography, is a creative inventory.

---

1. **La littérature contre elle-même**, "Papiers collés," Montreal, Boréal Express, 1985, p. 165, passim.

A. LIVRES ET DOCUMENTS

"Abuse of Government Translation Service" in the program **The National.** CBC TV Network, April 19, 1982. /Transcription/

"Accusations contre deux cents traducteurs?" à l'émission **Le 18 heures.** CFTM, 3 août 1983. /Transcription/

Agence littéraire des éditeurs canadiens-français. **Ouvrages canadiens-français et titres québécois traduits et publiés au Canada, traduits et publiés à l'étranger.** Montréal, Conseil supérieur du livre, (c 1969) 2e éd., 1971. 27 p.

Alberta Association of Translators. **By-Laws.** October. 1982. 12 p.

Album-Souvenir. Publié à l'occasion du Premier Congrès général des traducteurs canadiens (Montréal, 5 novembre 1955). Montréal, 1956, 44 p.

ALLARD, Pierre, Pierre LÉPINE et Louise TESSIER. **Statistiques de l'édition au Québec, 1968-1982.** Montréal, ministère des Affaires culturelles, Bibliothèque nationale du Québec, 1984. 200 p.

ARBIQUE, Harris. **Revision of Translator Class.** April 13, 1960. 3 p. (APC RG6 G 2 vol. 744)

__________ **Unit Survey of Bureau for Translations.** May 9, 1960. 5 p. (APC RG6 G2 vol. 744) /Rapport de la Commission du Service civil suite aux observations du surintendant/

ARCHAMBAULT, Arianne et Myriam MAGNON. **La qualité de la langue dans les domaines de l'enseignement, de l'administration, des médias et de la publicité.** Coll. "Notes et documents, no

15. Québec, Conseil de la langue française, 1982. 171 p. /Sections traduction p. 24-26; 52-55; 70-71/

Assemblée nationale. Commission spéciale des corporations professionnelles. **Journal des Débats** 3e session. 29e législature, no 56, 13-15 juin 1972. p. B3528-B3535. /Témoignage de la STQ. Reconnaissance professionnelle/

Association canadienne des bibliothèques. **Rapport présenté à la Commission royale d'enquête sur le bilinguisme et le biculturalisme.** Montréal, 1er mars 1965. 59 p. /Propose la formation d'écoles de traduction/

Association canadienne des écoles de traduction. **Statuts.** s.d. 3 p. (Inédit)

Association canadienne des entrepreneurs en traduction. **Mémoire.** Présenté au Secrétariat d'État du Canada. Ottawa, 7 novembre 1984. 13 p.

__________ **Statuts de la société.** Ottawa, 1984. 4 p.

Association des cabinets de traduction. **Statuts.** Montréal, 1980. 14 p. (Inédit)

Association des conseils en francisation du Québec. Montréal, s.d. /Dépliant/

Association des étudiants de traduction de l'Université Laval (AETUL). **Statuts et Règlements.** Sainte-Foy, 1983, 9 p.

Association des traducteurs et interprètes de l'Ontario. **Annuaire de l'ATIO.** Ottawa, 1970. 80 p. /Premier annuaire de l'Association publié à l'occasion de son cinquantenaire 1920-1970. Historique de la traduction au Canada. Statuts de l'ATIO. Conditions d'admission/

__________ "Conditions d'admission à l'examen de l'ATIO", dans **Annuaire de l'ATIO.** 1970, p. 73-80.

__________ "Statuts et règlement intérieur de l'ATIO", dans **Annuaire de l'ATIO.** 1970. p. 55-72.

__________ **Avant-projet de Règlement touchant l'admission des membres titulaires.** s.d., 9 p. (CRCCF, Fonds Glaus)

__________ **Code d'éthique professionnelle.** s.d., 14 p. (CRCCF, Fonds Glaus).

__________ **Règlement.** Ottawa, octobre 1972. 45 p.

__________ (Dépliant de présentation). s.d. /Historique. Objectifs. Activités/

Association des traducteurs et interprètes du Manitoba. **Les règlements et le code déontologique.** Septembre, 1980. 4 p.

Association des traducteurs littéraires. **Mémoire concernant la révision de la Loi sur le droit d'auteur au Canada / Brief on the Revision of the Copyright Law in Canada.** Soumis à l'Honorable Warren Allmand, ministre de Consommation et Corporations Canada. Montréal, janvier 1978. 9 p.

__________ **Répertoire.** Montréal, novembre 1984. 7 p.

__________ **Statuts / Constitution.** Montréal, 1975. 3 p.

Association du service civil du Canada. Conseil local Ottawa-Hull. **Mémoire préconisant une révision des classes de traducteurs et de la structure administrative du Bureau des traductions du Secrétariat d'État.** Décembre 1960. 12 p. (APC RG6 G2 vol. 741)

Association internationale des interprètes de conférence. **Règlement intérieur.** Genève, 1979. 12 p.

__________ **Statuts et Annexes.** Genève, 1983. 12 p.

__________ **Code d'éthique professionnelle et Annexes.** Genève, 1983. 7 p.

Association internationale des interprètes de conférence (AIIC-Canada). **Règlement intérieur de la section régionale Canada de l'AIIC.** Montréal, 1971 (amendé en 1975 et 1980). 4 p.

__________ **Répertoire.** Octobre 1984. 9 p.

__________ **Conditions de travail au Canada.** 1985. 4 p.

Association of Translators and Interpreters in Saskatchewan. **Bylaws.** February, 1980. 9 p.

Association of Visual Language Interpreters. **By-laws.** October, 1980. 15 p.

Association québécoise des interprètes francophones. **Lettres patentes et Statuts.** s.d., n.p. 1982.

Association technologique de langue française d'Ottawa. **Mémoire présenté devant la Commission royale d'enquête sur l'avancement des Arts, Lettres et Sciences au Canada.** Novembre 1949.

AUGER, Pierre. "La Commission de terminologie de l'Office de la langue française et la normalisation terminologique", dans **La Traduction : l'universitaire et le praticien.** Coll. "Cahiers de traductologie", n° 5. Publié sous la direction d'A. Thomas et de J. Flamand. Ottawa, 1984. p. 329-339.

T. TAGGART SMYTH • G. PANNETON
H. W. MANDEFIELD • J. DARBELNET
J. GAUDEFROY-DEMOMBYNES • J. P. VINAY

TRADUCTIONS

MÉLANGES OFFERTS EN MÉMOIRE DE
GEORGES PANNETON

Édités par
J. P. VINAY

INSTITUT DE TRADUCTION, INC.
Université de Montréal
1952

Fig. 11 -- Publié en 1952 par Jean-Paul Vinay, cet ouvrage est le premier collectif sur la traduction. (Photo : CRCCF, Ph 1-I-205)

Fig. 12 -- Le personnel de la division des Débats en 1954. De g. à dr. (1ère rangée) : Mlle Thibault, G. Saint-Denis, L.-P. Gagnon, H. Mayer, Mme Galipeau; (2e rangée) L. Masson, A. Rochon, D. Fleury, J.-M. Arbic, J.-M. Poliquin, G. Cousineau; (3e rangée) R. Larose, G. Dunn, R. Aouad, J.-O. Taillefer et F. Phaneuf. (Photo : CRCCF, Ph 129-121)

AUPY, Raymond (et al). **Doctrine traductionnelle. Application aux langues officielles.** Bureau des traductions. Direction générale du Plan. Décembre 1977. 21 p.

____________ **Service de la traduction des comptes rendus des comités parlementaires. Organisation.** 9 juin 1966. 4 p. + 3 pages d'annexes. (APC RG6 G2 vol. 742)

BASTARACHE, Michel et David G. REED. "La nécessité d'un vocabulaire français pour la Common Law", dans **Langage du droit et traduction.** Québec, Éditeur officiel du Québec, 1982. p. 207-216.

BATTS, Michael (ed.). **Translation and Interpretation, the Multi-Cultural Context.** A symposium held April 18-19 at Carleton University, Canadian Association of University Teachers of German, 1975. 126 p.

BEATTIE, E.C., J. DESY et S. LONGSTOFF. "La carrière du traducteur : un certain refuge", dans **Bureaucratic careers: Anglophones and Francophones in the Canadian Public Service.** Document of the Royal Commission on Bilinguism and Biculturalism,n° 11, Chap. 14. Ottawa, Information Canada, 1972. p. 357-376.

BEAUBIEN, A.-H. **Mémoire concernant la traduction des délibérations des comités de la Chambre des communes.** Publié en appendice aux Procès-verbaux de la Chambre des communes le 12 mars 1947. p. 3-4. (APC RG6 G2 vol. 741.)

____________ **Memorandum to Mr. W.M. Hughes, Organization Branch, Civil Service Commission.** Ottawa, April 8, 1948. 9 p. (APC RG6 G2 vol. 741)

BEDAL, C.L. (ed.). **Translator and Interpreter.** G.C. Occupational Information Monograph Toronto, Guidance Centre, Faculty of Education, University of Toronto, (c1973), Revised and republished, 1979. 4 p.

BÉDARD, Sylvain. **Le projet TAUM-MÉTÉO.** Université d'Ottawa, 1983. 21 p. /Travail inédit déposé à l'École de traducteurs et d'interprètes/

BEHNE, A.H. **Le service des conférences multilingues. Analyse des ressources actuelles et plan d'action pour la mise sur pied du nouveau service**, s.d., 8 p. (CRCCF, Fonds Glaus)

BÉLANGER, Nycole. **Qu'est-ce que la SECTER?.** Société des traducteurs du Québec, Comité des relations avec les universités, 25 octobre 1979, 9 p.

Bell Canada. **Liste des services de traduction et de terminologie d'entreprises et d'organismes.** Montréal, octobre 1984. 34 p.

BENNETT, John. "Court Interpreting in Canada", dans **L'Interprétation auprès des tribunaux.** Coll. "Cahiers de traductologie", n° 3. Publié sous la direction de Roda P. Roberts, 1981. p. 19-25.

BENOIT, Pierre. **A l'ombre du Mancenillier.** Montréal, éd. Bergeron, 1981. 281 p. /Autobiographie. L'auteur fut traducteur de dépêches dans des journaux montréalais, puis traducteur au Secrétariat d'État de 1940 à 1968./

BERNARD, Harry. **La maison vide.** Montréal, Bibliothèque de l'Action française, 1926. 203 p. /Le héros de ce roman est traducteur au service des Débats à Ottawa./

"Besoins en services linguistiques dans les entreprises", dans **Les services linguistiques au Canada : bilan et prospective.** Actes du Colloque national sur les services linguistiques (1984). Ottawa, 1985. p. 87-100./Table ronde. Cabinets de traduction et services internes/

Bibliothèque nationale du Québec. **Statistiques de l'édition au Québec en 1982.** Montréal, ministère des Affaires culturelles, Bibliothèque nationale du Québec, 1983. 31 p. /Annuel à partir de 1982. Sections consacrées aux traductions/

BINSSE, Harry L. "Preface" of **In Quest of Splendour** by Roger Lemelin (Pierre le Magnifique). Toronto, McClelland & Stewart, 1955. p. 7-10. /Le traducteur renseigne le lecteur américain sur le système d'éducation au Québec/

BLAIS, Roch. **Interview de Philippe Le Quellec.** Transcription des propos du Sous-secrétaire d'État adjoint (traduction) recueillis par R. Blais en octobre et novembre 1982. 108 p. (Inédit) /Réflexions sur le passé et l'avenir du BdT et de la traduction au Canada/

BLODGETT, E. D. "How Do You Say "Gabrielle Roy"?", in **Translation in Canadian Literature.** Ottawa, University of Ottawa Press, 1983. p. 13-34.

The Blue Book. Ottawa, Hunter Rose, 1864- /Liste des traducteurs fédéraux, dates de nomination, traitements, etc. Devient : **Return of the Names and Salaries** en 1882/

BOISSONNAULT, Capitaine J.R. **Les services de traduction, de terminologie et de publication 1766-1983.** Étude n° 7, Service historique, Quartier Général de la Défense nationale. Ottawa, décembre 1983. 33 p. + annexes A-H + Références 17 p. (Inédit), (2e version). /...dans les forces armées canadiennes/

BONENFANT, Jean-Charles. "Perspective historique de la rédaction dans les lois au Québec", dans **Propos sur la rédaction des**

lois. (Colloque international organisé et animé en septembre 1977 par Michel Sparer). Québec, Conseil de la langue française, 1977. p. 1-16. /Difficultés de la traduction des lois en français/

BRENT, Edmond. **La traduction des fiches bibliographiques dans les bibliothèques des institutions universitaires de langue française.** Direction des études et recherches. Conseil de la langue française, mars 1980. 14 p. /Manuscrit inédit/

BRETON, Maurice. "Proposition tendant à la création d'un comité chargé d'étudier un système de traduction simultanée", dans **Débats de la Chambre des communes**, vol. 102, n° 31, 1ère session, 23e Législature. 25 novembre 1957. p. 1535-1577.

Le Bureau des traductions. 27 octobre 1964, 5 p. (APC RG6 G2 vol. 744) /Description de l'organisation du Bureau/

Bureau des traductions. Centre de terminologie. **Liste d'ouvrages pouvant servir à quiconque est appelé à parler ou à écrire en français.** Bulletin de terminologie n° BT-125, 2e édition revue et augmentée, 1968. 59 p.

__________ Division des Débats. **Règles régissant la traduction des Débats.** Ottawa, 1947. 11 p. (Inédit) /Version abrégée de **Règles, formules, clichés, observations pour servir à la traduction des Débats des comités.** 22 p./

__________ Direction des opérations spéciales. Division de l'Interprétation. **Mémoire présenté au comité spécial de la radio-télédiffusion de la Chambre et de ses comités.** Septembre 1977. 7 p. /Dépôt des dossiers, Bureau fédéral des traductions/

__________ **Plan de huit ans pour la mise en oeuvre des nouveaux services.** 1976. /Document interne/

__________ **La traduction au service de l'État et du pays.** Doctrine, conception générale et méthode. Ottawa, 1978. 29 p. /Document interne/

__________ **Plan directeur quinquennal 1979-1985 -- Mandat, objectifs, stratégie.** Février 1980. /Document interne/

__________ **Recommandations Lambert concernant le Bureau des traductions. Énoncé de la position du Bureau.** Mai 1979. 16 p. /Document interne/

__________ Service des communications. **D'une langue à l'autre.** Ottawa, ministère des Approvisionnements et Services, 1979. 24 p. /Premier guide officiel des clients du Bureau des traductions du Secrétariat d'État. Titre anglais : **Getting the Message across**/

__________ Service des débats. **Formulaire pour la traduction des débats.** Ottawa, 1938. 50 p.

__________ **Introduction au Bureau des traductions.** Ottawa, octobre 1982. 83 p. /Vue d'ensemble. Organigramme. Description des secteurs opérationnels/

Bureau for Translations. **Organization Survey.** December 31, 1953. (APC RG6 G2 vol. 742) /Nombre de traducteurs par ministère. Tableaux. Niveaux de classification./

__________ **Getting the Message Across.** Ottawa, Department of Supply and Services, 1979. 24 p. /Premier guide officiel des clients du Bureau des traductions du Secrétariat d'État. Titre français : **D'une langue à l'autre**/

"A Bureau of Translations", in **The Canadian Annual Review of Public Affairs, 1934.** Toronto, The Canadian Review Company, 1935. p. 94-95.

Cahiers de traductologie. Collection de l'École de traducteurs et d'interprètes de l'Université d'Ottawa consacrée à la traduction, à l'interprétation, à la terminologie et aux techniques de rédaction. N° 1, 1979 -- .

CALVERLY, M. "L'utilité d'une banque de terminologie informatisée dans un service de traduction multilingue", dans **ATIO Compte rendu : Colloque sur la terminologie appliquée à la traduction, septembre 1974.** p. 57-59.

Cambridge Language Research Unit. **Pilot research proposal for the analysis and processing of modern English and French Canadian official documents; this analysis being made with the further purpose of establishing, in the long run, a mechanical translation procedure between them.** May 26, 1965. 26 p. (Unpublished. APC RG6 G2 vol. 742)

Canada-Uni. Législature. **Acte pour pourvoir à ce que les Lois de cette Province soient traduites dans la Langue Françoise, et pour d'autres objets y relatifs.** 4 & 5 Victoriae, Cap. 11, 18 septembre 1841. p. 68-69. (Texte anglais, p. 67)

Canadian Bible Society. **Report.** Toronto, 1961-- . /Succède à la British and Foreign Bible Society of Canada./

Canadian Index. Ottawa, vol. 1 (1948) - vol. 3 (1950) /Remplace : **Canadian periodical index** (1928-1947). Devient : **Canadian Index to Periodicals and Documentary Films**, vol. 4 (1951) - vol. 16 (1963)/

CARBONNEAU, Hector. (Conférence non prononcée sur les services fédéraux de traduction au début du XXe siècle). Inédit, 1962. 19 p. /CRCCF, Fonds H. Carbonneau/

CARDIN, Michel. "TERMIUM", dans **Les services linguistiques au Canada : bilan et prospective.** Actes du Colloque national sur les services linguistiques (1984). Ottawa, 1985. p. 205-210. /Table ronde : Les banques de terminologie et leur exploitation/

CARRIER, Hervé. **Le sociologue canadien Léon Gérin 1863-1951** Coll. "Cahiers de l'Institut social populaire", n° 5, éd. Bellarmin, 1960. 149 p. /Notes biographiques/

"Le cas des traducteurs, une chasse aux sorcières" à l'émission **Le téléjournal.** CBFT, 3 août 1983. /Transcription. Des traducteurs du Bureau fédéral des traductions sont accusés de conflit d'intérêts/

Centre de linguistique de l'entreprise. **Rapport-questionnaire sur la traduction 1974.** (Inédit)

Centre de traduction et de terminologie juridiques. (Dépliant). Moncton, octobre 1984. /Centre créé en 1979 par l'École de droit de l'Université de Moncton/

Cercle des traducteurs. **Rapports annuels.** 1962-1964. /Déposés au secrétariat permanent de la STQ/

CHAGNON, Louis-Joseph. "A mes amis traducteurs", dans **La chanson des érables.** Montréal, éd. du Devoir, 1925. p. 118-121. /Poème de circonstance composé en l'honneur de A. Beauchesne et de F.J. Audet lors de leur nomination à la Société Royale du Canada./

CHAN, Lucienne. **La traduction automatique au Canada de 1965 à ce jour.** Université d'Ottawa, 1983. 20 p. /Travail inédit déposé à l'École de traducteurs et d'interprètes/

CHANDIOUX, John. **MÉTÉO : un système opérationnel pour la traduction automatique des bulletins météorologiques destinés au grand public.** 1976. 9 p. /Manuscrit/

CHANTAL, René de. **Rapport sur la qualité de la langue de quelques publications du gouvernement fédéral.** Ottawa, Groupe de travail sur l'information gouvernementale, 1969. 44 p. (Inédit) /Examen critique de traductions suivi de onze recommandations concernant les pratiques de rédaction et la traduction dans l'administration fédérale/

CHARBONNEAU, Louis. **Toussaint Charbonneau, voyageur et interprète.** Conférence inédite prononcée à Ottawa le 12 novembre 1952.

"Charges laid for breach of trust" at the program **Newsline.** CJOH. April 9, 1983. /Transcription. Accusations portées contre trois traducteurs/

"Charges laid in connection with translator's contracts" at the program **Saturday News.** CBC Radio Network. April 9, 1983. /Transcription/

CHARTRAND, C. et S. PIPERNO. **Les diplômés en traduction face au marché du travail.** Projet Perspective Jeunesse, code de référence H 65, dossier n° 4, H 3558, 1974. 107 p. (Inédit)

Civil Service Commission. **Civil Service List. Liste du service civil.** 1885-1918, Ottawa, King's Printer, 34 vol. Annual. /Liste des traducteurs fédéraux, dates de leur nomination, traitements, etc./

__________ **Unit Survey. Bureau for Translations.** April 12, 1954. 40 p. (APC RG6 G2 vol. 743) (cf. **Organization Survey**) /Historique du Bureau, statistiques, organisation, reclassification des traducteurs/

CLAXTON, Patricia. "A Model Contract for Literary Translators", in Paul Horguelin (ed.) **Translating, a Profession.** Proceedings of the VIIIth World Congress of the FIT. Montreal, CTIC, 1978. p. 225-229.

__________ **Le congrès de fondation de l'Association des traducteurs littéraires.** Communication inédite. 1975. 5 p. /Compte rendu du congrès de fondation du 15 mai 1975/

__________ "Translation and Creation", in **Actes du colloque Traduction et Qualité de langue,** 1984. p. 74-78. /La traduction littéraire influe-t-elle sur la qualité de la langue?/

CLOUTIER, François. "La politique du Québec en matière de terminologie", dans **Terminologies 76.** Paris, La Maison du dictionnaire, 1976. p. I-1/I-6.

Code criminel. "Langue de l'accusé", Partie XIV.1, aa. 462.1-462.4, 1970. p. 302-303.

Collège Glendon, Université York. **École de traduction. 1984-85 School of Translation.** Toronto, 1984. 17 p. /Annuaire/

Comité d'étude de la politique culturelle fédérale. **Compte rendu des mémoires et des audiences publiques.** Direction de l'information, ministère des Communications, gouvernement du Canada, 1982, 320 p. /Compte rendu du mémoire de l'Association des traducteurs littéraires, p. 173-174/

Commissaire aux langues officielles. **Rapport annuel.** Information Canada, Ottawa, 1971 - . /Nombreuses mentions de la traduction officielle au Canada/

Commission royale d'enquête sur l'enseignement dans la province de Québec. **Rapport.** Province de Québec, 1964, Vol. II,

p. 39. /La traduction est assimilée à un "travail de secrétaire"./

Commission royale d'enquête sur l'organisation du gouvernement. (Rapport Glassco), Ottawa, Imprimeur de la Reine, 1962, 5 vol. /Bureau des traductions : T. I, p. 78-79 - Aspects particuliers du bilinguisme; T. II, p. 395 - Attributions et fonctions; T. III, Les services auxiliaires du gouvernement (suite), Les services destinés au public, Chap. 6 Informations données en langue française et le Bureau des traductions, p. 104-111/

Commission royale sur la gestion financière et l'imputabilité. Rapport final. Ottawa, 1979. 646 p. (Président : Allen Thomas Lambert) (Chap. 8 - Les services communs, p. 169-195) /Les commissaires recommandent que le BdT soit intégré au ministère des Approvisionnements et Services et que le coût de la traduction soit imputé aux ministères./

Conseil de la langue française. **La francisation des entreprises.** Coll. "Notes et documents", n° 20. Compte rendu de la rencontre des 11, 12 et 13 février 1981 organisée par le Conseil. 135 p. /Nombreuses mentions concernant les services de traduction et de terminologie en entreprise/

__________ **Le statut culturel du français au Québec.** Actes du congrès Langue et société au Québec (1982). Textes colligés et présentés par Michel Amyot et Gilles Bibeau, 2 tomes. Québec, Éditeur officiel du Québec, 1984. 465 p.

__________ **Actes du colloque Traduction et Qualité de langue** (Hull, 1983). Coll. "Documentation du Conseil de la langue française", n° 16. Québec, éd. officiel, 1984. 220 p.

Conseil des arts. **Rapports annuels.** Vol. 1, 1958 - .

Conseil des traducteurs et interprètes du Canada. **Projet d'uniformisation des normes d'examen.** Juillet 1973. 3 p. (CRCCF, Fonds Glaus)

Conseil du Trésor. **Budget des dépenses.** Ottawa, 1868 -- . /A partir de 1938-1939, le budget du BdT figure sous "Secrétariat d'État". Pour les années 1935-1936, 1936-1937 et 1937-1938, les traitements et dépenses du BdT apparaissent sous la rubrique "Divers". Avant la création du Bureau, les traitements des traducteurs sont mentionnés sous les divisions administratives qui les emploient : Sénat, Lois, etc./

__________ **Règlement concernant le traitement du surintendant du Bureau des traductions.** (Annexe C). Adopté le 28 septembre 1965. /Comprend six articles/

__________ **La demande de traduction dans la fonction publique**

du Canada. Rapport et annexes techniques. Direction des langues officielles et Bureau des traductions. Ottawa, juin 1980. 52 p. + 80 p. d'annexes.

___________ Direction de la politique du personnel. Division du bilinguisme. Groupe d'étude sur le bilinguisme. **Participation équilibrée.** Rapport de synthèse, Module 22. Ottawa, février 1973. 542 p. /Le Bureau des traductions p. 84-87; Le rôle de la traduction, p. 228-234; La traduction, p. 358-364; recommandation nos15-16, p. 382/

___________ **Les langues officielles dans la Fonction publique du Canada. Énoncé de certaines modifications de politiques.** Juillet 1981, 42 p. + 5 p. d'annexes (II Politiques, c. Utilisation des services de traduction, p. 32-38) /Énoncé de mesures visant à rationaliser l'utilisation des services de traduction de la Fonction publique/

___________ Direction des langues officielles et Bureau des traductions. **La demande de traduction dans la Fonction publique du Canada** (Texte anglais: **Translation Demand in the Federal Public Service**). Ottawa, juin 1980. 50 p. + 80 p. d'annexes.

Conseil national de recherches du Canada. **ICIST Répertoire canadien des traductions scientifiques.** Ottawa, s.d. (Dépliant)

CORBEIL, Jean-Claude et Wallace SCHWAB. **Examen des aspects d'une politique de la traduction à la Régie de la langue française.** Québec, novembre 1975. 12 p. (Inédit)

CORIAT, Annie. **Les interférences anglaises dans le français de Montréal. Étude stylistique de la langue de la publicité.** Thèse inédite déposée à l'Université de Montréal, 1970-1971. /Étude descriptive des annonces publicitaires des magazines **MacLean** et **Châtelaine** de 1969-1970/

CORMIER, Monique C. **Les écrivains traducteurs du Canada français.** 15 p. /Tableaux inédits des écrivains-traducteurs, établis à partir de dictionnaires d'auteurs québécois/

Corporation des traducteurs et interprètes du Nouveau-Brunswick. **Statuts et règlements de la CTINB.** Adoptés à Fredericton, en congrès de fondation le 28 novembre 1970; modifiés aux assemblées générales de 1972, 1975, 1976 et 1977. 12 p.

CÔTÉ, Louise. **L'origine de l'interprétation simultanée au Canada.** Université d'Ottawa, 1983. 23 p. /Travail inédit déposé à l'École de traducteurs et d'interprètes/

CÔTÉ, Yves-Aubert. "La traduction dans l'enseignement au Québec : quelques constats", dans **Actes du colloque Traduction et qualité de langue.** 1984. p. 89-97.

COULOMBE, Pierre. "Relations entre le français et l'anglais; la solution canadienne", dans **Les relations entre la langue anglaise et la langue française** (Actes du colloque international de terminologie, Paris, mai 1975). Québec, Éditeur officiel, 1978. p. 141-148. /Grandes étapes de l'évolution de la politique des langues officielles depuis 1963/

COUSIN, Florence. "Où en est la traduction automatique en 1975?", dans M.S. Batts (ed.) **Translation and Interpretation. The Multi-Cultural Context. A Symposium.** 1975. p. 47-52.

COVACS, Alexandre. **Doctrine traductionnelle.** Ottawa, Bureau des traductions, 1977, 43 p. /Document interne/

___________ **La réalisation de la version française des lois fédérales du Canada.** Groupe de jurilinguistique française, Section de la législation, ministère de la Justice, Ottawa, septembre 1980. 48 p.

___________ "La réalisation de la version française des lois fédérales du Canada", dans **La Traduction : l'universitaire et le praticien.** Coll. "Cahiers de traductologie", n° 5. Publié sous la direction d'A. Thomas et J. Flamand, 1984. p. 223-242.

Création d'une fédération des sociétés provinciales de traducteurs. Ottawa, 20 mars 1969. 10 p. (Inédit) /Projet de création d'une Fédération des sociétés provinciales de traduction -- CTIC/

CSEREPY,Frank. "Native Languages in the Northwest Territories", dans **Les services linguistiques au Canada : bilan et prospective.** Actes du Colloque national sur les services linguistiques (1984). Ottawa, 1985. p. 128-136. /Services de traduction et d'interprétation offerts par le Bureau des langues des Territoires du Nord-Ouest/

CUMMING, Carman (et al). "Le service français (SF) de la Canadian Press", dans **Les agences de presse**, vol. 6, ministère des Approvisionnements et Services Canada, 1981. p. 59-69.

DAIGLE, Brunhilde. **L'Association des traducteurs et interprètes de l'Ontario. 1962-1982.** 54 p. + 4 p. d'annexes. (Inédit)

DAIGNEAULT, Raoul. **La traduction et la publicité.** (Causerie prononcée à la Société des traducteurs de Montréal). 1940. 6 p. (Inédit)

DARBELNET, Jean. **Le français en contact avec l'anglais en Amérique du Nord.** Travaux du Centre international de recherche sur le bilinguisme, A-12. Québec, Les Presses de l'Université Laval, 1976. 146 p. /La traduction dans un pays bilingue, p. 19, 117, 119, 123, 129, 130/

DAVIAULT, Pierre. **L'Expression juste en traduction.** Notes de traduction, première série. Montréal, éd. A. Lévesque, 1931. /Introduction, p. 7-15. 2e édition : 1936. 247 p. Réunit **L'Expression juste en traduction** (1931) et **Questions de langage** (1933)/

__________ **Questions de langage.** Notes de traduction. Deuxième série. Montréal, éd. A. Lévesque, 1933 /Introduction, p. 1-10/

__________ **Cours de traduction.** 1er octobre 1936 - 19 mai 1937. 80 p. /Un exemplaire de ce premier cours inédit de traduction donné au Canada est conservé à l'École de traducteurs et d'interprètes de l'Université d'Ottawa./

__________ "Langue et traduction", dans **Mémoires.** Deuxième congrès de la langue française au Canada (1937), tome I, 1938. p. 431-438.

__________ **Dictionnaire militaire anglais-français, français-anglais.** Publié sous la direction du chef d'état-major général. Ottawa, Imprimeur du Roi, 1945. 1016 p. /Historique de la traduction au Canada, p. vii-xvi/

__________ **La langue française au Canada.** Article paru dans un recueil d'études spéciales préparées pour la Commission royale d'enquête sur l'avancement des arts, lettres et sciences au Canada, Ottawa, Edmond Cloutier, Imprimeur de Sa Majesté le Roi, 1951. p. 25-40.

__________ **Remarques sur le rendement des traducteurs (1955-1956).** 6 p. + 6 p. d'annexes. (APC RG6 G2 vol. 743). /Comprend une liste du personnel du BdT en 1956/

__________ **Mémoire au Sous-secrétaire d'État. Sujet : Retard de certaines traductions.** (Confidentiel) Ottawa, 1er février 1956. 7 p. + 3 appendices : 1) "Bilingues (sic) ou simultanée" (article publié dans **Commerce-Montréal**), 3 p. 2). Parution tardive de diverses publications fédérales en français. (Résumé des mémoires soumis au surintendant du BdT comme suite à sa circulaire du 26 juillet 1955 aux chefs de division), 39 p. 3). Conclusion, 9 p. (APC RG6 G2 vol. 741)

__________ **Retards qui se produisent dans la diffusion en français de certains textes officiels.** Lettre de Pierre Daviault (Ottawa, 21 mai 1959) au Sous-secrétaire d'État (Ottawa). 3 p. (APC RG6 G2 vol. 741)

__________ **Observations sur le rapport de la C.S.C.** (Confidentiel). 16 février 1960. 10 p. (APC RG6 G2 vol. 744).

__________ (Réponse au **Mémoire préconisant une révision des classes de traducteurs et de la structure administrative du**

Bureau des traductions du Secrétariat d'État). 11 avril 1961. 6 p. En annexe : "Le service de terminologie", 3 p. (APC RG6 G2 vol. 741).

__________ **Function and Organization of a Terminology Centre.** August 13, 1964. 3 p. (APC RG6 G2 vol. 744)

Debates of the Legislative Assembly of Manitoba. Winnipeg, 1880 -- .

Debates of the Legislative Assembly of United Canada 1841-1867. Published under the direction of the Centre d'Étude du Québec, and the Centre de recherche en histoire économique du Canada français, Presses de l'École des HEC, Montreal, Vol. 1, 1841 -- .

Débats de la Chambre des communes. Compte rendu officiel. Canada. Parlement. Chambre des communes. 1867 -- .

Débats de l'Assemblée législative. Assemblée nationale du Québec, 1867 -- .

Débats du Sénat. Compte rendu officiel. Canada. Parlement. Sénat. 1867 -- .

DELISLE, Jean. **Les interprètes sous le régime français (1534-1760).** Mémoire inédit présenté à l'École de traduction de l'Université de Montréal en vue de l'obtention de la maîtrise en traduction, juin 1975. 152 p. + iv appendices + v tableaux. Bibliographie, p. 145-152.

__________ **L'Analyse du discours comme méthode de traduction.** Initiation à la traduction française de textes pragmatiques anglais. Théorie et pratique. Préface de Danica Seleskovitch. Coll. "Cahiers de traductologie", n° 2. Ottawa, éd. de l'Université, 1980. 282 p.

__________ **L'Enseignement de l'interprétation et de la traduction : de la théorie à la pédagogie.** Publié sous la direction de J. Delisle. Coll. "Cahiers de traductologie", n° 4. Ottawa, éd. de l'Université, 1981. 294 p.

__________ "Historique de l'enseignement de la traduction à l'Université d'Ottawa", dans **L'Enseignement de l'interprétation et de la traduction : de la théorie à la pédagogie.** 1981. p. 7-19.

__________ **Les Obsédés textuels.** Hull (Québec), éd. Asticou, 1983. 196 p. /Roman humoristique ayant pour thème la traduction et les traducteurs/

__________ "Plaidoyer en faveur du renouveau de l'enseignement pratique de la traduction professionnelle", dans **La Traduc-**

tion : l'universitaire et le praticien. Publié sous la direction d'A. Thomas et J. Flamand, 1984. p. 291-296.

__________ **Au coeur du trialogue canadien / Bridging the Language Solitudes.** Croissance et évolution du Bureau des traductions du gouvernement canadien (1934-1984). Ottawa, Approvisionnement et Services, 1984. 77 + 75 p. /Précédé d'une introduction relatant l'évolution des services d'interprétation et de traduction de 1534 à 1934./

__________ et Lorraine ALBERT. **Guide bibliographique du traducteur, rédacteur et terminologue / Bibliographic Guide for Translators, Writers and Terminologists.** Coll. "Cahiers de traductologie", n° 1. Ottawa, éd. de l'Université, 1979. 207 p.

Department of Public and Stationery. **Annual Report.** Queen's Printer. 1886 --1968/69. Ottawa. /Absorbed by Canada Dept. of Supply and Services. **Annual Report,** Vol. 1968-69./

DESAUTELS, Alain. **Évolution de la fonction traduction : le rôle du Bureau des traductions et la situation dans les ministères -- 1966-1971.** Groupe d'étude sur le bilinguisme. Direction de la politique du personnel. Conseil du Trésor. Module 16a. Ottawa, 1972. 299 p.

DESCHAMPS, René. "La révolution électronique et les services linguistiques", dans **Les services linguistiques au Canada : bilan et prospective.** Actes du Colloque national sur les services linguistiques (1984). Ottawa, 1985. p. 257-268. /Évolution des aides à la traduction/

DESCHÂTELETS, Louise. "La traduction dans le film", dans **Conférences sur la situation de la langue française au Québec,** Coll. "Notes et Documents", n° 13. Québec, Conseil de la langue française, 1981, p. 5-13.

DESPRÉS, Ronald. **Ma carrière... que j'ai presque épousée!** 1982. 6 p. /Texte inédit. L'auteur relate ses débuts au BdT./

Dictionnaire biographique du Canada. Québec, Les Presses de l'Université Laval, 1966, tome I -- . /Nombreuses biographies d'interprètes et de traducteurs/

DIONNE, René. **Antoine Gérin-Lajoie, homme de lettres.** Sherbrooke, éd. Naaman, 1978. 434 p. /"Le traducteur", p. 201-209/

Direction des communications. Université de Montréal. **Une étape décisive en traduction automatique.** Communiqué n° 144, 27 mars 1979. 3 p.

Direction des langues officielles. Secrétariat du cabinet. **Vers l'égalité des langues officielles au Nouveau-Brunswick.**

Rapport du groupe d'étude sur les langues officielles. Bernard Poirier, M. Bastarache (et al.). Fredericton, Gouvernement du Nouveau-Brunswick, 1982. 469 p.

DJWA, Sandra and R. St J. MACDONALD. **On F. R.Scott: Essays on His Contributions to Law, Literature, and Politics.** Papers presented at a conference held at Simon Fraser University (February 20-21, 1981). Kingston and Montréal, McGill/ Queen's University Press, 1983. 203 p.

Documents de traductologie. École de traducteurs et d'interprètes, Université d'Ottawa, nº 1, 1976 -- .

DOYLE, James. **Annie Howells and Achille Fréchette.** Toronto, University of Toronto Press, 1979. 131 p. /Biographie du traducteur A. Fréchette (1847-1927) et de sa femme, A. Howells/

DUBUC, Robert. **Colloque de Stanley House.** 16-20 août 1965. 30 p. /Compte rendu/

__________ et Jacques MAURAIS. "Document d'orientation préparatoire au colloque "Traduction et qualité de langue", dans **Actes du colloque Traduction et qualité de langue.** 1980. p. 215-220. /Conditions historiques et actuelles de l'exercice de la traduction; fonctions de la traduction; formation des traducteurs/

__________ "La traduction et les médias parlés", dans **Actes du colloque Traduction et qualité de langue,** 1984. p. 46-50. /Influence des textes traduits sur la qualité du français/

DUMONT, Théophile. **Traducteurs.** s.d., 3. p. /Poème inédit de vingt-trois quatrains sur les joies et les peines du métier de traducteur/

DURAND, Claire. **Étude préliminaire sur la situation des services d'interprétation à Montréal.** Université d'Ottawa, décembre 1983. 33 p. /Travail inédit déposé à l'École de traducteurs et d'interprètes/

École de traducteurs et d'interprètes. Université d'Ottawa. **Rapport annuel.** 1971-1972 -- .

__________ **Renseignements généraux, programmes et conditions d'admission 1984-1985.** Ottawa, 1984. 101 p. (Bilingue)

Éconosult. **Étude préparatoire à l'évaluation du programme du Bureau des traductions. Rapport de l'étape 1.** Avril 1982. 19 p. et annexe. (Inédit)

__________ **Étude préparatoire à l'évaluation du programme du Bureau des traductions. Rapport préliminaire de l'étape 2.** Juillet 1982. 129 p. (Inédit)

__________ **Étude préparatoire à l'évaluation de la sous-composante "terminologie".** Bureau des traductions, juin 1983. 30 p. et annexe. (Inédit)

__________ **La sous-composante "interprétation" : document d'encadrement.** Bureau des traductions. Juillet 1983. 44 p. (Inédit)

__________ **La sous-composante "traduction" : document d'encadrement.** Bureau des traductions. Juillet 1983. 57 p. (Inédit)

EDRIDGE, Sylvia et Jean DELISLE. (Entrevue réalisée avec A.-H. Beaubien le 24 octobre 1982 à Montréal.) 31 p. (Inédit) /L'ancien surintendant évoque ses débuts en traduction et ses réalisations au Bureau fédéral des traductions./

ELLENWOOD, Ray. **Report on the New Technologies Workshop.** King City, Ontario, 12 février 1982. 5 p. (Inédit) /Nouvelles technologies au service des écrivains et des traducteurs/

__________ "Some Actualities of Canadian Literary Translation", in **Translation in Canadian Literature.** Ottawa, University of Ottawa Press, 1983. p. 61-71.

"Entrevue avec Jean-Claude Corbeil" à l'émission **Place publique.** CBOFT, 2 février 1983. /Traduction de l'anglais vers le français/

Étude non datée des facteurs influant sur la qualité des traductions au gouvernement fédéral. (1967?). 9 p. (APC RG6 G2 vol. 744)

EWERT, Charles. **No Man's Brother.** Scarborough, Avon Books of Canada, 1984. 308 p. /Biographie romancée du premier interprète canadien, Étienne Brûlé/

FAUBERT, Adélard. **Le service de traduction dans l'entreprise.** Publié sous la direction de A. Faubert, Montréal, Centre de linguistique de l'entreprise, 1978. 62 p.

FILLION, Laurent. **Cinquantenaire du Bureau fédéral des traductions.** Ottawa, Bureau des traductions. (1984) 5 p. (Inédit)

FISCHMAN, Sheila. "Translator's Note", in Roch Carrier's **La guerre, yes Sir!** Toronto, Anansi, 1970.

FORTIER, D'Iberville. "Du réalisme et de la politique linguistique", dans **Les services linguistiques au Canada : bilan et prospective.** Actes du Colloque national sur les services linguistiques (1984). Ottawa, 1985. p. 31-41./Rôle sociolinguistique de la traduction/

FORTIN, Jean-Marie. **Mémoire sur les consultations linguistiques et terminologiques à la Régie de la langue française.** 5 août 1976. (Inédit)

___________ "La Banque de terminologie du Québec", dans **Les services linguistiques au Canada : bilan et prospective.** Actes du Colloque national sur les services linguistiques (1984). Ottawa, 1985. p. 201-205. /Table ronde : Les banques de terminologie et leur exploitation/

"Fraude des traducteurs à Ottawa", à l'émission **Présent.** (CBF), 3 août 1983. /Transcription/

FRÉCHETTE, Achille. "Report on the Enquiry Requested by the Board of Internal Economy of the House of Commons of Canada to be made in Belgium and Switzerland. Paris, 1910", in **Canadian Pamphlets.** Vol. 1204, No 4.

___________ **Report on the Translation Services in Belgium and Switzerland.** Ottawa, King's Printer, (c1910) 1920. 7 p.

GARNEAU, Michel. "Le mot de Michel Garneau", dans le programme de **La maison de Bernarda Alba** ("tradaptation" de Michel Garneau). Centre national des arts, Ottawa, 1975. p. 5. /Adaptation en québécois la pièce de F. Garcia Lorca/

GASCON, Wilfrid. **Guide pour la rédaction des débats de la Chambre des communes.** Ottawa, Imprimerie nationale, 1914. 24 p.

GAULD, Greg, Carole DUCHESNE et Luc LAVALLÉE. **Étude des opérations d'interprétation et de traduction -- section des comités.** Secrétariat d'État, Bureau des traductions, Planification et politique, octobre 1980. (Document interne)

GAUVIN, L. et Laurent MAILHOT. **Guide culturel du Québec.** (Publié sous la direction de L. Gauvin et L. Mailhot), Montréal, Boréal Express, 1982. 533 p. /Traductions : p. 361-364. Rétrospective sommaire de l'évolution de la traduction au Canada. Mention des oeuvres traduites à la suite de la biographie des auteurs./

GAWN, Peter. **Pragmatic Evolution of Translation in an Industrial-Scale Translation Service.** Paper read at the 1984 Congress of the International Association for Applied Linguistics (AILA), Brussels, August 9, 1984. 8 p. (Inédit) /La traduction au Bureau des traductions. Point de vue d'un gestionnaire sur la qualité des traductions, le milieu de travail et la productivité des traducteurs/

GÉMAR, Jean-Claude. "Fonctions de la traduction juridique en milieu bilingue et langage du droit au Canada", dans **Langage du droit et traduction.** Québec, Éditeur officiel du Québec, 1982. p. 121-137.

__________ **Langage du droit et traduction.** Collectif réalisé sous la direction de Jean-Claude Gémar, publié en coédition par Linguatech et le Conseil de la langue française, Éditeur officiel du Québec, 1982. 321 p.

__________ **Les trois états de la politique linguistique du Québec.** D'une société traduite à une société d'expression, Coll. "Dossiers du Conseil de la langue française", n° 17. Québec, 1983. 201 p. /L'auteur s'interroge sur le rôle historique de la traduction juridique au Canada./

GEOFFRION, Louis-Philippe. **Notre vocabulaire parlementaire.** Conférence prononcée devant la Société du parler français, Québec, 14 mars 1918. /Difficulté d'adaptation de la langue française aux institutions britanniques/

GÉRIN, Léon. **Antoine Gérin-Lajoie.** La résurrection d'un patriote canadien. (Édition du Centenaire). Montréal, éd. du Devoir, 1925. 325 p.

GIGUÈRE, Richard. "Traduction littéraire et 'image' de la littérature au Canada et au Québec", dans **Translation in Canadian Literature.** Ottawa, University of Ottawa Press, 1983. p. 47-60.

GIROUX, Bruno. **La banque de terminologie du Québec, un outil pour la francisation du monde du travail.** Québec, Éditeur officiel du Québec, 1977. 8 p.

GLASSCO, John (ed.). **The Poetry of French Canada in Translation.** Toronto, Oxford University Press, 1970. 270 p. /Introduction, p. xvii-xxiv; Index of Translators, p. 266-270/

GLAUS, Fred. **Foreign Languages Division Highlights in 1970.** s.d. 4 p. (CRCCF, Fonds Glaus)

GNAROWSKI, Michael. **A Study On the Extent and Condition of Canadian Literary Translation & a Check List of Translated Titles.** Research paper for the Royal Commission on Bilingualism and Biculturalism, 1967. 13 p. + 16 p. + Index viii p. (Unpublished).

GOBEIL, Fernand. **La traduction automatique au Canada : tour d'horizon.** Allocution prononcée lors des Journées canadiennes de Nancy, janvier 1981. 10 p. (Inédit)

__________ **Traduction automatique. Situation canadienne.** Bureau des traductions, 23 février 1982. 5 p. (Inédit) /Historique. Chronologie/

__________ **Les banques de terminologie et les systèmes de traduction automatique.** Allocution prononcée à la conférence internationale ANTEM (Application de nouvelles technologies à l'éducation multimédia), Paris, 24-25 mars 1983. 12 p. (Inédit) /Historique des principaux systèmes dans le monde et des réalisations canadiennes en ce domaine/

GORDON, Jean. **Un réseau d'ordinateurs au service du bilinguisme.** Communication présentée à la IXe Biennale de la langue française tenue à Lausanne et Aosti, 2-10 septembre 1981. 7 p. (Inédit) /Les applications des ordinateurs à la traduction au Canada/

__________ "La traduction tous azimuts", dans **Actes du colloque Traduction et qualité de langue,** 1984. p.104-107. /Influence de la traduction sur la langue juridique/

GOUIN, Jacques. "Bref historique de la traduction et de l'interprétation au Canada et rôle actuel de l'ATIO", dans **Annuaire de l'ATIO,** 1970. p. 49-54. /Traduction anglaise en regard/

__________ **Histoire de l'ATIO (1920-1970).** Ottawa, Association des traducteurs et interprètes de l'Ontario, 1971. 14 p.

__________ **Souvenirs de mes trente ans au Bureau des traductions (1945-1975).** 7 avril 1982. 7 p. (Inédit)

Government of the Northwest Territories. **Annual Report.** Yellowknife, Department of Information, 1984. 97 p. /Language Bureau, p. 51-52/

GRÂCE, J.-G. de. **Tribulations et consolations d'un traducteur.** 1972, 17 p. + 1 page d'annexe. /Poème inédit comptant 777 alexandrins. L'auteur y raconte ses débuts en traduction, évoque ses lectures, sa participation à des congrès de traduction, etc./

GRAVEL, Henri. **La traduction au Gouvernement du Québec.** Communication présentée au Colloque fédéral-provincial sur la traduction, novembre 1972. 7 p. (Inédit)

GRÉGOIRE, Jean-François. "La traduction automatisée au service des traducteurs", dans **La traduction, une profession.** Actes du VIIIe Congrès mondial de la Fédération internationale des traducteurs. Montréal, 1977. p. 353-357.

GRÉGOIRE, Jeanne. **Historique de l'Institut de traduction Inc.,** (s.d.). 15 p. (Inédit)

GUAY, Jean-Pierre. **Lorsque notre littérature était jeune.** Montréal, Cercle du livre de France, 1983. 264 p. /Entretiens avec Pierre Tisseyre. Création de la collection "Deux solitudes"/

Guide du traducteur. Montréal, Société des traducteurs de Montréal (s.d.). 148 p. (Inédit) /Choix de lettres bilingues à l'intention des secrétaires bilingues appelées à faire de la traduction/

GUITARD, Agnès. "Les virus ambiance" dans **Les années-lumière.** Montréal, VLB éditeur, 1983. p. 77-127. /Nouvelle dans laquelle on utilise une machine à traduire les conversations/

HAYNE, David M. "Literary Translation in Nineteenth-Century Canada", in **Translation in Canadian Literature.** Ottawa, University of Ottawa Press, 1983. p. 35-46.

HOFFMAN, David et Norman WARD. **Bilingualism and Biculturalism in the Canadian House of Commons.** Document of the Royal Commission on Bilingualism and Biculturalism No. 3, Ottawa, Queen's Printer, 1970. /Chap. VIII "Bilingualism in the House of Commons", p. 205-218. A. The Translation System; C. The Extension of Translation Facilities/

HORGUELIN, Paul A. (Historique de l'évolution de la recherche et de la diffusion terminologiques au Canada), dans **ATIO Compte rendu : Colloque sur la terminologie appliquée à la traduction.** Ottawa, Association des traducteurs et interprètes de l'Ontario, septembre 1974. p. 11-14.

__________ **Pratique de la révision.** Montréal, Linguatech, 1978. 189 p. (2e édition : 1985. 195 p.) /Parties de chapitres consacrées à l'évolution de la fonction de révision au Canada et à son enseignement/

__________ **La Traduction, une profession / Translating, a Profession.** Actes du VIIIe Congrès de la Fédération internationale des traducteurs (FIT), Montréal, Canada, 1977. Publiés sous la direction de P. A. Horguelin. Montréal, Conseil des traducteurs et interprètes du Canada, 1978. 576 p.

__________ **Anthologie de la manière de traduire. Domaine français.** Montréal, Linguatech, 1981. 230 p. /Chapitre VIII -- L'apport canadien, p. 205-218./

__________ "La traduction à l'ère des communications", dans **Actes du colloque Traduction et qualité de langue.** 1984. p. 24-35. /Évolution des outils du traducteur et de la traduction/

__________ "Un peuple de traducteurs"?, dans **Le statut culturel du français au Québec.** Actes du congrès Langue et société au Québec (1982). Textes colligés et présentés par Michel Amyot et Gilles Bibeau, tome II. Québec, Éditeur officiel du Québec, 1984. p. 441-445.

Index Translationum, répertoire international des traductions. (Institut international de coopération intellectuelle), Paris, nº 1, 1932 - nº 31, 1940.

Index Translationum, répertoire international des traductions. (Unesco), vol. 1, 1948 - .

"Influence du milieu socio-culturel sur la compétence professionnelle", dans **Les services linguistiques au Canada : bilan et prospective.** Actes du Colloque national sur les services linguistiques (1984). Ottawa, 1985. p. 319-341. /Exposé présenté conjointement par A. Clas et P. Horguelin, suivi d'une période de questions. Thème : Formation et perfectionnement. Quels sont les critères de compétence; comment peut-on les évaluer?/

Institut canadien de l'information scientifique et technique (ICIST). **Répertoire canadien des traductions scientifiques.** Ottawa, Conseil national de recherches Canada, juin 1983. (Dépliant)

Institut de traduction. **Annuaire 1959-1960.** Suivi d'un historique de l'Institut, de la liste des diplômés de 1944 à 1959 et de la liste des conférences organisées par l'Institut depuis 1955. Montréal, Secrétariat de l'Institut, 35 p. /Aussi 15 photos, liste des récipiendaires de la médaille de l'ambassade de France (1947-1959) et des boursiers de l'Institut (1948-1959)/

__________ "Historique" (de l'Institut) dans **Annuaire 1959-1960.** Montréal, Secrétariat de l'Institut, p. 13-19.

__________ **Mémoire.** Québec, 1950. /Présenté par M. F. Vézina, président de l'Institut de traduction, devant la Commission royale d'enquête sur l'avancement des arts, lettres et sciences au Canada./

"Interview on the Translation service of the federal government", in the program **The National.** CBC (TV), April 19, 1982. /Transcription/

"Interview with Denis Roberge" in the program **Newsline.** CJOH, January 19, 1983. /Transcription. Subvention de 95 000 $ du gouvernement fédéral à l'Office de la langue française/

ISABELLE, P. **Perspectives d'avenir du groupe TAUM et du système TAUM-AVIATION.** Groupe TAUM, Université de Montréal, 1981. 35 p. (Inédit)

JAUBERT, Y.P. et F. DUMAS. **Rapport sur l'utilisation de machines de traitement de mots comme aides à la traduction.** Secrétariat d'État, Bureau des traductions, novembre 1979.

The Jesuit Relations and Allied Documents. Travels and Explorations of the Jesuit Missionaries in New France 1610-1791. (Edited by Reuben Gold Thwaites). New York, Pageant Book, 1959. 73 vol.

JONES, D. G. "F. R. Scott as Translator", in **On F. R. Scott**, Djwa, S. and R. St J. Macdonald (ed.) Kingston and Montréal, McGill/Queen's University Press, 1983, p. 160-164.

JOURNEAN, Raoul. **Le "business" de la traduction.** Montréal, Guy Maheux éditeur, 1981. 104 p. /Critique des associations professionnelles de traducteurs, des Écoles de traduction et des conditions de travail des traducteurs à Toronto/

JUHEL, Denis. **Bilinguisme et traduction au Canada. Rôle sociolinguistique du traducteur.** Québec, Centre international de recherche sur le bilinguisme, publication B-107, 1982. xiv + 116 p. /Préface de Danica Seleskovitch/

KERPAN, Nada. "Place et rôle du terminologue dans un service de traduction", dans **Actes du 6e colloque international de terminologie**, 1977. p. 551-565.

__________ "L'entreprise à l'heure de la traduction", dans **Le statut culturel du français au Québec.** Actes du congrès Langue et société au Québec (1982). Textes colligés et présentés par Michel Amyot et Gilles Bibeau, tome II. Éditeur officiel du Québec, 1984. p. 450-454.

__________ "Implantation de la terminologie dans le milieu de travail", dans **Les services linguistiques au Canada : bilan et prospective.** Actes du Colloque national sur les services linguistiques (1984). Ottawa, 1985. p. 221-229.

KINGSTONE, Basil D. **The official status of translation and interpretation in the English-speaking provinces of Canada.** 1982. 29 p. (Travail inédit déposé à l'École de traduction de l'Université d'Ottawa.)

LABELLE, Guy. **Étude de la langue de l'affichage dans la région de Montréal.** Thèse inédite présentée à l'École de traduction de l'Université de Montréal en 1970.

LAFORCE, Luc. **La traduction au Canada. Organisation de la profession.** Rapport présenté par la Société des traducteurs et interprètes du Canada à la FIT, mai 1968. (Inédit) /Bref historique des sociétés provinciales de traducteurs/

LANDRY, Alain. **La Banque de terminologie du gouvernement canadien. Aperçu général.** Bureau des traductions, mars 1979. 15 p. + 5 schémas. (Inédit)

__________ "La normalisation terminologique au Bureau des traductions du gouvernement canadien", dans **Actes du 3e colloque OLF-STQ de terminologie.** 1982. p. 155-170.

__________ **Notes d'allocution. Congrès de l'ATIO.** Ottawa, 21 octobre 1983. 10 p. (Inédit)

"Les langues autochtones : un patrimoine précaire", dans **Les services linguistiques au Canada : bilan et prospective.** Actes du Colloque national sur les services linguistiques (1984). Ottawa, 1985. p. 113-138. /Table ronde. Services de traduction et d'interprétation dans le Grand Nord/

LAPOINTE, Gérard. **Essais sur la Fonction publique québécoise.** Documents de la Commission royale d'enquête sur le bilinguisme et le biculturalisme. Ottawa, Information Canada, n° 12, 1971. p. 121-130. /Chapitre III - Les publications et la traduction/

La RIVIÈRE, Jacques. **La traduction dans la Fonction publique.** Rapport intérimaire d'un projet interne de la Commission royale d'enquête sur le bilinguisme et le biculturalisme, Rapport 26. Div. IV, juillet 1966. 173 p. (Inédit)

LAROSE, Paul-Émile. "La terminologie au Bureau des traductions", dans **ATIO Compte rendu : Colloque sur la terminologie appliquée à la traduction**, septembre 1974. p. 39-41.

__________ (Causerie sur le Bureau des traductions) prononcée par l'auteur, surintendant du BdT au déjeuner de la Société des traducteurs du Québec, 26 novembre 1976. 12 p. (Inédit) /Dépôt des dossiers du BdT/

__________ "La traduction au Gouvernement du Canada", dans **La traduction, une profession.** Actes du VIIIe congrès de la FIT, Montréal, CTIC, 1978. p. 479-485.

LAUZIÈRE, Lucie. "Législation pertinente à l'interprétation judiciaire au Canada", dans **L'Interprétation auprès des tribunaux.** Publié sous la direction de Roda P. Roberts. Coll. "Cahiers de traductologie", n° 3. 1981. p. 165-178.

LAVALLÉE, Luc. **Enquête sur la satisfaction des clients.** Secrétariat d'État, Bureau des traductions, Planification et politique, septembre 1979. (Document interne).

__________ **Qualité des traductions -- services multilingues, avril-juin 1980.** Secrétariat d'État, Bureau des traductions, Planification et politique, décembre 1980.

__________ **Étude sur l'organisation du secteur parlementaire.** Secrétariat d'État, Bureau des traductions, Planification et politique, juin 1981. (Document interne)

__________ et Carole DUCHESNE. **Identification des utilisateurs au sein du Bureau des traductions de la Banque de terminologie.** Rapport préliminaire. Secrétariat d'État, Bureau des traductions, août 1981. (Document interne)

__________ et Lise Julien O'BRIEN. **Enquête sur la satisfaction**

des clients -- traductions en langues officielles pour ministères-clients. Secrétariat d'État, Bureau des traductions, Planification et politique, mai 1980. (Document interne)

Lectures européennes de la littérature québécoise. Actes du Colloque international de Montréal tenu du 28 au 30 avril 1981. Montréal, Leméac, 1982. 387 p. /Mention de traductions d'oeuvres québécoises en Europe/

LE QUELLEC, Philippe. "Les services de terminologie du gouvernement du Canada", dans **Terminologies 76.** Paris, La Maison du dictionnaire, 1976, p. I-21/I-25.

__________ "La Banque de terminologie au Canada, une banque au service de la société", dans **La traduction, une profession.** Actes du VIIIe congrès de la FIT, Montréal, CTIC, 1978. p. 363-368

__________ **Gestion d'un fonds terminologique. Le modèle canadien.** (Texte d'une allocution), 20 juillet 1978. 17 p.

__________ **Le français et la traduction.** Allocution prononcée à l'occasion de la Biennale de la langue française tenue à l'île Jersey du 19 au 26 janvier 1980. 9 p. (Inédit)

__________ **La technologie moderne au service de la langue française.** Allocution prononcée le 3 septembre 1981 à la Biennale de la langue française tenue à Lausanne. 10 p. (Inédit) /Importance grandissante de la traduction automatique/

LÉVESQUE, Joan. **La traduction officielle au Québec depuis 1760.** Université d'Ottawa, 1981. 23 p. /Travail inédit déposé à École de traducteurs et d'interprètes/

Literary Translators' Association. **Book Publication -- Agreement** (Revision, 1984). 4 p. + **Guide to Negotiation**, 7 p. /Contrat type pour traducteurs littéraires/

Loi constituant en corporation la Société des traducteurs du Québec. (Bill 114). Révisé le 5 mars 1970. 7 p. /Projet de loi de la reconnaissance professionnelle/

Loi sur les langues officielles du Nouveau-Brunswick. Lois révisées du Nouveau-Brunswick de 1973. Vol. IV, chapitre O-1. p. 1-16.

LONG, John. **Voyages and Travels of an Indian Interpreter and Trader.** London, J. Long, 1791. 295 p.

__________ **John Long, trafiquant et interprète de langues indiennes. Voyages chez différentes nations sauvages de**

l'amérique (sic) **septentrionale 1768-1787.** Paris, éd. A.M. Métailié, 1980. 197 p. /Traduit par J. Billecocq 1794/

LOZANO, Luis. **Old Times at the Translation Bureau.** October 1982. 5 p. /Texte inédit déposé au Bureau fédéral des traductions/)

MACHADO, Bruno. **La fonction traduction dans les ministères : trois études de cas.** Groupe d'étude sur le bilinguisme, Direction de la politique du personnel, Conseil du trésor, Ottawa, Module 16 B, 1972. XVI + 190 p.

MANSON-DAOUST, Aline et Jean-François JOLY. "Les estéquois par eux-mêmes", dans **L'Antenne**, vol. 5, n° 8, avril 1974. Supplément, 2 p.

MARTINEAU, Jacques. **La place de l'anglais dans l'enseignement au collège de Sainte-Foy**, 1976. 126 p. (Manuscrit)

MASSICOTTE, Benoît. (Deux cent treize ans de traduction). Conférence au Colloque fédéral-provincial sur la traduction, 8-9 novembre 1972. 7 p. (Inédit) /Quelques dates de l'histoire de la traduction officielle au Canada/

MAYER, Henriot. **Politique en matière de traduction.** Discours prononcé à Paris, 1972. 25 p. (Inédit)

Mémoire de l'Université McGill présenté devant la Commission royale d'enquête sur le bilinguisme et le biculturalisme. Montréal, 1er mars 1965. 59 p. /Recommande la création d'écoles de traducteurs et la traduction de revues scientifiques./

Mémoire présenté par le Groupe interentreprise pour la gestion informatique de la terminologie à la Commission élue permanente des communautés culturelles et de l'immigration (relative à la Charte de la langue française). Octobre 1983. 4 p.

MENDEL, Gerry A. **Do you know a Foreign Language and would like to help?.** Foreign Languages Division, Secretary of State, Translation Bureau. (s.d.) 7 p.

__________ **Notes on the History of the Multilingual Services Division, 1962-1982.** (Including Foreign Language Interpretation Services and Exchanges of Staff and Documentation with Other Countries). Ottawa, Translation Bureau, December, 1982. (Unpublished)

Metro Service for the Deaf. **Annual Report 1984.** Halifax, s.d. /Statistiques sur les services fournis en 1983-84)

__________ **Interpreter Service for the Deaf.** Halifax, 1984. 7 p. (Inédit) /Historique/

MEZEI, Kathy. "A Bridge of Sorts: The Translation of Québec Literature into English", in **The Yearbook of English Studies,** Vol. 15, 1985. p. 201-226.

MINEAU, Suzanne. **La traduction des annonces de presse au Québec.** Ottawa, 1972. 131 p. (Thèse inédite de maîtrise déposée à l'Université d'Ottawa)

Ministère de la Défense nationale. Quartier général des Forces canadiennes. **Directive C.P. 6/72 du QGFC : Programme destiné à mettre en oeuvre des services accrus de traduction à l'usage des Forces canadiennes.** Avril 1972. 7 p. + 16 p. d'annexes.

__________ Quartier général des Forces canadiennes. Ordre administratif des Forces canadiennes 2-14 : **Services de terminologie, de traduction et d'interprétation.** 26 juillet 1974. 7 p. /Remplace l'instruction C.P. 6/72 du QGFC/

Ministère des Communications. Direction de l'information. **Rapport du comité d'étude de la politique fédérale.** (Rapport Applebaum/Hébert). Ottawa, ministère des Approvisionnements et Services, 1982. /Chap. 7. Recommandations : accroître l'aide à la traduction/

Ministère du Revenu. **Rapport de l'Auditeur général à la Chambre des communes.** 1985 -- . /Effectif et salaires des traducteurs fédéraux. Budget du Bureau fédéral des traductions à partir de 1936/

MOODY, Barry Morris. **A Just and Disinterested Man. The Nova Scotia Career of Paul Mascarene, 1710-1752.** Ph. D. thesis, Queen's University, 1976. /Manuscrit, microfiches/

MORISSET, Paul. "La traduction dans les médias écrits, ou les escaliers roulants de Bombardier", dans **Actes du colloque Traduction et Qualité de langue.** 1984. p. 41-45.

__________ "La traduction dans les médias", dans **Le statut culturel du français au Québec.** Actes du congrès Langue et société au Québec (1982). Textes colligés et présentés par Michel Amyot et Gilles Bibeau, tome II. Éditeur officiel du Québec, 1984. p. 446-449.

MORISSETTE, A. "La mécanisation au service de la profession", dans **La Mission du traducteur aujourd'hui et demain.** Actes du IXe congrès mondial de la Fédération internationale des traducteurs. Varsovie, 1981. p. 432-437.

NEKRASSOFF, Vladimir. **The Self-Employed Translator and Income Taxes.** Paper read during the German Section Freelance Meeting held on January 27, 1979, in Ottawa-Hull (Translation Bureau). 8 p. (Unpublished. CRCCF, Fonds Glaus)

New Brunswick. Legislature. **House of Assembly.** Fredericton 1837/38-1870; 1874 -- . /Débats/

NILSKI, Thérèse. **Conference Interpretation in Canada.** Documents of the Royal Commission on Bilingualism and Biculturalism. Ottawa, Queen's Printer, 1969. 75 p.

Northwest Territories Legislative Assembly. **An Ordinance to recognize and provide for the use of the aboriginal languages and to establish the official languages of the Northwest Territories.** Northwest Territories Gazette, Volume V, No. 2. Part III, 1984. p. 73-79.

"Notre expertise linguistique ne fait maintenant plus de doute", à l'émission **Le téléjournal.** CBFT, 10 février 1982. /Transcription/

NOVELLI, Novella. "Traductions italiennes de **Maria Chapdelaine**", dans **Lectures européennes de la littérature québécoise,** 1982. p. 64-74.

Office de la langue française. **Banque de terminologie du Québec.** (Dépliant)

L'Officiel de la publicité au Québec. L'Agence générale d'éditions professionnelles Inc., 1982 (c1980), p. 255-257. /Section VIII : liste d'organismes de traduction recommandés par l'agence/

PANNETON, Georges. **Précis de traduction, règles de l'art de traduire. "Transposition, principe de la traduction."** Montréal, Université de Montréal, 1946. 7 p. (Inédit)

__________ **La transposition, principe de la traduction.** Université de Montréal, 1945. 90 p. (Thèse de maîtrise inédite)

PARÉ, Marcel. (La Banque de terminologie de l'Université de Montréal), dans **ATIO Compte rendu : Colloque sur la terminologie appliquée à la traduction,** septembre 1974. p. 33-37.

__________ "La machine à traduire a-t-elle, elle aussi, une mission?", dans **La mission du traducteur aujourd'hui et demain.** Acte du IXe congrès mondial de la Fédération internationale des traducteurs, Varsovie, 1981. p. 339-342.

Parlement. Chambre des communes. Comité spécial chargé d'étudier la Loi des élections fédérales 1938. **Procès-verbaux et témoignages.** Fascicule 1, séance du jeudi 8 novembre 1951. /Témoignage de A.-H. Beaulieu. Cf. Débats du 14 décembre 1951. p. 2095/

__________ **Règlements de la Chambre des communes.** Canada, Imprimeur de la Reine, 16e éd., 1969. 119 p.

__________ Sénat. **Procès-verbaux et témoignages du Comité mixte spécial du Sénat et de la Chambre des communes sur les langues officielles.** Fascicule n° 45, le jeudi 17 juin 1982. 41 p. /Étude des Rapports 1978 à 1981 du Commissaire aux langues officielles : les coûts de la traduction. Témoins du ministère du Secrétariat d'État : Philippe Le Quellec, Roch Blais, Max Yalden/

__________ Sénat. **Procès-verbaux et témoignages du Comité mixte spécial du Sénat et de la Chambre des communes sur les langues officielles.** Fascicule n° 58, le jeudi 26 mai 1983. 35 p. /Étude du rapport annuel 1982 du Commissaire aux langues officielles. Témoins : Alain Landry, Greg Gauld et autres. Longs passages concernant le BdT/

__________ "Règlements du Bureau des traductions", dans **Gazette du Canada,** Partie II, vol. 102, n° 20, 23 octobre 1968. p. 1393-1399.

__________ "Loi concernant le Bureau des traductions", dans **Statuts révisés 1970.** Chapitre T-13. p. 7421-7423.

Parliament. House of Commons. **Bill 4. An Act Respecting the Bureau for Translations.** Secretary of State. First reading, January 29, 1934.

__________ Senate. Special Committee on the Civil Service. **Report.** 1924 (Appendix No. 2 Civil Service Commission, Organization Branch, April 15, 1924. **Memorandum. Reorganization of Government Departments or Branches.** 6-The Provision of a Central Translating Service. p. 21-22.

PELLETIER, Jean-François. **Une publicité en quête de qualité.** Montréal, Publicité Pelletier, 1977. 359 p.

PÉTRIN, Hélène. **Le droit d'auteur du traducteur au Canada.** 1974. 11 p. (Inédit)

PÉTRIN, Léa. **Tuez le traducteur.** Montréal, lib. Déom, 1961. 211 p. /Essai humoristique. Le héros est un traducteur./

PICKEN, Catriona (ed.). **The Translator's Handbook.** London, Aslib, 1983. 270 p. /Passages consacrés au Canada/

PLOURDE, Michel. "Allocution de synthèse", dans **Actes du colloque Traduction et Qualité de langue.** 1984. p. 204-211. /Place de la traduction dans la société québécoise; rôle du traducteur; formation professionnelle du traducteur./

POISSON, Jacques. "La traduction, facteur d'acculturation?", dans **La traduction, une profession.** Actes du VIIIe Congrès mondial de la Fédération internationale des traducteurs, Montréal, 1977. p. 281-291.

__________ "Administration, langue et culture", dans **Actes du colloque Traduction et qualité de langue.** 1984. p. 61-66. /"Le gouvernement central peut-il gouverner par textes traduits sans affecter la langue d'arrivée?"/

__________ "Le rôle théorique du rédacteur professionnel", dans **La Traduction : l'universitaire et le praticien.** Coll. "Cahiers de traductologie", n° 5. Ottawa, éd. de l'Université, 1984. p. 243-247.

__________ "Manuels traduits et allégeance culturelle", dans **Le statut culturel du français au Québec.** Actes du congrès Langue et société au Québec (1982). Textes colligés et présentés par Michel Amyot et Gilles Bibeau, tome II. Éditeur officiel du Québec, 1984. p. 455-460.

Le Portrait du bon traducteur. Étude menée par des étudiants de sociologie pour le compte du Bureau des traductions de la Fonction publique fédérale, été 1973. 39 p. (Inédit)

POTVIN, Augustin. **Aux membres de l'Association technologique.** 29 mars 1952. 1 p. /Circulaire concernant la création d'un Centre de lexicologie par l'ATLFO/

POULIN, Jacques. **Les grandes marées.** Montréal, éd. Leméac, 1978. 201 p. /Roman dont le héros est un traducteur./

"La pratique du travail à la pige a une longue histoire" à l'émission **Le radio-journal.** CBF, 3 août 1983. /Transcription. Traducteurs accusés de conflit d'intérêts/

"La pratique était connue" à l'émission **Le radio-journal.** CBF, 4 août 1983. /Transcription. Traducteurs accusés de conflit d'intérêts/

PROULX, Jeanne. **Bio-bibliographies canadiennes-françaises** (travaux bio-bibliographiques présentés par les élèves de l'Ecole des bibliothécaires de l'U. de M. entre 1938 et 1962). (Microfilms)

(Qualité de la traduction au gouvernement fédéral) at the program **CBO morning.** CBC/CBO, May 12, 1983. /Transcription. Entrevue avec Max Yalden/

Recherche sur la traduction automatique. Premier rapport trimestriel. Université de Montréal, Faculté des Lettres, Département de linguistique, 31 janvier 1966. 36 p. (APC RG6 G2 vol. 742) /Recherche sur la traduction automatique subventionnée par le Conseil national de la recherche/

Règlement 76-47 établi en vertu de la Loi sur les langues officielles du Nouveau-Brunswick, déposé le 3 mars 1976. p. 68-71. /Traduction devant les tribunaux/

Réorganisation de la Division générale de traduction. Mémoire à M. Pierre Daviault, surintendant de la traduction, présenté par le chef de la Division générale de traduction. Ottawa, 6 avril 1955. 5 p. (APC RG6 G2 vol. 741)

RICHARD, Marcel (lieutenant-colonel). **Mémoire à la Commission royale d'enquête sur le bilinguisme et le biculturalisme.** Ottawa, 13 août 1964. /La nécessité d'une terminologie française officielle dans les Forces armées/

RIVARD, Adjutor. "Notre législation", dans **Mémoires** du Deuxième congrès de la langue française au Canada (1937), tome II, 1938. p. 136-193. /Voir section n° 1 : Emprunt et traduction, p. 170-176./

ROBERTS, Roda P. **L'interprétation auprès des tribunaux.** Actes du mini-colloque tenu les 10 et 11 avril 1980 à l'Université d'Ottawa. Publié sous la direction de R. P. Roberts Coll. "Cahiers de traductologie", n° 3. Ottawa, éd. de l'Université, 1981. 201 p.

__________ "Court Interpreting in British Columbia", in **L'Interprétation auprès des tribunaux.** Coll. "Cahiers de traductologie", n° 3. Ottawa, éd. de l'Université, 1981. p. 27-29.

__________ "Training Programmes for Court Interpreters in Canada", dans **L'Interprétation auprès des tribunaux.** Coll. "Cahiers de traductologie", n° 3. Ottawa, éd. de l'Université, 1981. p. 165-178.

__________ "Training for the translator of tomorrow in Canada", in **La mission du traducteur aujourd'hui et demain.** Actes du IXe congrès mondial de la Fédération internationale des traducteurs, Varsovie, 1981. p. 253-257.

__________ **Evolution in Translation Since 1966 as Reflected in the Pages of Meta.** May, 1984. 18 p. /Conférence présentée à l'ACLA. Publiée dans **Meta**, vol. 30, n° 2, 1985, p. 194-198/

__________ **The Specificity of the School in Relation to Non-Professional Units.** 1983. 7 p. (Inédit) /École de traducteurs et d'interprètes de l'Université d'Ottawa/

ROBICHAUD, D.-T. (Mémoire concernant la traduction des délibérations des comités de la Chambre des communes, présenté au Secrétaire d'État le 4 juin 1946) (APC RG6 G2 vol. 741). /Extrait/

ROBICHAUD, Raymond. (Considérations sur le métier d'interprète). Dépôt des dossiers du Bureau fédéral des traductions. 7 p. (Inédit)

__________ (Historique des débuts de l'interprétation simultanée au gouvernement fédéral). Dépôt des dossiers du Bureau fédéral des traductions. 9 p. (Inédit)

__________ **Interpretation in Canada - A Survey of the Work of the Interpretation Division of the Federal Bureau for Translations.** Dépôt des dossiers du Bureau fédéral des traductions. 8 p. (Inédit) /L'article est accompagné d'une traduction en japonais publiée dans l'**English Journal** de Tokyo, 1980. p. 48-53./

__________ **A.-H. Beaubien.** 1982. 4 p. (Inédit) /Notice biographique/

__________ **Mon père D. T. Robichaud.** Notice biographique. 1982. 8 p. (Inédit)

"Le rôle des associations professionnelles", dans **Les services linguistiques au Canada : bilan et prospective.** Actes du Colloque national sur les services linguistiques (1984). Ottawa, 1985. p. 353-373. /Sociétés faisant l'objet d'une présentation : STQ, ATIO, STIBC, AIIC-Canada/

RONDEAU, Guy. **Introduction à la terminologie.** Chicoutimi, Gaëtan Morin éditeur, 2e édition, (c1981) 1984. 238 p. /Sections de chapitres consacrées à l'histoire de la terminologie au Québec et au Canada/

RONDEAU, Guy (et al.). **Colloque sur les stages en traduction et en terminologie.** Actes du colloque tenu les 26, 27 et 28 avril 1981 à l'Université Laval. Publié sous la direction de Guy Rondeau, Nada Kerpan et Roda P. Roberts, Québec, GIRSTERM/ STQ/ACET, 1982. 217 p.

ROUSSEAU, Louis-Jean. "Les incidences de la traduction sur la terminologie au Québec", dans **Actes du colloque Traduction et qualité de langue,** 1984. p. 82-88.

ROY, Pierre-Georges. **La Réception de Monseigneur le Vicomte d'Argenson, par toutes les Nations du païs de Canada à son entrée au Gouvernement de la Nouvelle-France.** Québec, Léger Brousseau, 1890. 23 p. /Le génie des forêts, interprète des étrangers/

SAINT-DENIS, Yvon. **Étude des anglicismes contenus dans une page d'un journal canadien-français de 1890.** Université de Montréal, 1967. (Thèse de linguistique en vue de l'obtention du grade M.A.) /Une page de **La Presse** de 1890/

SAINT-GEORGES, Jean. **Notes de traduction.** Montréal, La Presse canadienne, 1954. 61 p. /Aide-mémoire à l'usage des traducteurs de l'agence de presse qui créa une section française en 1951/

SAUVÉ, Clément. "La situation en Ontario", dans **Les services linguistiques au Canada : bilan et prospective.** Actes du Colloque national sur les services linguistiques (1984). Ottawa, 1985. p. 73-76. /Services gouv. en Ontario/

School of Translators' Student Council. **Constitution of the TSC.** Sudbury, 1983. 7 p. (Unpublished)

SCHWAB, Wallace. **L'aménagement de la traduction au Québec. Problèmes théoriques et pratiques.** Québec, Éditeur officiel du Québec, 1978. 119 p.

__________ "La traduction, moyen de francisation", dans **L'Aménagement de la traduction au Québec.** Québec, l'Éditeur officiel du Québec, 1978. p. 11-13.

__________ "Le prix de revient de la traduction", dans **L'Aménagement de la traduction au Québec.** Québec, l'Éditeur officiel du Québec, 1978. p. 14-16.

Secrétariat d'État. **Rapport annuel.** /Inclut le rapport annuel du Bureau des traductions à partir de 1936/

__________ **Publications subventionnées par la Direction du multiculturalisme, gouvernement du Canada.** Ottawa, 1ère éd., mai 1980, (2e éd., mai 1981) (non paginé).

__________ **Budget des dépenses 1982-1983 -- Partie III -- Bureau des traductions -- Plan de dépenses.** Ministère des Approvisionnements et Services Canada, 1982.

__________ **Budget des dépenses 1983-1984.** Partie III. Plan de dépenses. (La traduction : p. 21-27) 1983. /Plan de dépenses servant de document de référence aux députés. La section III fournit des renseignements sur les coûts et les ressources du service de traduction./

__________ **Bureau des traductions 1983-1984 : Rétrospective et prospective.** Août 1984. 6 p.

Secretary of State. **Return of the Names and Salaries etc. of the Employees of the Civil Service also of the Officers of the Paid Militia Staff, and of the Senate and House of Commons of Canada under the Canada Civil Service Act 1882.** Ottawa, 1883. /Devient : Civil Service List en 1885. Liste des traducteurs fédéraux, dates de nomination, traitements/

SEREDA, Stanley P. "Practical Experience with Machine Translation", dans **Les services linguistiques au Canada : bilan et prospective.** Actes du Colloque national sur les services linguistiques (1984). Ottawa, 1985. p. 299-303. /Le système Systran chez General Motors of Canada/

Fig. 13 -- Le **Journal des traducteurs**, fondé en 1955 par l'Association canadienne des traducteurs diplômés (ACTD), fut remplacé en 1966 par la revue **Meta**, publiée aux Presses de l'Université de Montréal. (Photo : CRCCF, Ph 1-I-215)

BIBLIOTHÈQUE DE STYLISTIQUE COMPARÉE
Sous la direction de A. MALBLANC
I

J.-P. VINAY
de la Société Royale du Canada
Agrégé de l'Université

J. DARBELNET
Agrégé de l'Université

STYLISTIQUE COMPARÉE
DU FRANÇAIS ET DE L'ANGLAIS

MÉTHODE DE TRADUCTION

Nouvelle édition revue et corrigée

1967

DIDIER
4 et 6, rue de la Sorbonne
PARIS

BEAUCHEMIN
251 Est, rue Vitré
MONTRÉAL 1

Fig. 14 -- Page titre de la **Stylistique comparée du français et de l'anglais** de Jean-Paul Vinay et Jean Darbelnet. Cet ouvrage, paru en 1958, marque incontestablement une date dans l'histoire des publications en traduction. (Photo : CRCCF, Ph 1-I-202)

SERRÉ, Robert. **Répertoire de traducteurs indépendants dans la région de la capitale nationale / Directory of Freelance Translators in The National Capital Region.** Ottawa, c Robert Serré, 1982. 24 p. (Révisions annuelles). /Profil des traducteurs inscrits au répertoire/

Les Services linguistiques au Canada : bilan et prospective / Linguistic Services in Canada : Insight and Outlook. Actes du Colloque national sur les services linguistiques tenu à Ottawa, du 9 au 12 octobre 1984. Secrétariat d'État, Ottawa, ministère des Approvisionnements et Services Canada, 1985. 409 p.

SHEPPARD, Claude-Armand. **The Law of Languages in Canada.** Studies of the Royal Commission on Bilingualism and Biculturalism, Vol. 10. Ottawa, Information Canada, 1971. 414 p. /Synthèse de la législation linguistique au Canada. Nombreux passages concernant la traduction/

SHOULDICE, Larry. "On the Politics of Literary Translation in Canada", in **Translation in Canadian Literature.** Ottawa, University of Ottawa Press, 1983. p. 73-82.

"La situation dans les provinces et territoires", dans **Les services linguistiques au Canada : bilan et prospective.** Actes du Colloque national sur les services linguistiques (1984). Ottawa, 1985. p. 61-85. /Manitoba, Nouveau-Brunswick, Ontario, Québec, T. N.-O./

SMITH, Markland. **Mémoire à l'intention du surintendant du Bureau des traductions rédigé par le chef du service de traduction du ministère de la Citoyenneté et de l'Immigration.** 6 p. (APC RG6 G2 vol. 743) /Dénonciation des critiques de la version française de la revue **Citoyen** publié par le ministère/

SNOW, Gérard. **Centre de traduction et de terminologie juridiques.** Rapport au 24 mai 1985. CTTJ, mai 1985. 13 p.

Société des diplômés de l'Institut de traduction. **Rapport annuel** 1962; 1963-1964.

Société des traducteurs de Montréal. **Fiches du comité du Forum.** Montréal, fiches 1 à 78. (s.d.) 10 p.

__________ **Rapports des Forum.** Montréal, 1942-1943; 1956-1965. Pagination discontinue. (Inédit)

__________ **Rapports du président.** Montréal, Société des traducteurs de Montréal, 1951-1969. (Inédit)

Société des traducteurs du Québec. **Rapport annuel.** Montréal, 1967-1968; 1973- .

__________ **Rapports des séances d'études.** Montréal, 1965-1968. Pagination discontinue. (Inédit)

__________ **Mémoire présenté par la Société des traducteurs du Québec à la Commission d'enquête sur la situation de la langue française et sur les droits linguistiques au Québec.** Montréal, août 1969. 40 p.

__________ **Répertoire de la STQ.** Montréal, 1ère éd., 1970.

__________ **La profession de traducteur.** Montréal, novembre 1971. 3 p. (Dépliant)

__________ **Le documentaliste de services linguistiques.** Montréal, avril 1982. (Dépliant).

__________ **Le terminologue.** Montréal, avril 1982. (Dépliant).

__________ **Le traducteur.** Montréal, avril 1982. (Dépliant).

__________ **Le réviseur.** Montréal, avril 1982. (Dépliant).

__________ **L'interprète de conférence.** Montréal, septembre 1983. (Dépliant)

__________ **Sondage sur les salaires et les conditions de travail.** Montréal, octobre 1977. 8 p. (Inédit)

__________ **Sondage sur les conditions de travail 1982.** Montréal 1983. 8 p. (Inédit) /L'exercice de la traduction en entreprise/

__________ **Annuaire des traducteurs, interprètes et terminologues indépendants et pigistes.** Montréal, 1983.

__________ "Règlement intérieur", dans **Répertoire de la STQ.** Montréal, septembre 1983.

__________ **Répertoire de la STQ.** Montréal, septembre 1983.

__________ **Annuaire des langues étrangères.** Montréal, 1984. (Dépliant).

Société des traducteurs et interprètes du Canada. **Charte** (copie certifiée conforme). Ottawa, 11 mars 1957. 7 p.

Société royale du Canada. **Rapport à la Commission royale d'enquête sur le bilinguisme et le biculturalisme.** (1965). 13 p. /Propose la formation d'écoles de traduction/

Society of Translators and Interpreters of British Columbia. **Directory 1983.** 1983. 14 p. /Code d'éthique; membres fondateurs/

__________ **Annual Report 1982/1983.** 24 septembre 1983. 11 p.

Spécial cinquantenaire. **L'Actualité terminologique.** Vol. 17, nos 5-6, juillet-août 1984. 24 p. /Une dizaine d'articles de ce numéro spécial sont consacrés à l'histoire du Bureau fédéral des traductions./

SPIRIDONAKIS, Annette Marie. **Problèmes de la traduction française d'une oeuvre canadienne d'expression anglaise** (Les romans de Hugh MacLennan). Thèse de doctorat de 3e cycle. Université de Paris X, 1975. 279 p. (Inédit)

Les Statuts du Bas-Canada. Québec, Stewart Derbishire & Georges Desbarats, 1861. 1 209 p.

STRATFORD, Philip. "Translation as Creation", in **Figures in a Ground: Canadian Essays on Modern Literature Collected in Honour of Sheila Watson.** Diane Bessai and David Jackel (Ed.). Saskatoon, Western Producer Prairie Books, 1978. p. 9-18.

__________ "The Anatomy of a Translation: Pélagie-la-charrette", in **Translation in Canadian Literature.** Ottawa, University of Ottawa Press, 1983. p. 121-130.

__________ and Maureen Newman. **Bibliography of Canadian Books in Translation: French to English anD English to French/Bibliographie de livres canadiens traduits de l'anglais au français et du français à l'anglais.** Ottawa, prepared for the Committee on Translation of the Humanities Research Council of Canada, 1975. 57 p. (Foreword p. i-viii; préface p. ix-xviii) /2e éd. 1977, 78 p./

Survey (...) made in selected Federal Government Departments by the Royal Commission on Bilingualism and Biculturalism Pertaining to Organization, Ethnic Participation and Career Development. March 29, 1965. 10 p. (APC RG6 G2 vol. 741). /Besoins en traduction dans 35 ministères/

Survey of the Duties and Personnel of the Debates Translation Branch (1951). 6 p. (Inédit) (APC RG6 G2 vol. 741)

SUSSMANN, Frederick B. "Bilingualism and the Law in Canada", in **Proceedings of the Sixth International Symposium on Comparative Law.** Held in Ottawa, August 28-30, 1968, under the patronage of the Canadian and Foreign Law Research Centre. Ottawa, University of Ottawa Press, 1969. p. 9-38

"TA et TAO : essais des systèmes et expérience des utilisateurs", dans **Les services linguistiques au Canada : bilan et prospective.** Actes du Colloque national sur les services linguistiques (1984). Ottawa, 1985. p. 291-317. /Mitel, Bell Canada, GM of Canada, Sereco/

TASSIE, J.S. et al. **Proposed school of translation and interpretation joint project of Carleton University and the University of Ottawa.** Juillet 1965. 10 p. (Inédit)

TCHILINGUIRIAN, Chaké. **Conditions de travail et relations interpersonnelles.** Conférence présentée au Congrès de l'ATIO, Toronto, 3-4 octobre 1980. 6 p. (Inédit)

Termium III. Spécifications et caractéristiques. Secrétariat d'État, Bureau des traductions, août 1984. 21 p.

THAON, Brenda. "Michel Garneau's Macbeth -- An experiment in Translating", in **La Traduction : l'universitaire et le praticien.** Coll. "Cahiers de traductologie", n° 5. 1984. p. 207-212.

THOMAS, Arlette et Jacques FLAMAND. **La traduction : l'universitaire et le praticien.** Publié sous la direction de A. Thomas et J. Flamand, Coll. "Cahiers de traductologie", n° 5. Ottawa, éd. de l'Université, 1984. 427 p.

THOUIN, Benoît. **Possibilité et moyens d'automatiser la traduction vers le français de jugements rédigés en anglais.** Éditeur officiel du Québec, 1979. 64 p. /En collaboration avec J. Chandioux et L. Thouin/

__________ "Pour les traducteurs par des traducteurs", dans **La mission du traducteur aujourd'hui et demain.** Actes du IXe congrès mondial de la Fédération internationale des traducteurs, Varsovie, 1981. p. 342-347.

__________ "Operational Systems Actually Available to End Users in Canada", in Igor Mel'chuk (ed.) **Machine Translation - 83.** BCP, Moscow, 1983.

"Traducteurs accusés de conflit d'intérêt" à l'émission **CBO Morning.** CBC/CBO, 4 août, 1983. /Transcription. Invité : Gilles Paquin, courriériste parlementaire du journal **La Presse**/

"Traducteurs accusés de conflit d'intérêt" à l'émission **Le monde maintenant.** Radio Canada/CBOF, 4 août 1983. /Transcription/

"Traducteurs accusés de fraude" à l'émission **Le monde maintenant.** Radio Canada/CBOF, 3 août 1983. /Transcription/

"Traduction en français de toutes les lois au Manitoba" à l'émission **Le téléjournal.** CBFT, 17 mai 1983. /Transcription/

"Traducteurs fédéraux accusés de fraude" à l'émission **Le Quotidien.** Télémédia/CKCH, 3 août 1983. /Transcription/

"Les traducteurs ignoraient la loi" à l'émission **Dimension.**

CKAC, 4 août 1983. /Transcription. Traducteurs accusés de conflit d'intérêts à cause de certains travaux faits à la pige/

Traitement informatisé des langues naturelles et intelligence artificielle. Rapport COGNOS établi pour le Secrétariat d'État et le ministère des Communications. Ottawa, février 1984. Six volumes. 580 p.

"Translation problems affecting arts organizations" in the program **Stereo Morning.** CBC FM Network, January 20, 1982.

"Translation's Cost. Translation Bureau" at the program **News.** CFGO, May 27, 1983. /Transcription/

"Translation's Costs. Translation Bureau" at the program **CBO Morning.** CBC/CBO, May 31, 1983. /Interview d' Alain Landry, Sous-secrétaire d'État adjoint (Langues officielles et Traduction)

"Translators charged with fraud" at the program **News.** CFGO, July 27, 1983. /Transcription/

Translator Series. Issued under authority of Executive Order No. 9512, January 16, 1945. 16 p. (APC RG6 G2 vol. 744) /Classification des traducteurs/

TREMBLAY, Rémi. "Une pièce sans nom", dans **Coups d'ailes et coups de bec.** Montréal, Imp. Gebhardt-Berthiaume, 1888. p. 57-58. /Poème évoquant les traducteurs du Hansard/

TRUDEL, Marcel et Geneviève JAIN. **L'histoire du Canada. Enquête sur les manuels.** Études de la Commission royale d'enquête sur le bilinguisme et le biculturalisme, vol. 5, Ottawa, Information Canada, 1969. 129 p.

Upper Canada, Legislature, **House of Assembly Journal.** Toronto, York (1792/1839-40)

VEAUDELLE, Jean-Maurice. **Le service de traduction dans l'entreprise.** Centre de linguistique de l'entreprise, Montréal, 1974. 78 p.

VÉZINA, F. "Avant-propos" de l'ouvrage **Traductions.** 1952. p. 7-14. /Historique des débuts de l'enseignement à l'Institut de traduction. Notices biographiques/

VIGEANT, Pierre. **Les journalistes-traducteurs.** (Causerie inédite prononcée devant les membres de la Société des traducteurs de Montréal) 14 janvier 1942. 9 p.

__________ **Les journalistes-traducteurs.** (Causerie à la Société des traducteurs de Montréal) 28 janv. 1942. 8 p. (Inédit)

VINAY, Jean-Paul. **Traductions : mélanges offerts en mémoire de Georges Panneton.** Par T. Taggart Smyth et autres. Montréal, Institut de traduction, 1952. 179 p.

__________ "Le traducteur", dans **Le Guide des carrières,** Montréal, éd. Beauchemin, 1964, p. 151-155. /Qu'est-ce qu'un traducteur professionnel? Exigences du métier. Formation requise/

__________ **La section de linguistique. Bilan de cinq années.** Montréal, Section de linguistique, philologie et phonétique expérimentale, série II, n° 2, 1953. 40 p. /Description des cours de traduction/

__________ (Discours prononcé par J.-P. Vinay à l'Université d'Ottawa lors de la réception d'un doctorat honorifique), Ottawa, 2 juin 1975. 6 p. (Inédit)

__________ "La traduction, une profession", dans **La traduction, une profession.** Actes du VIIIe congrès de la FIT, Montréal, CTIC, 1978. p. 14-24.

__________ "De la pluralité des langues parlées; où il est démontré que la Traduction, si elle est un Art, est aussi une Science, d'où dérivent la Stylistique, la Lexicographie et les Commissions royales d'enquêtes sur le Bilinguisme", dans **Vingt-cinq ans de linguistique au Canada : Hommage à Jean-Paul Vinay par ses anciens élèves.** Publication dirigée par G. Rondeau (et al.), Montréal, Centre éducatif et culturel, 1979. p. 84-87. /Historique de l'enseignement de la traduction à Montréal/

VIRJEE, Maria. "Translation as a day-to-day activity", in M.S. Batts, (editor) **Translation and Interpretation - The Multi-Cultural Context - A Symposium.** 1975. p. 67-72. /Traduction multilingue au Bureau fédéral des traductions/

WATIER, Maurice. "Un homme se penche sur son beau métier", dans **Actes du colloque Traduction et qualité de langue.** 1984. p. 51-56. /Traduction et publicité/

__________ **La Publicité.** Montréal, éd. Paulines, 1983. 212 p. /La langue de la publicité, p. 139-171/

WESEMAËL, Roland. "Quelques considérations en matière d'évaluation, de sélection et de formation d'interprètes au Bureau des traductions", dans **La Traduction : l'universitaire et le praticien.** Coll. "Cahiers de traductologie", n° 5. Ottawa, éd. de l'Université, 1984. p. 369-376.

WOODLEY, E.C. **The Bible in Canada.** Toronto/Vancouver, J.M. Dent, 1953. 320 p. /"The Wonder of The Indian Translations", p. 44-58. Appendix V: Scriptures Published by The

British and Foreign Bible Society in Canada for Canadian Indians and Eskimos: Language, Date of Publication, Translators and Revisers, p. 306-307. Appendix VII: The More Important French Versions of the Bible. Versions printed in Canada, p. 311/

WOODSWORTH, Judith. "Training Translators in Canada: Striking a Balance between Theory and Practice", in Hildegund Bühler (ed.). **Translators and their Position in Society.** Xth World Congress of FIT (1984). Vienna, W. Braumüller, 1985. p. 325-328.

YOUNG, Judy. "The Unheard Voices: Ideological or Literary Identification of Canada's Ethnic Writers", in Jars Balan (ed.) **Identification. Ethnicity and the Writers in Canada.** The Canadian Institute of Ukrainian Studies, University of Alberta, Edmonton, 1982. p. 104-115. /Traductions dans des langues autres que l'anglais et le français/

B. ARTICLES DE PÉRIODIQUES

"L'adaptation publicitaire : oui ou non?", **Meta**, vol. 17, nº 1, mars 1972. p. 29-46. /Table ronde. Participants : M. Paré, R. Boivineau, J.-F. Pelletier, G. Normandin, L. Roy/

"L'aide-terminologue", **Termium**, vol. 2, nº 2, juin 1984, p. 2-3. /Définition et description de ses tâches/

Alberta Association of Translators (AAT), **Meta**, vol. 25, nº 2, 1980. p. 283.

"Alberta Association of Translators: a History", **Transforum**, Vol. 1, No. 1, October 1981. p. 2.

ANDERSEN, Aldean. "International exchange guidelines - applicable to Termium II?", **Terminology Update**, Vol. 15, No. 5, May 1982. p. 8-9/

ANDERSON, Linda. "So You Want to Be an Interpreter?", **L'Antenne**, vol. 14, nº 1, 1982. p. 3.

__________ "The Intersection Examination", **L'Antenne**, vol. 15, nº 1, novembre 1983. p. 1-2. /Critères d'admission de la STQ pour les interprètes/

ARCAND, René. "Le service de traduction, un outil de communication chez Allergan inc.", **La francisation en marche**, vol. 3, nº 1, juin 1982. p. 3.

ARIS, Ghassan et Jean DELISLE. "Traduc et Tranglia. De la révision didactique à la révision professionnelle : une formule inédite", **Circuit**, nº 5, juin 1984. p. 9-10. /Deux services de traduction étudiants à l'École de traducteurs et d'interprètes de l'Université d'Ottawa/

ASSELIN, Gérard. "Rapport du président", **Translatio**, janvier 1974. p. 3-11 + p. 16. /Publicité pour faire connaître l'ATIO. Proposition de loi au parlement provincial. Comité de relations extérieures situé à Toronto. Nouvelle formule d'administration du secrétariat/

"Assemblée générale et Congrès annuel de l'ATIO", **Translatio**, janvier 1974. p. 12-15. /Compte rendu/

Association des traducteurs et interprètes de l'Ontario (ATIO), **Journal des traducteurs**, vol. 8, n° 1, 1963, p. 26; 9, 1, 1964, p. 12-16; **Meta**, 11, 4, 1966, p. 171; 12, 1, 1967, p. 31; 12, 2, 1967, p. 68; 12, 3, 1967, p. 106; 12, 4, 1967, p. 141; 13, 3, 1968, p. 161; 13, 4, 1978, p. 209; 14, 2, 1969, p. 128; 17, 4, 1972, p. 259; 18, 4, 1973, p. 393; 19, 2, 1974, p. 123-124; 23, 3, 1978, p. 264; 24, 2, 1979, p. 305; 25, 2, 1980, p. 281-282; 25, 4, 1980, p. 491-493.

"Association des traducteurs et interprètes d'Ottawa", **Journal des traducteurs**, vol. 5, n° 1, 1960. p. 15; vol. 5, n° 2, 1960. p. 54-55.

Association des traducteurs littéraires (ATL), **Meta**, vol. 20, n° 2, 1975, p. 175; 20, 3, 1975, p. 244-245.

Association professionnelle des interprètes du Québec (APIQ), **Meta**, vol. 25, n° 2, 1980. p. 283.

AUDET, Francis J. "Traductions d'autrefois", **Les Annales**, Publication de l'Institut canadien-français d'Ottawa, n° 4, avril, n° 5, mai, n° 6-7, juin-juillet, n° 8-9, août-septembre 1923. /Les premiers traducteurs du régime anglais/

AUGER, Pierre. "Présentation", **Terminogramme**, n° 0, octobre 1979. p. 1. /Présentation du nouveau bulletin de la Direction de la terminologie de l'OLF/

__________ "La problématique de l'aménagement terminologique au Québec", **Terminogramme**, n° 13, mai 1982. p. 1-3. /Étapes du processus. Travaux menés au Québec/

AUGER-POULIN, Monique. "L'implantation de la terminologie chez Albany International", **La francisation en marche**, vol. 3, n° 8, avril 1983. p. 7-8.

AUPY, Raymond. "Démarrage de la Division de la qualité linguistique", **Communication**, n° 41, 30 mars 1976. 9 p. /... au Bureau fédéral des traductions/

"Avis de l'Office des professions du Québec", **L'Antenne**, vol. 10, n° 7-8, mai-juin 1979. p. 1. /L'Office des professions recommande de ne pas constituer les traducteurs en corporation professionnelle./

BAILLAIRGÉ, Michel. "Ça bouge à l'Université de Montréal", **L'Antenne**, vol. 5, n° 8, avril 1974. p. 4. /Les étudiants de l'École de traduction manifestent leur mécontentement au sujet du contenu de leur programme d'études./

__________ "Du côté de l'Université de Montréal", **L'Antenne**, vol. 5, n° 10, juin 1974. p. 16. /Extrait du "Rapport du groupe de travail sur les orientations pédagogiques de l'École de traduction"/

"La Banque de terminologie accessible à la France", l'**Intra**, vol. 2, n° 3. p. 7. /Tiré du **Devoir**, 29 janvier 1982/

"La Banque de terminologie accessible à tous", **La francisation en marche**, vol. 3, n° 1, juin 1982. p. 4.

"La Banque de terminologie du Québec", **Intercom**, vol. 8, n° 1, janvier 1983. /Résultats d'un sondage sur la BTQ; évaluation du rendement de la BTQ; commentaires du Comité de traduction du CLE; liste des abonnés du réseau externe au 1er novembre 1982/

"La Banque de terminologie du Québec - L'accès direct par terminal", **La francisation en marche**, février 1982. p. 3.

"La Banque de terminologie fait peau neuve", **Communication**, vol. 5, n° 15, 14 avril 1982. 5 p.

BARBEAU, Victor. "Paul Morin", **Cahiers de l'Académie canadienne-française**, n° 13 "Versions", Montréal, 1970. p. 45-119. /Biographie de Paul Morin, poète, fonctionnaire, avocat, traducteur/

BASIL, Lydia. "Robert Dubuc : se détacher du résultat pour ne pas perdre courage", **La francisation en marche**, vol. 4, n° 3, novembre-décembre 1983. p. 1; 7. /Robert Dubuc et le Service de linguistique de Radio-Canada/

BAUDOT, Jean, André CLAS et Maurice GROSS. "Un modèle de mini-banque de terminologie bilingue", **Meta**, vol. 26, n° 4, décembre 1981. p. 316.

BAUDRY, R. "Histoire et traductions", **Revue d'histoire de l'Amérique française**, vol. 10, décembre 1956. p. 305-306. /Erreurs de traduction révélant une méconnaissance des réalités canadiennes/

BEAUBIEN, A.-H. "Rapport de M. A.-H. Beaubien sur le Congrès de la F.I.T.", **Bulletin de l'ATLFO**, vol. 5, n° 1, 1955. p. 3-4.

BEAUCHESNE, Arthur. "L'Association technologique", **Les annales**, 1ère année, n° 1, 1922. p. 14.

"Beaucoup de chiffres", **L'Antenne**, vol. 16, nº 2, décembre 1984. p. 3. /Sondage réalisé par le Comité des indépendants et pigistes/

BEAUDRY, Pierre. "Situation et statut du traducteur", **Meta**, vol. 14, nº 1, mars 1969. p. 69-75. /Compte rendu d'un colloque de l'OLF sur la traduction, octobre 1968/

BEAULIEU, Danielle. "Langues étrangères : les moyens sont là... à nous de les chercher!", **Circuit**, nº 6, septembre 1984. p. 15-16. /Traducteurs travaillant en espagnol et en arabe/

BEAUREGARD, Fernand. "Mot du Président de l'ACTD", **Journal des traducteurs**, vol. 1, nº 1, octobre 1955. p. 2-4. /Bref historique de l'Association/

__________ "Le traducteur au journal", **Journal des traducteurs**, vol. 1, nº 5, octobre 1956. p. 141-143.

__________ "La traduction dans un grand quotidien", **Journal des traducteurs**, vol. 1, nº 5, octobre 1956. p. 141-143. /Compte rendu d'une causerie/

__________ "1957, année fructueuse pour les traducteurs canadiens", **Journal des traducteurs**, vol. 2, nº 4, octobre 1957. p. 185-186.

__________ "On demande des interprètes", **Journal des traducteurs**, vol. 3, nº 1, 1958. p. 54.

BÉGUIN, Louis-Paul. "La refrancisation de l'assurance et ses conséquences", **Meta**, vol. 13, nº 2, juin 1968. p. 62-66.

__________ "PORTRAIT D'UN TRADUCTEUR à la manière de La Bruyère", **Dire et traduire**, nº 12, 1969. p. 1.

BEHNE, A. H. "Convention Report", **Translatio**, Vol. 7, No. 1, March 1968. p. 5-7. /Membres de l'ATIO. Secrétariat permanent. A partir de 1968, maîtrise en traduction à l'Université d'Ottawa. Liste des membres du Conseil/

__________ "Foreign-Language Interpreters Needed by the Federal Government", **Translatio**, Vol. 10, No. 1, 1972. p. 3-6.

BÉLANGER, Claude. "Une Commission de terminologie de l'éducation", **La francisation en marche**, janvier 1982. p. 3.

__________ "Les commissions de terminologie", **Terminogramme**, nº 2, mai 1980. p. 1-2. /Nature du travail/

BÉLANGER, Nycole. "Le documentaliste de services linguistiques", **Meta**, vol. 25, nº 1, mars 1980. p. 21-27.

__________ "Licence en traduction", **Meta**, vol. 13, n° 2, juin 1968. p. 93. /Création d'une licence en traduction à l'Université de Montréal/

BENOÎT, J.-Albert. "L'influence de la traduction sur notre parler", **Le Canada français**, vol. 8, n° 4, 1922. p. 253-271.

BERNIER, Jean-Pierre. "Une pigiste m'a raconté... ", **L'Antenne**, vol. 9, n° 1, septembre 1977. p. 3. /Conditions de travail. Voir FONTANA, M.-T. "Une autre pigiste raconte... "/

__________ "La rencontre du 1er novembre", **L'Antenne**, vol. 9, n° 3, novembre-décembre 1977. p. 1. /La STQ se présente devant l'Office des professions/

BERNIER, Normand. "Création d'un comité de terminologie au ministère de la Santé", **Meta**, vol. 13, n° 1, mars 1968. p. 39-40. /Ministère de la santé du Québec/

BERNUY, Jacques. "A propos du fameux certificat de compétence", **Bulletin de l'ATIO**, vol. 1, n° 3, octobre 1962. p. 3.

__________ et René DESCHAMPS. "La traduction à la statistique", **Bulletin de l'ATIO**, n° 6, mars 1963. p. 4-8. /Notes biographiques de neuf traducteurs : É. Boucher, L. Marion, T. Tardif, J. Bernuy, J. Paris, R. Becherel, N. O'Donoughue, C. Vézina, R. Deschamps/

BERTRAND, Guy. "Et c'est reparti à l'Office des professions", **L'Antenne**, vol. 15, n° 3, mai 1984. p. 1.

BERTRAND, Lewis. "Second Congress of Translator and Interpreter Associations of Canada: an Editorial Report", **Journal des traducteurs**, Vol. 8, No. 2, 1963. p. 54-56.

BERTRAND, Louise. "La Société des traducteurs du Québec : au service des langagiers québécois", **La francisation en marche**, novembre 1980. p. 4.

BÉZIER, Dominique. "L'examen uniformisé du CTIC et sa correction", **Bulletin de la CTINB**, vol. 4, n° 2, septembre 1983. p. 2-7. /Contenu, correction, points faibles, avantages/

"Bibliographie de la poésie franco-canadienne", **Bulletin de recherche historique**, vol. 6, août 1900. p. 232. /La traduction en français du **Dies Irae** vendue au profit de la souscription d'une chapelle du Sacré-Coeur à la Basilique de Notre-Dame de Québec/

"Bilan de l'année et orientation de nos associations", **Bulletin de l'ATIO**, vol. 1, n° 4, décembre 1962. p. 3. /CTIC : projet de charte; tentative d'organiser la profession; lenteur de l'unité des traducteurs de Montréal/

BILODEAU, Louis. "La vie de l'Association", **Bulletin de l'ATLFO**, vol. 5, n° 4, 1955. p. 3-4. /Fondation de l'Association canadienne des traducteurs diplômés. Revue Babel. Journal des traducteurs/

__________ "Visites aux traducteurs d'Ottawa - ministère des Affaires extérieures", **Bulletin de l'ATLFO**, vol. 7, n° 1, avril 1957. p. 5-6.

BLAIS, Roch. "Compte rendu du roman **Les Obsédés textuels**", **InformATIO**, vol. 13, n°s 2-3, avril-juin 1984. p. 27.

__________ "Les délibérations des comités", **2001**, décembre 1979-janvier 1980. p. 2. /Traduction des délibérations des comités/

__________ "L'interprétation", **2001**, mai 1979. p. 1. /Histoire de l'interprétation au gouvernement fédéral/

__________ "La traduction des délibérations", **2001**, juin-juillet 1979. p. 3.

BLODGETT, E.D. "The Canadian Literatures in a Comparative Perspective", **Essays on Canadian Writing**, No. 15, Summer 1979. p. 5-24. /Importance de la traduction/

BOIVINEAU, Roger. "Pigistes et bureaux de traduction", **Meta**, vol. 21, n° 1, mars 1976. p. 5-11.

BONENFANT, Jean-Charles. "Une nouvelle traduction de notre constitution", **Revue du Barreau**, vol. 4, n° 1, 1944. p. 35-42.

BOOKLESS, Madeleine. "Candid Comments from a Court Interpreter", **L'Antenne**, vol. 12, n° 5, 1980-1981. p. 3.

BOSSÉ-ANDRIEU, Jacqueline. "Colloque : Traduction et qualité de langue", **Meta**, vol. 28, n° 2, juin 1983. p. 220-221.

BOUCHER, Émile. "Le 2e congrès. Travaux préliminaires du groupe. Comité d'organisation de la profession : Historique", **Journal des traducteurs**, vol. 7, n° 4, 1962. p. 134-137. /Organisé par la STIC/

__________ "Discours de clôture du président de la STIC" (année 1958), **Journal des traducteurs**, vol. 3, n° 4 et vol. 4, n° 1, janvier-mars 1959. p. 44-46.

__________ "La vie de l'Association - Nouvelle société de traducteurs", **Bulletin de l'ATLFO**, vol. 6, n° 3, octobre 1956. p. 2-3.

BOUCHER, Mireille et Johanne THOMAS. "Sondage sur la traductrice québécoise", **Meta**, vol. 27, nº 4, décembre 1982. p. 450-453.

BOUDREAU, Éphrem. "Émile Boucher", **Translatio**, juin 1973. p. 15-16. /Hommage à la mémoire d'É. Boucher, ancien directeur de l'École de traducteurs de l'Univ. d'Ottawa, qui a organisé la Société des traducteurs et interprètes du Canada/

_________ et L. POULIN. "Orientation de nos sociétés de traducteurs et interprètes", **Journal des traducteurs**, vol. 3, nº 1, 1958. p. 51-53.

BOULAD, Gérald. "Montréal ou les fruits d'une relative jeunesse", **L'Actualité terminologique**, vol. 17, nºs 5 et 6, juillet et août 1984. p. 20-22. /Historique de la Division de Montréal créée en 1964 par le BdT/

BOULANGER, Jean-Claude. "La situation de la terminologie au Québec", **Lebende Sprachen**, vol. 29, nº 1, 1984. p. 19-22.

BOUTIN-QUESNEL, Rachel. "Colloque canadien sur les fondements d'une méthodologie générale de la recherche et de la normalisation en terminologie et en documentation", **Meta**, vol. 21, nº 3, septembre 1976. p. 225-227. /Compte rendu/

BRETON, Gilles. "L'A.T.A.Q.", **L'Antenne**, vol. 9, nº 7, avril-mai 1978. p. 2-4. /Fondation de l'Association des traducteurs anglophones du Québec/

__________ "Subventions du Conseil des arts en 1974-1975", **Meta**, vol. 21, nº 3, septembre 1976. p. 225.

BRISSON, Michel. "Le traducteur autonome : une étude", **2001**, décembre 1977. p. 2.

BROWN, Jack E. "The N.R.C. Library - A National Science Library", **Professional Public Service**, Vol. 38, No. 3, March 1959. p. 4-5.

BRUCHESI, Jean. "Médaille Pierre-Chauveau. Pierre Daviault", **Mémoires de la SRC**, 3e série, tome XLVI, juin 1952, p. 40-41.

BRUYÈRE, Eugène. "La traduction à la Métropolitaine", **Translatio**, vol. 7, nº 2, juillet 1968. p. 77-78. /Compagnie d'assurance-vie ayant un important service de traduction/

"Le Bureau accueille des Camérounais" (version française J.-F. St-Gelais), **Dialogue**, vol. 4, nº 5, septembre 1983. p. 2.

"Le Bureau aux États-Unis", **Info-Cadres**, vol. 4, nº 22, décembre 1981. /Des représentants du BdT rencontrent un groupe d'une trentaine de députés et sénateurs/

"Bureau de la section de Québec 1981-1982", **L'Antenne**, vol. 13, janvier 1982. p. 4. /Présentation du bureau/

Bureau des traductions. "Rapport annuel 1980-1981", **Communication**, vol. 4, n° 24, juillet 1981. 9 p.

"Bureau de traduction du Nouveau-Brunswick", **Meta**, vol. 12, n° 4, décembre 1967, p. 142-143. /Fondation du Bureau, le 15 août 1967/

"Le Bureau prend une nouvelle allure", **Info-Cadres**, vol. 2, n° 22, novembre 1979. 4 p. /Plan directeur quinquennal du BdT pour 1979-1985. cf. vol. 2, n° 17, 13 septembre 1979/

BUTLER, Margaret et Joaquin USUBIAGA. "The Romance Languages Section", **2001**, May 1979. p. 3.

CAILLÉ, Pierre-François. "Le Congrès de Montréal", **BABEL**, vol. 23, n° 4, 1977. p. 147-149.

CAILLÉ, Sylvain. "Grève au Bureau des traductions", **L'Antenne**, vol. 12, n° 1, 1980-1981. p. 2.

__________ "Grève au Bureau des traductions", **L'Antenne**, vol. 12, n° 3, 1980-1981. p. 3.

CAMPAGNA, Louise. "Premières étapes d'une recherche sur les traducteurs", **InformATIO**, vol. 7, n° 1, octobre 1977. p. 1. /Peut-on prédire la réussite et le degré de satisfaction des étudiants en traduction?/

"Canada Council Translation Prizes for 1983 Announced", **InformATIO**, Vol. 13, No. 2-3, April-June 1984. p. 18.

"Le Canada joint l'ONU à son réseau terminologique", **Communiqué du Secrétariat d'État**, 20 mai 1983.

CAPALDO, Stephen. "Russian Interpretation in Canada", **Bulletin de la CTINB**, vol. 5, n° 3, décembre 1984, p. 6-7.

CARBONNEAU, Hector. "Du caractère technique et professionnel de la traduction", **Civil Service Review**, Vol. 2, No. 1, June 1929. p. 33-38.

CARBONNEAU, Raymond. "Sursis pour le TAUM", **Les Diplômés**, n° 278, mars-avril 1981. p. 27; 31. /TAUM, le groupe de recherche en traduction automatique de l'Université de Montréal, ne sera pas vendu avant septembre 1981./

CARDIN, Michel. "La terminologie : un bond dans l'avenir", **L'Actualité terminologique**, vol. 17, n°s 5 et 6, juillet et août 1984. p. 17-18.

__________ "Les grandes Banques de terminologie se concertent",

L'Actualité terminologique, vol. 16, nº 7, septembre 1983. p. 8.

CARDINAL, Pierre. "Regard critique sur la traduction au Canada", **Meta**, vol. 23, nº 2, juin 1978. p. 141-147.

CARLE, Gilles. "Traduisez avec les lèvres", **Magazine MacLean**, vol. 5, nº 1, janvier 1965. p. 47. /Mauvaise qualité de la postsynchronisation de certaines émissions américaines/

Cercle des traducteurs (CDT), **Journal des traducteurs**, vol. 10, nº 4, 1965, p. 169-170; **Meta**, 11, 2, 1966, p. 57-58; 11, 4, 1966, p. 172-173; 12, 1, 1967, p. 33-34; 12, 2, 1967, p. 68-69; 12, 3, 1967, p. 105-106.

"Certificat en traduction pour les adultes (soir)", **Meta**, vol. 13, nº 4, décembre 1968. p. 206. /Nouveau programme offert depuis septembre 1968 par le Service d'éducation permanente de l'Université de Montréal/

CHANDIOUX, John. "Histoire de la traduction automatique au Canada", **Meta**, vol. 22, nº 1, 1977. p. 54-56.

__________ "MÉTÉO : un système opérationnel pour la traduction automatique des bulletins météorologiques destinés au grand public", **Meta**, vol. 21, nº 2, 1976. p. 127-133.

__________ "Les systèmes de traduction automatique peuvent-ils être évalués?", **Informatique et bureautique**, vol. 2, nº 5, mai 1981. p. 62, 64 et 66.

__________ "Traduction automatique. Un essai en situation réelle donne des résultats probants", **Informatique et bureautique**, vol. 3, nº 1, février 1982. p. 38-40. /Description et bilan d'un essai portant sur la traduction automatique de 1 500 pages d'informatique/

__________ et Marie-France GUÉRAUD. "Météo : un système à l'épreuve du temps", **Meta**, vol. 26, nº 1, mars 1981. p. 18-22.

CHANTAL, René de. "La langue française universelle au pays du français de traduction", **Les cahiers laurentiens**, nº 3, 1970. p. 5-17.

CHAPDELAINE-GAGNON, Jean. "Les Obsédés textuels de Jean Delisle", **Lettres québécoises**, nº 34, été 1984. p. 97. /Compte rendu/

CHAREST, Lucie. "Le cauchemar des uns", **Bulletin de la CTINB**, vol. 5, nº 2, septembre 1984. p. 1-5. /Déménagement du ministère des Anciens combattants d'Ottawa à Charlottetown. Incidence sur la demande de traduction/

CHARETTE, François. "Colloque du DPI à Ottawa", **Dialogue**, vol. 3, n° 1, avril 1982. p. 2. /Rôle de l'informatique au Bureau des traductions/

"La charte de traducteur : contre-projet canadien", **Journal des traducteurs**, vol. 7, n° 2, 1962. p. 69-71; n° 3, p. 108.

CHARTRAND, Claudine et Salvatore PIPERNO. "Les diplômés en traduction face au marché du travail", **Meta**, vol. 19, n° 4, juin 1974. p. 225-227. /Résultats d'une enquête menée auprès d'une quarantaine d'entreprises de Montréal et du Bureau des traductions à Ottawa/

CHARTRAND, L.-P. "Visites aux traducteurs d'Ottawa - Ministère des Travaux publics", **Bulletin de l'ATLFO**, vol. 7, n° 2, juin 1957. p. 3-4.

CHÉNARD-NANTEL, Claire. "La SECTER à l'écoute", **L'Antenne**, vol. 14, n° 7, 1983, p. 3. /Sondage auprès des terminologues/

"Choisir un cabinet de traduction. L'appel d'offres, une méthode efficace", **Intercom**, vol. 5, n° 3, octobre 1980.

CLAS, André. "La banque de terminologie", **Meta**, vol. 14, n° 4, décembre 1969. p. 191-194. /Banque de l'Université de Montréal/

__________ "Éditorial", **Meta**, vol. 20, n° 3, septembre 1975. p. 179-183. /Résultats d'un sondage sur **Meta**/

CLAXTON, Patricia. "Culture Vulture", **Meta**, Vol. 12, No. 1, March 1967. p. 9-13. /Critique de la traduction anglaise d'ouvrages québécois/

__________ "Copyright for Translators", **L'Antenne**, Vol. 10, No. 6, April 1979. p. 3.

__________ "Droit d'auteur : où en sont les traducteurs?", **L'Antenne**, vol. 15, n° 4, août 1984. p. 3.

"A clearing house for translators in Saskatoon?", **Bulletin de l'ATIS**, n° 1, décembre 1980, p. 2; n° 2, février 1981, p. 3 (suite). /Établissement d'une centrale des traducteurs à Saskatoon/

CLÉMENT, Laurent. "Hommage à Pierre Daviault", **Bulletin de l'ATLFO**, vol. 3, nos 3 et 4, juillet - octobre 1953. p. 1.

"Climats de la traduction. Des faits et des chiffres. Canada.", **Babel**, vol. 27, n° 1, 1981. p. 38-39.

CLOUTIER, Lucien. "Le premier congrès de l'Association des traducteurs et interprètes de l'Ontario", **Translatio**, vol. 6, n° 4, novembre 1967. p. 83. /20 janvier 1968. Commission chargée de la mise en oeuvre/

"Le code d'éthique professionnelle", **Bulletin de l'ATIO**, vol. 5, n° 2, août 1966. p. 21. /Projet présenté par Jean-René Le Pocher/

"Code of Ethics", **Transforum**, Vol. 1, No. 1, October 1981. p. 9. /Alberta Association of Translators and Interpreters (AATI)/

"Code of Ethics", **AVLIC News**, Vol. 2, No. 1, January 1984, p. 2-5; Vol. 2, No. 3, October 1984, p. 21-23.

CODERRE, Gérard. "Dépouillement des lois du N.-B.", **Bulletin de la CTINB**, vol. 2, n° 2, septembre 1981. p. 4-5. /But : faire un lexique/

"Collation des diplômes 1958" (traduction), **Journal des traducteurs**, vol. 3, n° 2, avril-juin 1958. p. 93. /Diplômés de l'Institut de traduction/

"Colloque des diplômés de l'Université de Montréal", **Meta**, vol. 12, n° 3, septembre 1967. p. 103. /Compte rendu et recommandations/

"Colloque OLF-STQ sur la terminologie et la communication", **Intercom**, vol. 9, n° 2, avril 1984. /Compte rendu/

"Colloque sur la traduction automatique", **Meta**, vol. 12, n° 3, septembre 1967. p. 103-105. /Compte rendu/

COLPRON, Gilles. "Les fonctions du service de traduction", **Meta**, vol. 21, n° 1, mars 1976. p. 64-67. /Dans les entreprises/

Comité des traducteurs indépendants et pigistes. "Résultats du sondage sur la nature et la tarification des services de traduction", **L'Antenne**, supplément, vol. 12, n° 2, 1980-1981. 4 p.

"Comité de traduction : ses activités", **Intercom**, février 1975. p. 7;8. /Comité du CLE/

"Commentaires", **Bulletin de l'ATIO**, vol. 3, n° 1, janvier-février 1964. p. 5-6. /Affiliation de l'ATIO à la Société des traducteurs et interprètes du Canada. Commission du tarif. Projet de loi des traducteurs/

"Commonwealth Index of Scientific Translations", **External Affairs**, Department of External Affairs, Ottawa, Vol. 10, No. 5, October 1953. p. 300-301. /Fichier central où sont enregistrées les traductions scientifiques des pays du Commonwealth. Le Conseil national de recherche est le Bureau de liaison pour le Canada./

"Le compte-mots automatique : un outil qui doit faire ses preuves!", **Intercom**, décembre 1978. p. 13-14.

Conseil des traducteurs et interprètes du Canada (CTIC), **Meta**, vol. 17, n° 1, 1972, p. 81; 17, 2, 1972, p. 136; 17, 3, 1972, p. 198; 18, 3, 1973, p. 348; 18, 4, 1973, p. 392; 19, 4, 1974, p. 225; 20, 1, 1975, p. 112; 20, 2, 1975, p. 174-175; 20, 3, 1975, p. 247; 24, 2, 1979, p. 307-308; **L'Antenne**, 5, 8, 1974, p. 1-2.

"Conseil 1983-1984", **L'Antenne**, vol. 15, n° 7, août 1983. p. 4.

"La convention E.S.I.T./E.T.I.", **Bulletin de l'ETI**, n° 12, mai 1980. p. 12.

"Conversation avec Jean-Claude Corbeil, directeur de la terminologie à la Régie de la langue française", **Meta**, vol. 21, n° 3, septembre 1976. p. 219-225. /Propos recueillis par Pierre Marchand/

"Conservation avec Marcel Paré, directeur de la Banque de terminologie de l'Université de Montréal", **Meta**, vol. 21, n° 2, juin 1976. p. 172-175. /Propos recueillis par P. Marchand/

COPPIN, Mary. "Société des traducteurs du Québec : 82 % des traducteurs satisfaits de leurs conditions de travail! Résultats du sondage sur les salaires et les conditions de travail (juin 1976)", **L'Antenne**, vol. 8, n° 4, décembre 1976 - janvier 1977. p. 3-8.

__________ "The S.T.Q.: Full Speed Ahead - All colours flying", **L'Antenne**, supplement, May 1977. p. 3.

__________ "A Straw in the Wind. A Measurement of Translation Skills.", **Meta**, Vol. 22, No. 2, June 1977. p. 154-158. /Conclusions d'une étude statistique menée de 1974 à 1976 à partir des quatre examens d'admission à la STQ/

__________ "The Administrator", **L'Antenne**, Vol. 13, No. 2, December 1981. p. 1-6.

"La Corporation des traducteurs professionnels du Québec", **Bulletin de l'ATLFO**, vol. 7, n° 2, juin 1957. p. 28.

Corporation des traducteurs professionnels du Québec (CTPQ/CORPO), **Journal des traducteurs**, vol. 3, n° 4 et vol. 4, n° 1, 1959, p. 48; 6, 2, 1961, p. 58-59; 6, 3, 1961, p. 86; 8, 1, 1963, p. 26; **Meta**, 11, 4, 1966, p. 172; 12, 2, 1967, p. 69-70.

COTY, Jean-Paul. "Un bilan positif", **Meta**, vol. 15, n° 2, juin 1970. p. 135-136. /Compte rendu du Colloque de la participation organisé par la STQ/

__________ "Le colloque de la solidarité", **Meta**, vol. 16, nº 4, décembre 1971. p. 259-260. /Compte rendu du colloque organisé par la STQ. Code de déontologie/

__________ "A Man of Words", **L'Antenne**, Vol. 15, No. 4, August 1984. p. 1-2. /Notice nécrologique de Georges Néray/

__________ "Nominations à la Banque de terminologie", **Meta**, vol. 15, nº 3, septembre 1970. p. 195-196.

COUPAL, Gérard. "La Secter a cinq ans", **L'Antenne**, vol. 15, nº 7, 1983. p. 2.

"Cours de traduction", **Le Traducteur**, vol. 2, nº 7 février-mars 1941. p. 2.

COUTURE, Bruno. "La Banque de terminologie au service de l'entreprise", **Meta**, vol. 21, nº 1, mars 1976. p. 100-109.

COVACS, Alexandre. "Bilinguisme officiel et double version des lois. Un pis-aller : la traduction. Une solution d'avenir : la corédaction.", **Meta**, vol. 24, nº 1, mars 1979. p. 103-108.

CRAMPTON, Patricia. "Copyright and the Translator", **Nouvelles de la FIT**, Nouvelle Série IV, nº 3, 1985. p. 129-163. (Rapport du Comité sur le droit d'auteur de la FIT, août 1984) /Section E.ii Canada, p. 144-151. Description de la situation au Canada. Révision de la Loi sur le droit d'auteur/

"CTIC Standard Examination", dans **Bulletin de l'ATIS**, Vol. 1, No. 2, Fall 1983. p. 6. /Résultats des examens du CTIC/

"The C.T.I.C. Standard examination and marking procedure", **Transletter**, No. 7, November 1983. p.3.

DAGENAIS, Gérard. "De la responsabilité et des droits du traducteur", **Journal des traducteurs**, vol. 6, nº 3, 1961. p. 75-80.

DAIGLE, Brunhilde. "L'Association des traducteurs et interprètes de l'Ontario. 1962-1982", **Cultures du Canada français**, nº 1, 1984. p. 47-56. /Version abrégée d'un document inédit de 54 pages/

DAIGNEAULT, Pauline. "Colloque sur la langue de la publicité", **Meta**, vol. 14, nº 3, septembre 1969. p. 176-181.

D'AMOUR, Ester. "Prime au mérite", **Dialogue**, février 1983. p. 2./Jean-Raymond Duval, interprète pour le chinois/

DANIS, Pierre. "Le traducteur autonome : une idée", **2001**, décembre 1977. p. 2.

__________ "Dans les coulisses", **Meta**, vol. 24, n° 1, mars 1979. p. 124-129. /Traduction et diplomatie canadienne/

DAOUST, Ghislaine. "M. Jean-Paul Vinay à l'honneur", **Meta**, vol. 18, n° 4, 1973. p. 392. /Reçoit la médaille Alexander Gode de l'ATA/

__________ "Nouvelle maîtrise en traduction à l'U. de M.", **Meta**, vol. 19, n° 4, décembre 1974. p. 225.

__________ "Rapport du C.L.E.", **Meta**, vol. 20, n° 1, mars 1975. p. 111-112. /**Le service de traduction dans l'entreprise**/

DARBELNET, Jean. "Réflexions sur la formation générale du traducteur", **Meta**, vol. 11, n° 4, 1966. p. 155-160. /Cours de l'Université McGill/

__________ "Pour une meilleure coordination de la recherche et de la documentation en terminologie", **Culture**, vol. 26, 1965. p. 328-330. /Colloque de Stanley House/

__________ "La traduction, voie ouverte à l'anglicisation", **Culture vivante**, n°s 7 et 8, 1968. p. 39-45.

DAVIAULT, Pierre. "La traduction et la vie de l'esprit", **Revue d'histoire de l'Amérique française**, octobre 1944. p. 22-25.

__________ "Traducteurs et traduction au Canada", **Mémoire de la SRC**, 3e série, tome XXXVIII, 1944. p. 67-87. /Les premiers traducteurs du régime anglais/

__________ "Le rôle du traducteur de l'État au Canada", **Babel**, vol. 2, n° 1, 1956. p. 11-14.

__________ "L'enseignement de la traduction à Ottawa", **Journal des traducteurs**, vol. 2, n° 4, 1957. p. 152-153.

__________ "The Evolution of the English and French Languages in Canada" (Discours présidentiel), **Mémoire de la SRC**, 3rd Series, Vol. 53, 1959. p. 63-72.

__________ "Langue et littérature canadienne - le vocabulaire", **Mémoire de la SRC**, 3e série, tome LIV, 1960. p. 35-41.

__________ "Le jargon parlementaire", **Mémoire de la SRC**, tome LVI, 1962. p. 125-137. /Étude de la traduction française du vocabulaire parlementaire britannique/

"David Homel in Vienna, August 1984", **Transmission**, Vol. 3, No. 2, 1984. p. 5. /X^{e} congrès mondial de la FIT/

"Décès de M. Philippe Le Quellec, Sous-secrétaire d'État adjoint", **Communiqué** du Secrétariat d'État, 28 janvier 1983.

"De la traduction des actes", **Revue du notariat**, 6e année, no 7, 15 février 1904. p. 206-217.

DELISLE, Jean. "Projet d'histoire de la traduction et de l'interprétation au Canada", **Meta**, vol. 22, no 1, 1977. p. 66-71.

__________ "Les pionniers de l'interprétation au Canada", **Meta**, vol. 22, no 1, 1977. p. 5-14.

__________ "Une discipline en quête d'une méthodologie", **L'Antenne**, vol. 10, no 6, avril 1979. p. 2-3.

__________ "Les origines de la recherche terminologique au Canada", **Revue de l'Université Laurentienne**, Sudbury, vol. 12, no 2, février 1980. p. 25-34.

__________ "Les archives de traducteurs, des "vieilleries" à conserver", **Le furet**, vol. 4, no 2, avril 1981. p. 9-10.

__________ "Pierre Daviault et les débuts de l'enseignement de la traduction au Canada", **Bulletin du CRCCF**, no 23, décembre 1981. p. 15-20.

__________ "Profil statistique du géant de la traduction au Canada", **Circuit**, no 6, septembre 1984. p. 5 /Statistiques concernant le personnel et les activités du BdT/

__________ "Où va le Bureau des traductions?" (Interview d'Alain Landry, Sous-secrétaire d'État adjoint, Langues officielles et Traduction. Propos recueillis par Jean Delisle), **Circuit**, no 6, septembre 1984. p. 4-6.

__________ "A la claire fontaine, chant de ralliement", **Circuit**, no 6, septembre 1984. p. 7. /Débat houleux qui eut lieu à la Chambre des communes lors de l'étude du projet de loi prévoyant la création du Bureau fédéral des traductions/

__________ "L'affaire des "béotiens" et des traducteurs : une querelle de mots", **Cultures du Canada français**, no 1, 1984. p. 35-46. /Divergence de vue entre deux députés fédéraux et les traducteurs du Bureau fédéral des traductions au sujet de la terminologie des élections/

__________ "Terminologie et Communication". Allocution de synthèse présentée au Colloque OLF/STQ, Montréal, 13-15 février 1984, **L'Actualité terminologique**, vol. 17, no 9, novembre 1984. p. 10-12. /Tableau de la situation de la terminologie en 1984/

"De Lotbinière-Harwood Wins John Glassco Prize", **Transmission**, Vol. 1, No. 1, 1982. p. 3. /Première lauréate de ce prix créé par l'ATL/

"Le dernier colloque : vers de nouveaux horizons", **Info-Cadres**, vol. 2, n° 11, juin 1979. 4 p. /Réorientation du BdT; point de vue de divers conférenciers/

DESCHAMPS, René. "Éditorial", **L'Antenne**, vol. 8, n° 4, décembre 1976 - janvier 1977. /Dénonciation des cabinets de traduction incompétents/

__________ "1977, l'année du traducteur", **L'Antenne**, supplément, mai 1977. p. 2;7. /Congrès de la FIT/

__________ "La traduction à la rescousse du français" (Communication présentée à la VIIIe Biennale de la langue française tenue à Saint-Hélier, île de Jersey, le 25 janvier 1980), **L'Antenne**, vol. 11, n° 5, mars-avril 1980. p. 5-6.

__________ "Nul ne peut servir deux maîtres", **L'Antenne**, vol. 13, mars 1982. p. 1;3;4. /Traducteur au service du client. L'évaluation qui compte est celle de l'employeur/

__________ "Hier et aujourd'hui, **Circuit**, n° 6, septembre 1984. p. 32. /Le traducteur tel que le perçoit l'auteur/

DESJARDINS, Claude. "La division de la qualité linguistique", **L'Actualité terminologique**, vol. 14, n° 8, octobre 1981. p. 1-2.

DESORMEAUX, Michel. "Une interview", **Bulletin de la CTINB**, vol. 2, n° 3, décembre 1981. p. 1-10. /Historique de l'examen d'agrément. Examen national en interprétation simultanée de conférences. Interprètes auprès des tribunaux/

DESPRÉS, Ronald. "Hommage à la mémoire de Paul Patenaude", **Translatio**, décembre 1972. p. 22. /A occupé deux mandats successifs à la tête de l'ATIO. Rédaction d'un projet de loi prévoyant la défense des intérêts des traducteurs/

__________ "Les services d'interprétation : petite et moyenne histoire", **L'Actualité terminologique**, vol. 17, n°s 5 et 6, juillet et août 1984. p. 5-7.

DESROCHERS, André. "Nouvelle étape vers la reconnaissance professionnelle", **L'Antenne**, vol. 6, n° 2, octobre 1974. p. 1-2.

DESROCHES, Yves. "Le doublage, cet inconnu", **Circuit**, n° 7, décembre 1984. p. 6-8. /Exemples québécois/

"Le Deuxième congrès des traducteurs et interprètes du Canada, Montréal, 26 et 27 avril 1963" (Actes), **Journal des traducteurs**, vol. 8, n° 4, 1963 (Numéro spécial).

"Diplômés de Paris", **Journal des traducteurs**, vol. 3, n° 3, juillet-septembre 1958. p. 133. /Société pour la propagation des langues étrangères en France (SPLEF)/

"Les diverses facettes du travail d'un terminologue", **Termium**, vol. 2, nº 3, décembre 1984. p. 3-4.

"La division des stagiaires", **Bulletin de l'ATIO**, vol. 3, nº 1, janvier-février 1964, p. 11. /Premiers stagiaires du Bureau fédéral des traductions/

"Documentation : l'exemple de Bell Canada", **Intercom**, nº 4, 1979. p. 6. /Description du service/

DUBEAU, Gilles. "Le projet d'examen", **Bulletin de l'ATIO**, vol. 5, nº 2, août 1966. p. 23-24; 32. /Conditions proposées par l'auteur. Information du public et des entreprises/

__________ et Jean-Paul VALLÉE. "L'activité terminologique au Canada", **Babel**, vol. 16, nº 2, 1970. p. 82-84.

__________ Philippe TESSIER et Jean-Paul VALLÉE. "La documentation du traducteur", **Meta**, vol. 11, nº 3, 1966. p. 89-93.

DUBÉ-GOLUBOWSKA, Gracia. (Bilan des activités de la Société des traducteurs de Montréal, 1954), **Argus**, nº 2, novembre-décembre 1954. p. 1-3.

DUBUC, Robert. "Agneaux ou béliers", **Bulletin de l'ATIO**, vol. 1, nº 1, juin 1962. p. 3-4. /Les associations devraient délivrer des cartes de compétence. Défense de la profession/

__________ "Traduction, métier ou profession", **Journal des traducteurs**, vol. 10, nº 1, 1965. p. 23-24. /Critique d'un passage de la Commission royale d'enquête sur l'enseignement dans la province de Québec, vol. 2, p. 39/

__________ "Regards neufs sur la traduction", **Journal des traducteurs**, vol. 10, nº 4, 1965. p. 129-133. /Place et importance de la traduction au Canada/

__________ "L'apprentissage de la traduction à l'ère des méthodes actives", **Translatio**, vol. 6, nº 3, juillet 1967. p. 65-67. /L'auteur préconise le travail d'équipe pour les traducteurs/

__________ "Un grand pas vers l'organisation de la profession au Québec", **Meta**, vol. 13, nº 1, mars 1968. p. 34-36. /Colloque du 10 novembre 1967 sur l'organisation de la profession/

__________ "La société des traducteurs du Québec en marche", **Meta**, vol. 13, nº 4, décembre 1968. p. 210-211. /Bilan de l'exercice 1967-1968/

__________ "Colloque sur la traduction", **Mieux dire**, 7e année, nº 3, février 1969. p. 1-2. /Problème de langage; action de la traduction sur le milieu; statut du traducteur/

__________ "Colloque de la participation", **Meta**, vol. 14, nº 4, décembre 1969. p. 253-254. /Compte rendu du colloque d'orientation de la STQ/

__________ "Une révolution qui n'en a pas l'air", **Meta**, vol. 21, nº 1, mars 1976. p. 16-21. /Évolution du rôle du service de traduction dans les entreprises canadiennes/

__________ "Terminologie et traduction", **C'est-à-dire**, vol. 10, nº 2, 1977. p. 1-6. /Considérations générales sur le rôle de la terminologie/

__________ "Dix-huit ans d'expérience dans un chantier terminologique", **Intercom**, avril 1978. p. 1-3. /Implantation du français comme langue effective de travail à Radio-Canada/

__________ "Robert Dubuc s'explique", **L'Antenne**, vol. 12, nº 4, 1980-1981. p. 6. /Raisons de sa démission du Comité de rédaction de **Meta**/

__________ (Compte rendu du roman **Les Obsédés textuels**), **Circuit**, nº 4, mars 1984. p. 20-21.

__________ et Jean-François GRÉGOIRE. "Banque de terminologie et traduction", **Babel**, vol. 20, nº 4, 1974. p. 180-184.

__________ Jean-François GRÉGOIRE et Marcel PARÉ. "Description du système Termium de la Banque de terminologie de l'Université de Montréal", **Lebende Sprachen**, nº 4, décembre 1977, p. 153-154; nº 1, février 1978, p. 3-8.

DUFOUR, Johanne. "Longue et fructueuse vie à l'INTERSECTION!", **L'Antenne**, vol. 12, nº 3, 1980-1981. p. 4.

__________ "La revue prend corps, mais elle est toujours sans titre", **L'Antenne**, vol. 14, nº 3, 1982. p. 3. /Projet de revue professionnelle de la STQ/

__________ "Vote de confiance pour **Circuit** et **Meta**", **L'Antenne**, vol. 14, août 1983. p. 1;4.

__________ "**Circuit** au jour le jour", **L'Antenne**, vol. 16, nº 1, octobre 1984. p. 1-2. /Étapes de production d'un numéro/

DUGAL, Juliette. "Les forum de traduction", **Argus**, nº 4, 1958. p. 1-3. /Les ateliers d'études de la STM/

DUHAMEL, Roger. "Pierre Daviault. 1899-1964", **Mémoire de la SRC**, 4e série, tome III, 1965. p. 77-78 + photo.

DUMAS, Henri. "Parlez-vous multilingue?", **L'Actualité terminologique**, vol. 17, n°s 5 et 6, juillet et août 1984. p. 16.

DUPLESSIS, Diane. "Où va la traduction en 1983?", **Bulletin de la CTINB**, vol. 4, n° 3, décembre 1983. p. 5-7. /Compte rendu d'une conférence de Robert Dubuc/

DUPONT, Charles. "Accord syndical au Bureau fédéral des traductions", **Meta**, vol. 22, n° 4, décembre 1977. p. 293.

__________ "**2001** : informer et divertir", **Meta**, vol. 23, n° 3, septembre 1978. p. 269. /**2001** : publication interne du Bureau fédéral des traductions/

__________ "Professionnalisme et efficacité", **Meta**, vol. 23, n° 3, septembre 1978. p. 264. /Compte rendu d'un colloque réunissant tous les cadres du BdT/

__________ "Faibles gains pour les traducteurs du Bureau fédéral des traductions", **Meta**, vol. 24, n° 2, juin 1979. p. 308.

__________ "Philippe Le Quellec : la tête du Bureau fédéral des traductions", **Meta**, vol. 24, n° 2, juin 1979. p. 308.

DURANTAYE, Louis-Joseph de la. "Le français dans les textes législatifs", **Revue trimestrielle canadienne**, vol. 23, 1937. p. 410-418. /Critique de la traduction des lois. "Les traducteurs se sont comportés en écoliers frappés de pensums, jamais en juristes français" p. 411/

__________ "Les éléments de la clarté législative", **Revue du Barreau**, vol. XII, n° 3, Montréal, 1952. p. 113-120. /Effet néfaste de la traduction et de la langue anglaise sur la langue législative/

DURDIN, Thérèse. "Un projet-pilote qui semble faire des heureux", **Dialogue**, vol. 4, n° 10, février 1984. p. 3. /Décentralisation des services de traduction/

DUVAL, Paul. "Une allocution...", **Bulletin de la CTINB**, vol. 1, n° 4, mars 1981. p. 2-5. /Débuts de la traduction au N.-B. Origines de la CTINB/

"École d'interprètes et de traducteurs d'Ottawa" (Communiqué), **Meta**, vol. 12, n° 1, mars 1967. p. 34. /Création d'un comité mixte Universités d'Ottawa et Carleton en vue de créer une école de traduction dans la capitale fédérale/

"Eight World Congress of FIT", **Intercom**, June 1977. p. 7-10. /Difficultés d'implantation de la Banque de terminologie du Secrétariat d'État/

ELLENWOOD, Ray. "Ray Ellenwood Writes Canada Council on Payment

For Public Use Issue", **Transmission**, Vol. 1, No. 1, 1982. p. 2. /Le gouvernement projette de verser une indemnité aux auteurs et aux traducteurs dont les ouvrages ou les traductions sont prêtés par les bibliothèques publiques./

ÉMOND, Philippe. "La traduction dans les agences de publicité", **Meta**, vol. 21, n° 1, mars 1976. p. 81-86.

"Essai de traduction assistée", **Communication**, vol. 3, n° 5, avril 1980. 2 p.

"Une étape décisive en traduction automatique", **Communiqué**, 27 mars 1979.

"Être aveugle et traducteur? Oui, c'est possible!", **L'Antenne**, vol. 12, n° 3, 1980-1981. p. 1-2. /Propos d'Alan Conway recueillis par Johanne Dufour/

"L'évaluation de l'implantation des programmes et la diffusion de la terminologie", **Intercom**, vol. 7, n° 4, octobre 1982. /Services de la direction de l'OLF/

"L'évaluation d'un système de traduction automatique", **Intercom**, vol. 6, n° 2, juin 1981.

"Expérience de traduction assistée", **Info-Cadres**, vol. 2, n° 19, octobre 1979. 3 p. /Bilan de l'expérience/

"Expolangues", **Info-Cadres**, vol. 6, n° 1, 20 janvier 1983, p. 1-2; n° 4, 3 mars 1983, p. 1-2. /La Direction de l'information du BdT s'est occupée de l'organisation du kiosque canadien à Expolangues qui s'est déroulée à Paris sur le thème : Les langues du monde - Le monde des langues/

"Extrait du 100e Rapport annuel du vérificateur général", **Info-Cadres**, vol. 1, n° 13, novembre 1978. 2 p. /Passages sur le BdT + statistiques de production/

"Extrait du Journal des débats de la Commission parlementaire de l'éducation, des affaires culturelles et des communications (séance du 17 juin 1974)", **L'Antenne**, vol. 5, n° 10, juin 1974. p. 6-13. /Commission parlementaire chargée d'étudier le projet de loi 22/

"Extraits de l'exposé du président de l'Association", **Bulletin de l'ATIO**, vol. 3, n° 2, mars-avril 1964. p. 2-5. /Historique de l'ATLFO; nécessité d'organiser la profession/

FAVRE, Adrien. "A.C.E.T. et S.T.Q.", **L'Antenne**, vol. 9, n° 6, mars 1978. p. 2-3. /Buts de l'ACET/

FILLION, Laurent. "Le Bureau des traductions a 50 ans", **Dialogue**, vol. 4, n° 11, mars 1984. p. 1.

FLAMAND, Jacques. "L'essentiel sur le Bureau provincial des traductions", **InformATIO**, vol. 10, n° 3, mars 1981. p. 1. /Bureau des traductions de l'Ontario/

__________ "Un cours de perfectionnement par correspondance", **Bulletin de la CTINB**, vol. 1, n° 3, 1981, p. 2. /Initiative de l'ATIO/

__________ "Communications et ateliers", **InformATIO**, vol. 11, n° 1, novembre 1981. p. 1-2. /Congrès annuel de l'ATIO tenu les 2 et 3 octobre 1981/

__________ "Le cours de perfectionnement par correspondance de l'ATIO", **Bulletin de la CTINB**, vol. 3, n° 3, décembre 1982. p. 3-4. /Historique, contenu, inscription/

__________ "Traduction littéraire - Le Rapport Applebaum-Hébert sur la culture", **InformATIO**, vol. 12, n° 1, janvier 1983. p. 7-8.

__________ "Jean-Marc Poliquin", **InformATIO**, vol. 12, n° 1, janvier 1983. p. 8-9. /Notes biographiques/

__________ "Mario Lavoie", **InformATIO**, vol. 12, n° 1, janvier 1983. p. 9-10. /Notes biographiques/

__________ "D'une province à l'autre. Le C.T.I.C.", **InformATIO**, vol. 12, n° 2, avril 1983. p. 11. /Liste des associations provinciales membres du CTIC/

__________ "Le C.T.I.C. après la réunion de Winnipeg", **InformATIO**, vol. 12, n° 4, octobre 1983. p. 15.

FLEURY, Donat. "Visites aux traducteurs d'Ottawa - Division des Débats", **Bulletin de l'ATLFO**, vol. 6, n° 1, mars 1956. p. 35-37.

__________ "Certificat de compétence" (journée de l'ATIO; 2e partie), **Bulletin de l'ATIO**, vol. 1, n° 2, juillet-août 1962. /Nécessité d'établir un organisme pour régir l'exercice de la profession, tenir des examens, décerner des diplômes ou certificats/

__________ "Au service de la traduction depuis 45 ans : l'ATIO fait le point", **Journal des traducteurs**, vol. 10, n° 4, 1965. p. 139-142.

FONTANA, Marie-Thérèse. "Une autre pigiste raconte...", **L'Antenne**, vol. 9, n° 2, octobre 1977. p.3. /La Société des traducteurs du Québec et les pigistes/

__________ "Les traducteurs indépendants se sont identifiés", **L'Antenne**, vol. 9, n° 7, avril-mai 1978. p. 3-4. /Sondage/

__________ "Pigistes, traducteurs indépendants et cabinets de traduction", **L'Antenne**, vol. 10, n° 3, janvier 1979. p. 1.

__________ "Une nouvelle association", **L'Antenne**, vol. 10, n° 7-8, mai-juin 1979. p. 1. /Traducteurs indépendants/

FORGUES, Lucien. "Chers amis", **Cercle des traducteurs**, vol. 4, n° 1, janvier 1966, p. 1; vol. 4, n° 2, septembre 1966, p. 1. /Présentation du nouveau bulletin. Membres du SDIT/

FOUCAULT, Gisèle. "La formation technique des traducteurs", **L'Antenne**, vol. 12, n° 4, 1980-1981. p. 1-2. /Cours offert aux traducteurs chez IBM/

__________ "Nouvelle présentation du **Furet**", **L'Antenne**, vol. 14, n° 3, janvier 1983. p. 3.

FRANCOEUR, Andrée. "La procédure parlementaire dans les conférences", **Journal des traducteurs**, vol. 1, n° 2, 1956, p. 40-41; vol. 1, n° 3, 1956, p. 66-67.

__________ "L'interprétation simultanée au Parlement", **Journal des traducteurs**, vol. 3, n° 1, 1958. p. 27-30.

__________ et Jean-Paul VINAY. "L'interprétation au Canada depuis 1946", **Journal des traducteurs**, vol. 1, n° 5, 1956. p. 125-126.

FRENETTE, Raymond. "La place de la traduction dans l'entreprise", **Meta**, vol. 21, n° 1, mars 1976. p. 12-15.

__________ "La traduction : seul outil de francisation?", **L'Antenne**, vol. 12, n° 5, 1980-1981. p. 5. /Compte rendu du colloque STQ-ACFQ/

GAGNON, Pierre A. "De la peur du ridicule à la fierté", **La francisation en marche**, vol. 4, n° 6, avril-mai 1984. p. 4. /Expérience de francisation - Westinghouse/

GALLANT, Christel. "Roman humoristique d'un traducteur - Jean Delisle : "Les Obsédés textuels", **Bulletin de la CTINB**, vol. 4, n° 4, mars 1984. p. 5-6. /Compte rendu/

__________ "L'Acadie, berceau de la traduction officielle au Canada", **Cultures du Canada français**, n° 2, 1985. p. 71-78. /Les débuts de la traduction officielle en Acadie sous le régime anglais/

GASCON, Samuel. "Section française", **Revue de l'Institut professionnel**, vol. 34, n° 3, mars 1955. p. 13-14. /Retraite de A.-H. Beaubien, surintendant du Bureau des traductions/

__________ "Bureau des traductions", **Bulletin de l'ATLFO**, vol.

5, nº 2, avril 1955. p. 22. /Tableau : nombre de traducteurs par classe et par service/

GATES, N.F.W. "Colloque sur la formation du traducteur", **Translatio**, vol. 6, nº 1, février 1967. p. 18-19. /Colloque de la STIC; définition du métier; discussion des programmes/

GAUMOND, Jean-Claude. "Les comités interentreprises de terminologie", **Terminogramme**, nº 2, mai 1980. p. 2. /Définition et objectifs + exemple de comités p. 2-3/

GAUTHIER, Claude. "Le conseil des arts du Canada et la traduction", **InformATIO**, vol. 3, nº 8, novembre 1973. p. 10-12.

GAUTHIER, H.-E. "Visites aux traducteurs d'Ottawa - Commission du service civil", **Bulletin de l'ATLFO**, vol. 6, nº 4, décembre 1956. p. 10-13.

GAUVIN, Denis. "Compte rendu du 3e congrès annuel de l'ATIO", **Translatio**, vol. 8, nº 2, décembre 1969. p. 15-19.

__________ "Assemblée générale et congrès de l'ATIO, 1970, - faits saillants", **Translatio**, vol. 9, nº 1, décembre 1970. p. 2-3.

__________ "Bureau des traductions, section Outre-Mer", **Dialogue**, vol. 1, nº 2, février 1980. p. 4.

GAVREL, Guy. "Traduction au Canada en 1965", **Babel**, vol. 11, nº 4, 1965. p. 156-157.

GENDRON, Claude. "Une nouvelle direction générale des services de traduction", **2001**, juillet-août 1978. p. 1.

__________ "Le Bureau : plus qu'un traducteur, un spécialiste de la langue?", **2001**, juin-juillet 1979. p. 2.

__________ "Le repos du guerrier", **Dialogue**, vol. 1, nº 1, janvier 1980. p. 1.

__________ "Service d'interprétation gestuelle", **Dialogue**, vol. 1, nº 2, février 1980. p. 4.

__________ "Législation bilingue au Manitoba, **Dialogue**, vol. 1, nº 5, septembre 1980. p. 4. /Le Bureau des traductions détache un spécialiste auprès de la province./

__________ "Inauguration d'un terminal à Paris", **Dialogue**, vol. 2, nº 10, février 1982. p. 2. /Ressources de la Banque de terminologie maintenant accessibles à Paris/

__________ "Entente de collaboration entre cinq banques de terminologie", **Dialogue**, vol. 4, nº 4, juillet 1983. p. 2.

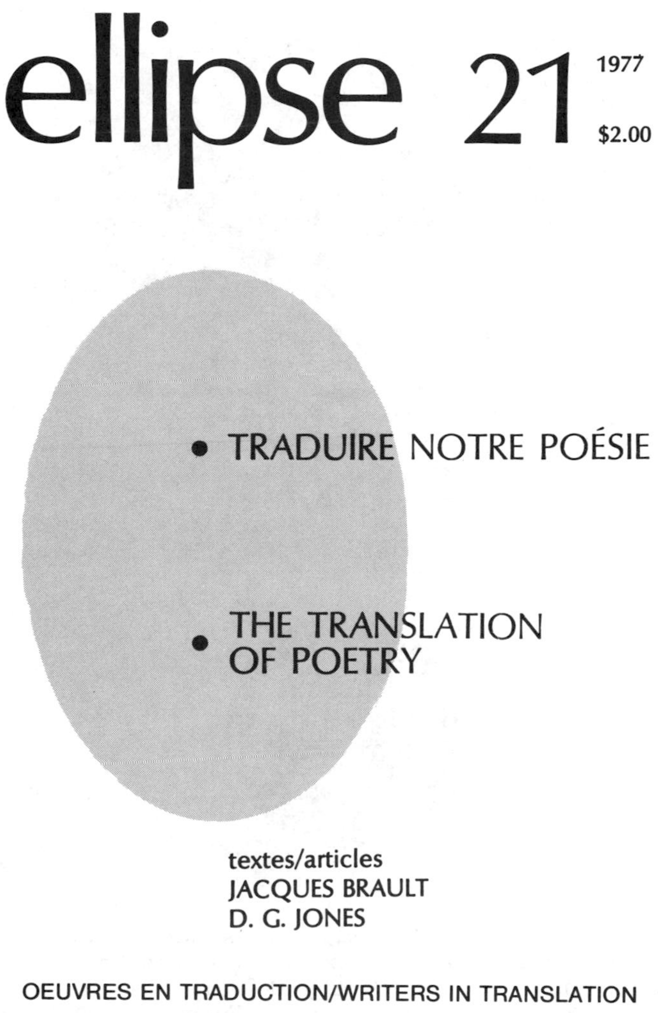

ellipse 21

1977

$2.00

• TRADUIRE NOTRE POÉSIE

• THE TRANSLATION OF POETRY

textes/articles
JACQUES BRAULT
D. G. JONES

OEUVRES EN TRADUCTION/WRITERS IN TRANSLATION

Fig. 15 -- Créée à Sherbrooke, en 1969, la revue **Ellipse** présente en traduction les oeuvres de poètes canadiens-anglais et canadiens-français. (Photo : CRCCF, Ph 1-I-209)

Fig. 16 -- (Haut) Médaille Alexander Gode de l'American Translators Association remise à Jean-Paul Vinay en 1973. (Centre) Médaille de la Société du bon parler français remise en 1951 à l'Association technologique de langue française d'Ottawa (ATLFO) lors de son trentenaire. (Bas) Médaille David Fortin, pour excellence en traduction technique, décernée depuis 1982 à un étudiant de l'École de traducteurs et d'interprètes de l'Université d'Ottawa. David Fortin fut traducteur technique de 1949 à 1975 au Bureau fédéral des traductions. (Photo : CRCCF, Ph 129-130)

__________ "Nouveau S.S.E.A. (Langues officielles et traduction), **Dialogue**, vol. 4, nº 5, septembre 1983. p. 3.

GERMAIN, Georges-Hébert. "Les hauts et les bas de la vie littéraire", **L'Actualité**, novembre 1983. p. 171-172. /Traduction littéraire au Canada/

"La gestion de la traduction en période de crise économique", **Intercom**, vol. 8, nº 3, juin 1983.

GIARD, Louis. "Le stage en traduction : propos et confidences d'un cobaye", **Bulletin de la CTINB**, vol. 4, nº 4, mars 1983. p. 2-4.

GIGUÈRE, Richard. "Quelques réflexions sur la traduction pratique au Québec et au Canada, à partir du texte de J. Brault : 'Remarques sur la traduction de la poésie'", **Ellipse**, nº 21, 1977. p. 36-49.

__________ "Une ou des littératures canadiennes? Une entrevue avec D.G. Jones", **Voix et images**, vol. 10, nº 1, automne 1984. p. 5-21. /Rôle des "poètes-traducteurs" canadiens-anglais/

GILL, Rosalind. "Le programme de traduction de Glendon et le sondage du marché de la traduction dans le sud de l'Ontario", **InformATIO**, vol. 12, nº 1, janvier 1983. p. 5. /Compte rendu de conférence/

GIROUX, Michel. "Rapport annuel du secrétaire de l'ATIO", **Bulletin de l'ATIO**, vol. 3, nº 1, janvier-février 1964. p. 9-10;18. /Conseil de l'ATIO; commission du tarif; commission de négociation d'affiliation à la STIC; comité d'étude du projet de loi des traducteurs; congrès de Montréal; répertoire des traducteurs/

GLASSCO, John. "The Opaque Medium. Remarks on the Translation of Poetry with Special Reference to French-Canadian Verse", **Meta**, Vol. 14, No. 1, March 1969. p. 27-30.

GLAUS, Fred R. "English verboten?", **Translatio**, Vol. 6, No. 1, February 1967. p. 3-4. /Historique de l'ATIO et pratique concernant l'usage de l'anglais et du français/

__________ "The $60,000 Question (or "Strictly for Public Servants"), **Translatio**, Vol. 6, No. 2, April 1967. p. 27-29. /Nécessité d'appartenir à l'ATIO et à l'Institut professionnel. Différence entre les deux associations/

__________ "La reconnaissance professionnelle de l'ATIO", **Translatio**, vol. 6, nº 3, juillet 1967. p. 53-54. /Buts de l'ATIO. Conditions de la reconnaissance professionnelle. Campagne de recrutement dans la Fonction publique/

__________ "Convention Report", **Translatio**, Vol. 7, No. 3, December 1968. p. 54-57. /Cours de traduction donnés dans certaines universités. Membres du Conseil. Cotisation/

__________ "La banque de terminologie. Le réseau de terminaux et l'évolution du contenu de la banque", **Communication**, vol. 4, n° 11, février 1981. p. 3. /Réseau de terminaux et historique du chargement et de l'épuration/

GLOBENSKY, Robert et François GROU. "Enseignement de la terminologie à l'Université Concordia", **Terminogramme**. n° 0, octobre 1979. p. 8.

GOBEIL, Fernand. "Avis à tous les traducteurs et interprètes professionnels de l'Ontario", **Translatio**, vol. 6, n° 3, juillet 1967. p. 50-51. /Examen obligatoire pour devenir membre de l'ATIO après le 1er janvier 1968. Exceptions/

__________ "La traduction automatique", **Communication**, vol. 3, n° 28, décembre 1980. 6 p. /Évaluation du système de traduction automatique TAUM-AVIATION/

__________ "La traduction automatique au Canada", **L'Actualité terminologique**, vol. 14, n° 5, mai 1981. p. 1-2. /Systèmes MÉTÉO et AVIATION/

__________ "La Banque de terminologie, un outil moderne au service des traducteurs", **L'Actualité terminologique**, vol. 14, n° 6, juin-juillet 1981. p. 8-9.

GOUIN, Jacques. "Pour une histoire de la traduction et de l'interprétation au Canada", **Translatio**, vol. 7, n° 1, mars 1968. p. 8.

__________ "Les origines du bilinguisme dans les Forces armées canadiennes", **Translatio**, vol. 7, n° 3, décembre 1968. p. 58. /Glossaire anglais-français de termes militaires/

__________ "Histoire de la traduction et de l'interprétation au Canada : nouvelles précisions", **Translatio**, vol. 9, n° 1, décembre 1970. p. 1. /Le projet de rédaction d'un historique de l'ATIO est reporté à 1971/

__________ "La traduction au Canada de 1791 à 1867", **Meta**, vol. 22, n° 1, 1977. p. 26-32.

GOULET, Denys. "Le cas du traducteur fonctionnaire", **Meta**, vol. 11, n° 4, 1966. p. 127-138.

GOULET, Louise. "Que gagne un traducteur?", **L'Antenne**, vol. 5, n° 5, janvier 1974. p. 1-2.

__________ et Pierre MARCHAND. "Le sondage 'motivation'",

L'Antenne, vol. 5, n° 10, juin 1974. p. 14-15. /Résultats d'un sondage effectué auprès des membres de la STQ/

GOULET, P. "Terminologie d'emploi obligatoire et rôle normalisateur de la Banque de terminologie du Secrétariat d'Etat", **L'Actualité terminologique**, vol. 13, n° 10, décembre 1980. p. 4.

GRÉGOIRE, Jeanne. "Importance des cours du soir", **Journal des traducteurs**, vol. 8, n° 4, 1963. p. 132-133.

__________ "Institut de traduction - Historique", **Journal des traducteurs**, vol. 5, 1960 : n° 1, p. 11-12; n° 2, p. 51-52; n° 3, p. 83-84.

__________ "Regard sur la traduction au Canada", **Journal des traducteurs**, vol. 5, n° 3, 1960. p. 84-85. /Compte rendu d'une causerie de Frédéric Phaneuf/

__________ "Historique de l'Institut de traduction inc. affilié à l'Université de Montréal", **Le Trad**, novembre 1982, p. 4-5; décembre 1982, p. 1-2; janvier 1983, p. 1-3.

GROËNENDAAL, Marie-Claude. "Colloque sur l'interprétation juridique", **L'Antenne**, vol. 13, n° 5, mai 1982. p. 4. /Organisé à l'Université d'Ottawa/

GRUGEAU, Gérard. "Le troc des mots et des émotions", **Le courrier français**, novembre 1983. p. 20. /Doublage/

GUILLOTON, Noëlle. "Troisième colloque OLF/STQ", **Terminogramme**, n° 4, octobre 1980. p. 5-6. /Thème : Rôle du spécialiste dans les travaux de terminologie/

GUILLOTTE, Michel. "La Loi 22 et la traduction", **Meta**, vol. 21, n° 1, mars 1976. p. 95-99.

__________ "La généralisation du français comme langue de travail au Québec", **Langue et société**, n° 5, printemps-été 1981. p. 7-12. /Traduire ou ne pas traduire... (p. 9)/

GUITARD, Agnès. "La gestation du 'retraducteur'", **L'Antenne**, vol. 12, n° 5, 1980-1981. p. 1-2. /Réviseur des "traductions-machine"/

__________ et Pierre MARCHAND. "Du langage-machine aux machines linguistiques : l'ordinateur a la parole", **Circuit**, n° 1, juin 1983. p. 2-9;26.

HAESERYN, René. "Montréal, mai 1977", **Babel**, vol. 23, n° 4, 1977. p. 150-152. /Compte rendu du VIIIe congrès de la FIT/

HAMBLETON, Josephine. "Seigneur, habitant, censitaire. La traduction prête un nouveau sens à l'histoire", **Journal des traducteurs**, vol. 7, n° 1, 1962. p. 12-15.

HANNA, Blake T. "Les écoles de traduction", **Journal des traducteurs**, vol. 10, n° 2, 1965. p. 51-59.

HARPER, Kenn, "Traduction de l'inuktitut", dans **Inuktitut**, n° 53, septembre 1983, p. 85-103. /Historique des débuts de l'interprétation et de la traduction en inuktitut dans le Grand Nord canadien. Création de l'IITAC. Description des problèmes terminologiques. Article trilingue. Photos/

HARRIS, Brian "Another First for Translators: Seminar on Court Translation Shows Shortfalls in System", **University of Ottawa Gazette**, Vol. 17, No. 6, April 1982. p. 2. /Compte rendu d'un séminaire de trois jours sur l'interprétation auprès des tribunaux/

__________ "Another first for interpreters", **InformATIO**, Vol. 11, No. 3, May 1982. p. 5-6.

__________ "Can CTIC be revivified?", **InformATIO**, Vol. 12, No. 4, October 1983. p. 15-16.

__________ "Interpreters' Trials", **InformATIO**, Vol. 11, No. 1, November 1981. p. 2-3.

HARVEY, Rosita. "La Commission de terminologie de l'Office de la langue française", **Terminogramme**, n° 0, octobre 1979. p. 1-2.

__________ "Compte rendu. Aménagement de la terminologie : diffusion et implantation, colloque OLF-STQ, tenu à Québec du 28 au 30 mars 1982", **Terminogramme**, n° 13, mai 1982. p. 7-8.

HÉNAULT, Michel. "Vers une nouvelle conception du travail?", **Meta**, vol. 23, n° 4, décembre 1978, p. 339-340. /Expérience du Conseil du Trésor en vue d'améliorer la "qualité de la vie au travail"/

HENRI, Anita. "L'actualité du français dans le monde", **Translatio**, vol. 6, n° 3, juillet 1967. p. 63-64. /Inauguration du Centre de Diffusion de la documentation scientifique et technique française au Québec/

"Histoire de la traduction au Canada", **Meta**, vol. 22, n° 1, mars 1977. 98 p. /Numéro spécial entièrement consacré à l'histoire de la traduction au Canada/

"Hommage à Mme Louise Gareau-des Bois", **Journal des traducteurs**, vol. 9, n° 2, 1964. p. 58-59. /Traductrice de **Two Solitudes** de Hugh MacLennan/

"Hommage respectueux à Mademoiselle Jeanne Grégoire", **Journal des traducteurs**, vol. 1, nº 1, octobre 1955. p. 1-2.

"Hommage respectueux à Monsieur Pierre Daviault", **Journal des traducteurs**, vol. 1, nº 2, décembre 1955. p. 25-26.

HONSBERGER, J.D. "Bilingualism in Canadian Statutes", **Canadian Bar Review**, Vol. 43, 1965. p. 314-336. /Historique. Statut respectif du français et de l'anglais/

HORGUELIN, Paul A. "Où en est le répertoire?", **Journal des traducteurs**, vol. 8, nº 3, 1963. p. 86-87.

__________ "L'enseignement de la traduction à Montréal. Institut de traduction", **Meta**, vol. 11, nº 4, 1966. p. 145-146.

__________ "Les sociétés professionnelles : vingt ans d'activité", **Meta**, vol. 20, nº 1, mars 1975. p. 75-79.

__________ "Après le Congrès de Montréal, un nouvel esprit, un nouvel espoir", **Babel**, vol. 23, nº 4, 1977. p. 153-156.

__________ "Les premiers traducteurs (1760 à 1791), **Meta**, vol. 22, nº 1, 1977. p. 15-25.

__________ "Libres propos sur l'enseignement de la traduction", **2001**, février 1979, p. 2; mars 1979, p. 3.

HUBERT, Paul. "Joual pour traducteurs anglophones", **L'Antenne**, vol. 8, nº 7, juin-juillet 1977. p. 5. /Cours offert par l'ATIO/

__________ "Du pigiste piégé ou Des dangers de la traduction à la pige", **L'Antenne**, vol. 9, nº 4, janvier 1978. p. 4.

__________ et Pierre MARCHAND. "Rencontre R.L.F. - S.T.Q.", **Meta**, vol. 22, nº 1, mars 1977. p. 93-97. /RLF : Régie de la langue française/

HURTEAU, Philippe. "Relations extérieures et traduction", **Journal des traducteurs**, vol. 6, nº 2, 1961. p. 47-51.

"Ils se succèdent", **Bulletin de la CTINB**, vol. 1, nº 4, mars 1981. p. 5-7. /Liste des présidents de la CTINB et des membres du conseil depuis 1970-1971/

"Informations données en langue française et le Bureau des traductions" (Extrait du rapport de la Commission Glassco), **Bulletin de l'ATIO**, nº 8, août 1963. p. 3-9. /Attributions et fonctions du Bureau; services de traduction indépendants; traitement des traducteurs; retards dus à la pénurie de traducteurs; collaboration avec les ministères; pénurie d'agents d'information bilingues dans la Fonction publique/

"Informatech France-Québec : Précieux support à la francisation", **Intercom**, n° 3, 1979. /Services offerts par IFQ/

"In Memoriam" : Gabriel Langlais", **Journal des traducteurs**, vol. 8, n° 4, 1963. p. 164.

Instant translation? Impossible!", in **Panorama**, August 1982, p. 3. /Interview d'Hélène Brisson, chef d'un service de traduction au BdT/

Institut de traduction, **Journal des traducteurs**, vol. 3, n° 4 et vol. 4, n° 1, 1959, p. 41-42; 4, 2, 1959, p. 80-81; 4, 3, 1959, p. 129-131; 4, 4, 1959, p. 159-160; 6, 1, 1961, p. 16; 6, 2, 1961, p. 55-56; 6, 3, 1961, p. 85-86; 7, 2, 1962, p. 52-54; 8, 1, 1963, p. 27; 8, 2, 1963, p. 52-53; 9, 2, 1964 p. 56-57; 9, 4, 1964, p. 127; 10, 2, 1965, p. 60-61.

"Institut de traduction", **Entre Nous**, vol. 3, n° 1, janvier 1965. p. 2.

"Les instruments informatisés d'aide à la traduction", **Intercom**, vol. 5, n° 4, décembre 1980. /Colloque du 12 novembre 1980/

"Interpretation", **Bulletin de l'ETI**, No. 14, June 1982. p. 7. /Cours d'interprétation à l'Université d'Ottawa/

"Interprétation gestuelle", **Bulletin de l'ETI**, n° 15, août 1983. p. 4. /Création de six cours/

"L'interprétation simultanée à l'OACI", **Bulletin mensuel de l'OACI**, Montréal, septembre 1950. p. 5-9 + illustrations et diagrammes. /Historique, description des installations, avantages par rapport à la consécutive/

"L'interprète Jean Amyot", **Bulletin de recherche historique**, vol. 45, n° 7, 1939. p. 221. /Interprète de Champlain/

"L'interprète Jean Nicolet", **Bulletin de recherche historique**, vol. 35, n° 9, septembre 1929. p. 544. /Interprète de Champlain/

"Interpreter Services Program", **Vibrations**, Winter 1981. /Services d'interprétation gestuelle/

"Interpreter training available in Canada", **AVLIC News**, Vol. 2, No. 3, October 1984. p. 6. /Liste des endroits où se donnent des cours d'interprétation gestuelle/

"Introduction to the New Board and Addresses for Committees", **AVLIC News**, Vol. 2, No. 3, October 1984. p. 6.

JAAR, Victor C. "La section de Québec", **L'Antenne**, vol. 5, n° 7, mars 1974. p. 1 /Section régionale de la STQ/

__________ "Le tarif du traducteur pigiste", **Meta**, vol. 20, nº 4, décembre 1975. p. 327.

__________ "La traduction à la pige", **L'Antenne**, vol. 6, nº 6, mars 1975. /Échelle des tarifs/

JACOT, Martine. "Le français figé dans sa superbe", **Le courrier français**, novembre 1983. p. 21. /Doublage/

__________ "Bernadette Morin et Gérard Delmas. Équilibristes sur un film.", **Le courrier français**, novembre 1983. p. 22. /Doublage/

"J. (Jacques) Brault / R. (Richard) Giguère" (Interventions), **Ellipse**, nº 21, 1977. p. 50-57. /Discussion sur la traduction littéraire au Canada/

JEAN, Marcel. "Doublage et sous-titres. Des maux nécessaires.", **Le continuum**, 11 avril 1983. p. 11.

J.-M. Q. "Il n'est bon bec que d'Ottawa", **Informatique et bureautique**, vol. 2, nº 5, mai 1981. p. 67. /Article du **Monde.** Ottawa s'oppose à l'implantation au Canada de la Compagnie internationale de service informatique qui risque de faire concurrence à des compagnies canadiennes./

JOLY, Jean-François. "Se sentir utile et apprécié", **L'Antenne**, vol. 13, mars 1982. p. 1;3-4. /Importance de la motivation du traducteur/

__________ "La STQ explique son rôle", **L'Antenne**, vol. 16, nº 2, décembre 1984. p. 1-2.

__________ "La profession au Québec : dynamisme ou dispersion", **Bulletin de la CTINB**, vol. 5, nº 1, juin 1984. p. 1-7. /Situation de la traduction au Québec. Statistiques STQ. État du marché/

JORDAN, Albert. "Why a University Translation Programme", **L'Antenne**, Vol. 10, No. 5, March 1979. p. 2.

__________ "French and English Attitudes Towards Translation", **L'Antenne**, Vol. 11, No. 4, February 1980. p. 1-2.

"Journée d'étude sur l'évaluation du traducteur. Un sujet aux ramifications inattendues", **L'Antenne**, vol. 13, nº 4, mars 1982. p. 1-2.

JUHEL, Denis. "Bilinguisme et traduction au Canada; rôle sociolinguistique du traducteur.", **Meta**, vol. 26, nº 3, septembre 1981. p. 296-298.

__________ "Traduction et qualité de langue dans un pays bilingue : une analyse de la problématique sociolinguistique du Canada", **Multilingua**, vol. 3-4, 1984. p. 197-202.

KERBY, Jean. "Le problème de la traduction juridique au Canada", **InformATIO**, vol. 11, nº 1, novembre 1981. p. 5-8.

KERPAN, Nada. "La terminologie dans l'entreprise", **Intercom**, 1975. p. 9-11.

__________ "La terminologie de l'entreprise", **Meta**, vol. 20, nº 1, mars 1975. p. 71-74.

__________ "Histoire de la terminologie au Canada et au Québec", **Meta**, vol. 22, nº 1, 1977. p. 45-53.

__________ "Le traducteur et le spécialiste", **Meta**, vol. 22, nº 4, décembre 1977. p. 295-296. /Compte rendu d'un séminaire organisé par la STQ/

__________ "Et la Section des terminologues fut!", **L'Antenne**, vol. 9, nº 8, juillet-août 1978. p. 3.

__________ "SECTER : an I", **L'Antenne**, vol. 10, nºs 7 et 8, mai-juin 1979. p. 3. /Bilan du premier exercice/

__________ "Les universités et la STQ", **Meta**, vol. 24, nº 2, juin 1979. p. 306-307. /Rencontre ACET-CRU/

__________ "La documentation et les services linguistiques", **Meta**, vol. 25, nº 1, mars 1980. p. 7-10.

__________ "Le sondage sur la reconnaissance professionnelle", **L'Antenne**, vol. 11, nº 6, mai-juin 1980. p. 1. /Analyse/

KING, Nancy. "A Word From the Editor", **ATAQ Journal**, Vol. 1, No. 1, June 1978. p. 2. /Statistiques concernant les membres de l'ATAQ/

__________ "Dispelling a Bit of Nonsense: Myths and Misconceptions Surrounding the Life of the Full Time Freelance Translator", **ATAQ Journal**, Vol. 1, No. 3, December 1978. p. 1-3.

__________ "A Word From the Editor", **ATAQ Journal**, Vol. 1, No. 3, December 1978. p. 11. /Diffusion de l'**ATAQ Journal** : 300 exemplaires/

__________ "Teleglobe Canada: Translation in a Bilingual Environment", **Technical Communication**, Vol. 29, No. 4, 1982. p. 13-15.

__________ "Translation Survey", **ATAQ Journal**, Vol. 1, No. 2, August, 1978. p. 1-4. /Sondage effectué auprès des membres de l'ATAQ/

KING, William. "Some reflections on English Translation", **ATAQ Journal**, Vol. 1, No. 1, June 1978. p. 1-2. /Justification de la création de l'ATAQ/

KING, Yves. "L'avenir de la profession", **Bulletin de la CTINB**, vol. 3, n° 3, décembre 1983. p. 1-2. /Réunion fédérale-provinciale sur l'avenir de la traduction/

KITTREDGE, R. I. "The Development of Automated Translation in Canada", **Lebende Sprachen**, No. 3, August 1981. p. 100-103. /Historique des systèmes/

LAFLEUR, Micheline. "Le Canada joint l'ONU à son réseau de terminologie", **Dialogue**, vol. 4, n° 4, juillet 1983. p. 3.

LAFORCE, Luc. "La traduction au service d'une exposition universelle", **Journal des traducteurs**, vol. 10, n° 4, 1965. p. 148-150.

LAFRENIÈRE, Suzanne. "Destitution de traducteurs au temps de l'affaire Riel", **Bulletin du CRCCF**, n° 22, 1981. p. 9-13. /Traducteurs libéraux destitués : Rémi Tremblay, Ernest Tremblay, Eudore Poirier/

LAJOIE, Marie. "L'interprétation judiciaire des textes législatifs bilingues", **Meta**, vol. 24, n° 1, mars 1979. p. 115-123.

LANDA, Monique. "Le traducteur dans une tour d'ivoire?", **L'Antenne**, vol. 12, n° 1, 1980-1981. p. 3.

LANDRY, Alain. "La Biennale de Lisbonne", **Dialogue**, vol. 4, n° 9, janvier 1984. p. 1.

__________ "Cap sur le centenaire/Looking forward to fifty more", **L'Actualité terminologique**, vol. 17, nos 5 et 6, juillet et août 1984. p. 2.

LANGLAIS, Gabriel. "Nouvelles d'Ottawa", **Journal des traducteurs**, vol. 6, n° 2, 1961. p. 58. /Description du service de terminologie du Bureau fédéral des traductions. Retraite de C.-H. Carbonneau/

"Langue des actes - Interprète - Traduction", **Revue du notariat**, 2e année, n° 5, 15 décembre 1899. p. 142-148.

LAPIERRE, Solange. "Comment peut-on être amérindien?", **Circuit**, n° 7, décembre 1984. p. 14-15. /Doublage. Comment rendre le discours montagnais au cinéma/

LAPORTE, Pierre-E. "Office de la langue française. Programme de subvention", **Terminogramme**, n° 4, octobre 1980. p. 6-7. /Objectifs, récipiendaires/

LARD, F. "Le nouveau programme de développement professionnel", **2001**, mars 1979. p. 1. /... destiné aux TR-2/

LARIVIÈRE, Joseph. "Annual Report - 1940", **Le Traducteur**, Vol. 2, No. 7, February-March 1941. p. 7-11.

LAROCQUE-DI VIRGILIO, Lise. "Sondage sur les services de traduction dans l'entreprise", **Meta**, vol. 25, n° 2, juin 1980. p. 276-278. /Résultats du sondage/

__________ "La traduction au magnétophone", **Meta**, vol. 26, n° 4, décembre 1981. p. 398-403. /Description d'une expérience effectuée auprès d'étudiants de l'Université de Montréal/

LAROSE, Paul. "Réorganisation des services terminologiques du Bureau des traductions", **L'Actualité terminologique**, vol. 9, n° 1, janvier 1976, p. 1-4; n° 2, février 1976, p. 1-4.

__________ "Le périodique-maison : organe du personnel du Bureau", **Communication**, n° 60, mai 1977. 5 p. /Futur **2001**/

__________ "Perspectives et nouvelles affectations", **Communication**, n° 63, juillet 1977. 3 p. /Orientation générale du BdT. cf. **Communication** n° 71, septembre 1977/

LAROSE, Robert. "Projets pédagogiques à l'U.Q.T.R.", **Meta**, vol. 26, n° 3, septembre 1981. p. 308-309.

LARRUE, Joël. "Technical Translation in Canada: A Giant Effort", **Technical Communication**, Vol. 29, No. 4, 1982. p. 15-17.

LARUE-LANGLOIS, Jacques. "Michel Garneau. Profession : poète", **L'Actualité**, juillet 1977. p. 39-42. /"Tradapter" : traduire en québécois + notes biographiques/

LAURENCE, Jean-Marie. "Hommage à Pierre Daviault", **C'est-à-dire**, vol. 3, n° 2, décembre 1964. p. 8.

LAUZIÈRE, Lucie. "Un vocabulaire juridique bilingue canadien", **Meta**, vol. 24, n° 1, mars 1979. p. 109-114. /Projet JURIVOC, de l'Université d'Ottawa/

LAVOIE, Mario. "Rapport de la Commission des traitements et des conditions de travail" (Journée de l'ATIO, 2e partie), **Bulletin de l'ATIO**, vol. 1, n° 2, juillet-août 1962. /Faire reconnaître le "statut professionnel" des traducteurs. Distinction entre traducteur généraliste et traducteur spécialisé. Création d'une commission permanente des conditions de travail/

LEBEL, Marc. "François-Xavier Garneau, traducteur", **Meta**, vol. 22, n° 1, 1977. p. 33-36.

LEBEL, Maurice. "Remarques sur la traduction", **Culture**, vol. 17, mars 1956. p. 25-30.

LEBLANC, Maurice. "La traduction, un choix sûr", **Gazette de l'Université d'Ottawa**, vol. 17, n° 14, 1982. p. 3;11. /L'École de traducteurs et d'interprètes de l'U. d'Ottawa/

LEDUC, Dominique. "L'Association technologique de langue française d'Ottawa, 1920-1956", **Bulletin du CRCCF**, n° 24, avril 1982. p. 28-35.

LE FORT, Paul. "C'était en 1934...", **2001**, août-septembre 1979. p. 1. /Projet de loi prévoyant la création du Bureau fédéral des traducteurs/

__________ "1934 : Les débats de la Chambre", **2001**, avril-mai 1980. p. 4.

LÉGER, Jean-Marc. "État de la langue, miroir de la nation", **Journal des traducteurs**, vol. 7, n° 2, 1962. p. 39-51. /Rôle du traducteur/

LELAND, Marine. "François-Joseph Cugnet, 1720-1789", **La Revue de l'Université Laval**, vol. 16, n° 1, septembre 1961 à vol. 21, n° 4, décembre 1966. /Biographie du premier traducteur officiel au Canada/

LEMAY, Denise. "La Société des traducteurs du Québec se présente devant la Commission parlementaire spéciale sur les professions", **Meta**, vol. 17, n° 4, décembre 1972. p. 258-259. /Compte rendu de la rencontre/

__________ "Terminology research study session", **Intercom**, February 1978. p. 14. /Rencontre du 16 novembre 1977/

LE NÉAL, Jocelyne. "De source sûre", **L'Antenne**, vol. 14, n° 5, 1983. p. 4. /Atelier organisé par la SECTER. Projet de banque d'évaluation de la documentation/

LÉON, Jacky. "Le kiosque du Canada à Expolangues attire plus de 26 000 visiteurs", **Dialogue**, vol. 3, n° 11, mars 1983. p. 1;4.

__________ "Réunion des exploitants de banques terminologiques", **Dialogue**, vol. 4, n° 2, mai 1983. p. 4. /Réunion internationale aux Terrasses de la Chaudière (Hull)/

LÉONARD, Martine et Françoise SIGURET. "La route de l'expansion road ou l'impasse de la publicité bilingue", **Meta**, vol. 17, n° 1, mars 1972. p. 56-71.

Le QUELLEC, Philippe. "La banque de terminologie", **Communication**, n° 36, février 1976. 3 p. /Sa création/

LESAGE, Laurent. "La langue juridique", **Revue du notariat**, vol. 47, nº 5, décembre 1944. p. 161-164. /Effet des mauvaises traductions sur la langue du notariat/

LESSARD, Louise. "La traduction, seul outil de francisation?", **La francisation en marche**, juin 1981. p. 4.

__________ "Au colloque "Traduction et qualité de langue"", **La francisation en marche**, vol. 3, nº 8, avril 1983. p. 3.

LESSARD, Michel. "Le beau métier de traducteur", **En Route**, vol. 11, nº 12, décembre 1983. p. 23-24. /Article humoristique/

"Lettre communiquée par M. Roch Blais", **Translatio**, janvier 1974. p. 18. /Lettre (Ottawa, 6 avril 1938) d'Omer Chaput, chef de la section Statistique Canada/

LÉVESQUE-GAUDREAULT, France. "Le traducteur autonome : un plaidoyer", **2001**, décembre 1977. p. 2.

LÉVY, Moïse. "L'art de raffiner la grille d'évaluation", **L'Antenne**, vol. 13, mars 1982. p. 1;3. /Au BdT/

"La licence en traduction à l'Université de Montréal", **Translatio**, vol. 7, nº 2, juillet 1968. p. 70. /Programme d'élèves-traducteurs mis en place par le Secrétariat d'État/

LIMBOS, Michel. "Assemblée générale et Congrès annuel de l'ATIO", **Translatio**, décembre 1972. p. 1. /Objectifs du premier atelier consacré à l'interprétation/

LINDFELT, Bengt. "L'association internationale de terminologie voit le jour", **Terminogramme**, nº 14, juillet 1982. p. 3-4.

"Liste du personnel à la création du Bureau (1934)", **2001**, septembre 1984. p. 6.

LORRAIN, Léon. "Le vocabulaire", **Cahiers de l'Académie canadienne-française**, nº 5, 1960. p. 91-105. /"L'art subtil de la traduction a fait d'importants progrès au Canada..."/

LOZANO, Luis. "Visites aux traducteurs d'Ottawa - Division des langues étrangères", **Bulletin de l'ATLFO**, vol. 5, nº 3, 1955. p. 25-26.

"La machine à traduire", **Revue Commerce**, vol. 71, nº 4, avril 1969. p. 94. /Centre de calcul de l'Université de Montréal/

"Machine translation enters E.T.I.", **Bulletin de l'ETI**, No. 6, April 1977. p. 3.

MAILLET, Jean-Serge. "Stages de perfectionnement", **Bulletin de**

la CTINB, vol. 5, nº 2, septembre 1984. p. 6-7. /Stages pour traducteurs du Bureau de traduction du gouvernement du Nouveau-Brunswick/

"Maîtrise en traduction à l'Université d'Ottawa" (Communiqué), **Meta**, vol. 13, nº 3, septembre 1968. p. 163.

MAJOR, Michèle-Andrée. "Section de linguistique, Université de Montréal", **Journal des traducteurs**, vol. 6, nº 4, 1961. p. 126-127. /Programme de traduction/

MALHERBE, Jean-Luc. "Le marché de la pige en Ontario : résultats d'une enquête", **InformATIO**, vol. 12, nº 1, janvier 1983. p. 3. /Compte rendu de conférence/

MALO, Richard. "La traduction dans le secteur technique ou industriel", **Meta**, vol. 21, nº 1, mars 1976. p. 87-89.

MARCHAND, Pierre. "La place du traducteur dans l'entreprise", **L'Antenne**, vol. 6, nº 4, décembre 1974. p. 2-3.

__________ "À propos de **Meta**", **Meta**, vol. 20, nº 4, décembre 1975. p. 330-331.

__________ "Le Québec, la langue et la traduction", **Meta**, vol. 20, nº 4, décembre 1975. p. 331. /Compte rendu d'une conférence de Pierre Bourgault/

__________ "Le traducteur au Québec en 1976", **Meta**, vol. 22, mars 1976. p. 97-98. /Séminaire organisé par la STQ/

__________ "Conversation avec Patricia Claxton", **Meta**, vol. 22, nº 1, mars 1977. p. 79-87.

__________ "Libre opinion", **L'Antenne**, vol. 8, nº 5, mars 1977. p. 4. /Les rédacteurs dans les entreprises/

__________ "Opération nouveau visage ", **L'Antenne**, vol. 8, nº 6, avril 1977. p. 1-2. /Nouveau symbole de la STQ/

__________ "Réflexions sur le cahier du Devoir", **L'Antenne**, vol. 13, nº 2, décembre 1981. p. 4. /Cahier spécial intitulé "La Révolution langagière"/

__________ "La question existe-t-elle?", **L'Antenne**, vol. 13, nº 3, janvier 1982. p. 1-2. /Rendement du traducteur/

__________ "Le double sens de la communication", **L'Antenne**, vol. 13, nº 5, mai 1982. p. 3. /Différence entre le traducteur et le terminologue/

__________ "À quoi sert la STQ?", **L'Antenne**, vol. 14, nº 3, janvier 1983. p. 1.

__________ "Un ministre a dit...", **Circuit**, n° 5, juin 1984. p. 14-15. /Compte rendu d'une allocution du ministre Gérald Godin, ex-traducteur de bandes dessinées/

__________ "Découpez-moi cette baie (sauvage?)", **Circuit**, n° 7, décembre 1984. p. 13. /Erreur de doublage/

MARICA, Ina. "Consecutive Rendering - The Original Art of Conference Interpretation", **L'Antenne**, vol. 13, n° 1, octobre 1981. p. 1-2. /L'interprétation consécutive/

MARION, Séraphin. "Traducteurs et traîtres dans le Canada français d'autrefois", **Les Cahiers des Dix**, 34, 1969, p. 99-117.

MARQUIS, Marcel. "Ottawa : convention collective et réorganisation", **Meta**, vol. 17, n° 1, 1972. p. 82-84.

__________ "Programme permanent de sélection des réviseurs", **Meta**, vol. 19, n° 2, juin 1974. p. 121-122. /Au Bureau fédéral des traductions/

__________ "Départ du surintendant et du directeur des opérations générales", **Meta**, vol. 19, n° 2, juin 1974. p. 122. /H. Mayer et P. Lacourcière. Nouveau surintendant : Paul Larose/

MARTINEAU, Jean. "Une grande pitié", **Revue du notariat**, vol. 54, n° 3, octobre 1951. p. 150-155. /Effet des mauvaises traductions sur la langue du notariat/

MASSICOTTE, Édouard-Zotique. "Les interprètes à Montréal sous le régime français", **Bulletin de recherche historique**, n° 34, 1928. p. 140-150.

__________ "Mémento historique de Montréal 1636-1760", **Mémoires de la SRC**, Section I, 3e série, 27 (1933). p. 117.

MASTERS, Susan. "L'Association des (sic) ses débuts à aujourd'hui", **Journal de l'AVLIC**, vol. 1, n° 1, juillet 1981. p. 3-4.

MAYER, Henriot. "Remaniement des structures de la profession à Ottawa", **Journal des traducteurs**, vol. 10, n° 4, 1965. p. 34-136.

MAYRAND, Robert. "Secrétariat en traduction", **InformATIO**, vol. 11, n° 3, mai 1982. p. 7. /Nouveau programme au Collège Algonquin/

__________ "Secrétariat en traduction", **Traduire**, n° 119, avril 1984. p. 29. /Nouveau cours de "techniques de soutien à la traduction" donné par le collège communautaire Algonquin, à Ottawa)/

McARTHUR, Doug. (Réponse du ministre à la lettre de M. Wilhelm), **Bulletin de l'ATIS**, mai 1981. p. 6. /Explications du ministre au sujet de la fermeture de services de traduction/

McCARTHY, Madeleine. "(Rapport annuel) Comité des cours de traduction", **Argus**, 14 juin 1950.

McCORMICK, Marion. "Life in Translation", **Books in Canada**, October 1977. p. 21-22. /Expérience de Sheila Fishman, traductrice pigiste/

McLAUGHLIN, Hilary. "Linda Bacon-Guthrie, simultaneous interpreter", **Flare**, September 1982. p. 103. /Travail de l'interprète; formation; possibilités d'emploi; salaire; etc./

McPHEE, Cecil. "Independent Translators at National Defence", **2001**, March 1978. p. 3.

"Un mécanicien devenu terminologue", **La francisation en marche**, novembre 1984. p. 10.

"Meeting of foreign language translators at Ottawa" (March 24, 1958), **Journal des traducteurs**, Vol. 3, No. 3, July-September 1958. p. 132. /But : fonder une société de traducteurs spécialisés en langues étrangères/

MÉLÉKA, Fikri. "Un entretien avec M. P.-E. Larose", **Communication**, n° 22, 12 novembre 1975. 31 p. /P.-É. Larose, surintendant du BdT. Considérations sur la situation et l'orientation du Bureau/

__________ "La tâche de la Direction générale du Plan : écouter, comprendre, proposer, appuyer...", **Communication**, n° 26, 9 décembre 1975. 23 p./Entretien avec Raymond Aupy, surintendant adjoint du BdT. Considérations sur la gestion du Bureau/

__________ "La terminologie, centre nerveux de la traduction", **Communication**, n° 33, 23 janvier 1976. 18 p. /Entretien avec Philippe Le Quellec, directeur général de la terminologie et de la documentation du BdT/

__________ "Le Bureau des traductions occupera la première place mondiale en traduction automatique", **Communication**, n° 38, février 1976. 12 p. /Propos recueillis auprès d'André Petit/

__________ "À Montréal comme à Québec les traducteurs seront prochainement regroupés sous le même toit", **Communication**, n° 40, 22 mars 1976. 14 p. /Propos recueillis auprès de Maurice Roy, directeur des opérations régionales/

__________ "Il faudrait repenser la traduction et l'enseigner à partir de l'interprétation", **Communication**, n° 44, 26 mai 1976. 13 p. /Entretien avec Roch Blais. Considérations sur la traduction, la formation des traducteurs, le recrutement, et anecdotes sur l'époque glorieuse de la traduction à Ottawa/

__________ "Le Bureau des traductions (1934-1977)", **Meta**, vol. 22, n° 1, 1977. p. 57-65.

__________ "Le Bureau des traductions", **2001**, décembre 1978 - janvier 1979. p. 3. /Bref historique de la création du BdT/

__________ "Le bureau fédéral des traductions. Naissance et croissance d'un organisme qui, depuis cinquante ans, se conjugue au présent futur", **L'Actualité terminologique**, vol. 17, n°s 5 et 6, juillet et août 1984. p. 2-4.

"Mémoire présenté par la Société des traducteurs du Québec à la commission parlementaire de l'éducation, des affaires culturelles et des communications relativement au projet de loi sur la langue officielle" (projet de loi n° 22), **L'Antenne**, vol. 5, n° 10, juin 1974. p. 4-6. /La STQ demande aux députés d'appuyer sa demande de constitution en corporation professionnelle à titre réservé./

"Mémoire présenté par la S.T.Q. à la Commission d'enquête sur la situation de la langue française et sur les droits linguistiques au Québec", **Meta**, vol. 15, n° 2, juin 1970. p. 128-135.

MENDEL, G. A. "Foreign Language Services in the Federal Government", **Professional Public Service**, Vol. 43, No. 7, July 1964. p. 15-16.

__________ "Canada in the World: The Growing Inportance of Foreign Languages Translation", **Journal des traducteurs**, Vol. 10, No. 4, 1965. p. 137-138.

__________ "Foreign Language Training (Translation) Growing in Importance", **Professional Public Service**, Vol. 44, No. 12, December 1965. p. 25.

__________ "Foreign Language Translation", **Translatio**, Vol. 8, No. 2, December 1969. p. 20-21. /Réorganisation de la Section des langues étrangères au Bureau fédéral des traductions/

__________ (Foreign Languages Division: recruitment), **Professional Public Service**, July 1970. p. 29.

__________ "Conquering the Tower of Babel", **2001**, September-October 1978, p. 3. /Besoin croissant au Canada de traductions en langues étrangères/

__________ "Le carrefour de la traduction - plus de deux voies s'y croisent", **Dialogue**, vol. 3, n° 3, juin 1982. p. 2. /Division des services multilingues du Bureau des traductions/

__________ "Multilingual Translation in the Information Age", **L'Actualité terminologique**, Vol. 17, No. 5-6, July-August 1984. p. 14-15.

MERCIER, Raymond. "La direction de Québec à vol d'oiseau", **L'Actualité terminologique**, vol. 17, nos 5 et 6, juillet et août 1984. p. 23-24. /Direction régionale du BdT/

MEREDITH, R. Clive. "Client Relations", **Meta**, Vol. 25, No. 3, September 1980. p. 303-309.

"Message de l'IPSPC (GTI)", **Bulletin de l'ATIO**, vol. 4, n° 3, septembre-octobre 1965. p. 4-6. /Comparaison de l'ATIO et de l'IPSPC. Utilité de la cotisation à l'IPSPC. Pourquoi choisir l'IPSPC (Institut professionnel du Service public du Canada). GTI = groupe des traducteurs et interprètes/

MICHAUD, Charles. "Association technologique de la langue française d'Ottawa. Noces d'argent", **Le Canada français**, vol. 32, janvier 1945. p. 362-369.

__________ "Traduction : matière et forme", **Mémoire de la SRC**, Section I, 1945. p. 127-141. /Texte remanié d'une causerie donnée devant les membres de l'ATLFO le 17 décembre 1943/

MICHAUD, Paul Galt. "Dix ans après", **Argus**, vol. 5, n° 4, février 1950. p. 1. /Fondation de la STM/

MILLER, Leslie. "Diploma in Translation - The University of British Columbia - Department of Germanic Studies", **InformATIO**, Vol. 11, No. 3, May 1982. p. 6-7.

__________ "Editorial notes from the President", **Transletter**, No. 1, 1982. p. 1. /Accréditation auprès du CTIC; tarif appliqué par les membres; choix des outils de travail/

MINEAU, Suzanne. "La place de la traduction automatique", **Communication**, vol. 2, n° 1, janvier 1979. 4 p. /Historique de la traduction automatique au Canada et projets du BdT/

MONTPETIT, Édouard. "Léon Gérin (1863-1951)", **Mémoire de la SRC**, 3e série, tome XLV, juin 1951. p. 93-94.

MOORE, Connie. "Sign Language Interpretation. The Deaf Person's Link with the Hearing World", **Bulletin de la CTINB**, Vol. 2, No. 4, March 1982. p. 1-2. /Historique/

MORAND, Alain. "La B.T.Q. rencontre ses homologues internationaux", **La francisation en marche**, vol. 4, n° 1, juillet-août 1983. p. 5.

MORISSET, Paul. "Le traducteur, ennemi de la francisation?", **L'Antenne**, vol. 12, n° 3, 1980-1981. p. 1. /Conclusions de la firme de conseils en gestion SECOR chargée d'étudier le processus de francisation dans dix entreprises du Québec/

MORISSETTE, Alain. "3e colloque OLF-STQ", **Meta**, vol. 25, n° 2, juin 1980. p. 278-281. /Compte rendu/

MORISSETTE, Alphonse. "Au rendez-vous de Rio", **Dialogue**, vol. 2, n° 5, septembre 1981. p. 1. /Le Bureau des traductions participe à des conférences en Amérique latine./

__________ "Coopération fédérale-provinciale en matière de traduction", **Dialogue**, vol. 2, n° 8, décembre 1981, p. 3.

MOUZARD, François. "La Banque de terminologie fait peau neuve", **Dialogue**, vol. 3, n° 9, janvier 1983. p. 2. /Termium III/

NADEAU, Alfred. "Coup d'oeil sur la rédaction française de nos lois municipales", **Revue du Barreau**, vol. 17, n° 3, 1957. p. 137-146. /Effet néfaste de la traduction/

NADEAU, André. "Les services de traduction à Queen's Park : Cinq à six millions de mots par année", **Liaison**, vol. 32, automne 1984. p. 32. /La traduction juridique en Ontario/

NAGAO, Makoto. "La traduction automatique", **La Recherche**, n° 150 décembre 1983. p. 1830-1841.

NEUMANN, Klaus. "What our Parliamentary Orators Lose in Translation", **Journal des traducteurs**, Vol. 6, No. 2, 1961. p. 70-71.

"New Salary Rates for Social Workers, Translators and Interpreters", **Professional Public Service**, Vol. 43, No. 2, February 1964. p. 20.

"New Salary Rates For Translators", **Professional Public Service**, Vol. 41, No. 10, October 1962. p. 21.

NICKLEN, Louise. "Interpretation, Translation and Communication in Canada's far North", **Meta**, Vol. 28, No. 2, June 1983. p. 153-156.

NICOLEAU, Bernard. "Tribune libre", **Bulletin de l'ATIO**, n° 6, mars 1963. p. 3-2. /Cours par correspondance; répertoire/

"Notes de la rédaction", **Bulletin de l'ATIO**, vol. 4, n° 3, septembre-octobre 1965. p. 3;6. /Nécessité d'instituer un centre de documentation terminologique à l'échelle nationale. Les traducteurs du Québec s'organisent. Publication du **Journal des traducteurs** (rebaptisé **Meta**) par les Presses de l'Université de Montréal/

"Notre collaborateur : Jean Darbelnet", **Journal des traducteurs**, vol. 9, nº 4, 1964. p. 121.

"Notre collaborateur : Maurice Roy", **Journal des traducteurs**, vol. 9, nº 3, 1964. p. 93-94.

"Notre collaborateur : M. L. Kos-Rabcewicz-Zubkowski", **Journal des traducteurs**, vol. 8, nº 3, 1963. p. 88.

"Notre collaborateur : M. Robert Dubuc", **Journal des traducteurs**, vol. 10, nº 2, 1965. p. 50.

"Notre collaboratrice : Mlle Jeanne Grégoire", **Journal des traducteurs**, vol. 8, nº 2, 1963. p. 46-47.

"Notre Division de la recherche terminologique et linguistique", **L'Actualité terminologique**, vol. 6, nº 1, janvier 1973. p. 1-2.

"Un nouveau Centre va aider le français à entrer dans l'usage juridique", **Gazette de l'Université d'Ottawa**, novembre 1981. p. 3. /Ouverture du Centre de traduction et documentation juridiques (CTDJ) de l'Université d'Ottawa/

"Nouveau service aux membres : la Commission d'évaluation", **L'Antenne**, vol. 15, nº 2. p. 4. /Cette commission a pour rôle de régler les différends relatifs à la qualité linguistique des traductions./

"Le nouveau surintendant adjoint", **Bulletin de l'ATIO**, vol. 4, nº 1, 1965. p. 2. /M. Lacourcière, notice biographique/

"Nouvelles de la traduction automatique", **Informatique et bureautique**, vol. 2, nº 5, mai 1981. p. 66.

"Les nouvelles structures", **Info-Cadres**, nº spécial, 22 juin 1978. 3 p. /Du Bureau fédéral des traductions/

"Offensives dans le fief du doublage français", **Cinéma Québec**, vol. 6, nº 6, 1978. p. 40.

"L'Office de la langue française réunit les rédacteurs de la presse technique", **Bulletin de l'ATIO**, nº 5, janvier 1963. p. 6. /Projet d'établissement d'un centre de documentation et de terminologie technique. Publication d'un "Guide de terminologie" et d'un "Bulletin de linguistique"/

"On seconde les traducteurs du Procureur général de l'Ontario", **Gazette de l'Université d'Ottawa**, janvier 1984. p. 4.

ORIOL, Robert. "La Banque de terminologie du Québec", **La francisation en marche**, vol. 4, n° 6, avril-mai 1984. p. 1-2. /Présentation de la BTQ et de ses fichiers/

ORR, R.J. "The Paper Explosion in Science", **Industrial Canada**, October 1962. p. 23-25. /La machine à traduire permettra la traduction massive de documents scientifiques./

ORSONI, Jean et Robert LAROSE. "L'enseignement de la traduction et la préparation des travaux", **L'Antenne**, vol. 10, n° 3, janvier 1979. p. 3-4. /Considérations sur la pédagogie de la traduction/

"Où allons-nous?", **Bulletin de l'ATLFO**, vol. 1, n° 1, mars 1951. p. 12. /Historique et statuts de l'ATLFO/

OUELLET SIMARD, Josée. "L'assemblée générale annuelle : rétrospectives, perspectives, expectatives", **L'Antenne**, vol. 13, n° 7, août 1982. p. 1-2.

__________ "La traduction sans frontières", **L'Antenne**, vol. 14, n° 2, novembre 1982. p. 3. /IBM : faire prendre conscience aux rédacteurs des difficultés de la traduction/

__________ "L'Antenne au Conseil", **L'Antenne**, vol. 13, n° 4, 1982, p. 6. /Révision du processus d'admission. Publication d'un répertoire. Possibilités de stage/

__________ "Profession : traductrice", **Circuit**, n° 3, décembre 1983. p. 10-11. /La place des femmes dans la pratique de la traduction/

__________ "L'industrie québécoise du doublage", **Circuit**, n° 7, décembre 1984. p. 10-11.

OUIMET, Pierre. "Les fantômes du petit écran", **L'Actualité**, avril 1978. p. 34. /Doublage/

"Our society", **Transletter**, No. 1, 1982. p. 7. /Exposé des objectifs de la Society of Translators and Interpreters of British Columbia (STIBC)/

"Ouverture de la Commission de terminologie sur le grand public", **L'Antenne**, vol. 13, n° 5, mai 1982. p. 1-2. /Interview de Pierre Auger, président/

PAINCHAUD, Louis. "Rédaction-recherche", **L'Antenne**, vol. 10, n° 7-8, mai-juin 1979. p. 2. /Nouveau programme de rédaction-recherche de l'Université de Sherbrooke/

__________ et Pierre COLLINGE. "Rédaction-recherche, un nouveau programme universitaire", **Technostyle**, vol. 1, n° 2, 1982. s.p. /Université de Sherbrooke/

PANNETON, Georges. "Le traducteur", **Le Traducteur**, vol. 1, n° 1, août 1940. p. 1-2. /Présentation de la nouvelle revue publié par la Société des traducteurs de Montréal/

__________ "Notre Société", **Le Traducteur**, vol. 1, n° 2, 1940, p. 1-2; n° 3, 1940, p. 1-3. /La Société des traducteurs de Montréal/

__________ "Neutralité-Unité", **Le Traducteur**, vol. 2, n° 7, février-mars 1941, p. 3-4. /La Société des traducteurs de Montréal/

PAQUETTE, Réal. "La traduction", **Lurelu**, vol. 5, n° 1, 1982. p. 3-6. /Livres pour la jeunesse en traduction/

PARADIS, Jobson. "La traduction au ministère des Mines", **Les Annales**, 1re année, n° 12, décembre 1922, p. 7-8; 2e année, n° 1, janvier 1923, p. 7; 2e année, n° 2, février 1923, p. 9-10.

PARADIS, Philippe-J. "Notre langage commercial", **Bulletin du parler français au Canada**, vol. 5, 1907. p. 201-210.

PARÉ, Marcel. "L'avenir des traducteurs au Canada", **Journal des traducteurs**, vol. 6, n° 2, 1961. p. 39-43.

__________ "La langue publicitaire dans un pays B-B", **Revue Commerce**, vol. 70, n° 6, juin 1968. p. 74-77.

__________ "Langage et publicité", **Revue Commerce**, vol. 71, n° 2A, février 1969. p. 48-52. /Le publicitaire-traducteur/

__________ "Des mots en banque", **Revue Commerce**, vol. 73, n° 5, mai 1971. p. 57-59. /Banque de terminologie de l'U. de M./

__________ "Petit historique de la publicité française au Canada", **Meta**, vol. 17, n° 1, mars 1972. p. 52-55.

__________ "L'esprit, la lettre et la machine", **Langue et société**, n° 3, automne 1980. p. 19-22. /La traduction automatique au Canada (TAUM/MÉTÉO + TAUM/AVIATION)/

PARIS, Jacques. "La Société des Traducteurs et Interprètes du Canada (STIC)", **Bulletin de l'ATLFO**, vol. 7, n° 3, 1957. p. 3-4.

__________ "L'activité de la STIC en 1958" (Second rapport annuel du secrétaire), **Journal des traducteurs**, vol. 3, n° 4 et vol. 4, n° 1, janvier-mars 1959. p. 43-44.

PARTENSKY, Jean-Paul. "Le Canada possède désormais son association de traducteurs littéraires", **L'Antenne**, vol. 7, n° 1, septembre 1975. p. 4.

__________ "Fondation de l'Association des traducteurs littéraires", **Meta**, vol. 20, n° 3, septembre 1975. p. 244-245.

PATENAUDE, Paul. "Vous avez des objections?", **Translatio**, vol. 6, n° 4, novembre 1967. p. 79-82. /Examen obligatoire à partir du 1er janvier 1968 pour devenir membre de l'ATIO/

__________ "Un projet de loi, c'est quoi?", **Translatio**, vol. 7, n° 2, juillet 1968. p. 29-34. /Reconnaissance professionnelle (ATIO). Cours de traduction à partir de septembre 1968 à l'U. de M. et à l'U. Laurentienne, et à partir de septembre 1969 à l'U. de Toronto/

PAVEL, Silvia. "S.V.P. 1978-1979", **2001**, mai 1979. p. 4. /Service SVP = Service de renseignements terminologiques du BdT/

__________ "La banque de terminologie du Canada au service du français, langue scientifique", **Perspectives universitaires**, vol. 2, n° 1, 1984. p. 176-186.

PAVLOVIC, Myrianne. "Qu'est-ce que la postsynchronisation?", **TV Hebdo**, vol. 17, n° 1. p. 120 A - 121 A. /Doublage d'une émission télévisée chez SONOLAB (Montréal)/

PELLETIER, Claire. "Le groupe GITE", **L'Antenne**, vol. 14, n° 2, novembre 1982. p. 1-2. /Informatisation de la terminologie/

PELLETIER, Jean-François. "Grandeurs et servitudes de la traduction publicitaire", **Circuit**, n° 2, septembre 1983. p. 27-28.

"Personals...", **Professional Public Service**, Vol. 32, No. 5, May 1953. p. 21. /P. Daviault reçoit la médaille Chauveau de la Société royale du Canada./

"Personnel du Bureau des traductions au 31 mai 1984", **2001**, septembre 1984. p. 6.

PÉRUSSE, Daniel. "Les machines à traduire", **L'Actualité**, janvier 1981. p. 35-39. /Point de vue de l'auteur/

__________ "Machine Translation", **ATA Chronicle**, Vol. 12, No. 8, August 1983. p. 6-8. /Tiré de **En Route**, octobre 1982/

PHANEUF, Frédéric. "La traduction dans les entreprises publiques du Canada", **Meta**, vol. 21, n° 1, mars 1976. p. 72-76.

PINEAU, Lucie. "Traduttore, traditore", **Liaison**, n° 29, hiver 1983-1984. p. 14-15. /Traduction littéraire faite par Claire Guillemette-Lamirande/

"Le Plan-Cadre", **2001**, février 1978. p. 1. /Projet de restructuration du BdT/

PLANEL, Georges. "Les cours de traduction à l'extension de l'enseignement universitaire de l'Université Laval", **Journal des traducteurs**, vol. 10, n° 4, 1965. p. 168.

PLOURDE, Françoise. "Collaboration entre le C.N.S.R. et le Bureau des traductions", **L'Actualité terminologique**, vol. 12, n° 8, octobre 1979. p. 4. /CNSR = Centre national du sport et de la récréation/

POISSON, Jacques. "La traduction artisanale est-elle condamnée?", **Meta**, vol. 20, n° 1, mars 1975. p. 129-140.

__________ "Pour une nouvelle discipline : l'analyse de la traduction acculturative", **L'Antenne**, supplément, mai 1977. p. 7.

POKORN, Daniel. "Diviser pour réorganiser", **2001**, décembre 1977. p. 2. /Suggestions pour la réorganisation du BdT/

POLIQUIN, Jean-Marc. "Une école de journalisme et de traduction", **Journal des traducteurs**, vol.5, n° 2, 1960. p. 39-44.

__________ (Pierre Daviault, notes biographiques), **Journal des traducteurs**, vol. 6, n° 2, 1961. p. 60-61.

"Portrait-robot de la S.T.Q.", **L'Antenne**, vol. 6, n° 7, avril 1975. p. 6-7. /Enquête auprès des membres de la STQ/

POTVIN, Augustin. "Le Centre de lexicologie deviendrait un organisme officiel de l'État", **Bulletin de l'ATLFO**, vol. 3, n° 2, avril 1953. p. 1.

__________ "L'uniformisation des termes", **Bulletin de l'ATLFO**, vol. 3, n°s 3 et 4, juillet-octobre 1953. p. 3.

__________ "Faut-il adhérer à la Fédération internationale des traducteurs?", **Bulletin de l'ATLFO**, vol. 4, n° 2, avril 1954. p. 1.

POTVIN, H. "La traduction dans l'industrie", **Revue Commerce**, octobre 1972. p. 58-60;62.

POULIN, Leroy. "Visites aux traducteurs d'Ottawa - Division de l'Agriculture", **Bulletin de l'ATLFO**, vol. 6, n° 3, octobre 1956. p. 20-21.

"Le premier sténographe canadien-français", **Bulletin de recherche historique**, vol. 29, n° 12, 1923. p. 358. /Jean-Toussaint Thompson, traducteur pendant une session à l'Assemblée législative de Toronto, adapte en français la méthode anglaise de sténographie/

"Le Président répond aux critiques", **InformATIO**, vol. 4, n° 3, avril 1974. p. 8-14. /Fred Glaus répond aux critiques de Jacques Flamand concernant l'ATIO./

PRINCE, Joseph-Évariste. "Du français dans nos lois", **Bulletin du parler français au Canada**, vol. 5, 1906. p. 130-138. /Notre langue juridique porte l'empreinte de l'anglais./

__________ "La traduction française des textes officiels", **Bulletin du parler français au Canada**, vol. 6, 1908. p. 288-293. /Style pauvre et beaucoup d'anglicismes/

__________ "Traductions", **Bulletin du parler français au Canada**, vol. VII, n° 7, 1909, p. 260-262. /Exemples de mauvaises traductions de textes législatifs/

PRINCE, Pauline. "Joseph-Évariste Prince : l'homme et l'oeuvre (1851-1923)", **Cultures du Canada français**, n° 2, 1985. p. 63-69. /Premier terminologue canadien/

"Prix d'excellence en mémoire d'Edward C. Bealer", **AVLIC News**, 1981 : vol. 1, n° 1, p. 6; vol. 2, n° 1, p. 20; vol. 2, n° 3, p. 17.

"Professional Training", **Transletter**, No. 4, March 1983. p. 7. /Programme de formation en traduction. Université de la Colombie-Britannique/

"La professionnalisation de la traduction", **Intercom**, décembre 1974. p. 5-6. /Reconnaissance professionnelle/

"Programme d'aide à la traduction internationale. Conseil des Arts du Canada", **Bulletin de la CTINB**, vol. 2, n° 4, mars 1982. p. 17. /Subventions en vue de la traduction d'ouvrages canadiens dans une langue autre que le français et l'anglais/

"Le programme d'aide de la Fonction publique", **Translatio**, vol. 9, n° 1, décembre 1970. p. 16-17. /Bourses du Secrétariat d'État accordées à des étudiants en traduction/

"Le projet national de l'administration de la justice dans les deux langues officielles", **Termium**, vol. 2 n° 1, 1984. p. 2-3./Incidence sur la recherche terminologique en common law/

"Projets de fédération internationale et de société nationale de traducteurs", **Bulletin de l'ATLFO**, vol. 4, n° 1, janvier 1954. p. 21.

"Proposal for a Graduate Diploma Programme in Legal Translation", **Bulletin de l'ETI**, No. 14, June 1982. p. 6.

"La qualité des textes est assurée", **Dialogue**, vol. 1, n° 6, octobre 1980. p. 4. /Division de la qualité linguistique/

"Quatre services de traduction décrivent leurs méthodes de recrutement", **Intercom**, décembre 1976. p. 2-7.

"Québec : Office de la langue française", **Babel**, vol. 19, n° 4, 1973. p. 188.

"Quelques observations concernant le rôle que devrait jouer la commission de documentation de la STIC", **Journal des traducteurs**, vol. 9, n° 2, 1964. p. 61-64. /Observations présentées par D. Fortin et R. Aupy/

"Quelques statistiques sur le service SVP", **Termium**, vol. 2, n° 3, décembre 1984. p. 2-3. /Service de renseignements de la BTC/

"Quinzième réunion du Conseil de la Société des traducteurs et interprètes du Canada", **Journal des traducteurs**, vol. 3, n° 3, juillet-septembre 1958. p. 131-132 /Rubrique de la STIC/

RAINEY, Brian E. "Famous last words... /Dernier mot du président", **Bulletin de l'ATIS**, vol. 1, n° 3, printemps 1984. p. 1. /Tenue de la conférence annuelle de la Société; conférencier invité du BdT/

"Rapport du Comité directeur" (10 mars 1964), **Bulletin de l'ATIO**, vol. 3, n° 2, mars-avril 1964. p. 6-7. /Définition du rôle de l'ATIO et des membres du Conseil/

"Le Rapport du Commissaire aux langues officielles", **Info-Cadres**, n° spécial, 15 mars 1979. 4 p. /Réactions des cadres du BdT au Rapport/

"Rapport du président", **Bulletin de l'ATIO**, vol. 4, n° 1, janvier-mars 1965. p. 3-5. /Création d'un comité directeur. Rapport de l'activité des commissions/

"Rapport du président à l'Assemblée générale de l'ATIO" (18 janvier 1966), **Bulletin de l'ATIO**, vol. 5, n° 1, 1966. p. 1-3. /Rédaction des statuts de l'ATIO; commission d'étude; 45e anniversaire de l'ATIO; élection annuelle des membres/

"Rapport présenté à l'ATIO par la Commission d'étude des négociations collectives", **Bulletin de l'ATIO**, vol. 4, n° 1, janvier-mars 1965. p. 7-9. /Les associations de fonctionnaires; recommandations; généralités/

"Ray Chamberlain gives lecture to STQ", **Transmission**, Vol. 2, No. 1, 1983. p. 4. /Conférence sur la traduction littéraire/

"Recruter des traducteurs? IBM sait comment et vous propose ce qui suit", **Intercom**, mars 1975. p. 7-8.

REED, David G. "Problèmes de la traduction juridique au Québec", **Meta**, vol. 24, nº 1, mars 1979. p. 95-102.

__________ "Le mot du directeur", **Le Mot**, nº 3, 15 février 1982. p. 2. /Centre de traduction et de terminologie juridiques - École de droit, Université de Moncton/

__________ Le Centre de traduction et de terminologie juridiques (École de droit), Université de Moncton", **InformATIO**, vol. 13, nºs 2 et 3, avril-juin 1984. p. 9.

"Relèvement de traitement des traducteurs dans l'administration fédérale", **Meta**, vol. 11, nº 2, 1966. p. 75.

RENAUD, Gilles. "Le Québec, paradis des traducteurs?", **L'Antenne**, vol. 8, nº 4, décembre 1976 - janvier 1977. p. 10. /Lettre ouverte : les cabinets de traduction/

"Rencontre de traducteurs et de linguistes à Stanley House (STIC)", **Journal des traducteurs**, vol. 10, nº 2, 1965. p. 63-64.

REPA, Jindra. "A Training Program for Court Interpreters", **Meta**, vol. 26, nº 4, décembre 1981. p. 394-396.

__________ "A word from the President", **Transletter**, nº 4, mars 1983. p. 1. /Évolution de l'Association; nombre de membres; reconnaissance de l'Association/

"Le réseau / Le fonds / Mise à jour du fonds", **Termium**, vol. 1, nº 1, septembre 1983. p. 1-3. /+ p. 6 : liste des 148 terminaux formant le réseau de la BTC/

"Résultats du questionnaire sur les services offerts par l'ATIO", **InformATIO** (supplément), septembre 1984.

RIALLAND-MORISSETTE, Yvonne. "Souvenirs heureux", **Argus**, nº 3, janvier-février 1955. p. 2-4. /Souvenirs de la fondation et des premières années de la STM/

RICHER, Suzanne. "La gestion de la documentation au Bureau des traductions du gouvernement du Canada", **Meta**, vol. 25, nº 1, mars 1980. p. 49-57.

__________ "Gestion et organisation de la documentation au Bureau des traductions du Canada", **Meta**, vol. 28, nº 2, juin 1983. p. 217-220.

__________ "L'enseignement de la documentation dans un programme de traduction", **Communication**, vol. 7, nº 2, 29 mars 1984. p. F-5.

RIVARD, Adjutor. "Le français administratif", **Bulletin du parler**

français au Canada, vol. 3, 1905, p. 310-323; vol. 4, 1906, p. 323-329.

RIVARD, Michelle. "Compte rendu. Francisation et terminologie, colloque organisé par l'ACFQ et la STQ, tenu à Montréal le 26 novembre 1981", **Terminogramme**, n° 11, janvier 1982. p. 5-7.

ROBERTS, Roda P. "Originalité du B.A. en traduction de l'Université Laval : stage pratique", **L'Antenne**, vol. 10, n° 2, novembre-décembre 1978. p. 4.

__________ "Frenglish or the Influence of French on English", **Bulletin de l'ACLA**, Actes du 14e colloque annuel tenu à l'Université Laval, Québec, 1983. p. 203-224.

ROBICHAUD, Raymond. "La journée de l'interprète parlementaire", **Journal des traducteurs**, vol. 9, n° 2, 1964. p. 51-55;64.

__________ "Formation et perfectionnement des interprètes", **Communication**, n° 31, 12 janvier 1976. 5 p. /À la nouvelle École des interprètes du BdT/

__________ "Un service centenaire : les Débats", **L'Actualité terminologique**, vol. 17, nos 5 et 6, juillet et août 1984. p. 7-12.

RODRIGUE, Nelson. "La Banque de terminologie du gouvernement canadien et l'ATIO", **Meta**, vol. 28, n° 2, juin 1983. p. 215-217.

ROHT, Toivo. "The Problems and Work of Translators", **Culture**, Vol. 29, No. 3, 1968. p. 254-259. /La traduction d'oeuvres littéraires au Québec/

ROMER, Thérèse. "Le verbe qui vole : mot de l'interprète", **Meta**, vol. 20, n° 1, mars 1975. p. 36-41.

ROMNEY, Claude. "Enquête sur la traduction au Canada en 1972", **Meta**, vol. 19, n° 2, juin 1974. p. 116-121. /Le marché de la traduction dans les entreprises canadiennes et les débouchés s'offrant aux diplômés des écoles de traduction/

RONDEAU, Guy. "The Terminology Bank of Canada", **Terminology Update**, Vol. 11, No. 9, November 1978. p. 1-3.

ROSSEEL, Daniel. "Rapport de la Commission du tarif", **Bulletin de l'ATIO**, n° 7, mai 1963. p. 9-10. /Recommandation d'un tarif minimum/

__________ "Licence en traduction à l'Université de Montréal", **Meta**, vol. 13, n° 4, décembre 1968. p. 208-209. /Création d'une licence en septembre 1968/

__________ "La traduction automatique au Canada", **Meta**, vol. 14, nº 2, juin 1969. p. 129. /Subvention du Conseil national de recherches du Canada/

__________ "Nouvelles brèves", **Meta**, vol. 14, nº 3, septembre 1969. p. 184. /Admission de la section de traduction du Département de linguistique et de langues modernes de l'U. de Montréal à la Conférence internationale des instituts et écoles universitaires de traduction et d'interprétation/

ROUAH, Jacqueline. (La traduction en Colombie-Britannique) (Courrier des lecteurs), **InformATIO**, vol. 13, nºs 2-3, avril/juin 1984. p. 4.

ROUSSEAU, L. A. "Du style et de l'exactitude des expressions dans les actes notariés", **Revue du notariat**, vol. 21, nº 10, mai 1919, p. 313-320; nº 11, p. 326-333. /Anglicismes. Effet néfaste de la traduction sur la langue du notariat/

__________ "Virage vers le français", **Revue du notariat**, vol. 39, juin 1937, p. 516-522; vol. 40, p. 156-164; 253-259; 397-405; vol. 47, p. 129-139. /Effet néfaste de la traduction sur la langue du notariat/

ROUSSEAU, Louis-Jean. "De la traduction considérée comme un des beaux-arts... en voie de disparition?", **Circuit**, nº 6, septembre 1984. p. 13-14. /Le point sur la situation de la traduction au Québec/

ROY, Maurice. "Tais-toi, pis traduis!", **L'Actualité**, vol. 2, nº 1, janvier 1977. p. 41-45. /À l'agence Canadian Press/

"Rubrique de la STIC", **Journal des traducteurs**, vol. 3, nº 1, janvier-mars 1958. p. 46-51. /Premier rapport annuel/

RUSSELL, Robert. "The Statutes of Quebec: Linguistic Interference", **Meta**, Vol. 24, No. 1, mars 1979. p. 213-217.

RYAN, Janet. "Tranglia", **Intra**, Vol. 4, No. 3, 1984. p. 8. /Stage interne pour étudiants anglophones à l'ETI/

SAILLY, Pierre. "Traduttore, Traditore", **Bulletin de recherche historique**, vol. 17, nº 3, mars 1911. p. 65-66. /Erreur de traduction dans un texte de Carleton/

SAINT-GEORGES, J.-Albert. "Visites aux traducteurs d'Ottawa - Division du Travail", **Bulletin de l'ATLFO**, vol. 6, nº 2, juillet 1956. p. 22-25.

SALVAIL, Bernard. "Compte rendu de la première rencontre des traducteurs et terminologues du Québec, tenue au Château Montebello, du 18 au 20 janvier 1976", **Meta**, vol. 21, nº 2, juin 1976. p. 175-179.

SAUVÉ, Antoine. "Visites aux traducteurs d'Ottawa - Division de la Santé et du Bien-être social", **Bulletin de l'ATLFO**, vol. 7, n° 3, octobre 1957. p. 7-8.

SCHMIT, Claude. "The Self-Taught Translator. From Rank Amateur to Respected Professional", **Meta**, Vol. 11, No. 4, 1966. p. 123-126.

SCHOUWERS, P. "The General Multilingual Section", **2001**, March 1979. p. 4. /Les activités de la Section/

SCHULTZ, Barbara. "Diploma in interpretation", **Intra**, Vol. 3, No. 1, November 1, 1982. p. 4. /Nouveau programme de diplôme en interprétation à l'Université d'Ottawa/

__________ "Inscription 1982-1983 : quelques chiffres", **Intra**, vol. 3, n° 1, 1er novembre 1982. p. 4.

__________ "STI program changes approved", **Intra**, Vol. 3, No. 2, December 1, 1982. p. 3. /Changements au programme de l'ETI; stage pour anglophones; TRADUC/

SCHWAB, Wallace. "Traduction et informatique : perspectives pour les années 80", **Meta**, vol. 26, n° 1, mars 1981. p. 48-54.

__________ "Freelance and Independant Translators Meet (Quebec)", **L'Antenne**, Vol. 16, No. 2, December 1984. p. 3.

__________ et Richard ST-DENIS. "Platerm : la banque de terminologie du système Platon", **Meta**, vol. 25, n° 3, septembre 1980. p. 287-302.

"Séance plénière de l'après-midi" (journée de l'ATIO. IIe Partie), **Bulletin de l'ATIO**, vol. 1, n° 2, juillet-août 1962. /Importance de la recherche en traduction. Projet d'une nouvelle charte; organisme de régie distinct/

SERRÉ, Robert. "Il y a 25 ans...", **InformATIO**, vol. 10, n° 2, novembre-décembre 1980. p. 5. /Premier congrès général des traducteurs canadiens/

"Les services du CLE à ses membres", **Intercom**, décembre 1977. 9 p. /Numéro spécial/

"Le Service SVP", **Communication**, vol. 6, n° 6, 15 mars 1983. p. 1-5. /Service de renseignements terminologiques du Bureau fédéral des traductions/

SHEK, Ben-Z. "Quelques réflexions sur la traduction dans le contexte socio-culturel canado-québécois", **Ellipse**, n° 21, 1977. p. 111-117.

SHOULDICE, Larry. "Chacun son mishigos: The Translator as Comparatist", **Essays on Canadian Writing**, ("Écrire au Québec") No. 15, Summer 1979, p. 25-32.

"Sign-Language Interpretation. School of Translators and Interpreters Gains Federal Support for New Courses", **University of Ottawa Gazette**, Vol. 17, No. 7, May 1982. p. 4. /Création des premiers cours d'interprétation gestuelle à l'École de traducteurs et d'interprètes de l'Université d'Ottawa/

"Situation du traducteur", **C'est-à-dire**, vol. 4, n° 9, novembre-décembre 1968. 9 p. /Situation du traducteur au Québec. Nécessité d'une solide formation de base/

SMITH, Markland. "Visites aux traducteurs - ministère de la Citoyenneté et de l'Immigration", **Bulletin de l'ATLFO**, vol. 7, n° 4, décembre 1957. p. 4-5.

__________ "Nouvelles de Montréal", **Bulletin de l'ATIO**, vol. 3, n° 3, septembre-octobre 1964. p. 13-14. /Ouverture de la Division de Montréal du BdT/

__________ "Souvenirs d'un trentième anniversaire", **InformATIO**, vol. 7, n° 5, juillet 1978. p. 1. /Trentième anniversaire de l'Association technologique de langue française d'Ottawa/

SNOOK, David B. "Les comités de normalisation au Bureau des traductions", **L'Actualité terminologique**, vol. 14, n° 8, octobre 1981. p. 9-11.

Société des diplômés de l'Institut de traduction (SDIT). **Journal des traducteurs**, vol. 4, n° 4, 1959, p. 166-167; 5, 2, 1960, p. 55-56; 5, 3, 1960, p. 86-87; 6, 1, 1961, p. 19; 7, 1, 1962, p. 18-19; 9, 4, 1964, p. 130; 10, 2, 1965, p. 61-62.

Société des traducteurs de Montréal (STM). **Journal des traducteurs**, vol. 3, n° 4 et vol. 4, n° 1, 1959, p. 49-50; 5, 1, 1960, p. 12-13; 5, 2, 1960, p. 53; 5, 3, 1960, p. 88-90; 5, 4, 1960, p. 125-127; 6, 1, 1961, p. 16-17; 6, 2, 1961, p. 56-57; 6, 3, 1961, p. 90-92; 6, 4, 1961, p. 127-128; 7, 1, 1962, p. 17-18; 7, 4, 1962, p. 128-133; 9, 3, 1964, p. 95-98; 9, 4, 1964, p. 128-129; 10, 1, 1965, p. 22-23.

Société des traducteurs du Québec (STQ). **Journal des traducteurs**, vol. 10, n° 4, 1965, p. 165-167. **Meta**, vol. 11, n° 1, 1966, p. 28-29; 11, 2, 1966, p. 54-55; 11, 3, 1966, p. 113; 11, 4, 1966, p. 170-171; 12, 1, 1967, p. 31-33; 12, 2, 1967, p. 69; 12, 3, 1967, p. 106-107; 12, 4, 1967, p. 140-141; 13, 1, 1968, p. 40; 13, 2, 1968, p. 91-92; 13, 3, 1968, p. 164-165; 14, 1, 1969, p. 75-78; 14, 2, 1969, p. 126-127; 14, 3, 1969, p. 181-182; 15, 1, 1970, p. 63; 15, 2, 1970, p. 135; 15, 3, 1970, p. 193-195; 16, 3, 1971, p. 195; 17, 3, 1972, p. 197-198; 18, 3, 1973, p. 348-349; 19, 3, 1974, p. 182-183; 20, 3, 1975, p. 247; 21, 3, 1976, p. 228; 22, 3, 1977, p. 236-

Irène de Buisseret

DEUX LANGUES,
SIX IDIOMES

Manuel pratique de traduction de l'anglais au français
PRECEPTES – PROCEDES – EXEMPLES – GLOSSAIRES – INDEX

*Pour un bon entendement des six variétés
des deux langues officielles du Canada*

Dessins de
Madeleine Beaudry

1975
Carlton-Green Publishing Company Limited
OTTAWA

Fig. 17 -- Page titre de **Deux langues, six idiomes** d'Irène de Buisseret. Le dessin représentant l'auteur est l'oeuvre de Madeleine Beaudry. (Photo : CRCCF, Ph 1-I-212)

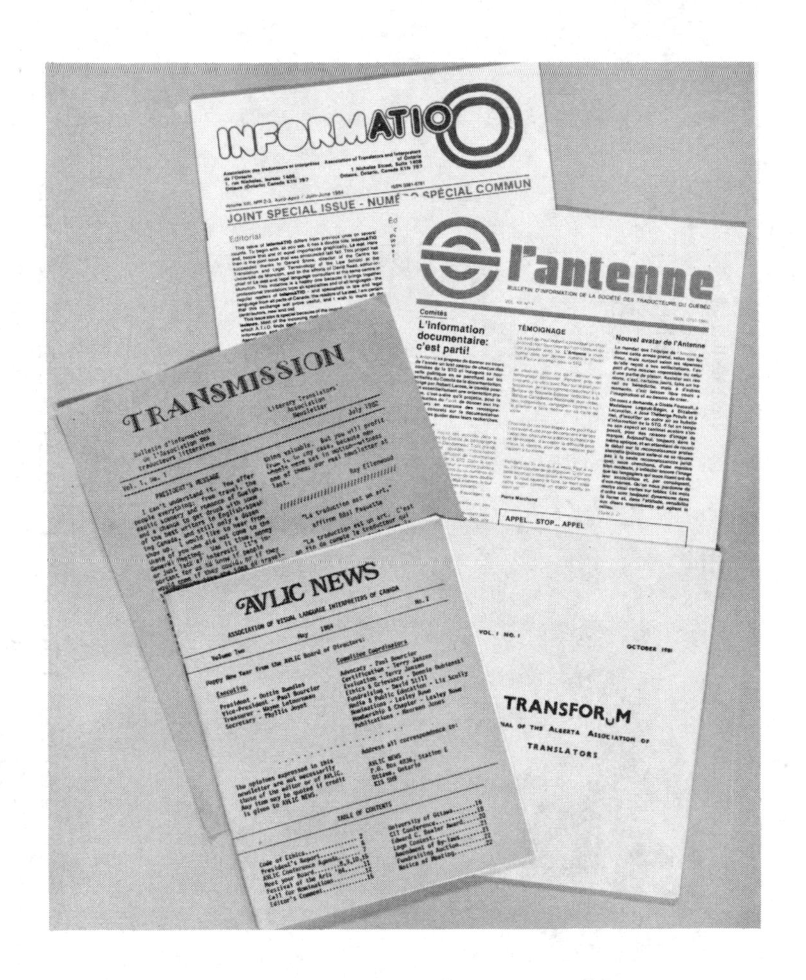

Fig. 18 -- Quelques bulletins d'information publiés par des sociétés professionnelles de traducteurs et d'interprètes. (Photo : CRCCF, Ph 1-I-211)

237; 23, 3, 1978, p. 265-266; 24, 3, 1979, p. 414; 25, 3, 1980, p. 385-386; 26, 3, 1981, p. 309. **Nouvelles de la FIT** (nouvelle série III), n° 1, 1984, p. 18-21.

"Société des traducteurs et interprètes d'Ottawa", **Bulletin de l'ATLFO**, vol. 7, n° 2, juin 1957. p. 31-34.

"Société des traducteurs et interprètes d'Ottawa", **Journal des traducteurs**, vol. 3, n° 4; vol. 4, n° 1, 1959. p. 46-47. /Rapport annuel/

Société des traducteurs et interprètes du Canada (STIC). **Journal des traducteurs**, vol. 4, n° 3, 1959, p. 131-133; 5, 2, 1960, p. 54; 5, 4, 1960, p. 123-125; 6, 2, 1961, p. 57-58; 6, 3, 1961, p. 87-89; 7, 1, 1962, p. 16-17; 8, 1, 1963, p. 25-26; 8, 3, 1963, p. 84-85; 9, 1, 1964, p. 16-18; 9, 3, 1964, p. 99-100; **Meta**, vol. 11, n° 1, 1966, p. 30-31; 11, 2, 1966, p. 57; 11, 3, 1966, p. 109-111; 12, 1, 1967, p. 28; 12, 2, 1967, p. 67-68; 12, 3, 1967, p. 107; 13, 3, 1968, p. 160-161; 13, 4, 1968, p. 209-210; 14, 2, 1969, p. 127-128; 14, 3, 1969, p. 182-183; 14, 4, 1969, p. 255-256; 15, 1, 1970, p. 64.

"72 heures par semaine!", **Dialogue**, vol. 5, n° 1, avril 1984. p. 3. /Débuts du Bureau des traductions/

"Sommaire des délibérations de la matinée" (Journée de l'ATIO - 1ère partie), **Bulletin de l'ATIO**, vol. 1, n° 2, juillet-août 1962. /Pénurie d'écoles de traduction/

Stanisclas-Joseph, F. "Hommage à la SPLEF et à son Directeur", **Journal des traducteurs**, vol. 1, n° 5, octobre 1956, p. 121-122. /Échanges entre l'Institut de traduction et la Société pour la Propagation des Langues Étrangères en France/

"Statistiques de l'édition au Québec - Langue de publication", **Bulletin de la BNQ**, avril 1977, p. 9; avril 1978, p. 7; avril 1979, p. 5 (tableau); avril 1980, p. 5 (tableau); juin 1981, p. 5;7. /Publiées aussi dans l'**Annuaire du Québec**/

STRATFORD, Philip. "French-Canadian Literature in Translation", **Meta**, Vol. 13, No. 4, December 1968. p. 180-187.

__________ "Literary translation in Canada: A Survey", **Meta**, Vol. 22, No. 1, 1977. p. 37-44.

__________ "A bridge between two solitudes", **Langue et société**, n° 11, automne 1983. p. 8-13. /"Deux littératures à se partager". La traduction littéraire au Canada/

__________ et Maureen NEWMAN. "Bibliographie des livres canadiens en traduction 1580-1974", **Meta**, vol. 20, n° 1, mars 1975. p. 83-105.

STRAUSS, Marina. "Ontario increases translation service budget", **InformATIO**, Vol. 7, No. 5, July 1978. p. 6.

SULTE, Benjamin. "Les interprètes du temps de Champlain", **Mémoires de la SRC**, Section I (1882-1883). p. 53-66.

SURVEYER, Édouard Fabre. "Le français au prétoire", **Revue du droit**, vol. 17, nº 4, 1938. p. 194-213. /Mauvaise qualité du français. Anglicismes/

SYLVESTRE, Paul-François. "Ecrire pour être traduit?", **Liaison**, nº 30, printemps 1984. p. 24-25. /Le droit d'auteur, l'édition et la traduction/

"Table ronde sur la fonction documentation dans les services linguistiques" **Meta**, vol. 25, nº 1, mars 1980. p. 28-41.

"Table ronde sur la formation du traducteur", **Meta**, vol. 12, nº 1, mars 1967. p. 29-31. /Onze traducteurs ont répondu à un questionnaire sur la formation du traducteur/

"Table ronde sur l'enseignement de la traduction", **Meta**, vol. 20, nº 1, mars 1975. p. 42-57.

"Table ronde sur l'évolution de la traduction", **Meta**, vol. 20, nº 1, mars 1975. p. 58-70.

"Table ronde sur le service de traduction dans l'entreprise", **Meta**, vol. 21, nº 1, mars 1976. p. 27-41.

TASCHEREAU, Vincent. "En service commandé", **Bulletin de l'ATIO**, vol. 1, nº 1, juin 1962. /Tournée de conférences dans les collèges classiques pour recruter des candidats aux examens de traduction/

__________ "Présentation du projet de code d'éthique", **Translatio**, vol. 6, nº 3, juillet 1967. p. 55-56. /Le code s'inspire de celui de l'AIIC et de l'ATA./

"TAUM/AVIATION: a new system of computerized translation", **Intercom**, No. 1, 1979.

TCHILINGUIRIAN, Chaké. "L'évolution de la profession de traducteur dans le secteur privé torontois au cours des deux dernières décennies", **Meta**, vol. 27, nº 2, juin 1982. p. 233-237.

"Télélog : telecommunications terminology committee bulletin", **Intercom**, August 1976. p. 6.

"TERMIA", **La francisation en marche**, vol. 4, nº 1, juillet-août 1983. p. 4. /TERMIA est une Association internationale de terminologie./

"Terminal à l'Association française de terminologie", **Le furet**, vol. 3, n° 3, février 1980. p. 5.

"Terminogramme - Bulletin de la Direction de la terminologie", **Babel**, vol. 27, n° 2, 1981. p. 126.

"La terminologie à l'Office de la langue française : Nouvelles orientations en matière de diffusion", **Intercom**, vol. 7, n° 3, juillet 1982.

"Terminologie : les avis de normalisation repris dans un nouveau bulletin", **Intercom**, n° 1, 1980. /**Terminogramme.** Commission de terminologie de l'OLF/

"La terminologie : un malaise général?", **Intercom**, vol. 6, n° 4, octobre 1981. /État de la recherche terminologique dans l'entreprise privée/

"Terminologies 76, or the Quebec-France bond", **Intercom**, August 1976. p. 9-10.

"The Terminology Committee of Petroleum Firms", **Intercom**, August 1976. p. 8.

TESSIER, Louise. "Statistiques de l'édition au Québec - Traductions par langue originale", **Bulletin de la BNQ**, vol. 8, n° 3, septembre 1974. p. 21; octobre 1975, p. 3; octobre 1976, p. 5; octobre 1982, p. 5;7.

TESSIER, Philippe. "La banque de terminologie", **Communication**, n° 49, octobre 1976. 6 p. /L'auteur fait le point sur la mise en place de la banque de terminologie./

"Thirty Languages Spoken in Proud Boast at Central Hospital", **The Spark**, Fall 1971, p. 7. /Hôpital de Toronto qui offre les services d'interprètes à ses patients étrangers/

THOUIN, Benoît. "Le système MÉTÉO", **Multilingua**, vol. 1, n° 3, 1982. p. 159-163.

TISON-TESSIER, Madeleine. "L'AETUM", **L'Antenne**, vol. 9, n° 7, avril-mai 1978. p. 3-4. /L'Association des étudiants en traduction de l'Université de Montréal/

TISSEYRE, Pierre. "Le point de vue de l'éditeur", **Meta**, vol. 14, n° 1, mars 1969. p. 31-33. /Difficultés de la publication de traductions littéraires/

TOMLINSON, James. "Les services documentaires : des premiers bouquins au grapho-braille", **L'Actualité terminologique**, vol. 17, n°s 5 et 6, juillet-août 1984. p. 19-20.

TOUTANT, Suzie. "Vers l'égalité des langues officielles au Nouveau-Brunswick", **Bulletin de la CTINB**, vol. 5, n° 3, décembre 1984. p. 3-6.

"Le traducteur autonome : une expérience", **2001**, décembre 1977. p. 2.

"Le traducteur et l'industriel", **Éducation Québec**, vol. 1, n° 16, mai 1971. p. 10-11. /Projet soumis par des étudiants de l'U. du Québec pour préparer des étudiants en lettres à servir de traducteurs dans les entreprises/

"Les traducteurs devant les futures négociations collectives", **Bulletin de l'ATIO**, vol. 3, n° 4, novembre-décembre 1964. p. 3. /On propose la formation d'un comité pour étudier la question de la représentation des traducteurs de la Fonction publique auprès du gouvernement./

"Traducteur multilingue", **Argus**, n° 5, 1958. p. 1-4.

"Traduction automatisée de jugements", **Intercom**, n° 2, 1979. /Étude sur la traduction automatisée vers le français de jugements rédigés en anglais/

"La traduction dans l'entreprise et l'entreprise de traduction à Toronto", **Meta**, vol. 21, n° 1, mars 1976. p. 42-63.

"La traduction des anciens Canadiens", **Bulletin de recherche historique**, vol. 46, n° 1, 1940. p. 329. /Notes au sujet de la traductrice, Mme Georgiana Pennée/

"Une traduction du "Canadien errant" de Gérin-Lajoie", **Bulletin de recherche historique**, vol. 32, n° 6, juin 1926. p. 382. /Traducteur : un jeune poète irlandais, George-T. Lanigan. Publié en 1865 dans **National Ballads of Canada**/

"Traduction française", **Bulletin du parler français au Canada**, vol. 6, 1907. p. 255-261. /Extrait du **Hansard**. Emploi abusif de termes anglais dans les traductions/

"Traduction - La STQ veille au grain", **Intercom**, n° 2, 1979. /La STQ vise la qualité des traductions et la compétence des traducteurs/

"Training Program", **Transletter**, No. 1, 1982. p. 5. /Cours de perfectionnement en traduction donnés au Canada/

"Traitements en vigueur au 1er février 1962", **Bulletin de l'ATIO**, n° 5, janvier 1963. p. 4. /Recommandation de la Commission Glassco : classification, rémunération et possibilités d'avancement des traducteurs de la Fonction publique/

"Traitements en vigueur au 1er juillet 1963", **Bulletin de l'ATIO**, vol. 3, n° 1, janvier-février 1964. p. 2.

TRAN, Hung. "La porte étroite ou la main tendue?", **L'Antenne,** vol. 14, n° 3, janvier 1983. p. 2. /Admission à la STQ/

"Translation at Sunoco: saleable experience", **Intercom,** No. 1. 1979. /Service interne-externe de traduction chez Sunoco/

"Translation Bureau", **Bulletin de l'ATIS,** March 1982. p. 2. /Collaboration de l'ATIS avec le BdT pour l'établissement d'un réseau de pigistes/

"The Translation Committee Examines Work Organization in Translation Departments", **Intercom,** November 1976. p. 11-14. /Bell Northern, IBM, Texaco, Bernard de Vienne et Associés/

"Translation - Do we Take Too Much for Granted? / La traduction - Qu'en savons-nous?", **Écho,** octobre 1969. p. 2-6.

"Translation Group-Request to Form Interpreter's Bargaining Unit", **Journal of the Professional Institute,** Vol. 51, No. 10, December 1972 - January 1973.

"Les travaux terminologiques à l'OLF - Partage et échange des compétences", **Intercom,** n° 3, 1979. /Partage entre l'OLF et l'entreprise/

TREMBLAY, Gilles. "La terminologie en publicité", **La francisation en marche,** vol. 4, n° 6, avril-mai 1984. p. 5.

TREMBLAY, Jules. "Association technologique de langue française d'Ottawa - Procès verbal de la séance de fondation, le 10 novembre 1920", **Translatio,** vol. 8, n° 1, mai 1969, (à la suite de la p. 14).

TREMBLAY, Yvette. "La formation du traducteur" (Journée de l'ATIO, 1ère partie), **Bulletin de l'ATIO,** vol. 1, n° 2, juillet-août 1962. /Faciliter l'accès au service de terminologie et offrir des cours/

"Trente-cinq (35) ans", **L'Antenne,** vol. 9, n° 6, mars 1978. p. 1-2. /Anniversaire de la STQ; tableau des présidents de 1940 à 1976/

TRUDEAU-REEVES, Hélène. "Ma réponse au sondage sur la reconnaissance professionnelle", **L'Antenne,** vol. 11, n° 6, mai-juin 1980. p. 2;5.

___________ "Saviez-vous que...", **L'Antenne,** vol. 12, n° 2, 1980-1981. p. 5. /Distinction entre "exercice exclusif" et "titre réservé"/

"Un pas dans la bonne direction", **Revue de l'Institut professionnel,** vol. 30, n° 10, octobre 1951. p. 205. /Engagement d'un nombre accru de traducteurs/

"Université Laurentienne, Sudbury, Ontario - École de Traducteurs et d'Interprètes", **Babel**, vol. 18, nº 1, 1972. p. 34-38.

VALLÉE, Jean-Paul. "Cotisation", **Bulletin de l'ATIO**, vol. 1, nº 1, juin 1962. /Après trois ans d'inactivité, l'ATLFO s'est remise à la tâche./

__________ "L'ATIO : mise au point du secrétaire", **Journal des traducteurs**, vol. 7, nº 3, 1962. p. 91. /Origine et activité de l'ATIO/

VALOIS-HÉBERT, Gabrielle. "Historique de la Société des traducteurs", **Argus**, novembre 1953, p. 6-8; janvier 1954, p. 3-5; avril 1954, p. 3-6; juin 1954, p. 5-9. /Société des traducteurs de Montréal/

VAN DEN EYDEN, Paul. "Quelques chiffres et réflexions personnelles", **L'Antenne**, vol. 9, nº 3, novembre-décembre 1977. p. 3 4. /Tableaux des combinaisons linguistiques des membres de la STQ/

__________ "La STQ en chiffres", **L'Antenne**, vol. 11, nº 6, mai-juin 1980. p. 5-6. /Statistiques de l'effectif de la Société et combinaisons linguistiques/

VAN HOOF, Henri. "Nos enquêtes - L'enseignement pour traducteurs et interprètes. Canada : Université d'Ottawa", **Le Linguiste**, vol. 4, nº 5, 1958. p. 13-14.

__________ "L'enseignement pour traducteurs et interprètes à l'étranger - Canada : Université de Montréal, Institut de traduction, McGill University", **Le Linguiste**, vol. 4, nº 6, 1958. p. 9-11.

"Vaut-il la peine d'avoir un service de traduction?", **Intercom**, avril-mai 1976. p. 16-17. /...dans l'entreprise/

VEAUDELLE, Jean-Maurice. "Points saillants du rapport de traduction", **Intercom**, décembre 1974. p. 7-8. /Traduction dans l'entreprise/

__________ "Traduction", **Intercom**, janvier 1975. p. 7. /Production quotidienne d'un traducteur : 800 mots/

__________ "Comité de traduction et les stages", **Intercom**, janvier 1975. p. 7-8. /Le CLE et les stages en traduction/

VEILLETTE, Lucie. "La terminologie au bout du fil", **L'Actualité terminologique**, vol. 13, nº 8, octobre 1980. p. 5-6. /Service SVP/

"Vers l'automatisation", **L'Actualité terminologique**, vol. 6, nº 5, mai 1973. p. 4. /Le BdT fait l'essai de TERMIUM./

"Vers une profession organisée", **Bulletin de l'ATIO**, vol. 1, nº 2, juillet-août 1962. /Recommandations formulées par les traducteurs lors d'une journée d'étude/

VÉZINA, François. "In Memoriam : le colonel Thomas Guérin", **Journal des traducteurs**, vol. 8, nº 2, 1963. p. 51-52.

"La vie de l'Association", **Bulletin de l'ATLFO**, vol. 7, nº 2, juin 1957. p. 2. /Société des traducteurs et interprètes du Canada (STIC)/

VINAY, Jean-Paul. "Organisation de la profession", **Journal des traducteurs**, vol. 1, nº 1, octobre 1955. p. 5-7.

__________ "La Section de linguistique de la Faculté des Lettres", **L'Action universitaire**, vol. 22, nº 3, avril 1956. p. 18-21. /Début de l'enseignement de l'interprétation à Montréal/

__________ "L'enseignement de la traduction à Montréal", **Journal des traducteurs**, vol. 2, nº 4, 1957; Université de Montréal, p. 148-150; Institut de traduction, p. 150-151; McGill University, p. 155-156.

__________ "Le journal des traducteurs au service de la traduction", **Journal des traducteurs**, vol. 3, nº 4 et vol. 4, nº 1, janvier-mars 1959. p. 3-8. /Création d'un Comité de rédaction et de direction/

__________ "Société des Traducteurs et Interprètes du Canada - Élections et Projets chez les Traducteurs", **Babel**, vol. 8, nº 4, 1962. p. 196.

__________ "Le répertoire des traducteurs canadiens", **Journal des traducteurs**, vol. 7, nº 3, 1962. p. 85-86.

__________ "Deuxième congrès des traducteurs et interprètes du Canada", **Journal des traducteurs**, vol. 8, nº 4, 1963. p. 111-115.

__________ "Subventions à des traductions", **Journal des traducteurs**, vol. 9, nº 4, 1964. p. 135.

__________ "Éditorial", **Journal des traducteurs**, vol. 10, nº 4, 1965. p. 115-127. /Numéro anniversaire 1955-1965 du **Journal des traducteurs.** Rétrospective de ces dix ans./

__________ "Rencontre de traducteurs et de linguistes à Stanley House (STIC), **Journal des traducteurs**, vol. 10, nº 4, 1965. p. 172-174.

__________ "Acceptance Speech" (of the 1973 Alexander Gode Award Medal), **The Ata Chronicle**, Vol. 2, No. 8, 1973.

p. 4-6. /L'auteur relate, sur un ton humoristique, les grandes étapes de sa carrière./

__________ "Acceptance Speech", **Babel**, Vol. 20, No. 2, 1974. p. 94-96. /Bref historique de la traduction au Canada/

"Un visage familier nous quitte", **Dialogue**, vol. 3, n° 10, février 1983. p. 2. /Décès de Philippe Le Quellec; son rôle au Bureau fédéral des traductions/

"Visite du Bureau des traductions du Secrétariat d'État", **Intercom**, juin-juillet 1976. p. 8.

"Visites aux traducteurs d'Ottawa - Service de la traduction de la Société centrale d'hypothèques et de logement", **Bulletin de l'ATLFO**, vol. 5, n° 4, novembre 1955. p. 35.

WALKER, E. A. "New Translation Programs at U. of T.", **InformATIO**, vol. 11, n° 4, septembre 1982. p. 5.

WATIER, Maurice. "Publicité langue vivante", **Revue Commerce**, vol. 67, n° 3, mars 1965. p. 26-31. /Ne pas traduire servilement pour le Québec les textes publicitaires anglais/

__________ "En publicité, le français n'est-il qu'accessoire?", **Culture vivante**, nos 7-8, 1968. p. 31-37. /Abus de la traduction en publicité/

__________ "Réflexions sur des aspects de la publicité d'hier et d'aujourd'hui", **L'interdit**, n° 254, novembre-décembre 1976. p. 4-7.

WHITFIELD-KIRSCHBAUM, Agnès. "French-English Translation Program at Queen's University", **InformATIO**, vol. 11, n° 2, février 1982. p. 3.

WILHELM, Bernard. (Lettre au ministre de la Culture et de la Jeunesse de la Saskatchewan), **Bulletin de l'ATIS**, 1er mai 1981. p. 3. /Lettre de protestation à la suite de la fermeture des services de traduction du ministère/

WILHELMY, François. "Une traductrice obtient gain de cause au tribunal", **L'Antenne**, vol. 13, n° 1, octobre 1981. p. 5. /...contre la maison d'édition McGraw-Hill/

WOODSWORTH, Judith. "Stages internes à Concordia", **L'Antenne**, vol. 14, n° 2, novembre 1982. p. 3.

YOUNG, Judy. "Canadian Literature in the Non-Official Languages. A Review of Recent Publications and Works in Progress", **Canadian Ethnic Studies**, Vol. 14, No. 1, 1982. p. 138-149. /Décrit brièvement les oeuvres publiées depuis 1970 écrites en des langues non officielles ou traduites./

C. ARTICLES DE JOURNAUX

"Un Acadien, directeur fédéral de la traduction", **L'Évangéline,** 4 octobre 1934, p. 1; 22 novembre, p. 3. /Domitien Thomas Robichaud. Notice biographique/

"Un Acadien qui a préparé un dictionnaire unique au pays", **L'Évangéline,** 24 novembre 1960. p. 4. /Hector Carbonneau. Courte biographie/

"Les activités de la Société des traducteurs", **Le Canada,** 6 septembre 1944. /Société des traducteurs de Montréal/

"L'adaptation : entre la technique et l'imagination", **Le journal de Montréal,** 22 avril 1978. /Doublage/

"A.-H. Beaubien succède à M. Léon Gérin", **Le Droit,** 27 janvier 1936. p. 1;3.

"À la Société des traducteurs", **Le Droit,** 10 novembre 1941. p. 4. /Édouard Fabre-Surveyer, professeur de droit et juge à la Cour supérieure, donnera une causerie sous les auspices de la Société des traducteurs d'Ottawa/

"À la Société généalogique canadienne-française -- Toussaint Charbonneau", **Le Travailleur,** 8 janvier 1953. /Compte rendu d'une conférence de Louis Charbonneau/

ALBERT, Alain. "Français servile ", **Le Devoir,** 19 janvier 1934. p. 3. /Critique de mauvaises traductions françaises/

"Algonquin : des techniciens pour aider les traducteurs", **Le Droit,** 4 août 1984. p. 37. /Nouveau programme de techniques de soutien à la traduction offert au Collège Algonquin d'Ottawa/

"All aboard", **Le Devoir,** 3 novembre 1965. p. 5. /Un peuple qui vit de traduction est condamné à une mort lente./

"À l'Université", **Le Droit,** 5 septembre 1936. p. 14. /Biographie de P. Daviault à qui est confié le cours spécial de traduction à l'Université d'Ottawa. Photo/

ANDERSON, Ian. "Cashing in on languages", **The Gazette,** December 9, 1978. p. 55. /Coût et marché de la traduction/

__________ "Overworked Translators Can Call Their Own Tunes", **The Gazette,** December 11, 1978. p. 18. /Murielle Arsenault, traductrice indépendante. Spécialité : documents financiers. Son cabinet lui rapporte annuellement 60 000 $/

ANDRÈS, Bernard. "Les surprises d'un Macbeth québécois", **Le Devoir,** 7 novembre 1978. p. 18. /Version de Michel Garneau/

ANGER, Paul. "La machine à traduire", **Le Devoir,** 30 octobre 1928. p. 1. /Premier essai d'interprétation simultanée lors d'une réunion du Bureau international du travail. Le système devrait être installé à la Chambre des communes./

__________ "Les traducteurs", **Le Devoir,** 31 janvier 1930. p. 1. /Le rôle du traducteur littéraire est méconnu. Absence d'un prix littéraire pour récompenser les bonnes traductions des oeuvres modernes/

__________ "Traduction", **Le Devoir,** 17 décembre 1930. p. 1. /Traduction fautive d'un menu de restaurant d'un grand magasin. L'auteur réclame la création d'un cours de traduction aux Hautes Études Commerciales./

"Une année de traduction", **Le Droit,** 28 novembre 1940. p. 14. /Le Bureau fédéral des traductions. Rapport annuel du surintendant/

"Anniversaire de l'Institut de traduction", **Le Devoir,** 27 avril 1965. /L'Institut fête ses vingt-cinq ans d'existence./

"Après la calculatrice, la traductrice de poche", **Le Soleil,** 12 mai 1979. p. B7.

"À propos de traduction", **L'Évangéline,** 19 mai 1927. p. 1. /Plaidoyer pour l'engagement d'un traducteur à Fredericton/

"À propos de traductions bilingues...", **L'Évangéline,** 18 octobre 1974. p. 6. /La Fonction publique du Nouveau-Brunswick recherche un "traducteur bilingue"./

ARCHAMBAULT, André. "Contrats de traduction. Comparution des trois accusés", **Le Droit,** 6 mai 1983. p. 4. /Traducteurs fédéraux : abus de confiance et conflit d'intérêts/

__________ "Une ordonnance de non-publication est accordée", **Le Droit**, 17 septembre 1983. p. 20. /Conflit d'intérêts/

__________ "Pour 3 des 10 traducteurs fédéraux. Une des accusations est rejetée.", **Le Droit**, 5 octobre 1983. p. 13. /Traducteurs fédéraux accusés de fraude/

__________ "Larrue est condamné à payer $4,000 d'amende", **Le Droit**, 15 février 1984. /Abus de confiance d'un chef de section du Bureau fédéral des traductions/

__________ "Le travail à la pige n'était pas défendu", **Le Droit**, 1er mai 1984. p. 3. /Traducteurs au service de l'administration fédérale/

__________ "Le procès Larkin avorte", **Le Droit**, 2 mai 1984. p. 11. /Conflit d'intérêts au Bureau des traductions/

ARGUS. "La traduction simultanée en France... pas au Canada", **Le Devoir**, 19 août 1954. p. 4. /La France vient d'introduire la traduction simultanée au théâtre, à l'intention des visiteurs anglais ou américains ignorant le français/

ARSENAULT, H.P. "Traduction et américanismes", **Le Droit**, 14 octobre 1950. p. 2. /Les américanismes : pierre d'achoppement du traducteur canadien/

"L'art difficile de la traduction", **La Presse**, 7 mars 1946. p. 10. /Pour bien traduire, il faut une bonne formation de base et du temps. Propos de Jean Darbelnet/

ASSELIN, Olivar. "Les débats parlementaires", **Le Nationaliste**, 28 mars 1906. p. 4. /Plan pour obtenir la traduction française dans les douze heures suivant les débats/

__________ "La traduction à Ottawa", **L'Ordre**, 13 avril 1934. p. 1. /Services fédéraux de traduction/

__________ "La traduction officielle. Bref exposé du débat qui vient de s'engager à Ottawa", **L'Ordre**, 29 mai 1934. p. 1. /Autour du projet de loi Cahan prévoyant la création d'un bureau des traductions/

__________ "M. Bennett et les services de l'État", **L'Ordre**, 15 janvier 1935. p. 1. /La traduction du Discours du trône de R. B. Bennett, 17 janvier 1935; inégalité de traitement accordé aux sténographes et aux traducteurs/

__________ "La traduction des discours de M. Bennett", **L'Ordre**, 5 avril 1935. p. 1. /... par des traducteurs de l'État qui ne sont pas rémunérés pour ce surcroît de travail/

__________ "Notre français officiel", **La Renaissance**, 19 octobre 1935. p. 1. /Critique la qualité du français des lois traduites à Ottawa/

"L'assemblée annuelle des traducteurs", **La Presse**, 15 juin 1950. /Cours, médailles, etc./

"L'association des traducteurs et interprètes veut une reconnaissance officielle", **Le Droit**, 11 novembre 1968. p. 13. /ATIO : projet de loi privé présenté à Queen's Park/

"Association internationale de terminologie", **Le Devoir**, 1er juin 1982. p. 8.

"L'Association technologique", **Le Droit**, 9 mai 1944. p. 12. /A l'ordre du jour d'une séance de l'Association (ATLFO) : causerie intitulée "L'intraduisible"/

"À temps pour la conférence des premiers ministres : "Nouveau contrat de travail pour les interprètes fédéraux", **Le Droit**, 19 janvier 1979. p. 4. /Les 1 200 interprètes et traducteurs fédéraux sont arrivés à une entente avec le Conseil du Trésor : un nouveau contrat de travail d'un an leur accorde une augmentation salariale de 6 %./

AUBRY, Jack. "3 directives issued governing conflicts, translator trial told", **The Citizen**, May 1, 1984. p. 14.

__________ "Mistrial called in translator's case after article appears in newspaper", **The Citizen**, May 2, 1984. p. 25.

__________ "Resigned translator pleads guilty to breach of trust", **The Citizen**, October 10, 1984. p. C1.

__________ "Translator not given directive, court told", **The Citizen**, October 25, 1984. p. B3. /Procès de Louise Larkin, traductrice du Secrétariat d'État/

"Aucun conseil municipal n'est desservi de façon régulière par le bureau de traduction", **L'Évangéline**, 31 octobre 1973. p. 8. /Au Nouveau-Brunswick/

AUDET, Francis J. "La traduction est une profession", **Le Droit**, 29 décembre 1923. /Conférence à l'ATLFO, 12 décembre 1923/

AUGER, Michel C. "Manitoba : les 7 juges délibèrent", **Le Droit**, 14 juin 1984. p. 3.

__________ "Au centre du débat, le droit d'être compris", **Le Droit**, 5 décembre 1984. p. 3. /Acadiens en Cour suprême : débat sur la possibilité d'utiliser la traduction simultanée et sur les capacités linguistiques des juges/

"Au ministère des Approvisionnements. J. Claude Haché, directeur du bureau de traduction", **L'Évangéline**, 22 juin 1977. p. 5. /Nomination. Restructuration du Bureau. Biographie de J. C. Haché/

"Au Parlement d'Ottawa : fonctionnaires et journalistes", **La Presse**, 5 avril 1924. p. 60. /Photo des quatre traducteurs de la Division des lois à la Chambre des communes : O. Paradis, U. Tremblay, P.-G. Ouimet et R. de la Durantaye/

"AVIS", **La Gazette de Québec**, 12 mai 1768. p. 3. /Avis de la nomination de F.-J. Cugnet comme traducteur/

"Les avocats recommandent la traduction simultanée", **L'Évangéline**, 10 juillet 1974. p. 4. /Dans les tribunaux du Nouveau-Brunswick/

AYOTTE, Alfred. "La traduction paie...", **Le Devoir**, 23 février 1935 p. 31. /15 $ pour traduire un ouvrage technique de 250 pages/

__________ "L'Expression juste en traduction", **Le Devoir**, 7 novembre 1936. p. 6. /Critique du livre de P. Daviault/

BABY, Raoul. "Les dépêches", **Le Devoir**, 23 février 1935, p. 24. /La traduction des dépêches au **Devoir** en 1935/

BAILLARGEON, Pierre. "L'Erreur du lanceur", **La Patrie**, 3 avril 1949. /Éloge des traducteurs/

__________ "Paradoxes sur la traduction", **La Patrie**, 19 octobre 1947. p. 68;104. /La bonne entente entre Canadiens français et Canadiens anglais repose sur la traduction./

__________ "La traduction, ce pis-aller", **Le Petit Journal**, 8 octobre 1950. p. 53.

__________ "Au commencement est la traduction", **Le Petit Journal**, 25 février 1951. p. 50.

__________ "La Traduction", **Le Petit Journal**, 4 mars 1951. p. 52.

"Balcer, Courtemanche, Rinfret et Arsenault s'entendent sur un mot", **Le Droit**, 15 décembre 1951. p. 11. /Favorables à l'élimination du mot Dominion de la Loi des élections/

"La banque de terminologie accessible à la France", **Le Devoir**, 29 janvier 1982. p. 30.

"Banque de terminologie. Ententes pour des échanges de données.", **Le Droit**, 4 juin 1983. p. 11. /Ententes pour faciliter les échanges entre deux banques canadiennes et trois européennes/

BARBEAU, Raymond. "Le traducteur, un inquiet", **L'Indépendance**, 1er avril 1966. /Personnalité et rôle du traducteur canadien-français/

BARRETTE, Victor. "Mérites de la publicité rédigée en bon français", **Le Droit**, 18 octobre 1950. p. 3. /À la suite de Pierre Trudeau, l'auteur propose que les annonces publicitaires anglaises ne soient pas traduites mais remplacées par un texte français. Défense des traducteurs/

__________ "Du nouveau en Parisian French", **Le Droit**, 17 décembre 1953. p. 3. /Mauvaises traductions/

__________ "Le français comique", **Le Droit**, 11 février 1954. p. 3. /Publicité/

__________ "Encore du Parisian French", **Le Droit**, 29 juillet 1955. p. 3. /Échantillon d'erreurs de traduction émanant de Toronto/

BASTARACHE, Michel. "Le droit peut aussi être pratiqué en français", **L'Évangéline**, 16 décembre 1981, p. 6. /Inconvénients de la traduction et de l'interprétation de tribunal/

"Bathurst aura son bureau de traduction", **L'Évangéline**, 14 mars 1973. p. 5.

BAXTER, C. "Translation Bottleneck in Ottawa Tightens Up", **The Financial Post**, February 25, 1967. p. 17. /Trente postes vacants de traduction au BdT. Deux millions de mots en retard/

BAYARD. "Parisian French", **Le Droit**, 10 mars 1951. p. 3. /Définition du Parisian French. Exemples de mauvaises traductions/

BEAUBIEN, A.-H. "Le Bureau des traductions", **Le Droit**, 17 janvier 1939. p. 4. /Texte d'une causerie donnée sous les auspices de la Société Saint Jean-Baptiste d'Ottawa, au poste CKCH. L'auteur était alors chef du service de traduction des Débats./

BEAUDET, Albert. "Promotion de la langue française" (Chronique), **Le Droit**, 3 octobre 1970, p. 5; 10 octobre, p. 5; 17 octobre, p. 9; 24 octobre, p. 4. /Sa conception de la traduction : "jeu puéril qui ne s'enseigne pas"/

__________ "Promotion de la langue française", **Le Droit**, 7 août 1971. /La traduction ne peut pas s'enseigner/

BEAUREGARD, Fernand. "La chronique du traducteur", **La Réforme**, 28 décembre 1955, p. 7. /Rôle de la traduction. Définition d'une bonne traduction/

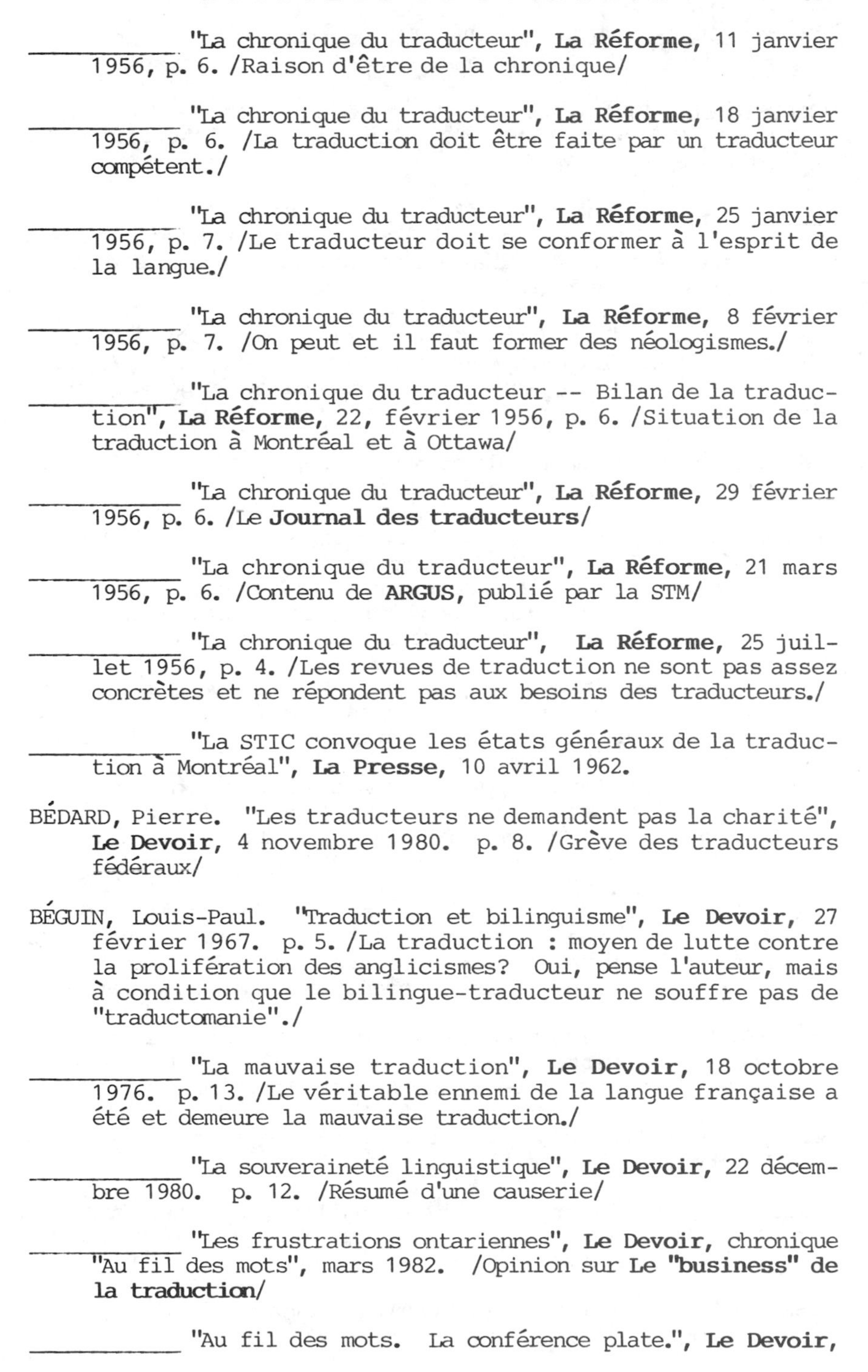

__________ "La chronique du traducteur", **La Réforme**, 11 janvier 1956, p. 6. /Raison d'être de la chronique/

__________ "La chronique du traducteur", **La Réforme**, 18 janvier 1956, p. 6. /La traduction doit être faite par un traducteur compétent./

__________ "La chronique du traducteur", **La Réforme**, 25 janvier 1956, p. 7. /Le traducteur doit se conformer à l'esprit de la langue./

__________ "La chronique du traducteur", **La Réforme**, 8 février 1956, p. 7. /On peut et il faut former des néologismes./

__________ "La chronique du traducteur -- Bilan de la traduction", **La Réforme**, 22, février 1956, p. 6. /Situation de la traduction à Montréal et à Ottawa/

__________ "La chronique du traducteur", **La Réforme**, 29 février 1956, p. 6. /Le **Journal des traducteurs**/

__________ "La chronique du traducteur", **La Réforme**, 21 mars 1956, p. 6. /Contenu de **ARGUS**, publié par la STM/

__________ "La chronique du traducteur", **La Réforme**, 25 juillet 1956, p. 4. /Les revues de traduction ne sont pas assez concrètes et ne répondent pas aux besoins des traducteurs./

__________ "La STIC convoque les états généraux de la traduction à Montréal", **La Presse**, 10 avril 1962.

BÉDARD, Pierre. "Les traducteurs ne demandent pas la charité", **Le Devoir**, 4 novembre 1980. p. 8. /Grève des traducteurs fédéraux/

BÉGUIN, Louis-Paul. "Traduction et bilinguisme", **Le Devoir**, 27 février 1967. p. 5. /La traduction : moyen de lutte contre la prolifération des anglicismes? Oui, pense l'auteur, mais à condition que le bilingue-traducteur ne souffre pas de "traductomanie"./

__________ "La mauvaise traduction", **Le Devoir**, 18 octobre 1976. p. 13. /Le véritable ennemi de la langue française a été et demeure la mauvaise traduction./

__________ "La souveraineté linguistique", **Le Devoir**, 22 décembre 1980. p. 12. /Résumé d'une causerie/

__________ "Les frustrations ontariennes", **Le Devoir**, chronique "Au fil des mots", mars 1982. /Opinion sur **Le "business" de la traduction**/

__________ "Au fil des mots. La conférence plate.", **Le Devoir**,

19 février 1982. p. 18. /La qualité de la traduction simultanée laisse à désirer./

BELLEFEUILLE, Pierre de. "Une heure avec Pierre Daviault", **Le Droit**, 2 février 1946. p. 2. /La carrière littéraire de P. Daviault/

__________ "La journée politique", **Le Droit**, 13 avril 1951, p. 1; 12. /Version française de l'exposé budgétaire du ministre fédéral des Finances livrée aux journalistes avec trois heures de retard/

BENNETT, Paul. "Les journalistes francophones doivent aussi traduire...", **L'Évangéline**, 2 novembre 1976. p. 18. /Situation, ressources, services de traduction au gouvernement fédéral/

"Bennett veut l'abolition de deux postes", **Le Droit**, 12 février 1937. p. 1;8. /... de traducteur/

BENOIST, Émile. "A propos de traduction française", **Le Devoir**, 30 janvier 1935. p.1-2. /Les versions anglaise et française des textes officiels paraissent-elles simultanément? Le secrétaire d'État Cahan répond par l'affirmative, du moins en ce qui concerne bon nombre de rapports annuels./

__________ "Des lignes en langue anglaise", **Le Devoir**, 19 mars 1946. p. 10. /Lignes laissées en anglais dans la version française d'un document publié par le gouvernement fédéral/

BENOIT, Jacques. "Nous fermons les yeux alors que notre langue se dégrade", **La Patrie**, 7 mai 1967. p. 11. /Entrevue avec Jacques Poisson. La langue des manuels traduits : du charabia/

BERGERON, Pierre. "Pas de traduction, pas de Canada? Voyons donc!", **Le Droit**, 24 octobre 1980. p. 6. /N'exagérons rien : "la grève des traducteurs, ou grève des "p'tits Québécois", n'a pas encore empêché le Canada d'exister!"/

BERNARD, Florian. "Le Québec a besoin d'un collège des traducteurs", **La Presse**, 7 avril 1967, p. 12. /La création de ce collège est préconisée par Jean-Marie Laurence./

BERRE, Claude. "Traduction simultanée et chèques bilingues", **La Réforme**, 20 février 1958, p. 2-3.

"Besoin urgent d'interprètes", **L'Évangéline**, 10 décembre 1956, p. 2; 15 décembre, p. 2. /Interprètes pour le hongrois. Réfugiés attendus/

BESSETTE, H. "Traduction" (Lettre), **Le Devoir**, 16 janvier 1952. p. 4. /Épuration/

"Better in Translation", **The Journal**, June 15, 1964. /Un interprète remplace les histoires drôles des orateurs qu'il interprète par ses propres blaques./

"Bi-bi Translated Means Big Business", **Toronto Star**, January 17, 1967. /Le service de traduction de Jacques Dussault/

"Bilingual Policy Demand for Translators", **The Journal**, November 11, 1968. /La politique du bilinguisme du fédéral fait appel au recrutement massif de traducteurs./

"Bilingualism violated. Strike heats up.", **The Toronto Sun**, October 22, 1980. p. 46. /Grève des traducteurs du BdT/

"Bilingual Services at a Cost", **The Citizen**, April 2, 1974. p. 13. /Le gouvernement ontarien paie le coût de la traduction./

"Bilingues ou simultanées...", **Le Droit**, 23 juillet 1955. p. 3. /Campagne menée par **Commerce-Montréal** afin que les publications officielles du gouvernement fédéral soient diffusées simultanément en français et en anglais. Voir "Le mémoire" de P. Daviault, 1er février 1956/

"Bilinguism by Degree", **Stratford Beacon**, August 17, 1964. /Politique du bilinguisme du gouvernement fédéral et traduction/

"Le bilinguisme a encore de nombreux ennemis à Ottawa.", **Le Journal de Montréal**, 10 avril 1983. p. 13. /Projet du gouvernement de modifier des manuscrits historiques pour des raisons de bilinguisme/

"Bilinguisme des lois : Lesage a invité Pearson à faire comme Québec", **Le Devoir**, 7 avril 1965. p. 9. /Propose de confier la rédaction des textes français à des rédacteurs et non à des traducteurs/

"Le bilinguisme peut-il permettre d'altérer de vieux documents?", **Le Devoir**, 9 avril 1983. p. 16. /Projet du gouvernement fédéral de modifier des documents historiques pour des questions de bilinguisme/

"Bilinguisme, quand tu nous tiens", **Le Devoir**, 13 novembre 1965. p. 5. /Reproduction d'une lettre qui, selon l'auteur , est "un chef-d'oeuvre de franglais qui mérite assurément de figurer dans une anthologie"/

"Le bill Cahan ira au comité du Ser. civ. (sic)", **Le Droit**, 5 mars 1934. p. 1.

"Le bill Cahan sera-t-il soumis à une expertise?", **Le Droit**, 5 février 1934. p. 16. /Rumeur que l'on soumette le bill à un comité spécial de la Chambre, car il empièterait sur les prérogatives de celle-ci./

BILODEAU, Louis. (Lettre au directeur du Devoir), **Le Devoir**, 31 mars 1960. p. 4. /Les traducteurs fédéraux sont conscients de leurs lacunes; beaucoup travaillent à se perfectionner./

BINDMAN, Stephen. "Translation problem delays hearing", **The Citizen**, February 10, 1983. p. 24. /Yves Parisien radié du Barreau/

BINSSE, Harry L. "An Intellectual Iron Curtain?", **The Montreal Star**, September 22, 1962. Entertainments Section, p. 2. /Difficulté de publier des traductions au Canada/

BIRON, Édouard. "La correction des épreuves dans un quotidien", **Le Devoir**, 23 février 1935, p. 55. /Le correcteur est aussi traducteur des annonces publicitaires./

BLACK, Barbara. "Introducing the Translators", **The Gazette**, August 4, 1984. p. I1. /Traducteurs littéraires anglophones/

BLAIS, Réjeanne. "10 cents le mot pour traduire les arrêtés municipaux de Dieppe", **L'Évangéline**, 28 mars 1979. p. 3. /Contrat accordé à Frédéric Grognier/

__________ "$20 000 pour la traduction simultanée à Moncton", **L'Évangéline**, 17 mai 1979. p. 2. /Somme que recevra Moncton du gouvernement provincial/

"Books of war dead can't be changed", **The Citizen**, April 14, 1983. p. 9. /Dans la salle du Souvenir au Parlement canadien/

BOONE, Mike. "Quebec firms suffering as France corners dubbing market", **The Gazette**, February 6, 1982.

BOUCHARD, Jacques. "Le ministre Cloutier sera présent au premier colloque de terminologie", **Le Droit**, 1er juin 1976. /Le ministre des Affaires intergouvernementales participera à la séance inaugurale du premier colloque international de terminologie (Paris)./

BOUCHARD, Régis. "Une question de discipline", **Le Droit**, 23 octobre 1984. p. 3. /Traducteurs à la pige employés par le Secrétariat d'État/

__________ "Louise Larkin avoue ses piges", **Le Droit**, 24 octobre 1984. p. 11.

__________ "Larkin : le juge délibérera lundi", **Le Droit**, 25 octobre 1984. p. 9.

__________ "Larkin acquittée, la Couronne en appellera", **Le Droit**, 30 octobre 1984. p. 1.

__________ "Le juge condamne la traductrice à $ 3 000 d'amende", **Le Droit**, 19 décembre 1984. p. 5.

BOUCHER, Pierre. "Le projet de loi de M. Cahan", **L'Ordre**, 27 avril 1934. p. 4. /Il est important d'assurer la qualité des traductions./

BOUCHER, Réginald. "Au Canada, la traduction joue un rôle de première importance", **Le Droit**, 22 janvier 1968. p. 4. /Propos de Jean-Louis Gagnon, membre de la Commission B.B./

"Boudreau dépose devant la commission Kent. Le vaste territoire, la traduction des dépêches pèsent lourd sur **L'Évangéline**", **L'Évangéline**, 26 février 1981. p. 3. /Difficulté du journal. Obligation de traduire les dépêches anglaises de la Canadian Press. Historique du journal/

BOUDREAU, Ephrem. "Traducteurs en grève", **Le Devoir**, 30 janvier 1979. /Traducteurs de la Fonction publique fédérale/

__________ "Charbonneau : in memoriam...", **Le Droit**, 2 octobre 1984. p. 5. /Louis Charbonneau, directeur de l'école des stagiaires du BdT pendant 3 ans/

BOUDREAU, Jean-Guy. "Traducteurs, interprètes, terminologues : Les parties reviennent à leur position d'il y a 2 semaines", **Le Droit**, 4 novembre 1980. p. 4.

BOUDREAULT, Berthe. "Des traductions inopportunes", **Le Droit**, 5 juin 1968. p. 6. /Formule de recensement en anglais et français/

"Boudria se plaint du service de traduction", **Le Droit**, 28 avril 1982. p. 10. /Des Débats/

BOUEY, Garry. "More and more, translators in demand", **The Citizen**, November 7, 1981. p. 51. /Forte demande de traducteurs partout au pays. Distinction entre traducteurs, interprètes et terminologues. Échelle de salaires/

BOURGEOIS (caricaturiste). "Croquis de Bytown", **La Presse**, 5 avril 1924. p. 39. /Ces croquis représentent une quinzaine de députés du Québec, cinq traducteurs de Bytown (Ottawa) et un secrétaire de ministre, René Chevassu, qui a aussi été traducteur parlementaire./

BOURQUE, Claude. "Avis aux lecteurs", **L'Évangéline**, 19 avril 1978, p. 3. /Annonce d'une grève du zèle par les membres du Syndicat des imprimeurs acadiens regroupant les employés de production et de bureau ainsi que les traducteurs/

BOUTHILLIER, André. "Télidon : le Québec se dote d'une banque de données françaises", **Le Devoir,** 3 novembre 1982. p. 13.

BOYER, Gilles. "Grand prix de l'humour canadien. **Tuez le traducteur**", **Le Soleil,** 20 mai 1961. p. 4 + caricature. /Éloge de l'essai humoristique de Léa Pétrin/

BROCHU, Benoît. "Les lois 70 et 105 sont inconstitutionnelles. Il manquait la traduction", **Le Droit,** 25 mars 1983. p. 1.

BROUSSEAU, Jean-Paul. "La traduction : Babel ou Icare?", **La Presse,** 10 octobre 1970. p. D2. /Banque de terminologie de Montréal/

BROWN, Clément. "Traduction simultanée aux Communes", **Le Devoir,** 7 février 1958. p. 1. /M. Diefenbaker a, par un arrêté ministériel, décidé de faire installer un système de traduction simultanée des débats aux Communes/

__________ "La traduction simultanée, c'est très bien, les chèques bilingues, ce serait encore beaucoup mieux", **Le Devoir,** 11 février 1958. p. 4.

BRUCE, Marian. "Quick Now - What's the English for Les Idées?", **The Gazette,** October 5, 1977. /Traduction cocasse/

__________ "Translation Industry Boom", **The Gazette,** October 5, 1977. /Interview de René Deschamps, président de la STQ/

"Un brûleur à l'huile renverse (sic), cause la mort de J.C. Beauchamp et des brûlures graves à son fils. L'éminent traducteur succombe à une syncope en courant à la maison paternelle.", **Le Droit,** 27 décembre 1951. p. 2.

BRUNET, Adolphe. "Causerie de M. P. Daviault devant les instituteurs", **Le Droit,** 9 avril 1940. p. 7. /Titre de la causerie : "Traduttore, traditore". Réflexions sur les conséquences néfastes des mauvaises traductions/

BRUNETTE, Louise. "Les services linguistiques d'entreprise : une espèce bien vivante", **Le Devoir,** cahier spécial, 24 septembre 1981. p. viii.

"Le bureau central de traduction approuvé au Sénat", **Le Droit,** 14 juin 1934. p. 1;9. /Adoptée par le Sénat en 3e lecture, la loi créant le Bureau des traductions entrera en vigueur dès qu'elle aura reçu la sanction royale./

"Le bureau de traduction de Bathurst ouvrira le 1er août", **L'Évangéline,** 19 juillet 1973. p. 3.

"Le bureau de traduction du N.-B. ouvre officiellement le 15 août", **L'Évangéline,** 22 juillet 1967. p. 1.

"Le bureau fédéral de la traduction ouvrira une succursale à Montréal", **Le Devoir**, 4 mars 1964, p. 8. /Traduira surtout des documents scientifiques et techniques./

"Bureau fédéral des traductions. Décès du sous-secrétaire d'État adjoint Le Quellec", **Le Droit**, 29 janvier 1983. p. 2.

BUTLER, James. "Yukon gets speedy bilingualism for 225 francophones", **The Globe and Mail**, March 24, 1984, p. P8. /Bilinguisme officiel au Yukon/

"Les cadres devront se substituer aux traducteurs", **Le Soleil**, 22 octobre 1980. p. H-3. /Grève des traducteurs/

"Campaign Attracts Translators", **The Citizen**, July 6, 1967. p. 38. /Traducteurs recrutés à l'étranger/

"Canada Council names translation winners", **The Gazette**, May 10, 1974.

CANTIN, Adrien. "Trois fonctionnaires devront comparaître en cour. Accusations d'abus de confiance", **Le Droit**, 3 mai 1983. p. 14.

__________ "Interprètes juridiques devant les tribunaux ontariens - Un système d'accréditation", **Le Droit**, 22 octobre 1983. p. 21. /En Ontario, on procédera à une sélection plus rigoureuse des interprètes judiciaires/

__________ "Communication en anglais avec les électeurs", **Le Droit**, 20 juin 1984. p. 34. /Coût des services de traduction/

CAOUETTE, Marie et Robert FLEURY. "Le traducteur ami", **Le Soleil**, 15 août 1979. p. D2. /Amis Communications inc. de Dorval aurait mis au point un traductrice de poche./

CARRIER, Jean-Guy. "Le bureau fédéral de traduction est devenu une entreprise de $15 millions", **Le Droit**, 2 décembre 1972.

__________ "Chaque jour de traduction à Ottawa... De quoi remplir un journal de 80 pages", **Le Devoir**, 4 décembre 1972. p. 2.

__________ "Translation Bureau Grows Into $15 Million-A-Year Operation", **The Citizen**, December 7, 1972. p. 67.

CARTER, F.A.G. "Bilinguisme et traduction", **Le Devoir**, 14 avril 1967. p. 4. /Les mauvais traducteurs sont responsables de la détérioration de la qualité du français./

"The case for a 'no' vote", **Winnipeg Free Press**, October 24, 1983. p. 6. /Traduction des lois au Manitoba/

CASGRAIN, Pierre Mme. "Voyage au pays des mots", **Le Devoir**, 12 décembre 1941. p. 8. /Compte rendu d'une causerie prononcée devant les membres de la STM. La traduction, trait d'union entre Canadiens français et Canadiens anglais/

"La centralisation en traduction est condamnée dimanche", **Le Droit**, 19 février 1934. p. 8;10. /Le bill n° 4 sur la centralisation des services de traduction condamné par la Société Saint-Jean-Baptiste d'Ottawa/

"La centralisation et la traduction", **Le Soleil**, 28 mai 1934. p. 4. /La centralisation des services fédéraux de traduction a comme but de réaliser des économies sur le dos des Canadiens français./

"Ce que peut provoquer une simple erreur de traduction!", **L'Évangéline**, 13 juin 1967. p. 4.

CHAMBERLAIN, Raymond. "Les traducteurs littéraires, quelle race de monde!", (Publi-reportage, texte publiés et payés par VLB, éditeur), **Le Devoir**, 1er décembre 1979. p. 2. /La traduction littéraire au Canada/

"La Chambre des communes accueille favorablement le projet d'un service de traduction simultanée", **Le Devoir**, 26 novembre 1957. p. 1-2.

CHANDIOUX, John. "Une opinion différente", **Le Devoir**, 6 février 1981. p. 16. /La traduction automatique de manuels d'aéronautique/

CHANTAL, René de. "Traduction et traductions", **Le Droit**, 9 juillet 1953. p. 3. /Traductions fautives de programmes de spectacles/

__________ "Défense et illustration de la langue française (chronique). Du nouveau dans la lexicologie française", **Le Droit**, 24 février 1955. p. 3. /Création du service de terminologie au Bureau des traductions par P. Daviault/

__________ "Défense et illustration de la langue française (chronique). Traductions", **Le Droit**, 15 juin 1961. p. 2. /Erreurs de traduction de la **Presse canadienne**/

CHARPENTIER, Jean. "Les traductions se perdent", **Le Droit**, 23 mars 1965. /Pénurie de traducteurs au Secrétariat d'État/

CHARRON, Ghyslain. "Traducteurs fédéraux : une grève inévitable?", **Le Droit**, 29 juillet 1980. p. 5. /...des 1 200 traducteurs, interprètes et terminologues/

__________ "Les traducteurs n'ont pas été payés", **Le Droit**, 27 août 1980. p. 8. /Débrayage de 24 heures/

CHEVALIER, Willie. "L'âge de la retraite pour les fonctionnaires", **Le Droit**, 27 juillet 1966. p. 6. /Traducteurs forcés à prendre leur retraite à 65 ans/

__________ "Une traduction outrageante", **Le Droit**, 25 octobre 1966. p. 6. /Traduction du rapport Munsinger/

__________ "Les traducteurs", **Le Droit**, 12 juin 1967. p. 6. /Traducteurs fédéraux forcés de prendre leur retraite/

CHEVRIER, E.R.E. "Abolition de positions de traducteurs", **Le Droit**, 2 mai 1933. p. 1;8. /Depuis le 1er septembre 1930, les services fédéraux ont aboli onze postes de traducteurs./

"Chez les traducteurs professionnels, Markland Smith à la présidence", **La Presse**, 5 octobre 1966. p. 18. /De la CTPQ/

CINQ-MARS, Alonzo. "La traduction", **La Patrie**, 21 juillet 1945. p. 24. /Réflexions sur les difficultés de la traduction/

__________ "Traduction et bilinguisme", **La Patrie**, 19 juin 1949. p. 74. /Pourquoi le gouvernement fédéral éprouve-t-il tant de difficulté à trouver des traducteurs compétents?/

__________ "Notre français en traduction", **La Patrie**, 17 octobre 1949. p. 8. /Compte rendu d'une causerie organisée par la STM/

__________ "Nos traducteurs officiels", **La Patrie**, 18 janvier 1952. p. 8. /Les traducteurs fédéraux. Nette amélioration de la qualité des traductions grâce à l'ATLFO/

"Civil Servant's Bid to Speak Reported Denied", **The Citizen**, August 26, 1967. /Ottawa refuse à un fonctionnaire de participer à une Biennale de la langue française/

CLAVET, Roger. "Ottawa promet le bilinguisme juridique", **Le Droit**, 10 octobre 1984. p. 1;2.

CLÉROUX, Richard. "Manitoba would limit translation of old laws", **The Globe and Mail**, July 9, 1983. p. 8.

__________ "French rights plan draws fire at rural Manitoba hearing", **The Globe and Mail**, October 21, 1983. p. 9. /Coût de la traduction des textes de loi/

__________ et Hubert BAUCH. "Québec Updates Moon Shot Jargon", **The Gazette**, July 22, 1971. /Ouvrages de terminologie spatiale publiés par l'OLF/

CLOUTIER, Suzanne. "Le Secrétariat d'État gère mal ses traducteurs", **Le Droit**, 12 décembre 1984. p. 3. /Rapport du vérificateur général/

"Le club conservateur de Hull prend la défense des traducteurs fédéraux", **Le Droit**, 2 mars 1934. p. 5. /Texte de la résolution adoptée par le club concernant la centralisation/

"Colloque des traducteurs et interprètes", **Le Droit**, 19 mai 1962. p. 26. /Colloque de la STIC à Ottawa sur un projet de charte du traducteur/

"Colloque sur les services linguistiques", **Le Droit**, 10 octobre 1984. p. 8.

"Les 'colonisés' québécois rappelés à l'ordre : 'SPEAK ENGLISH' exige la United Press!", **L'Indépendance**, 1er avril 1966.

"Un comité de traduction", **Le Droit**, 26 janvier 1984. p. 24. /Comité de traduction juridique de la ville d'Ottawa/

"Un comité de traduction à la Chambre haute", **Le Droit**, 31 mai 1934. p. 1;8. /Les sénateurs Parent et Prévost se penchent sur le projet de centralisation/

"Le comité du service civil entendra des témoins. Le président Lawson se rend aux désirs du député Chevrier", **Le Droit**, 15 mars 1934. p. 1;10.

"Un comité spécial étudierait le bill de la centralisation", **Le Droit**, 7 février 1934. p. 1;2. /Réponses du ministre Cahan aux questions du député Denis/

"Comité sur la réforme constitutionnelle. Le Manitoba n'assurera pas la traduction simultanée.", **Le Droit**, 15 novembre 1980. p. 4.

"Commons work sputtering in absence of translators", **The Globe and Mail**, November 5, 1980. p. 9.

"Un conflit d'intérêts qui durerait depuis longtemps", **Le Droit**, 30 avril 1984. p. 5. /Traducteurs du Secrétariat d'État/

"Le congé de maternité acquis aux traductrices", **Le Devoir**, 1er décembre 1981. p. 4.

"Le Conseil de la femme annule sa conférence", **Le Devoir**, 3 septembre 1980. p. 19. /Appui aux interprètes et aux traductrices de la Fonction publique fédérale qui réclament un congé de maternité/

CONSTANT, Philippe. "Les premiers avocats du Canada et M. Penverne", **Le Devoir**, 15 octobre 1941. /Lettre au **Devoir.** Critique des propos de M. Penverne lors d'une causerie/

"Contrat pour faire des recherches en traduction", **Le Soleil**, 12 octobre 1983. p. 10. /Recherches sur le traitement automatisé des langues/

"Coopération avec l'Algérie", **Le Devoir**, 12 octobre 1983. p. 3. /Terminal de la Banque de terminologie du BdT installé en Algérie/

"Corrections d'auteurs et autres dont on veut blâmer les traducteurs", **Le Droit**, 3 mai 1934. p. 2. /Retombées du débat houleux sur le projet de centralisation/

CÔTÉ, Benoît. "Real backbone", **The Citizen**, October 25, 1980. p. 6. /Les traducteurs et interprètes de la Fonction publique fédérale et le bilinguisme/

"Cours de traduction", **Le Devoir**, 28 septembre 1965. p. 14. /L'Extension de l'enseignement de l'Université de Montréal assure désormais l'administration des cours de l'Institut de traduction./

"Cours de traduction bilingue au McGill", **La Presse**, octobre 1944.

"Le cours de traduction à l'Université", **Le Droit**, 29 septembre 1938. p. 16. /... d'Ottawa/

"Cours de traduction à McGill", **La Patrie**, 9 septembre 1943. p. 6. /Cours de traduction de la Société des traducteurs de Montréal/

"Cours spécial de traduction à l'Université d'Ottawa", **Le Droit**, 4 août 1936. p. 12. /Description et but du nouveau cours/

"Court questions Acadians' language appeal", **The Gazette**, December 5, 1984. p. A16. /Emploi de la traduction dans les tribunaux/

COUTURIER, Jean. "Gazette royale bilingue", **L'Évangéline**, 28 avril 1977. p. 5. /À Fredericton. Coût de la traduction et de l'impression/

__________ "Grâce à un octroi accordé à l'U de M, la Faculté de Droit créera un Centre de traduction et de terminologie juridique", **L'Évangéline**, 28 novembre 1978. p. 5. /Université de Moncton. Buts du centre/

"Création d'un centre de terminologie sous la direction de Pierre Daviault", **Le Droit**, 6 novembre 1964. p. 1. /Résumé de l'annonce faite aux Communes par le Secrétaire d'État, Gilles Lamontagne/

CROSBY, Louise. "Agency finds praise but no funds", **The Citizen**, April 15, 1981. p. 3. /Une agence bénévole de traduction offrant des services dans 58 langues est forcée de fermer ses portes./

CRUICKSHANK, John. "Accused becomes court worker", **The Globe and Mail**, January 1984. p. 1;4. /Un interprète sert d'interprète au procès de sa femme/

"CS to Pay to Train Translators", **The Journal**, May 7, 1968. /La Fonction publique fédérale accordera des bourses aux étudiants en traduction./

"CS Translators Seek More Pay", **The Journal**, March 7, 1969.

CUMMING, Carman. "Le parfait bilingue est un 'oiseau rare'", **Le Droit**, 1er novembre 1968. p. 1-2. /Le Canada compte très peu de bons interprètes./

CURRAN, Peggy. "Translators protest stalled talks", **The Gazette**, September 4, 1980. p. 5.

DAGENAIS, Gérard. "Réflexions sur nos façons d'écrire et de parler", **Le Devoir**, 19 décembre 1960. p. 16. /Exemples de mauvaises traductions humiliantes pour les Canadiens français/

DAGNEAU, G.-H. "On a besoin des traducteurs", **Le Droit**, 28 mai 1949. p. 3. /...au Secrétariat d'État/

__________ "La traduction", **Le Droit**, 16 avril 1951. p. 3. /Traducteurs injustement accusés d'être la cause du retard de la publication des documents officiels fédéraux/

DAIGLE, Euclide. "Le centre de traduction et la traduction simultanée : mesures très logiques", **L'Évangéline**, 18 mars 1967. p. 1. /Gouvernement du Nouveau-Brunswick/

DANDONNEAU, Antoni. "La diffusion de la terminologie par les textes de loi", **Le Devoir**, 12 mars 1984. p. 13. /Extraits d'une conférence prononcée au colloque "Terminologie et communication"/

DAOUST, Jean-Charles. "MM. Pouliot et Picard parlent du Hansard", **Le Droit**, 27 novembre 1951. p. 1;10. /Le député Pouliot fustige les traducteurs./

__________ "Les conservateurs à la défense du 'bon français' hier", **Le Droit**, 15 décembre 1951. p. 1;10. /Prise de position virulente du député Pouliot au sujet de la révision de la terminologie de la loi électorale. Aussi "Dominion" traduit par puissance/

DARBELNET, Jean. "La traduction, spécialité trop peu rémunérée", **Le Canada**, 7 mars 1946. /Compte rendu d'une causerie/

DASSYLVA, Martial. "René Dionne et l'adaptation "Made in Quebec", **La Presse**, 13 septembre 1975. p. D8. /Problème des niveaux de langue/

DAVIAULT, Pierre. "Vocabulaire pratique de l'anglais au français, I", **Le Droit**, 7 avril 1937. p. 3. /Biographie et éloge de Léon Gérin, auteur du **Vocabulaire pratique de l'anglais au français**/

__________ "Vocabulaire pratique de l'anglais au français, II", **Le Droit**, 9 avril 1937. p. 3. /Critique de l'ouvrage de Léon Gérin/

__________ "La traduction, un art difficile", **Le Devoir**, 29 juin 1937. p. 8. /Mémoire présenté par P. Daviault au Congrès de la langue française à Québec/

__________ "Sommes-nous asservis par la traduction?", **Le Devoir**, 22 juin 1957. p. 19. /Depuis la deuxième grande guerre, l'emprise de la traduction s'accentue au Canada français. Répercussions sur la langue française/

__________ "Propos sur notre français" (chronique), **La Patrie**, 6 septembre 1959. p. 55. /La traduction, source de nombreux anglicismes/

__________ "Propos sur notre français" (chronique), **La Patrie**, 25 septembre 1960. p. 60. /Les mauvaises traductions corrompent la langue. Abus de la tournure passive/

DAVID, Michel. "Traduction des décrets au coût de 1.5 $ million", **Le Soleil**, 31 mars 1983. p. D1.

"Debate translated", **The Globe and Mail**, July 26, 1984. p. 5. /Débat en français entre John Turner, Brian Mulroney et Ed Broadbent/

"Débats de la Chambre d'Assemblée", **L'Aurore**, 14 février 1818. /M. Cuvillier, juge du Banc du Roi, est aussi traducteur./

"Débrayage général à partir de lundi", **Le Droit**, 17 octobre 1980. p. 2. /Débrayage des 1 100 traducteurs fédéraux/

"Décès de M. Edgar Gaudet, ancien traducteur de **L'Évangéline**", **L'Évangéline**, 5 janvier 1965. p. 7.

"Décision qui fait avancer la cause du bilinguisme", **L'Action catholique**, 4 mars 1964. /Ouverture à Montréal d'une section du Bureau fédéral de la traduction/

"Les décrets ont été traduits en anglais en un temps record", **Le Devoir**, 9 avril 1983. p. 1;16. /Décrets établissant les conditions de travail dans le secteur public/

DEFALCO, Jane. "Ex-government translator acquitted", **The Citizen**, October 31, 1984. p. B4.

___________ "Former translation dept. head fined on breach of trust charge", **The Citizen**, February 15, 1984. p. 30.

DELISLE, Jean. "La traduction, dimension fondamentale de la réalité québécoise et canadienne", **Le Devoir**, Cahier spécial, 24 septembre 1981. p. iii. /La traduction a toujours occupé une place importante au pays./

___________, François GAUTHIER et Marcel MARQUIS. "La traduction peut et doit s'enseigner", **Le Droit**, 20 août 1971. p. 6. /Réaction à un article d'Albert Beaudet (voir ci-dessus) qui estime que la traduction ne peut pas s'enseigner./

DELISLE, Norman. "Désormais en bon français", **Le Droit**, 19 mars 1984. p. 16. /Francisation du Règlement de l'Assemblée nationale du Québec/

"Le déménagement des traducteurs des Livres Bleus", **Le Droit**, 4 avril 1936. p. 16. /Les traducteurs des Livres Bleus du parlement s'installent dans l'édifice Transportation, rue Rideau, angle Sussex./

DEMERS, Edgar. "Claude Aubry : deux contes en Chine", **Le Droit**, 21 juillet 1984. p. 21.

DENIS, J.-A. "M. Cahan et le service de traduction", **Le Devoir**, 8 février 1934. p. 2. /Traduction des discours du trône et autres textes officiels confiés à des traducteurs n'étant pas fonctionnaires/

"La députation can. française (sic) est unanime - Pas d'économie au (sic) dépens du bilinguisme. Le bill Cahan à un comité?", **Le Droit**, 3 février 1934. p. 1;10. /On parle d'étudier le bill en comité parlementaire et de ne pas le présenter en 2e lecture avant deux mois./

"Les députés pourront étudier la procédure en français désormais", **Le Devoir**, 31 août 1964. p. 12. /Manuel Beauchesne. Traduit par des traducteurs fédéraux à la retraite/

"Dernière offre aux traducteurs : 22.4 % de hausse sur une période de 30 mois", **Le Droit**, 5 novembre 1980. p. 5.

DESAUTELS, Alain. "Les lecteurs nous écrivent - La grève des traducteurs fédéraux", **Le Droit**, 24 septembre 1980. p. 6.

DESCHAMPS, René. "Faut-il prendre le traducteur au mot?", **Le Devoir**, Cahier spécial, 24 septembre 1981. p. viii. /Tarifs et éthique professionnelle/

DESCÔTEAUX, Bernard. "Les décrets seront traduits en anglais", **Le Devoir**, 30 mars 1983. p. 1;8.

DESHAIES, Guy. "Ottawa abandonne son aide au Groupe de recherche en traduction automatique", **Le Droit**, 23 janvier 1981. p. 1. /Malgré l'avance mondiale du groupe TAUM dans le domaine de la traduction automatique/

"Dès 1973, il existera une traduction des lois et statuts du N.-B.", **L'Évangéline**, 21 juin 1972. p. 5.

Des RIVIÈRES, PAULE. "Le cordonnier est plutôt mal chaussé", **Le Devoir**, 29 septembre 1983. p. 1;10. /La Cour suprême espère avoir ses propres traducteurs afin d'accélérer la traduction des jugements./

DESROSIERS, Léo-Paul. "La session fédérale : les discours français sont traduits", **Le Devoir**, 10 mars 1921. p. 1. /Publication hebdomadaire des discours français du Hansard traduits en anglais/

__________ "L'association technologique de la langue française", **Le Devoir**, 13 avril 1925. p. 1;2. /L'ATLFO a presque cinq ans. But de l'Association/

__________ "Pierre Daviault : **L'Expression juste en traduction**", **Le Devoir**, 30 janvier 1932. p. 1;2. /Intérêt de cet ouvrage/

__________ "Le problème de la traduction", **Le Devoir**, 7 juillet 1933. p. 1. /**Questions de langage** de P. Daviault/

__________ "Le problème de la traduction", **Le Devoir**, 11 juillet 1933. p. 1;2. /Suite de l'article du 7 juillet/

__________ "Questions de langage -- Le problème de la traduction", **Le Droit**, 21 juillet 1933. p. 3. /Commentaires sur la traduction à la suite de la publication de l'ouvrage de P. Daviault/

"Deux ans pour traduire des lois... invalides", **Le Soleil**, 12 juin 1984. p. A-10. /Requête d'Ottawa auprès de la Cour suprême/

"(Deux cent cinquante) 250 traducteurs sur la colline parlementaire", **Le Droit**, 7 octobre 1980. p. 8. /Manifestation de traducteurs. Lenteur des négociations syndicales/

"Deux écrivains d'Ottawa sont couronnés - P. Daviault et Léopold Richer sont lauréats", **Le Droit**, 7 avril 1934. p. 1-3. /Prix d'Action Intellectuelle/

"(Deux mille quatre cents) 2 400 employés classés comme techniciens -- Traducteurs reconnus comme techniciens", **Le Droit**, 26 février 1930. p. 7. /Classification et échelle de salaires des traducteurs/

"Deux ouvrages sur la traduction", **Le Droit**, 7 mai 1937. p. 3. /Ceux de Léon Gérin et de Pierre Daviault/

"Deux traducteurs ont été acquittés", **Le Droit**, 16 juin 1984. p. 17. /Traduction à la pige. Conflit d'intérêts/

"Deleloping the first comprehensive lexicon and dictionary of legal terminology in Quebec", **McGill Reporter**, April 20, 1983. p. 1;3.

DEVENEY, Abby. "Translation department employees fired over freelance contracts", **The Citizen**, January 27, 1984. p. 10.

DEXTER, Alain. "Pas de mises à pied au Bureau de traduction", **Le Droit**, 11 septembre 1974. p. 3. /Quatre des sept employés congédiés par le ministère des Approvisionnements du gouvernement ontarien réintègrent leur poste./

"Dictionnaire des termes militaires", **Le Droit**, 11 août 1943. p. 1;10. /Publié par le Bureau des publications bilingues de l'Armée/

DILSCHNEIDER, Donna. "Translation Bureau Due for Shake-up", **The Citizen**, November 12, 1964. p. 12. /La lourde charge de travail exige des remaniements./

"Dîner intime en l'honneur de M. Beauchesne", **Le Droit**, 6 novembre 1926. p. 6. (Compte rendu d'une allocution d'Arthur Beauchesne. Conditions de travail des traducteurs d'autrefois. Hommage à Rodolphe Lemieux. Liste des participants/

"Discharges given to translators", **The Citizen**, March 31, 1984. p. 8.

"Dix-huit positions de traducteurs furent abolies depuis 1932", **Le Droit**, 15 février 1934. p. 1;2. /... dans la Fonction publique fédérale/

"Dix questions au sujet de la traduction", **Le Droit**, 2 février 1934. p. 6. /Questions du député J.-A. Denis inscrites au feuilleton de la Chambre des communes/

"Don't worry, say translators but women cancel conference", **The Gazette**, September 3, 1980. p. 8. /Pour appuyer les traducteurs fédéraux en grève/

"Les droits du français : débat sur un amendement touchant les interprètes", **Le Droit**, 9 août 1960. p. 2. /Amendement au bill des droits de l'homme/

"Droits et Devoirs des traducteurs", **Le Droit**, 19 mai 1977. p. 14. /Recommandations de l'Unesco/

DROUIN, Linda. "Government translators go back to work", **The Citizen**, November 10, 1980. p. 1.

DUBÉ, Jean-Pierre. "Deux ans pour traduire, c'est généreux", **La Liberté**, 18 mai 1984. /Lois manitobaines/

DUBUC, Robert. "L'excès de traduction constitue une menace", **Le Droit**, 4 juin 1969. p. 5. /L'abus de traduction nuit à la qualité de la langue et empêche la création originale./

___________ "Un instrument de précision pour notre temps : la terminologie", **Le Devoir**, Cahier spécial, 24 septembre 1981. p. iv.

DUCHESNE, Louis. "Se retrouver, en traduction", **Le Devoir**, 27 février 1979. p. 4;6. /Exemples de mauvaises traductions françaises/

"Du fran-glais dans la mode", **L'Évangéline**, 13 octobre 1966. p. 6. /Difficulté de traduire en français les termes américains désignant des articles de mode. Exemples/

DUFRESNE, Bernard. "Parliament's Rulebook to Appear in French", **The Globe and Mail**, August 1964.

DUHAMEL, Roger. "La traduction simultanée", **La Patrie**, 28 janvier 1957. p. 8. /L'interprétation simultanée au Parlement a été rendue nécessaire puisque les Anglais n'écoutent pas les interventions des députés francophones/

DUMONT, Élaine et Richard FORTIN. "Inquiétudes des traducteurs", **Le Devoir**, 10 février 1975. p. 6. /Disparition éventuelle de la Banque de terminologie de l'Université de Montréal/

DUNCAN, Ann. "Machine can lick tongues", **The Globe and Mail**, February 10, 1981. p. 13. /Système de traduction automatique conçu par le gouvernement canadien/

"D'un océan à l'autre - Ottawa", **Le Devoir**, 12 septembre 1963. p. 16. /La Commission de la Capitale nationale baptise un poste d'observation dans le parc de la Gatineau en l'honneur de l'interprète Étienne Brûlé./

DUPIRE, Louis. "La traduction du 'Hansard'", **Le Devoir**, 3 juillet 1920. p. 1. /Il faut que les discours prononcés en français à la Chambre des communes soient traduits plus rapidement./

"Échos du Congrès de la langue française", **Le Droit**, 29 juin 1937. p. 6. /Compte rendu de la communication de Pierre Daviault : l'influence de la traduction sur la langue/

"École de traduction pour l'Université de Moncton?", **L'Évangéline**, 4 mars 1970. p. 1. /Proposition d'un député de l'Assemblée législative du Nouveau-Brunswick/

"Un éditeur doit verser $ 4000 à une traductrice", **Le Devoir**, 14 février 1981. p. 3.

"Les éditeurs proposent un mode de diffusion des meilleurs livres", **Le Devoir**, 17 mars 1965. p. 10. /Mémoire de l'Association des éditeurs canadiens présenté à la Commission Laurendeau-Dunton : création d'un organisme d'achat, de traduction et de diffusion des meilleurs livres publiés dans les deux langues officielles/

EDSFORTH, Janet. "Federal Government Translation Volume Booms", **The Edmonton Journal**, March 26, 1971.

__________ "Psst! Looking For a Career? Think Translation", **The Citizen**, April 5, 1971. p. 48.

"(Eight) 8 translators being trained for Commons", **The Globe and Mail**, August 9, 1958. p. 5. /Interprétation simultanée; tâches et salaire des interprètes/

"Élection d'un nouvel exécutif à la Corporation des traducteurs et interprètes du N.-B.", **L'Évangéline**, 21 février 1974. p. 7.

"Élections à l'Association technologique de langue française de la capitale", **Le Droit**, 20 janvier 1943. p. 11. /Liste des élus. Nouveau président : Théopile Dumont, traducteur à la division du Revenu national du Bureau des traductions/

"Les élections chez les technologues d'Ottawa", **La Presse**, 27 janvier 1945. /Technologues = membres de l'ATLFO/

ELLENWOOD, Ray. "Giving credit where credit's due", **The Globe and Mail**, February 5, 1983. p. 6. /Les éditeurs canadiens hésitent à inscrire le nom des traducteurs sur la page couverture des ouvrages traduits/

"Un éloge du bureau (sic) des traductions", **Le Droit**, 10 février 1937. p. 5 /Le Secrétaire d'État Fernand Rinfret vante l'efficacité du Bureau des traductions, alors que son parti s'était opposé à la création de ce bureau en 1934./

"Éloquente causerie de M. Beaubien sur le nouveau statut du traducteur", **Le Droit**, 2 novembre 1950. p. 28.

"En faveur de la traduction simultanée", **L'Évangéline**, 23 mai 1956. p. 1. /La Chambre de commerce des jeunes du Canada recommande d'introduire l'interprétation simultanée à la Chambre des communes/

"En septembre, un cours menant à la maîtrise en traduction", **Le Droit**, 22 janvier 1968. p. 4. /Cours de trois ans à l'Université d'Ottawa/

"Entrevue sur la traduction", **Le Droit**, 18 octobre 1934. p. 9. /D. T. Robichaud, premier surintendant du Bureau fédéral des traductions; il n'a pas encore transmis ses recommandations au Secrétaire d'État/

"Éphrem Boudreau nommé traducteur en chef à l'agriculture", **L'Évangéline**, 23 octobre 1947. p. 1.

(Erreur de traduction), **L'Ami du peuple**, 29 décembre 1832. /Une erreur de traduction de L.-J. Papineau/

"Une erreur de traduction?", **L'Évangéline**, 1er novembre 1978. p. 8. /Au sujet de la démission du ministre des Pêches, Roméo Leblanc/

"L'état-major prête 18 traducteurs aux Etats-Unis", **Le Droit**, 19 novembre 1942. p. 1;8. /Traduction de manuels militaires faite par des fonctionnaires d'Ottawa/

ÉTHIER-BLAIS, Jean. "Les "Linguicides", de Grandjouan", **Le Devoir**, 11 décembre 1971. p. 16. /Généralités sur les traducteurs au Canada/

"Et le terminologue?", **Le Devoir**, 13 janvier 1979. p. 21. /Le terminographe, spécialiste chargé de consigner les termes des divers domaines de spécialité/

"Être bilingue au fédéral est une obligation -- l'honorable Green", **Le Droit**, 1er octobre 1958. p. 1. /Opinion de Green sur l'interprétation simultanée. Selon lui, l'interprétation empêche les députés de devenir bilingues./

EVANS, David. "Translators' walk out looms", **Ottawa Journal**, August 22, 1980. p. 3.

EVELEIGH, Raymond. "Ces traducteurs...!", **Le Droit** (Lettre au rédacteur), 26 janvier 1966. p. 7. /Restructuration du Bureau fédéral des traductions; présumées hausses de traitement/

__________ "Ces traducteurs...!", **Le Droit** (Lettre au rédacteur), 2 février 1966. p. 7. /Critique de la restructuration du Bureau fédéral des traductions/

"Every Translated Word Costs Canada 3.5 Cents", **The Citizen**, May 1, 1969. /Coût de la traduction au BdT/

"L'examen de traduction le 8 mai prochain", **Le Droit**, 22 avril 1937. p. 7. /1 160 candidats/

"Examen du service civil", **Le Droit**, 14 septembre 1943. p. 11. /Le "service civil" est à la recherche de traducteurs./

"Les examens de traduction", **Le Droit**, 20 mars 1937. p. 13. /Pour des postes de traducteur principal et de traducteur senior (sic) à la Commission du Service Civil/

"Les examens de traduction auront lieu le 18 avril", **Le Droit**, 30 mars 1936. p. 1. /Pour les postes de traducteurs principaux relevant du Secrétariat d'État/

"Expérience de traduction simultanée à Bathurst", **L'Évangéline**, 13 décembre 1973. p. 3. /Au conseil municipal/

FAUTEUX, Aegidius. "Le Sieur de Langoiserie ou L'enfant prodigue sans veau gras", **La Patrie**, 7 octobre 1933. p. 22-23. /Biographie/

F. B. "Les traducteurs", **Le Droit**, 16 novembre 1966. p. 7. /Obstacle au bilinguisme intégral dans la Fonction publique/

"Federal translation bill 'a bargain' at $66 million", **The Gazette**, June 18, 1982. p. B-1

"Federal translator given probation for breach of trust", **The Citizen**, May 23, 1984. p. 25.

"Fed translators win maternity leaves. Yes, sir, that's their baby...", **Toronto Sun**, December 1, 1981.

"Fernand Beauregard, le premier président de la Corporation des traducteurs", **La Réforme**, 26 juin 1957. p. 4. /Constitution de la Corporation des traducteurs professionnels du Québec/

FERRI, John. "Doctor breaking down patient's language barrier", **Toronto Star**, July 22, 1984. p. A-17. /Questionnaire traduit en vingt langues pour faciliter la communication entre médecins et immigrés/

"Une filiale de la Société des Traducteurs", **Le Droit**, 29 septembre 1941. p. 14. /La STM cherche à recruter des membres à Ottawa./

"Filiales de 'La Société des Traducteurs'", **Le Droit**, 15 septembre 1941. p. 1. /À Ottawa et à Toronto. Brève description de la Société des traducteurs de Montréal/

FILION, Hélène. "Des nuances", **La Presse**, 6 février 1984. p. A7. /Traduction littéraire/

"Final fight to roust the No vote", **Winnipeg Sun**, October 26, 1983. /Le bilinguisme au Manitoba; coût des services fédéraux de traduction/

"Find Far Too Few Can Parlez-vous", **Financial Post**, November 28, 1964. p. 54. /Le gouvernement fédéral hausse le traitement de ses traducteurs afin de faciliter le recrutement./

FLAMAND, Jacques. "La traduction à l'heure de l'automatisation et des nouvelles politiques linguistiques", **Le Devoir**, 12 septembre 1974. p. 5. /Bilan du Colloque sur la terminologie organisé par l'ATIO les 6 et 7 septembre/

FLEURY, Robert. "AMIS ou pas amis", **Le Soleil**, 13 février 1980. p. C1. /Le traducteur électronique AMIS continue de décevoir ses utilisateurs./

"Les fonctionnaires unilingues patienteront pour la traduction de certains documents", **La Presse**, 31 octobre 1968. p. 14. /Au BdT, priorité est accordée aux documents qui doivent être publiés dans les deux langues officielles./

FORTIN, Noël. "Un premier débrayage de 24 heures", **Le Droit**, 26 août 1980. p. 3. /Traducteurs fédéraux/

"Les frais de traduction aux olympiques : 325 000 $", **Le Devoir**, 30 mars 1976. p. 11. /Le gouvernement fédéral les assume./

"Free-lance translators are sought for scientific material", **The Kingston Whig Standard**, April 25, 1968. /Traduction multilingue au BdT/

FRENETTE, Raymond. "Traduction et francisation", **Le Devoir**, Cahier spécial, 24 septembre 1981. p. ii. /Place de la traduction dans le processus de francisation des entreprises au Québec/

GAGE, Ritchie. "Norrie, Ernst accused of courting votes with plebiscite", **Winnipeg Free Press**, September 24, 1983. p. 43. /On promet de créer des emplois en traduction./

GAGNON, Hélène. "Miriam Chapin : un esprit cultivé, une amie fidèle du Canada français", **Le Devoir**, 6 février 1965. p. 15. /Traductrice des **Insolences du Frère Untel** et de **Agaguk**/

GAGNON, Jean-Louis. "Traduire, c'est comprendre : **Le Traducteur** et **Babel**, deux revues de traduction", **La Réforme**, 2 novembre 1955. p. 6. /("Le Traducteur"). Il s'agit en fait du **Journal des traducteurs**, publié par l'Association des diplômés de l'Institut de traduction (ADIT) de l'Université de Montréal. **Babel** est la revue de la Fédération internationale des traducteurs (FIT)./

____________ "M. Breton repose la question : Quand va-t-on adopter la traduction simultanée à la Chambre des communes?", **La Réforme**, 12 décembre 1957. p. 1;2.

__________ "La traduction simultanée sera inaugurée dès janvier à Ottawa", **La Réforme**, 21 août 1958. p. 5. /Motion adoptée à la Chambre des communes le 11 août 1958/

GAGNON, Louis-Philippe. "**Traduction** de Pierre Daviault", **Le Droit**, 4 octobre 1941. p. 2. /Commentaire sur cet ouvrage/

__________ "Traduction", **Le Devoir**, 11 octobre 1941. p. 7. /Extrait du compte rendu de l'ouvrage de P. Daviault, **Traduction**, paru dans **Le Droit**/

GARNEAU, Louis. "Traduction simultanée dans les deux sens bientôt à Dieppe", **L'Évangéline**, 20 novembre 1981. p. 2.

__________ "Dieppe : une question d'offre et de demande", **L'Évangéline**, 26 avril 1982. p. 3. /Le service d'interprétation simultanée ne fonctionne que dans le sens français-anglais./

GAUTHIER, Claude. "Le Conseil des Arts du Canada et la traduction : allocution prononcée à Ottawa le 17 novembre 1973 à l'occasion du Congrès de l'ATIO", **Le Droit**, 18 novembre 1973. /Institution de prix de traduction littéraire pour les meilleurs ouvrages en français et en anglais/

GAUTIER, Charles. "La traduction dans les ministères", **Le Droit**, 9 novembre 1923. p. 1. /Trop peu de documents sont traduits en français et ils le sont trop tard./

__________ "La traduction dans les ministères", **Le Droit**, 10 novembre 1923. p. 1. /Statistiques pour 1922 des publications gouvernementales en anglais et en français. Écart considérable entre les deux/

__________ "La traduction dans les ministères", **Le Droit**, 13 novembre 1923. p. 1. /Suite de l'article du 10 novembre/

__________ "L'A.T.L.F.O.", **Le Droit**, 23 novembre 1923. p. 3.

__________ "Centralisation et traduction", **Le Droit**, 8 février 1924. p. 3. /Charge contre le projet de centralisation. Chaque ministère devrait conserver ses traducteurs./

__________ "Traduction et centralisation", **Le Droit**, 10 février 1933. p. 3. /Rappel de l'article 133 de la Constitution canadienne et attaque du projet de centralisation des services de traduction/

__________ "Traduction et centralisation", **Le Droit**, 16 février 1933. p. 3. /Quelques explications sur le projet de centralisation et extraits du rapport Fréchette/

__________ "La centralisation de la traduction", **Le Droit**, 24 février 1933. p. 3. /L'auteur réitère son opposition au projet de centralisation./

__________ "La centralisation de la traduction", **Le Droit**, 29 janvier 1934. p. 3. /... semble préjudiciable aux intérêts de la traduction, des traducteurs et du bilinguisme./

__________ "Le bill Cahan", **Le Droit**, 30 janvier 1934. p. 3. /Adoption du projet de centralisation des services de traduction. Cette mesure aura des conséquences néfastes./

__________ "Son véritable but", **Le Droit**, 1er février 1934. p. 3. /... de la centralisation des services de traduction. Son but caché : réduire "l'importance grandissante d'un bilinguisme de plus en plus gênant"/

__________ "Quelques raisons de s'y opposer", **Le Droit**, 2 février 1934. p. 3. /"Bill Cahan" : obstacle à la spécialisation et à l'efficacité des traducteurs ainsi qu'à l'influence de la langue française et au bilinguisme/

__________ "Le gouvernement hésite", **Le Droit**, 3 février 1934. p. 3. /...devant l'opposition des députés francophones/

__________ "Le bill Cahan serait soumis à un comité", **Le Droit**, 6 février 1934. p. 3. /Au comité du "Service civil"/

__________ "Les origines du projet de la centralisation", **Le Droit**, 8 février 1934. p. 3. /Le comité Sellar a remis un rapport (mars 1933) dans lequel il suggérerait de réduire le nombre de traducteurs et de les regrouper./

__________ "Le Bill Cahan condamné", **Le Droit**, 9 février 1934. p. 3. /Revue de presse : tous les journaux francophones condamnent le projet Cahan/

__________ "Quelques arguments de M. Cahan", **Le Droit**, 10 février 1934. p. 3. /Réfutation des arguments de M. Cahan/

__________ "Corrections et retards", **Le Droit**, 13 février 1934. p. 3. /Réfutation des arguments de M. Cahan/

__________ "Un tissu de contradictions", **Le Droit**, 14 février 1934. p. 3. /À trois jours d'intervalle, M. Cahan dit qu'il y a assez de traducteurs et que le gouvernement pourrait augmenter leur nombre./

__________ "Ils sont opposés à la centralisation", **Le Droit**, 15 février 1934. p. 3. /Tous les sous-ministres, les hauts fonctionnaires et même les membres du comité Sellar/

__________ "Tous les moyens sont bons", **Le Droit**, 17 février 1934. p. 3. /Entorses à la vérité/

_______ "La centralisation", **Le Droit**, 19 février 1934. p. 3. /**Le Bien Public** de Trois-Rivières et **L'Action populaire** de Joliette condamnent le projet de centralisation./

_______ "Comment ce bureau fonctionnera-t-il?", **Le Droit**, 3 mars 1934. p. 3. /...après la centralisation/

_______ "Le bill Cahan", **Le Droit**, 6 mars 1934. p. 3.

_______ "Des déclarations contradictoires", **Le Droit**, 7 mars 1934. p. 3. /... concernant le bill Cahan/

_______ "Ce comité spécial", **Le Droit**, 10 mars 1934. p. 3. /Comité du Service civil chargé d'étudier le bill Cahan/

_______ "Les masques tombent", **Le Droit**, 15 mars 1934. p. 3. /Bill n° 4 au Comité du Service civil/

_______ "Le comité assignera des témoins", **Le Droit**, 16 mars 1934. p. 3. /Comité du Service civil chargé d'étudier le bill Cahan/

_______ "Le travail du comité", **Le Droit**, 20 mars 1934. p. 3. /Rédaction d'un nouveau bill/

_______ "Centralisation et traduction", **Le Droit**, 31 mars 1934. p. 3. /Tous les témoins au comité parlementaire sauf un s'opposent à la centralisation./

_______ "Le témoin qu'il faut appeler", **Le Droit**, 17 avril 1934. p. 3. /Le greffier de la Chambre des communes, Arthur Beauchesne, "père" de la centralisation/

_______ "Corrections et centralisation", **Le Droit**, 18 avril 1934. p. 3. /Fausse nouvelle publiée dans un quotidien anglophone de la capitale : il en coûterait 75 000 $ pour corriger les erreurs commises par les traducteurs/

_______ "Un projet démoli", **Le Droit**, 26 avril 1934. p. 3. /Pour des raisons de confidentialité et de sécurité d'État, il vaut mieux garder les traducteurs dans les divers services et ministères./

_______ "Un projet de loi mal préparé", **Le Droit**, 28 avril 1934. p. 3. /Bill Cahan/

_______ "L'état (sic) et la traduction", **Le Droit**, 8 mai 1934. p. 3. /Traductions françaises des années 1932-1933 : l'auteur fait un bilan négatif et réclame une réforme./

_______ "Le premier ministre et les traducteurs", **Le Droit**, 17 janvier 1935. p. 3. /Version française du Discours du trône de R. B. Bennett transmise sur les ondes d'un poste de radio montréalais. Traducteurs moins bien traités que les sténographes/

__________ "La centralisation des bureaux de traduction", **Le Droit,** 9 février 1935. p. 3. /Premiers résultats du nouveau régime; situation au Bureau des débats français/

__________ "Publications et traduction", **Le Droit,** 14 juin 1935. p. 3. /Malgré la promesse de Cahan et du ministre Dupré, tous les documents officiels ne sont pas traduits. Leur traduction est laissée à la discrétion des fonctionnaires./

__________ "De nouveaux cours à l'Université", **Le Droit,** 12 septembre 1936. p. 3. /Raisons de la création de ces cours, dont un de traduction, à l'Université d'Ottawa/

__________ "À propos de traduction", **Le Droit,** 23 octobre 1936. p. 3. /Mauvaise qualité des traductions faites à Toronto et ailleurs/

__________ "Les publications françaises", **Le Droit,** 28 octobre 1936. p. 3. /Une faible proportion des publications émanant de l'administration fédérale sont traduites./

__________ "Le bureau de traduction", **Le Droit,** 12 février 1937. p. 3. /M. Bennett demande que deux postes de traducteurs soient abolis au ministère du Travail./

__________ "Les documents fédéraux et le bilinguisme", **Le Droit,** 13 octobre 1943. p. 3. /L'auteur proteste contre la publication unilingue des rapports gouvernementaux./

GAY, Paul. "Une nouvelle Dulcinée : la langue française. **Les Obsédés textuels**", **Le Droit,** 14 janvier 1984. p. 28. /Compte rendu du roman/

GERTLER, Maynard. "Réflexion sur une politique nationale de traduction", **Le Devoir,** Cahier spécial, 18 mai 1976. p. vii. /La connaissance de notre littérature exige des échanges entre les deux principaux groupes linguistiques du pays./

__________ "Translators always credited", **The Globe and Mail,** March 5, 1983. p. 7. /La mention du nom des traducteurs sur les ouvrages traduits. Réponse d'un éditeur. Voir l'article de Ray Ellenwood/

GESSEL, Paul. "Govt. translations more costly than private contractors charge", **The Citizen,** May 27, 1983. p. 4. /Coût de la traduction au BdT et tarifs consentis aux pigistes et aux traducteurs intépendants/

GIBUS. "Les traquenards de la traduction", **Le Droit,** 9 septembre

1955. p. 3. /Incident politique dû à une erreur de traduction. Le traducteur a failli perdre son emploi./

GINGRAS, Marcel. "Pauvres traducteurs", **Le Droit**, 7 juin 1967. /Évoque l'affaire Pouliot du début des années 1950./

GIRARD, Maurice. "Bientôt que des manuels français à l'université", **Le Soleil**, 10 mai 1983. p. A-11. /Traduction des manuels de recherche/

"Le **Globe and Mail** s'adresse en français à ses lecteurs", **Le Droit**, 13 août 1958. p. 1. /Adoption de la motion en faveur de l'interprétation simultanée au Parlement/

GODFREY, Stephen. "Translators, non-fiction writers to benefit from Council windfall", **The Globe and Mail**, March 24, 1984. p. E6. /Subventions du Conseil des Arts du Canada aux traducteurs littéraires/

__________ "Translators, writers benefit from windfall", **The Globe and Mail**, March 24, 1984. p. E4. /Le Conseil des Arts du Canada subventionne la traduction littéraire./

GORY, Brian. "Judge can use a translator in French trial", **The Globe and Mail**, October 18, 1984. p. 1;2.

GOUIN, Jacques. "Le Guide du traducteur : un livre de chevet pour tout Canadien", **Le Droit**, 12 avril 1973. p. 6. /Présentation élogieuse du **Guide du Traducteur** d'Irène de Buisseret, édité par l'ATIO en 1972/

__________ "À la mémoire d'Irène de Buisseret", **Le Devoir**, 14 avril 1973. p. 16. /Présentation du **Guide du Traducteur** d'Irène de Buisseret/

"Le gouvernement d'Ottawa s'occupera du sort des traducteurs fédéraux", **Le Soleil**, 21 février 1936. /Le député Pouliot réclame l'abolition du Bureau des traductions./

"Le gouvernement du Québec aura bientôt un service de traduction", **Le Soleil**, 19 février 1964.

"Le gouvernement fédéral achètera la Banque de terminologie de Montréal", **L'Évangéline**, 30 janvier 1976. p. 25.

"Government abandons war book plans", **The Citizen**, April 16, 1983. p. 1. /Les livres du Souvenir dans l'enceinte du Parlement ne seront pas traduits en français./

"Government Needs More Interpreters", **The Gazette**, December 4, 1963. /...pour les travaux de la Chambre des communes, car bon nombre de députés unilingues ne comprennent pas l'anglais/

Fig. 19 -- Deux ouvrages témoignant du dynamisme des terminologues québécois et de la place grandissante qu'occupe, depuis le milieu des années soixante-dix, la terminologie comme discipline auxiliaire de la traduction. (Photo : CRCCF, Ph 1-I-204)

Fig. 20 -- **Circuit**, magazine trimestriel d'information sur la langue et la communication, publié par la Société des traducteurs du Québec depuis 1983. (Photo : CRCCF, Ph 1-I-203)

"Government offer "an invitation to strike Monday": translators", **The Citizen,** October 18, 1980. p. 10.

"La grande forme", **Soleil de Colombie,** 14 octobre 1984. p. 3. /Assemblée annuelle de la Société des traducteurs et interprètes de la Colombie-Britannique/

"Grande tâche du service fédéral des traductions", **La Presse,** 21 mai 1949. p. 68. /Travail accompli au BdT; organisation du Bureau; métier de traducteur/

GRAY, Léon. "Notre Droit et le français", **Le Droit,** 29 décembre 1951. p. 3. /Un comité de linguistes et de juristes devrait réviser nos textes de lois mal traduits./

GRAY, Walter. "Instant translations soon. Les MPs écouteront dans les 2 langues", **The Globe and Mail,** August 12, 1958. p. 3. /Article bilingue/

"Grégoire : pour une traduction plus rapide", **Le Devoir,** 6 août 1964. p. 13. /... des documents fédéraux/

"La grève des interprètes crée l'illégalité", **Le Devoir,** 6 novembre 1980. p. 2. /Propos du Commissaire aux langues officielles, Max Yalden/

"La grève des traducteurs", **Le Devoir,** 23 octobre 1980. p. 2.

"Grève des traducteurs : Le bilinguisme devra être respecté, dit le Gouvernement", **Le Droit,** 22 octobre 1980. p. 11. /Le gouvernement a demandé aux cadres de maintenir les services bilingues au public pendant la grève./

"Grève des traducteurs : on ne fait même plus la moitié du travail", **Le Soleil,** 23 octobre 1980. p. A13.

"Une grève des traducteurs sera possible, vendredi", **Le Droit,** 16 août 1980. p. 5.

"Grève des traducteurs : Tentative de rapprochement", **Le Droit,** 31 octobre 1980. p. 5.

"Grève du zèle des traducteurs", **La Presse,** 23 septembre 1980. p. A10.

"La grève est difficilement évitable", **Le Droit,** 23 août 1980. p. 3. /Grève des 1 200 traducteurs, interprètes et terminologues du gouvernement fédéral/

"La grève générale est évitée : heures variables pour les traducteurs", **Le Droit,** 14 mai 1977. p. 4.

GROGNIER, Frédéric et Daniel DEVEAU. "La traduction au N.-B. :

encore des efforts à faire pour oublier les 'Translations'", **L'Évangéline,** 5 décembre 1977. p. 22. /Difficultés. Coût d'une bonne traduction. Trop d'amateurs/

"Groupe des traducteurs de l'Institut professionnel", **Le Droit,** 27 novembre 1934. p. 10. /Compte rendu de la réunion annuelle/

GRUSLIN, Adrien. "Le Macbeth de Garneau", **Le Devoir,** 10 mars 1979. p. 29. /Adaptation de Macbeth en québécois/

HAECK, Philippe. "Un travail de mélancolique, signé Jacques Brault", **Le Devoir,** 3 mai 1975. p. 17. /Compte rendu de **Poèmes des quatre côtés.** Dans ce recueil de poèmes, l'auteur expose sa conception de la traduction poétique./

HALL, Chris. "Judge gives woman chance to locate money", **The Citizen,** May 14, 1983. p. 11. /Demandes fictives de traduction/

"Le Hansard en retard", **Le Droit,** 25 octobre 1980. p. 2. /Non publié à cause de la grève des traducteurs/

"Hansard hit by strike", **The Gazette,** October 25, 1980. p. 2. /Grève des traducteurs/

HARVEY, Benoît. "Un journal 'bilingue'", **Le Soleil,** 19 novembre 1965. p. 4. /Journal de la Fédération des Jeunes Chambres du Canada/

"Hausse de salaires", **L'Action catholique,** 4 janvier 1964. /...des traducteurs et interprètes fédéraux pour faciliter leur recrutement/

"Hausse des traitements des traducteurs et interprètes", **Le Devoir,** 31 décembre 1963. p. 12. /Pour faciliter le recrutement de traducteurs fédéraux/

HAYNES, Don. "Translators' rate", **The Globe and Mail,** April 7, 1984. /Rémunération des traducteurs littéraires/

HEALD, Henry. "Gov't Translation Grants for July Meetings: $68,670", **Ottawa Journal,** September 1, 1972. p. 32. /Subventions qui aident à couvrir les frais d'interprétation simultanée de conférences de 27 organismes/

HEARD, Raymond. "Translation Post Opens", **The Montreal Star,** May 16, 1964. p. 3. /La section de Montréal du BdT/

HÉBERT, Diane. "Jeanne Grégoire, institutrice, fondatrice de l'Institut de Traduction, Généalogiste : une carrière menée de main de maître", **Le Droit** (Perspectives), 7 juin 1980. p. 7-8.

"Henriot Mayer surintendant de la traduction", **Le Droit**, 9 novembre 1964. p. 3. /Au Bureau fédéral des traductions/

HÉROUX, Omer. "Traduction", **Le Devoir**, 3 octobre 1917. p. 1. /Mauvaise qualité de traductions françaises/

__________ "La 'Gazette' et les proclamations bilingues", **Le Devoir**, 17 mai 1920. p. 1. /La traduction française des proclamations électorales. Amendement Turgeon/

__________ "Ce projet de loi", **Le Devoir**, 5 février 1934. p. 1. /Projet de loi Cahan prévoyant la création du BdT/

__________ "Le projet de loi Cahan", **Le Devoir**, 7 février 1934. p. 1. /Projet de loi Cahan prévoyant la création du BdT/

"Les heures de travail des traducteurs", **Le Droit**, 31 mars 1934. p. 10. /... et leurs salaires/

HILL, Bert. "Picket set up. Translators close Marin probe", **The Citizen**, September 10, 1980. p. 10. /Grève des traducteurs fédéraux/

__________ "Translators Won't Talk: Management", **The Citizen**, September 13, 1980. p. 9. /Les traducteurs refusent de reprendre les négociations, forts de l'appui des dirigeants de leur syndicat./

__________ "Striking translators determined", **The Citizen**, October 21, 1980. p. 9.

__________ "Government orders cutback on translations during strike", **The Citizen**, October 22, 1980. p. 16.

__________ "Translators' strike may stall Hansard", **The Citizen**, October 24, 1980. p. 9.

__________ "Leaves by back door. Translators block minister's car", **The Citizen**, October 25, 1980. p. 8.

__________ "Mother-to-be wants maternity leave", **The Citizen**, October 27, 1980. p. 9. /Grèves des traducteurs fédéraux/

__________ "Automated translation may prove too costly", **The Citizen**, October 28, 1980. p. 17

__________ "Freelance pay for management translators draws fire", **The Citizen**, October 29, 1980. p. 11.

__________ "End urged to translators strike", **The Citizen**, November 5, 1980. p. 9.

__________ "Translators call for mediator as talks stall", **The**

Citizen, November 11, 1980. p. 4. /Grève des traducteurs du gouvernement fédéral/

__________ "Religious spat costs boss a day's pay", **The Citizen**, May 4, 1981. p. 1. /Chef d'un service de traduction du Secrétariat d'État à Toronto/

__________ "PSAC quits bargaining talks, demands translation facilities", **The Citizen**, April 27, 1982. p. 5. /Négociations de l'Alliance de la Fonction publique/

HILL, Larry. "Provincial costs for translation expected to reach $1.36 million", **Winnipeg Free Press**, June 28, 1984.

HODGSON, Derik. "Commons Language Team Nabs Carvings - History hits junk pile", **Toronto Sun**, April 24, 1983. p. 36. /Querelle entourant des inscriptions unilingues sculptées dans le bois/

__________ "Erik had last word... in English", **Toronto Sun**, April 29, 1983. p. 3. /Projet de rendre bilingues des inscriptions unilingues sculptées dans le bois/

"Hommage des traducteurs à M. Emile-A. Boivin", **Le Droit**, 10 octobre 1962. p. 6 + photo. /M. Boivin reçoit la médaille du long service (sic) dans la Fonction publique : 50 ans./

"Hon. Mr. Cahan Tells of Delay On Blue Books", **The Citizen**, April 26, 1934. p. 1. /La création d'un BdT fera réaliser des économies de l'ordre de 80 000 $ en révision et correction de traductions défectueuses/

HORGUELIN, Paul A. "Linguicides et 'traducides'", **Le Devoir**, 21 décembre 1971. /Réponse à l'article du 11 décembre de Jean Éthier-Blais/

__________ "Comment échapper aux périls de la traduction?", **Le Devoir**, 10 février 1983. p. 18. /Extraits d'une communication présentée au colloque Traduction et Qualité de langue/

HOTTE, Michel. "Traduction et bilinguisme : le français au travail", **Le Droit**, 10 juin 1967. p. 3.

__________ "Les traducteurs réclament un statut juridique et le rang de professionnel", **Le Droit**, 28 juin 1967. p. 5.

HOULD, René. "Une restructuration au Bureau des traductions", **Le Droit**, 23 novembre 1965. p. 1;3. /Reclassification des traducteurs et hausses salariales afin de faciliter le recrutement/

HOWARD, Frank. "Bureaucrats", **The Citizen**, February 7, 1983. p. 4. /Création de la Fondation Philippe Le Quellec/

_________ "Bureaucrats", **The Citizen**, March 14, 1983. p. 4. /Biographie de Heidi Bennett, ancienne traductrice/

_________ "Bureaucrats -- Comings and Goings", **The Citizen**, August 29, 1983. p. 4. /Alain Landry nommé Sous-secrétaire d'État adjoint (Langues officielles et Traduction)/

_________ "Bureaucrats", **The Citizen**, June 14, 1984. p. 3. /Les interprètes du Secrétariat d'État ne sont pas autorisés à travailler au congrès de direction du parti Libéral./

_________ "Bureaucrats", **The Citizen**, June 25, 1984. p. 4. /Les interprètes du Secrétariat d'État ne sont pas autorisés à travailler au congrès de direction du parti Libéral./

_________ "How bilingual?", **The Globe and Mail**, May 28, 1984. p. 1;2. /Un juge du Manitoba demande les services d'un interprète pour présider./

HUDON, Camille. "Communiquer en français", **Le Droit**, 11 décembre 1969. p. 6. /Traduction des documents fédéraux/

"Huit traducteurs presque prêts pour l'interprétation simultanée", **Le Droit**, 9 août 1958. p. 5. /Importance de l'interprétation simultanée pour la Chambre des communes/

"Hull - Capitale de la traduction pendant 3 jours", **Le Droit**, 13 janvier 1983. p. 12. /Colloque "Traduction et qualité de langue"/

HUOT, Maurice. "Un parfait bilingue", **Le Droit**, 10 avril 1964. p. 6. /Erreurs de traduction/

"Il n'y aura pas de renvois, dit M. Cahan. Le secrétaire d'État explique sa thèse de centralisation", **Le Droit**, 10 février 1934. p. 1;11. /Arguments en faveur/

"Il y aura traduction simultanée aujourd'hui devant la commission d'enquête sur le bilinguisme", **L'Évangéline**, 12 mai 1964. p. 1. /À Moncton/

"Importante assemblée de l'Ass. tech. (sic)", **Le Droit**, 28 octobre 1927. p. 16. /Requête présentée au Conseil des Ministres afin d'accorder une subvention annuelle à l'Association technologique de langue française d'Ottawa/

"Imposantes obsèques de M. L. d'Ornano", **Le Droit**, 6 mai 1932. P. 14. /Cofondateur de l'ATLFO/

"L'imprimerie française et les impressions du gouvernement", **L'Évangéline**, 13 mai 1937. p. 3. /Trop peu de fonds publics sont consacrés à la traduction des documents officiels au Nouveau-Brunswick./

"In other words, oui", **The Globe and Mail**, February 18, 1981. p. 6. /Machine à traduire/

"Interprétation simultanée pour certains procès seulement", **L'Evangéline**, 5 février 1979. p. 5. /Dans les tribunaux du Nouveau-Brunswick/

"L'Institut", **Le Droit**, 2 février 1934. p. 16. /Opposition de l'Institut canadien-français d'Ottawa au projet de centralisation des services fédéraux de traduction/

"Interpreters' Elite, Sometimes They Want to Be Editors", **The Montreal Star**, April 23, 1969. p. 17.

"It's a Two-Way Street", **The Gazette**, December 11, 1978. p. 18. /Traduction du français vers l'anglais et vice versa/

"Ittinuar hearing delayed to March", **The Citizen**, December 6, 1984. p. A14. /Traduction inuktitut-anglais/

"Ittinuar missed trip, judge told", **The Citizen**, December 4, 1984. p. A4.

"Ittinuar's hearing waits for translator", **The Gazette**, November 7, 1984. p. B5.

J. A. F. "L'expression juste en traduction", **La Presse**, 2 février 1932. p. 6. /Compte rendu de l'ouvrage de P. Daviault/

"Jean Paré reçoit un prix de traduction du Conseil des Arts", **La Presse**, 10 mai 1974.

JENSEN, Diane. "Wycliffe seeks Bible translators", **The Citizen**, November 12, 1983. p. 46. /On cherche à recruter 3 000 traducteurs pour traduire la Bible./

"Jeudi, les députés seront saisis du texte des décrets en deux langues", **Le Devoir**, 12 avril 1983. p. 2. /Version anglaise des conventions collectives des employés de la Fonction publique québécoise/

"J.-M. Laurence préconise un collège de traducteurs", **Le Droit**, 8 avril 1967. p. 2. /... pour établir des normes de traduction et veiller à la sauvegarde du français/

JOHANSEN, Peter. "Computer Translator Being Developed", **The Citizen**, May 28, 1969. /Traduction des documents officiels d'anglais en français/

"Judge can use translator, Manitoba court decides", **Toronto Star**, March 10, 1984. p. A8.

"Jurivoc... ou comment solutionner le méli-mélo du langage juridique", **Le Droit**, 14 août 1975. p. 8. /Banque bilingue de termes juridiques/

KANOVSKY, Evelyn. "Electronic Brains Being Programmed for Translation Jobs", **The Montreal Star**, February 25, 1969.

KARON, Dan. "Freelance Translators Needed", **The Citizen**, January 16, 1968. /Traduction de textes scientifiques et techniques/

KATTAN, Naïm. "Un travail sur sa propre langue", **Le Devoir**, 22 février 1975. p. 15-16. /Fin de l'article : rôle de la traduction au Canada/

KEDDY, Barbara. "Fumbling in French? Try a pocket translator", **The Globe and Mail**, February 9, 1979.

KERPAN, Nada. "La traduction, une profession", **Le Devoir**, Cahier spécial, 24 septembre 1981. p. i;iv.

KESSEL, John. "Deaf mute's murder trial uses double translations", **The Citizen**, October 23, 1984. p. B1.

KETCHUM, W.Q. "Antonio Tremblay", **Ottawa Journal**, November 3, 1962. p. 2. /Traducteur aux Travaux publics jusqu'en 1946/

KING, John. "Translators Work When They Please as Bargaining Lags", **The Globe and Mail**, May 3, 1977. /Les traducteurs négocient pour obtenir des horaires variables./

KNICKERBOCKER, Nancy. "Translators sort out assembly talks", **Vancouver Sun**, July 29, 1983. /Travail des traducteurs et interprètes au Conseil oecuménique des Églises/

KRITZWISER, Kay. "It's a matter of adaptation, not translation", **The Globe and Mail**, January 22, 1983. p. 4. /Traduction littéraire/

LACHANCE, Lise. "Le traducteur, source de correction ou de détérioration de la langue", **Le Soleil**, 11 septembre 1967.

LACHAPELLE, Daniel. "Que vaudra cette traduction?", **Le Devoir**, 12 mai 1973. p. 4. /Projet du gouvernement fédéral pour combattre le chômage : confier à des chômeurs la traduction d'un catalogue du min. des Approvisionnements et Services/

LAMY, Claire. "La rédaction dans l'entreprise. Vision d'une praticienne", **Le Devoir**, Cahier spécial, 24 septembre 1981. p. vii.

LANDRY, Nelson. "Le français parlé en péril", **L'Évangéline**, 6 novembre 1978. p. 3. /Colloque inter-provincial des traducteurs et interprètes à Fredericton/

LANDRY, Philippe. "Le système de traduction simultanée de l'Hôtel de Ville disparaîtra", **Le Droit**, 23 mars 1974. p. 1. /Propos de Pierre Benoît, maire d'Ottawa/

LANGLAIS, Maurice. "L'espéranto, l'égalité des langues", **Soleil de Colombie**, 24 février 1984. p. 8.

LANGLOIS, Georges. "M. Léon Gérin", **L'Ordre**, 14 janvier 1935. p. 2. /Extrait d'un article de l'**Événément** concernant la retraite de Léon Gérin/

__________ "Une académie de traduction à Ottawa", **La Presse**, 27 novembre 1950, p. 1;9. /Trentenaire de l'ATLFO/

__________ "Les députés préoccupés de questions de langue", **La Presse**, 15 décembre 1951. p.1. (Reproduit dans **Le Droit**, 18 décembre 1951, p. 3) /Débat sur la traduction et le vocabulaire de la Loi des élections/

"Language changes to war dead books upset legion", **The Gazette**, April 8, 1983. p. B1. /Projet de modification de manuscrits historiques pour des raisons de bilinguisme/

"Language Students Get Pay", **The Journal**, May 15, 1969. /Étudiants inscrits au programme de maîtrise en traduction à l'Université d'Ottawa/

"La langue de la bureaucratie", **Le Droit**, 3 décembre 1951. p. 3. /Intervention du député Pouliot aux Communes/

LAPOINTE, Renaude. "Ne tuez pas le traducteur", **La Presse**, 11 mai 1968. p. 4. /Bourses du gouvernement fédéral accordées à des étudiants en traduction/

__________ "Les minutes de vérité", **La Presse**, 26 octobre 1968. p. 4. /Incompétence des traducteurs; nécessité d'y remédier/

LARIVIÈRE, Fay. "Les traducteurs font la grève des horaires variables", **Le Droit**, 3 mai 1977. p. 9.

LARUE-LANGLOIS, Jacques. "Sheila Fischman : une schizophrénie très confortable", **Le Devoir**, 24 juillet 1982. p. 11. /Traductrice littéraire/

LAUCHLIN, Ann. "French translations can't keep up with technology: Linguistics expert", **The Gazette**, September 21, 1984. p. A5. /Propos d'André Boutin, vice-président de la Division des câbles chez Northern Telecom Canada/

LAURENCE, Jean-Marie. "Mauvaise traduction de l'anglais", **Le Devoir**, 17 mars 1945. p. 1.

__________ "La traduction n'est pas du bilinguisme", **Le Devoir**,

8 avril 1965. p. 4. /L'auteur commente la suggestion faite à L. B. Pearson par Jean Lesage. Cf. l'article "Bilinguisme des lois"/

LAWRENCE, C.A. "Too much power", **The Citizen**, December 2, 1980. p. 6. /Opinion de quelques traducteurs au sujet du pouvoir de leurs dirigeants syndicaux/

LEBLANC, Gérard. "La fonction publique reste dominée par les anglophones au NB (sic)", **Le Devoir**, 25 mai 1972. p. 9. /Bureau provincial de traduction du Nouveau-Brunswick/

LEBOLT, Fred. "Quebec offering high-technology translation help", **Toronto Star**, November 3, 1983. p. E8. /L'OLF offre les services d'une banque de terminologie dans tout le Canada; coût 45 $ l'heure./

LEDOUX, Paul. "La défense de notre langue", **Le Droit**, 14 février 1952. p. 3. /Propos de l'auteur sur la traduction/

LEFEBVRE, Jacques. "Fin du débrayage national - Les traducteurs fédéraux sont de retour... avec zèle", **Le Droit**, 10 octobre 1980. p. 3. /Ils continuent à boycotter les textes spéciaux et les textes urgents./

LEFEBVRE, Robert. "Traduction des décrets québécois. Dix jours à peine ont suffi", **Le Droit**, 9 avril 1983. p. 2.

__________ "La traduction des décrets est maintenant terminée", **La Presse**, 9 avril 1983. p. A4.

LE FRANC, Paul. "Autour de la langue française : histoire d'une circulaire bilingue", **La Presse**, 31 janvier 1920. p. 33. /À qui les sociétés anglophones doivent-elles confier leurs travaux de traduction vers le français?/

__________ "La traduction", **La Presse**, 13 mars 1920. p. 10. /Considérations générales sur l'art de traduire/

__________ "Le traducteur canadien", **La Presse**, 27 mars 1920. p. 15. /Considérations générales sur l'art de traduire et l'attitude que doit adopter le traducteur canadien/

__________ (Traduction étrange, trop littérale), **La Presse**, 17 avril 1920. p. 46. /Mauvaises traductions aux Postes/

__________ "Autour de la langue française", **La Presse**, 4 septembre 1920. p. 13. /Texte officiel mal traduit/

LEGAULT, Ovila. "L'avenir s'annonce meilleur pour les traducteurs - Vinay", **Le Droit**, 25 janvier 1964. p. 2. /L'ATIO s'affilie à la STIC qui devient une fédération des associations de traducteurs du Canada, + photo./

LÉGER, Jean-Marc. "La traduction simultanée à l'Université de Montréal", **La Presse**, 5 octobre 1951. p. 31 + photo. /Nouveau cours d'interprétation/

__________ "La grande pitié de nos manuels prétendument français", **Le Devoir**, 11 décembre 1961. p. 4. /Manuels mal rédigés et pourtant approuvés par le Conseil de l'Instruction publique/

__________ "To translate into French Canadian", **Le Devoir**, 21 mai 1966. p. 4. /L'auteur s'insurge contre une offre d'emploi parue dans le **New York Times**; on demande un traducteur québécois "to translate into French Canadian"./

__________ "La traduction au Québec est trop souvent signe et facteur de dégradation de la langue", **Le Devoir**, 30 octobre 1968. p. 4. /L'abus de traductions calquées sur l'anglais appauvrit le français./

LÉGER, Normand. "A Moncton : Le bureau de traduction pourrait fermer", **L'Évangéline**, 30 mars 1976. p. 7. /Manque de travail/

__________ "Le bureau provincial de traduction manque de personnel", **L'Évangéline**, 13 avril 1976. p. 12. /Le bureau provincial du Nouveau-Brunswick à Fredericton/

LEMELIN, Claude. "Le Bureau des traductions est totalement débordé", **Le Devoir**, 23 octobre 1972. p. 5. /Conséquence de l'application de la Loi sur les langues officielles/

"Lenteur dans l'obtention de la version française de certains rapports", **Le Droit**, 6 août 1964. p. 5. /... émanant du gouvernement fédéral/

LESELEUC, Jean-Louis de. "L'ATIO mérite d'être reconnue par Queen's Park", **Le Droit**, 21 mai 1974. p. 6.

LESSARD, Henri. "Du français qui fait sursauter", **Le Droit**, 27 juin 1949. p. 3. /Les traductions du ministère des Postes/

"Lettre aux abonnés", **La Minerve**, 17 novembre 1828. /Le rédacteur se plaint que les journalistes, faute de ressources, sont forcés de traduire des articles de la presse anglaise au lieu de commenter l'actualité./

"Lettre des Éditeurs", **La Minerve**, 6 mars 1829. /Difficultés de publier un journal en français dans la province du Bas-Canada/

"Lévesque demande un système de traduction simultanée pour l'Assemblée législative", **L'Évangéline**, 24 février 1965. p. 3. /Laurier Lévesque, député de Madawaska. Fredericton/

"Lexique bilingue de la radio", **Le Droit**, 22 février 1941. p. 10. /M. J.-Lucien Hudon, traducteur au Bureau des brevets d'invention, vient de publier un lexique bilingue de la radio, de l'électricité et de la télévision./

L'HEUREUX, Eugène. "Injustice et provocation", **L'Action catholique**, mars 1934. /Condamnation du projet Cahan/

L'HEUREUX, Camille. "Le Bureau des traductions", **Le Droit**, 6 décembre 1951. p. 3. /Éloge des traducteurs du BdT/

__________ "Ce sont des impérialistes", **Le Droit**, 17 décembre 1951. p. 3. /... les Conservateurs qui veulent garder le mot Dominion dans la loi des élections/

__________ "Routine ou correction française?", **Le Droit**, 18 décembre 1951. p. 3. /L'affaire du député Pouliot qui accuse les traducteurs d'incompétence/

__________ "Création d'un centre de lexicologie", **Le Droit**, 27 octobre 1952. p. 3. /Jacques Gouin propose la création d'un tel centre lors d'une causerie prononcée devant les membres de l'ATLFO/

__________ "Pourquoi en est-il ainsi?", **Le Droit**, 20 août 1958. p. 2. /L'unilinguisme de la majorité des députés anglophones rend nécessaire l'adoption d'un système d'interprétation simultanée./

LISÉE, Jean-François. "Terminologie technique. Les Français ont désormais accès à l'expertise canadienne", **Le Droit**, 27 janvier 1982. p. 43. /Inauguration au Centre culturel canadien à Paris du premier terminal européen de la Banque de terminologie du Secrétariat d'État du Canada/

LIST, Wilfred. "Unilingual Francophones overturn OLRB", **The Globe and Mail**, December 13, 1980. p. 4. /Un groupe de citoyens francophones employés dans une épicerie accusent un interprète d'incompétence lors d'audiences de la Commission des relations de travail de l'Ontario/

"Les livres", **Le Devoir**, 20 mai 1933. p. 2. /Critique du livre de Pierre Daviault, **Questions de langage**/

"Les livres Avon se lancent dans l'édition de poche française", **La Presse**, 16 février 1983. p. G1. /Important volume de traduction/

"Loi réparatrice présentée jeudi?", **Le Soleil**, 12 avril 1983. p. A5. /Traduction anglaise des conventions collectives des fonctionnaires québécois/

"Des lois provinciales bilingues en 1973", **L'Évangéline**, 17 janvier 1972. p.1. /Huit traducteurs travaillent à rendre bilingues les lois du Nouveau-Brunswick./

"Lost for Words", **The Citizen**, September 17, 1964. /Conditions de travail des traducteurs fédéraux/

"Lost in translation", **Winnipeg Free Press**, December 20, 1984. /Bureau des traductions/

LYNCH, Charles. "Tower of Babel sans translation?", **The Gazette**, August 27, 1980. p. 55. /Considérations générales sur la place et l'importance du bilinguisme et de la traduction au Canada/

__________ "Bafflegab at 25 cents a word", **The Citizen**, November 16, 1982. p. 13. /Coût de la traduction au BdT/

__________ "Let the vets rest in peace", **The Citizen**, April 13, 1983. p. 3. /Point de vue concernant la modification de documents historiques/

MACDONALD, Vivian. "Translators Help make History", **The Citizen**, December 23, 1964. /Deux interprètes expliquent quelques aspects de leur métier./

"Une machine à traduire", **Le Droit**, 15 novembre 1978. p. 55. /...branchée sur ordinateur, mise au point par la société californienne Weidner Communications Systems/

"La machine à traduire est mise au point à l'Université de Montréal", **La Presse**, 15 mars 1969. p. 81.

"Une machine traduit simultanément les langues étrangères" **La Presse**, 21 novembre 1978. p. 32. /Présentation de la machine à traduire mise au point par la Weidner Communications Systems/

MACLEAN, John P. "Manitoba law translation could prove costly", **The Financial Post**, June 30, 1984. p. 23.

"Maillet, directeur du Bureau de traduction", **L'Évangéline**, 8 octobre 1981. p. 7. /À Fredericton. Biographie/

MANDEFIELD, Harold. "La science et le métier de la traduction", **Le Devoir**, 3 novembre 1947. p. 9. /Causerie prononcée devant les membres de l'Association des diplômés de l'Institut de traduction de l'U. de Montréal/

"Manitoba could require 31 years to translate laws", **The Gazette**, April 9, 1984. p. A9.

"Manitoba didn't spurn offer to help translate laws, minister says", **The Gazette**, June 14, 1984. p. A11.

"Manitoba : 10 000 pages à traduire", **L'Évangéline**, 7 janvier 1980. p. 8. /Traduction des lois. Suite au jugement du 13 décembre de la Cour suprême/

"Manitoba government moves a step closer to bilingualism", **The Gazette**, February 8, 1983. p. D14.

"Manitoba - Legislation sought to avoid French translation", **The Citizen**, July 10, 1982. p. 76.

"Le Manitoba ne mérite pas de délai pour traduire ses lois en français", **La Presse**, 13 juin 1984. p. A4.

"Manitoba PCs hit cost of French", **The Gazette**, May 31, 1983. p. B12. /Coût de la traduction française des lois et règlements au Manitoba/

"The Manitoba test", **The Globe and Mail**, October 26, 1983. p. 6. /Coût de la traduction des lois/

MARCHAND, Pierre. "Un pays traduisant", **Le Devoir**, 4 novembre 1978. p. 20. /Nombre de traducteurs au Canada/

__________ "Les mues de la STQ", **Le Devoir**, 2 décembre 1978. p. 22. /Augmentation de l'effectif depuis quatre ans/

__________ "Fin de l'ère du soupçon?", **Le Devoir**, Cahier spécial, 24 septembre 1981. p. i;x. /La traduction au Québec a-t-elle encore mauvaise presse?/

MARICA, Ina. "Le rôle de l'interprète de conférences", **Le Devoir**, Cahier spécial, 24 septembre 1981. p. ix.

"Markland Smith devient chef du bureau de traduction de Montréal", **Le Droit**, 3 mars 1964. p. 2.

MARLEAU, Bob. "Three top PS charged with breach of trust", **The Citizen**, April 9, 1983. p. 1. /Traducteurs fédéraux accusés de conflit d'intérêts et d'abus de confiance/

__________ "Buckingham weekly wins translation fight", **The Citizen**, May 9, 1983. p. 14. /Un journal anglophone obtient que la municipalité de Buckingham (Québec) publie ses avis publics en traduction anglaise et pas seulement dans les journaux français./

MARSOLAIS, Pierre (pseudonyme de Lionel Beaudoin). "Que s'est-il passé à la citoyenneté?", **Le Devoir**, 13 juin 1960. p. 4. /Lettre attaquant les traducteurs du ministère de la Citoyenneté et de l'Immigration/

MARTEL, Jacques. "Un français de dernière minute", **Le Droit**, 20 novembre 1971. p. 1. /Traductions hâtives et bâclées/

__________ "Rapport Croll : était-on trop pressé pour le traduire?", **Le Droit**, 20 novembre 1971. p. 3. /Rapport traduit à la hâte par des gens qui n'étaient pas traducteurs/

__________ "Première au pays : évangiles mis en français", **Le Soleil**, 7 avril 1982. p. E12. /Traduits en français moderne, courant et simple/

MARTEL, Réginald. "Si traduire n'était pas une obligation, mais un choix...", **La Presse**, 25 octobre 1968, p. 26. /Compte rendu d'un colloque sur la traduction organisé par l'Office de la langue française/

__________ "Enfin la Bible vint", **La Presse**, 31 mai 1975. p. C3. /Ouvrage d'Irène de Buisseret, **Deux langues, six idiomes**/

__________ "Nouvelle profession libérale : la traduction", **La Presse**, 28 octobre 1968. p. 23. /Colloque OLF sur la traduction. Reconnaissance de la profession/

MARTINEAU, Jean. "Le style de nos lois", **Le Devoir**, 28 décembre 1951. p. 4. /Épuration de la Loi des élections/

MARTIN, Jean-Claude. "La traduction des documents officiels", **L'Ordre**, 12 janvier 1935. p. 1. /Critique d'une mauvaise traduction de l'Office fédéral de la statistique/

MASER, Peter. "War-dead books won't be altered before Legion consulted", **The Citizen**, April 12, 1983. p. 3.

McAULEY, Lynn. "Plan to make war-dead books bilingual up in air", **The Citizen**, April 9, 1983. p. 3. /Projet de modification de manuscrits historiques pour des raisons de bilinguisme/

McCALL, Storrs. "Only translators will get rich - Common sense should prevail in technical language use", **The Gazette**, January 24. 1983. p. B3. /Médecin poursuivi par la Commission de surveillance de l'OLF pour avoir publié un texte médical en anglais/

McDOWELL, Stanley. "Translator puts bilingual face on still largely English service", **The Globe and Mail**, March 24, 1972. p. 46. /Situation du Bureau fédéral des traductions; effectif : 750 personnes; 135 millions de mots traduits annuellement/

McKENZIE, Robert. "Translation Bureau gets in stride", **The Gazette**, February 1964. /Création de la section de Montréal du BdT/

"M.C. Michaud est réélu président de l'Association technologique", **Le Droit**, 26 janvier 1945. p. 14. /25e anniversaire de la fondation/

McNEILL, Murray. "Lyon condemns language proposal", **Winnipeg Free Press**, May 21, 1983. p. 1;4. /Traduction des lois du Manitoba/

"M. Robichaud, directeur fédéral de la traduction", **Le Droit**, 1er octobre 1934. p. 1;12. /Nouveau directeur nommé par la Commission du service civil du Canada. Notice biographique/

"Mediation called off in translators' strike", **The Gazette**, November 11, 1980. p. 7.

"M. É. Fauteux, traducteur, décédé", **Le Droit**, 29 mars 1941. p. 1;4. /Traducteur en chef adjoint de la Chambre des communes. Courte biographie/

"Mémoire des traducteurs à la Commission du service civil", **Le Droit**, 2 février 1961. p. 15. /Préconise une révision des classes de traducteurs et une restructuration du BdT./

"Mémoire sur le projet de loi relatif à la traduction", **Le Soleil**, 5 février 1934. p. 4. /Dépôt en chambre du projet de loi prévoyant la centralisation des services de traduction/

"Mémoire sur le projet de loi relatif à la traduction", **Le Droit**, 7 février 1934. p. 3. /Mémoire présenté à la presse par les services fédéraux de traduction. Opposition des traducteurs au projet de centralisation/

"Menace de grève des traducteurs", **Le Devoir**, 23 août 1980. p. 3. /La conférence fédérale-provinciale sur la constitution pourrait être perturbée par la grève des traducteurs./

"M. Henry Grignon, traducteur en chef au ministère de la Défense, prend sa retraite", **Le Droit**, 30 septembre 1938. p. 15. /Biographie de H. Grignon, oncle de l'écrivain Claude-Henry Grignon/

MICHENER, Wendy. "After 100 years. The Bilingual Food-package, or Translation Is Not Dialogue", **Saturday Night**, July 1967. p. 27;28. /Humour : le bilinguisme officiel au Canada/

"(Mille cent vingt) 1,120 candidats aux examens du service civil", **Le Droit**, 20 avril 1936. p. 12. /Renseignements sur les candidats aux postes de traducteurs/

"Un million de pages à traduire", **Le Devoir**, 25 novembre 1975. p. 6. /Au ministère de la Défense/

MILOT, Guy. "La traduction", **La Presse**, 5 octobre 1977. p. E3. /Qualités du bon traducteur. Formation. Débouchés/

"Mise en commun des résultats de recherches en matière de langue", **Le Devoir**, 30 août 1965. p. 7. /Compte rendu du colloque de Stanley House/

"Mistrial pour une traductrice", **La Presse**, 3 mai 1984. p. D10. /Conflit d'intérêts au Bureau fédéral des traductions/

"M. J.-F. Pouliot est opposé au Bureau de traduction central", **Le Droit**, 28 janvier 1936. p. 1. /Dépôt d'un projet de loi pour supprimer le Bureau des traductions/

"M. J.M. Lavoie à l'Ass. tech. (sic)", **Le Droit**, 13 octobre 1923. p. 16. /L'ATLFO/

"M. Léon Gérin en faveur du système actuel", **Le Droit**, 21 mars 1934. p. 1;5. /Première séance du comité parlementaire étudiant le bill n° 4/

"MLAS to get translation in Manitoba", **The Globe and Mail**, October 28, 1982. p. 10. /Interprétation simultanée à l'Assemblée législative du Manitoba/

"MM. Cannon et J.-F. Pouliot s'en prennent à un éditorial du Devoir", **Le Devoir**, 20 décembre 1951. p. 5. /Épuration de la Loi des élections/

"Le monde de la traduction", **L'Evangéline**, 1er février 1979. p. 3. (Cahier "Il était une fois... un salon du livre à Shippagan") /Présentation d'oeuvres littéraires en versions originales et traduites/

"More translators charged in contracts case", **The Citizen**, July 27, 1983. p. 26.

MORIN, Daniel. "La fonction publique resserre ses conditions pour l'embauche des traducteurs", **Le Droit**, 13 août 1977. p. 3. /...en limitant le nombre de boursiers universitaires/

__________ "Terminologie et Common Law. L'absence d'uniformité cause des problèmes.", **Le Droit**, 23 novembre 1983. p. 26. /Uniformisation de la terminologie française à l'Université d'Ottawa/

MORIN, Dollard. "La Société des traducteurs", **Le petit journal**, 8 octobre 1944.

MORIN, Gérard. "L'interprétation simultanée. L'égalité des deux langues en Chambre", **Le Droit**, 11 août 1958. p. 1.

__________ "L'interprétation simultanée. C'est une faveur accordée à nos députés de langue anglaise", **Le Droit**, 12 août 1958. p. 1. /Utilité douteuse, selon l'auteur, du système d'interprétation parlementaire/

__________ "Projet le plus important depuis la Confédération", **Le Droit**, 12 août 1958. p. 1. /Unité nationale et bilinguisme constitutionnel. Points de vue de députés sur le sujet/

__________ "Les interprètes seront prêts pour la prochaine session", **Le Droit**, 16 septembre 1958. p. 13. /Noms des huit interprètes. Description de leurs tâches et de leur méthode de travail/

__________ "Rôle majeur des traducteurs au Parlement fédéral", **Le Droit**, 8 novembre 1958. p. 45. /Rôle historique des traducteurs depuis la Conquête en ce qui concerne la sauvegarde de la langue française au Canada/

__________ "L'interprétation simultanée fonctionne généralement bien", **Le Droit**, 29 janvier 1959. p. 19.

MORISSET, Maurice. "Le doyen des journalistes nous parle", **Le Droit**, 8 novembre 1958. p. 19;31. /Autobiographie de l'auteur. Éloge de L.-P. Gagnon, traducteur/

__________ "(Cent six mille) 106,000 $ par année pour la traduction", **Le Devoir**, 30 juin 1978. p. 8. /Coût de la francisation d'une entreprise/

__________ "Le bilinguisme fédéral. Une "industrie" qui a coûté $ 3 milliards", **Le Devoir**, 15 janvier 1981. p. 1;8.

"Mort subite mardi de M. L. D'Ornano", **Le Droit**, 4 mai 1932. p. 1. /Notice nécrologique de l'un des trois fondateurs de l'ATLFO. + photo p. 10/

"Most translators don't meet standards", **The Citizen**, December 12, 1984. p. A10. /Rapport du Vérificateur général/

"Un mot omis du texte français", **Le Soleil**, 12 juin 1967. p. 1;2. /L'omission du mot "souvent" dans la traduction d'un discours du ministre Jean Chrétien soulève un tollé dans les éditoriaux québécois./

"Les mots polluent", **Le Devoir**, 3 mai 1972. p. 13. /La banque de terminologie de l'Université de Montréal/

"M. Paul Ouimet, traducteur en chef aux lois", **Le Droit**, 31 mars 1937. p. 1;4. /Nomination officielle annoncée par le BdT/

"M. Pouliot veut que les traductions soient initialées", **Le Droit**, 29 janvier 1935. p. 5. /Critique des erreurs dans les versions anglaise et française du feuilleton/

"MPs Told of Trouble In Meeting Demands for Interpreters", **The Globe and Mail**, November 1, 1968.

"M. Robert Rumilly nommé traducteur", **L'Évangéline**, 27 février 1936. p. 1. /À la Chambre des communes/

"M. Rufin Arsenault", **L'Évangéline**, 26 juin 1960. p. 4. /Biographie de cet Acadien, traducteur à Ottawa de 1927 à 1930/

"M. Robichaud assermenté comme chef", **Le Droit**, 2 octobre 1934. p. 1. /Fera ses recommandations à Cahan le 15 octobre./

"M. Robichaud chez M. Cahan", **Le Droit**, 15 octobre 1934. p. 16. /Le directeur du nouveau service fédéral de traduction soumettra son projet./

"M. Robichaud est fêté hier", **Le Droit**, 18 octobre 1934. p. 9. /Le conseil de la Fédération du service civil lui rend hommage/

"M. Robichaud se retire de la Commission", **Le Droit**, 25 octobre 1934. p. 2. /... après quatre ans comme représentant du quartier Rideau/

"Name New Translation Bureau Chief", **The Journal**, November 9, 1964. /Henriot Mayer, chef du Bureau des traductions/

"National Bureau of Translation Urged By M. L. A.", **The Journal**, February 16, 1965. /Nécessité de créer un bureau national de traductions/

"Les négociations devraient reprendre", **Le Droit**, 10 octobre 1980. p. 3. /Les augmentations salariales et les congés de maternité demeurent les principaux points en litige./

"Le N.-Brunswick (sic) deviendra la 2ème province à posséder son bureau de traduction", **L'Évangéline**, 10 juillet 1967. p. 1.

"Negotiator ill translators walk off jobs", **The Gazette**, October 9, 1980. p. 8.

"News releases badly translated", **The Citizen**, May 12, 1983. p. 14. /Communiqués du gouvernement/

NICOL, James Y. "Now -- Instant Translation. MP's Can Crash Language Barrier With Flick of Button", **The Star Weekly**, March 14, 1959. p. 6;8,9 + 9 photos.

NILSKI, Thérèse. "La traduction simultanée au congrès libéral", **Le Devoir**, 13 avril 1968. p. 4. /Les interprètes ont rendu d'énormes services, même si certains délégués unilingues ont préféré ignorer l'interprétation simultanée./

"(Nineteen and a half) 19 1/2 Per Cent Raise for Translators", **The Journal**, May 30, 1969. /Traducteurs du Secrétariat d'État/

"Le nombre des traducteurs est insuffisant", **Le Droit**, 26 avril 1934. p. 7. /Fait qui ressort des témoignages du Comité parlementaire/

"No negotiations in sight in walkout by translators", **The Gazette**, October 24, 1980. p. 9.

NOËL, André. "Les dangers de la traduction sauvage", **La Presse**, 7 juin 1984. p. A15.

"Non-publication dans l'affaire des traducteurs", **Journal de Montréal**, 18 septembre 1983. p. 27. /Traducteur du gouvernement fédéral accusé d'abus de confiance et de conflit d'intérêts/

NORMAND, Marc. "Excellente publicité en français", **La Patrie**, 16 octobre 1949. p. 66. /Félicitations adressées au surintendant A.-H. Beaubien pour une excellente traduction émanant de son service/

"Notes de traduction, 3e série, par Pierre Daviault", **Le Droit**, 26 mai 1941. p. 3. /Compte rendu/

"Notice historique", **Le Devoir**, Cahier spécial, 24 septembre 1981. p. vi. /Grandes dates de l'évolution de la terminologie/

"Les nôtres à Ottawa", **L'Évangéline**, 13 mai 1914. p. 1. /Domitien T. Robichaud nommé traducteur au ministère des Travaux publics à Ottawa/

"Nous voulons plus d'impression en français", **L'Évangéline**, 9 avril 1925. p. 1;5. /Trop peu de traductions officielles en français. Statistiques. État des services fédéraux de traduction/

"Le Nouveau-Brunswick expérimentera un système de traduction simultanée", **L'Évangéline**, 26 septembre 1969. p. 1. /Dans les tribunaux/

"Un nouveau diplôme à l'Université de Montréal : la licence en traduction", **Le Devoir**, 7 mars 1968.

"Nouvelles nominations dans le secteur académique", **L'Évangéline**, 13 septembre 1974. p. 22. /Roland Viger, directeur du Département de Langues et Traduction, à l'Université de Moncton. Photo. Biographie/

O'BRIEN, David. "Statute translation may take 30 years", **Winnipeg Free Press**, April 7, 1984.

"O. Chaput élu président de la Techno. (sic)", **Le Droit**, 20 janvier 1931. p. 1. /ATLFO/

O'DONNELL, Joe. "Translators sub-par, Dye says", **Toronto Star**, December 12, 1984. p. A14. /Rapport du Vérificateur général/

"Des oeuvres en quête de traducteurs", **Le Devoir**, 29 juillet 1974. p. 10. /Traduction littéraire. Colloque tenu à Stanley House sous les auspices du Conseil des arts du Canada/

"L'Office de linguistique", **Le Soleil**, 26 février 1938. p. 4. /La Société des Écrivains canadiens regrette d'avoir à répondre à trop de demandes de traduction./

O'HEARN, Walter. "Canadian Writing -- a Current Sampler", **The Montreal Star**, October 22, 1955. p. 22. /Propose la création d'une école de traducteurs anglophones pour traduire les auteurs québécois./

__________ "Too Deep For Tears or Mirth", **The Montreal Star**, Entertainments section, March 10, 1962. p. 3. /Note la rareté des traductions anglaises d'ouvrages québécois/

"On a compris le français", **Le Droit**, 11 décembre 1982. p. 2. /Après 23 ans d'attente, un député de l'Assemblée législative du Manitoba prend la parole en français et est compris par tous les autres députés grâce au nouveau système d'interprétation simultanée/

"On demande des traducteurs", **Le Droit**, 10 janvier 1945. p. 6. /Recrutement au Secrétariat d'État/

O'NEILL, Juliet. "Full-scale walkout staged by translators", **The Gazette**, October 21, 1980. p. 12. /Traducteurs du Secrétariat d'État/

"On l'a bien surnommé : encyclopédie ambulante", **L'Évangéline**, 19 mai 1961. p. 4. /Éloge de Raymond Robichaud/

"On légifère sur la traduction", **Le Soleil**, 30 mai 1934. p. 4. /La centralisation du service de traduction du gouvernement fédéral/

"On pourra bientôt diriger un procès en français au Nouveau-Brunswick", **L'Évangéline**, 20 avril 1967. p. 1. /Création d'un service de traduction juridique au sein du ministère de la Justice du Nouveau-Brunswick/

"On recherche des traducteurs au bureau régional de traduction à Moncton", **L'Évangéline**, 13 février 1974. p. 9.

"On se penche sur le sort des interprètes", **Le Droit**, 1er novembre 1965.

"Ontario. Translation service for MLAS blasted.", **The Citizen**, April 28, 1982. p. 11.

"On traduit **Le Droit** dans les classes du village de Russell", **Le Droit**, 30 décembre 1938. p. 12. /Pour apprendre le français/

"Ont réussi au concours pour les traducteurs", **Le Droit**, 14 février 1925. p. 12. /Examen du gouvernement fédéral; litige parce que le concours n'a pas été annoncé dans les journaux/

"On utilisera un système de traduction simultanée", **L'Évangéline**, 23 avril 1965. p. 3. /Lors d'une assemblée des professeurs du Nouveau-Brunswick/

"On va bientôt s'entendre mieux aux Communes", **Le Canada**, 13 août 1952. p. 4. /L'auteur propose d'installer un service de traduction simultanée./

"On va les écoeurer", **La Presse**, 9 septembre 1980. p. A5. /Propos que René Lévesque adressait à l'endroit du gouvernement fédéral lors de la grève des traducteurs fédéraux/

"Ordinateur portatif", **La Presse**, 12 juin 1979. p. B2. /Traductrice électronique de poche/

"Ordinateur traducteur", **Le Soleil**, 23 avril 1983. p. B5.

"Organisation des services de traduction", **Le Droit**, 6 juillet 1934. p. 10. /On a envisagé de regrouper les traducteurs dans les locaux de l'Imprimerie nationale./

"Original System of Translation", **The Journal**, February 9, 1965. /Le Conseil canadien d'horticulture invente un nouveau type d'interprétation./

"Ottawa contribue à la traduction des lois manitobaines", **Le Devoir**, 21 mai 1983. p. 16.

"Ottawa refuse à un fonctionnaire de participer à la Biennale de la langue française", **La Presse**, 26 août 1967. p. 16. /Lutte d'influence entre Ottawa et Québec/

"Ottawa's costs for translation: 23 cents a word", **Toronto Star**, May 27, 1983. p. A3. /Au Bureau fédéral des traductions/

"Ottawa translators return to work", **The Globe and Mail**, September 23, 1980. p. 8.

"Ottawa man who used interpreter gets new trial", **The Citizen**, June 23, 1983. p. 26.

"Oui, l'ordinateur traduit; première mondiale à l'UdM", **Le Devoir**, 29 mars 1979. p. 8. /L'Université de Montréal/

OUIMET, Michel. "C'est un coup bas", **Le Droit**, 7 novembre 1980.

p. 5. /Le Conseil du Trésor n'a pas accepté toutes les recommandations du médiateur. Réaction des traducteurs/

__________ "Le Conseil du Trésor accepte les recommendations (sic) du médiateur", **Le Droit**, 7 novembre 1980. p. 5. /... en vue d'un règlement avec les traducteurs et interprètes en grève/

"Ouverture, ce soir, des cours de la Société des traducteurs", **Le Droit**, 15 octobre 1941. p. 20. /Buts et description des cours de traduction donnés par la STM/

"Ouverture d'un bureau de traduction du N.-B. bientôt à Moncton", **L'Évangéline**, 22 mai 1974. p. 3.

"Le P. Pacifique publie sa grammaire micmaque", **L'Évangéline**, 28 avril 1938. p. 2. /Renseignements sur la traduction et les études linguistiques de langue micmaque depuis les débuts de la colonie/

"Pact talks set today in strike by translators", **The Gazette**, October 10, 1980. p. 9.

"Palsy victim testifies through symbols", **The Globe and Mail**, November 20, 1982. p. 5. /Symboles Bliss utilisés pour la première fois en cour/

PAQUIN, Gilles. "200 traducteurs du fédéral seraient accusés de fraude", **La Presse**, 3 août 1983. p. A1;A2. /... pour avoir fait de la traduction à la pige/

__________ "Les traducteurs accusés de fraude : le Secrétariat d'État et le syndicat se contredisent", **La Presse**, 4 août 1983. p. A1;A2.

__________ "Abus de confiance : les deux premiers accusés plaident coupable", **La Presse**, 15 février 1984. p. A5. /Procès de traducteurs fédéraux/

PARADIS, Jobson. "M. Jobson Paradis", **Le Nationaliste**, 22 octobre 1905. p. 1. /Notice biographique du traducteur; + photo de l'auteur/

PARADIS, Oscar. "La centralisation désorganiserait les traducteurs", **Le Droit**, 25 avril 1934. p. 1;5. /Critique du projet de centralisation par le chef de la traduction des lois/

PARADIS, Paul. "Lettre d'Ottawa", **Le Soleil**, 15 décembre 1951. p. 3. /Divergence de vue entre deux députés fédéraux et les traducteurs du BdT sur la terminologie des élections/

PARÉ, Jean. "Notes en marge de la traduction", **Le Devoir**, 22 février 1975. p. 15;16. /Généralités/

PARÉ, Lorenzo. "Mécanisation profitable à l'extension du bilinguisme", **L'Action catholique**, 28 août 1959. p. 4.

PARÉ, Marcel. "Age de pierre et machine à traduire", **Le Devoir**, 11 novembre 1978. p. 22.

__________ "Terminologue, terminographe?", **Le Devoir**, 16 décembre 1978. p. 27.

__________ "Traduisez-moi ça!", **Le Devoir**, 24 mars 1979. p. 28. /Machines à traduire électroniques/

PARIZEAU, Lucien. "La traduction des polices d'assurances", **L'Ordre**, 26 juillet 1934. p. 1.

"Le Parlement décide d'éliminer le mot Dominion de la loi des élections", **Le Devoir**, 15 décembre 1951. p. 1.

"Pas de traduction, pas de Canada", **Le Droit**, 8 septembre 1980. p. 1. /Les traducteurs en grève boycottent la conférence constitutionnelle des premiers ministres./

"Paul-É. Larose nommé au Bureau des traductions", **Le Droit**, janvier 1974.

"P. Daviault a été réélu à la présidence", **Le Droit**, 17 février 1934. p. 8. /Travaux de l'ATLFO. Mémoire que l'Association présentera au secrétaire d'État/

PEARCE, Pat. "English Viewers Probably Slept", **The Montreal Star**, July 21, 1966. p. 16. /Critique de deux émissions françaises traduites en anglais/

"Pearson to Consider Dept. of Translation", **The Citizen**, March 18, 1965. /Le premier ministre du Canada envisage la création d'un ministère de la Traduction./

PELLETIER, Charles. "La traduction simultanée des débats au Parlement", **L'Action catholique**, 8 août 1955. p. 4.

PELLETIER, Georges. "Les traductions françaises", **Le Devoir**, 11 décembre 1920. p. 2. /Un ancien traducteur de l'Imprimerie nationale suggère que tous les ministères aient leurs propres traducteurs afin d'accélérer la publication des documents officiels en français./

__________ "Traduction", **Le Devoir**, 19 mars 1935. p. 1. /La traduction française des dépêches anglaises de journaux est une véritable "catastrophe"./

PELLETIER, Gérard. "Traduction traîtresse!", **La Presse**, 23 janvier 1964. p. 4. /Critique d'une mauvaise traduction publiée dans le **Star**/

"Pénurie de traducteurs", **Le Devoir**, 4 décembre 1963. p. 5. /Le secrétaire d'État demande aux députés de soumettre des noms de traducteurs à la Commission du service civil./

"Pénurie de traducteurs à Queen's Park. Wells n'était pas au courant.", **Le Droit**, 1er mai 1982. p. 12.

PÉPIN, Marcel. "Seulement onze bêtes de somme assument le service d'interprétation simultanée", **Le Droit**, 3 mai 1965. p. 1. /Interprétation à la Chambre des communes/

"Personnel du Service de Traduction de la compagnie Great-West-Life", **Saint-Boniface**, 19 juin 1959. /Historique du Service/

"Petites nouvelles", **L'Évangéline**, 10 février 1927. p. 8. /Rufin Arsenault nommé traducteur à la Chambre des communes/

"Pétition contre le bill de la centralisation - Le projet Cahan reviendra-t-il tel que conçu?", **Le Droit**, 2 février 1934. p. 1;16. /Pétition de la députation conservatrice de langue française/

"PetroCan signs may violate Constitution", **The Citizen**, May 12, 1983. p. 14. /Refus de poser des affiches bilingues dans les postes d'essence du Québec/

PÉTROWSKI, Nathalie. "La question du doublage est réglée", **Le Devoir**, 1er juin 1983. p. 14. /Accords de coproduction entre le Canada et la France/

"The phantom of the Commons strikes again", **The Globe and Mail**, April 23, 1983. p. 6. /On retire des sculptures sur bois d'un bureau du Parlement parce qu'elles sont unilingues anglaises./

PHILIZOT, Jack. "Cabinets, agences, pigistes", **Le Devoir**, Cahier spécial, 24 septembre 1981. p. v.

"Picketing translators halt CBC labor talks", **The Gazette**, September 23, 1980. p. 7. /Traducteurs fédéraux/

"Pierre Daviault nommé adjoint du col. Chaballe", **Le Droit**, 27 décembre 1941. p. 1;13. /P. Daviault devient chef adjoint du Bureau des Publications françaises de l'Armée. Courte biographie + photo/

PILON, France. "Système Weidner en montre à Ottawa", **Le Droit**, 29 juin 1979. p. 3. /Projet d'installation d'un nouveau système de traduction automatique dans les bureaux des traducteurs fédéraux/

__________ "Traducteurs accusés de fraude. Le syndicat demande une politique claire.", **Le Droit**, 4 août 1983. p. 3.

PINCINCE, Manon. "Dans le domaine culturel. La traduction est omniprésente au Québec.", **Le Droit**, 1er février 1983. p. 12.

__________ "Les Québécois francophones. Grands consommateurs de documents traduits", **Le Droit**, 1er février 1983. p. 12.

PLAICE, Mary. "Et que dire de l'anglais?", **Le Devoir**, Cahier spécial, 24 septembre 1981. p. ii. /Importance de la traduction du français vers l'anglais au Québec/

PLANTE, Ernest. "Hommage à un traducteur", **Le Droit**, 15 septembre 1972. p. 6. /Hommage au traducteur Antoine Sauvé/

PLOURDE-GAGNON, Solange. "Au lieu d'intégrer les francophones, on fait traduire!", **Le Droit**, 24 octobre 1972. p. 5. /Les ministères abusent des services de traduction./

"Plus ou moins égal", **L'Évangéline**, 25 janvier 1980. p. 6. /Traduction des lois du Manitoba/

POIRIER, Jacques. "La traduction", **La Presse**, 9 juin 1934. p. 60. /Comment faire une bonne traduction. Qualités du bon traducteur/

POIRIER, Patricia. "Certains formulaires d'impôts, selon le ministère du Revenu, trop difficiles à traduire...", **Le Droit**, 5 janvier 1983. p. 26.

__________ "Les pigistes coûtent moins cher", **Le Droit**, 27 mai 1983. p. 1. /Documents déposés par le secrétaire d'État au comité mixte du Sénat et des Communes sur les langues officielles/

__________ "Autre son de cloche", **Le Droit**, 28 mai 1983. p. 3. /Suite de l'article du 27 mai, "Les pigistes coûtent moins cher"/

__________ "Campagne de maraudage auprès des traducteurs", **Le Droit**, 18 mai 1984. p. 4. /Traducteurs fédéraux/

POISSON, Jacques. "Les traductions ineptes", **Le Devoir**, 25 avril 1957. p. 4. /Mauvaise qualité du français des manuels d'enseignement traduits de l'américain/

__________ "Nous paraissons nous complaire dans l'imitation, nous satisfaire de ce que l'on nous consente des "traductions", **Le Devoir**, 22 juin 1960. p. 18. /Appel aux Canadiens français pour qu'ils fassent valoir leurs droits de s'exprimer en français au lieu de se contenter de traductions/

__________ "Pour un français vivant et prestigieux. Le deuxième obstacle", **Le Droit**, 21 février 1963. p. 2. /Critique des traductions de la **Presse canadienne** et du mot "biculturalisme"/

__________ "A la recherche du français" (Chronique), **Le Devoir,** 12 et 26 septembre 1966; 11 octobre 1966; 30 janvier 1967; 13 et 27 février 1967; 13 et 27 mars 1967; 10 et 24 avril 1967; 25 septembre 1967; 6 novembre 1967; 10 juin 1968; 2 et 15 juillet 1968. /Fréquentes mentions de la traduction et de ses effets souvent néfastes sur la qualité de la langue écrite/

__________ "A la recherche du français" (Chronique), **Le Devoir,** 20 mai 1968. p. 4. /L'abus de traduction est néfaste pour la langue./

__________ "Traduire le Québec pour les Américains", **Le Devoir,** 19 janvier 1972. p. 4.

__________ "Traduit du québécois", **Le Devoir,** 20 novembre 1972. p. 5.

__________ "La traduction, facteur d'acculturation", **Le Jour,** 27 mai 1977. p. 24-25.

__________ "Obsédés textuels", **Le Devoir,** 11 février 1984. p. 21. /Compte rendu du roman du même nom/

POLIQUIN, Jean-Marc. "La compétence des traducteurs", **Le Devoir,** 2 mars 1960. p. 4. /L'auteur réagit vigoureusement contre les critiques lancées à l'endroit des traducteurs, qualifiés de "primaires et d'incompétents"./

__________ "Le français aux comités parlementaires", **Le Droit,** 25 mars 1960, p. 2; 26 mars 1960, p. 2. /Retards de la traduction française des délibérations des comités parlementaires. Pénurie de traducteurs. Quelques chiffres/

__________ "Le français de nos bacheliers", **Le Droit,** 29 mars 1960. p. 2. /Proportion élevée d'échecs aux examens de recrutement du Bureau fédéral des traductions/

"Poor Translations", **The Journal,** December 5, 1970. /Reconnaissance professionnelle en Ontario. Voir "Translator says 'rules' required for profession", **The Citizen,** November 23, 1970/

"Postiers et traducteurs perturbent l'enquête Morin", **Le Devoir,** 11 septembre 1980. p. 5.

"Pour attirer des traducteurs", **Le Droit,** 22 novembre 1977. /La commission consultative des universités recommande à l'ATIO d'accepter le baccalauréat spécialisé en traduction comme diplôme professionnel./

"Pour Jacques Dussault, le bilinguisme, ça paie", **Le Droit**, 19 janvier 1967. p. 16. /Cabinet de traduction à Toronto/

"Pour la première fois au N.-B., une copie officielle de nos lois révisées et traduites", **L'Évangéline**, 29 octobre 1974. p. 2. /Traduction faite sous la direction du juge J. Daigle/

"Pour renseigner", **L'Évangéline**, 21 janvier 1925, p. 1; 12 février, p. 6. /Les débuts de la traduction à Fredericton : au journal **L'Évangéline**/

"Prairie Dam in French. Language issue seen in translation demand.", **The Globe and Mail**, August 27, 1958. p. 8. /Publication en anglais seulement d'un accord entre le gouvernement fédéral et la Saskatchewan/

"Un précieux interprète", **La Presse**, 4 août 1967. p. 9. /Un ancien restaurateur chinois sert d'interprète au tribunal./

"Première mondiale à l'aide des banques de terminologie", **Le Droit**, 27 mai 1976. p. 39. /Le Québec et le Canada communiquent avec d'autres pays francophones en utilisant des banques de terminologie/

"Premier prix de traduction à Jean Paré et A. Brown", **Le Devoir**, 13 mai 1974. p. 2. /Décerné par le Conseil des Arts/

"Première mondiale pour la Canada", **L'Évangéline**, 28 mai 1976. p. 10. /Interrogation directe de Paris des banques de terminologie du Québec, d'Ottawa/

"Première (1re) traduction française des évangiles au Canada", **L'Évangéline**, 8 avril 1982, p. 18. /Oeuvre en partie du jésuite P.-É. Langevin. Traduction faite à partir du grec/

"Un premier pas vers l'adoption des langues officielles à Dalhousie", **L'Évangéline**, 17 juin 1975. p. 3. /Le conseil de ville achètera un système d'interprétation simultanée/

"Le prestigieux Médéric Lanctôt", **Le Droit**, 8 novembre 1958. p. 29. /Biographie. Fondateur de **La Presse**. Traducteur du Hansard/

"Prix de traduction", **Le Droit**, 14 mai 1981. p. 51. /Lauréats des prix de traduction du Conseil des arts pour 1980/

"Les prix de traduction du Conseil des arts", **Le Devoir**, 23 août 1980. p. 3. /Attribués à Collette Tonge et à Allan Van Meer/

"Un prix de traduction pour Aubry", **Le Droit**, 21 mai 1983. p. 23.

"Problèmes d'interprètes à la cour", **Le Devoir**, 20 décembre 1972. p. 3. /Manque d'expérience des interprètes/

"Le programme de traduction reçoit l'accréditation", **L'Évangéline**, 7 février 1973, p. 3; 8 février 1973, p. 6. /Programme de traduction de l'Université de Moncton accrédité par le Secrétariat d'État/

"Le projet de centralisation en première", **Le Droit**, 30 janvier 1934. p. 1;9. /Le projet Cahan prévoyant la création du BdT est adopté en première lecture./

"Le projet de centralisation reste encore vague. Les témoignages de M. H. Carbonneau et de M. O. Chaput", **Le Droit**, 28 mars 1934. p. 1;12.

(Projet de loi d'Etienne Parent), **Aurore des Canadas**, 9 septembre 1841. p. 1. /Ce projet de loi prévoit la traduction des lois en français/

"Promotion d'un Acadien", **L'Évangéline**, 17 mars 1927. p. 8. /Domitien Robichaud promu premier traducteur/

"Proposition qui sera soumise au ministère", **Le Droit**, 18 avril 1934. p. 10. /Clarifier le principe du projet de loi n° 4 prévoyant la création du Bureau fédéral des traductions. Garder les traducteurs dans les ministères./

PROVENCHER, Jacques. "Le colonialisme culturel que pratique le gouvernement" (Lettre au directeur du journal), **Le Droit**, 29 mars 1972. /Privilèges accordés aux étrangers que le BdT recrute massivement pour pallier la pénurie de traducteurs/

__________ "La traduction, un fief pour les étrangers?", **Le Devoir**, 4 avril 1972. p. 4. /Le BdT recrute trop de traducteurs étrangers./

__________ "Le colonialisme culturel que pratique le Gouvernement", **Le Droit**, 27 avril 1972. /Le gouvernement fédéral recrute des traducteurs étrangers francophones qu'il paie plus cher que les traducteurs canadiens./

__________ "Mainmise étrangère sur les services fédéraux de traduction", **Le Devoir**, 27 septembre 1972. p. 4. /Recrutement de traducteurs étrangers par le BdT/

__________ "Advanced green when flashing...", **Le Devoir**, 14 juin 1973. p. 4. /Critique de la traduction française de la signalisation routière/

PROVOST, Gilles. "Mini-ordinateurs à tout faire", **Le Devoir**, 10 mai 1979. p. 17. /Traductrices de poche/

__________ "La traduction informatisée. Les traducteurs de Montréal y ont recours de plus en plus", **Le Devoir**, 15 février 1983. p. 12. /Les Mormons utilisent l'ordinateur pour traduire la Bible. La machine à traduire fait aussi son entrée dans les gros cabinets de traduction./

"PSAC to shun talks without translation", **The Citizen**, April 23, 1982. p. 15. /Négociations de l'Alliance de la Fonction publique/

"PS Translators plan strike today", **Ottawa Journal**, August 26, 1980. p. 2.

"Public servants appear in court", **The Citizen**, May 6, 1983. p. 21.

"Un quart d'heure avec... l'auteur de **L'Expression juste en traduction**", **Le Devoir**, 4 mai 1937. p. 12. /Pierre Daviault/

"La qualité du travail en souffre", **Le Droit**, 31 août 1979. p. 3. /Réduction du personnel du BdT/

"Quand le courrier français va moins vite", **L'Évangéline**, 16 novembre 1979. p. 8. /Itinéraire d'une lettre qu'il fallut traduire en français en Ontario/

"Un quart d'heure avec Pierre Daviault", **Le Droit**, 7 mai 1937. p. 3. /Sa méthode de travail. Les effets des mauvaises traductions sur la qualité de la langue/

"Quatre fois plus de traducteurs", **Le Droit**, 5 septembre 1974. /Les traducteurs sont de plus en plus en demande, surtout à Ottawa./

"(Quatre mille cinq cents) 4 500 $ pour un traducteur à Ottawa serait un salaire de famine selon Caouette", **L'Évangéline**, 2 avril 1965. p. 1.

"(Quatre cent soixante-huit) 468 étudiants profiteront d'un programme fédéral", **L'Évangéline**, 20 juin 1978. p. 20. /Termilangue. Cinq équipes d'étudiants réuniront la terminologie municipale. Collaboration du BdT/

"Quatre nouveaux baccalauréats seront offerts à l'U de M dès septembre", **L'Évangéline**, 5 juillet 1972. p. 3. /Université de Moncton. Un en traduction/

"Québec et Ottawa joueront à la terminologie à Paris", **Le Devoir**, 18 mai 1976. p. 11. /Ottawa rivalise avec le Québec à un colloque international de terminologie (Paris)./

"Quel que soit le coût de la traduction, les Canadiens se doivent de l'assumer", **Le Droit**, 19 octobre 1967. p. 3.

"Questions de M. Chevrier sur les traducteurs", **Le Droit**, 21 février 1935. p. 7. /Questions inscrites au feuilleton/

QUINET, Félix. "Heur et malheur du traducteur", **Le Droit**, 13 février 1956. p. 2. /Impressions d'un nouveau traducteur à la Fonction publique fédérale. La traduction a une importance vitale pour la survie du français au Canada./

"Qu'on le veuille ou non, le traducteur est un éducateur", **Le Droit**, 7 juin 1957, p. 17. /Conférence de Marcel Paré/

"Raisons invoquées contre l'adoption de la loi Cahan", **Le Droit**, 6 mars 1934. p. 1;7. /Lettre ouverte de l'Association canadienne-française d'Education d'Ontario/

"Le rapport de M. Robichaud a été déposé", **Le Droit**, 16 janvier 1937. p. 4. /Premier rapport du surintendant du Bureau des traductions. Année financière 1935-1936/

"Rapport de M. Robichaud sur le Bureau des Traductions", **L'Évangéline**, 3 février 1938. p. 3.

"Le rapport Gendron donne raison aux publicitaires francophones", **Le Devoir**, 23 mars 1973. p. 6. /Pour éliminer la traduction en publicité/

"La rédaction des lois en français et en anglais", **L'Action**, 24 février 1966. p. 10.

"Règle touchant la Langue Statuante" (à la Chambre d'Assemblée), **La Gazette de Québec**, 31 janvier 1793. p. 3. /Les bills français seront traduits en anglais et vice versa./

"Le regroupement de renseignements est devenu essentiel", **Le Droit**, 9 août 1971. /L'ATIO organise un colloque sur la terminologie appliquée à la traduction./

"Réouverture des séances de l'Ass. tech. (sic)", **Le Droit**, 21 septembre 1923. /ATLFO/

"Reprise de l'enquête sur le bill n° 4. C.H. Bland en faveur de la centralisation", **Le Droit**, 11 avril 1934. p. 1;10. /Bland : membre de la Commission du service civil/

"Reprise des activités à la S.T.M. aujourd'hui", **Le Devoir**, 28 septembre 1963. p. 3. /Réception pour inaugurer la nouvelle saison d'activités/

"Les résultats des examens de traduction", **Le Droit**, 10 juillet 1936. p. 1. /Concours de recrutement du BdT/

"Les résultats des examens de traduction", **Le Droit**, 8 mars 1940. p. 10. /Concours de recrutement du BdT/

"Retour au travail des 1,200 traducteurs fédéraux", **Le Droit**, 13 janvier 1979. p. 5.

"Réunion annuelle des traducteurs", **Le Droit**, 4 décembre 1935. p. 12. /Compte rendu de l'assemblée annuelle du groupe des traducteurs de l'Institut professionnel/

"Réunion des traducteurs et interprètes", **L'Évangéline**, 3 juin 1977. p. 8. /Corporation des traducteurs et interprètes du Nouveau-Brunswick/

RHÉAULT, Ghislaine. "Les décrets en français seraient inconstitutionnels", **Le Soleil**, 9 février 1983. p. A3. /... parce qu'ils ne sont pas traduits en anglais/

RICE, Robert. "Système de traduction installé à la Comédie nationale", **Le Droit**, 31 mars 1959. p. 5. /Textes traduits et adaptés à l'avance. Utilisation d'écouteurs/

RICHARD, Paul-Émile. "Deux langues parlées, une langue écrite", **L'Évangéline**, 20 mai 1976. p. 6. /À l'Assemblée législative du Nouveau-Brunswick/

__________ "De la parole aux actes", **L'Évangéline**, 10 août 1978. p. 6. /Des malades psychiatriques ont recours à un interprète pour communiquer avec leur médecin./

RICHER, Léopold. "La traduction", **Le Droit**, 19 juillet 1932. p. 3. /La traduction au Parlement, moyen efficace de promouvoir le bilinguisme/

__________ "Le parlement se mettra maintenant à l'oeuvre", **Le Droit**, 12 février 1934. p. 2. /Centralisation des services fédéraux de traduction/

__________ "M. Maurice Dupré à la défense de la centralisation", **Le Droit**, 6 mars 1934. p. 1;2. /Le Procureur général répond aux critiques./

__________ "La motion Chevrier est battue à (sic) un vote de 108 à 51", **Le Droit**, 7 mars 1934. p. 1;2;3. /Motion prévoyant "le renvoi à 6 mois du bill"; résumé du débat/

__________ "Le Bill Cahan sera étudié au comité du Service civil", **Le Droit**, 9 mars 1934. p. 1;9.

__________ "Traducteurs et traduction", **Le Droit**, 12 mars 1934. p. 3. /La bataille contre le bill Cahan se poursuivra au comité parlementaire du service civil./

__________ "Chef des traducteurs", **Le Droit**, 24 juillet 1934. p. 3. /Traitement du surintendant. Le concours pour le recruter sert à masquer les nominations faites à l'avance./

__________ "Au jour le jour", **Le Droit**, 2 mai 1936. p. 3. /Sous-titre : "Un texte français". Campagne des journaux canadiens-français dans le but d'obtenir la traduction de tous les documents officiels et plus spécialement du discours du budget/

__________ "L'expression juste en traduction", **Le Droit**, 13 novembre 1936. p. 3. /Critique l'ouvrage du même nom de Pierre Daviault/

__________ "Le discours du trône ne dit pas grand chose", **Le Devoir**, 8 septembre 1939. p. 1;2. /Le discours du trône est mal traduit. L'auteur exonère le traducteur./

RICHMOND, John. "Canada Council gives prizes for leterary translations", **Montreal Star**, May 10, 1974.

RIVARD, Adjutor. "De la technique législative", **Revue du Droit**, vol. 1, 1923. Reproduit dans **Le Devoir**, 17 avril 1965, p. 5, avec commentaires d'André Dufour sous le titre "Avec des mots français, ils font des lois anglaises".

RIVEST, D. Francyne. "Nouveau programme en secrétariat de traduction", **Le Droit**, 23 février 1982. p. 4. /Au Collège Algonquin/

ROBERTS, Bud. "Sunday sound-off", **Toronto Sun**, April 24, 1983. p. 10. /Opinion sur le projet du gouvernement de modifier des documents historiques pour des raisons de bilinguisme/

ROBICHAUD, Raymond. "Une question de vocabulaire", **Le Droit**, 29 mars 1984. p. 6. /Francisation du Règlement de l'Assemblée nationale du Québec/

ROBILLARD, Denise. "L'évangile en français d'ici", **Le Devoir**, 27 mars 1982. p. 6. /L'Association catholique des études bibliques du Canada a publié une traduction commentée des quatre évangiles./

ROBILLARD, Jean-Paul. "Nous avons les spécialistes de la traduction simultanée. Dédié aux législateurs d'Ottawa", **Le Petit Journal**, 27 octobre 1957. /L'auteur répond à Otto Weissel. **Le Petit Journal**, 6 octobre 1957/

ROBILLARD, Louis. "Personne n'abuse du dictionnaire", **Le Devoir**, 23 février 1935, p. 42. /Les journalistes du **Devoir**/

ROBITAILLE, Louis-Bernard. "La traduction sauve l'édition québécoise", **La Presse**, 6 novembre 1976. p. D2. /Succès des éditeurs québécois qui vendent des traductions de livres américains/

ROESLER, Michel. "La loi 101 ne bouscule rien, mais les traducteurs ont du pain sur la planche", **La Presse**, 30 juillet 1977. p. A9.

"Le rôle du traducteur sera de plus en plus scientifique", **Le Droit**, 21 mai 1964.

ROUAH, Jacqueline. "Jérômiades", **Soleil de Colombie**, 11 novembre 1983. p. 5. /Situation de la traduction vers le français en Colombie-Britannique/

ROULEAU, C.-E. "Le bilinguisme", **Le Droit**, 14 décembre 1966. p. 7. /La prime de bilinguisme devrait être accordée aux traducteurs./

ROY, L.-P. "En un français... atroce", **L'Action catholique**, 28 novembre 1961. p. 4.

ROY, Michel. "Les ingénieurs, les médecins, les éditeurs posent le problème des manuels scientifiques", **Le Devoir**, 17 mars 1965. p. 1. /Mémoire à la Commission Laurendeau-Dunton. Propose la traduction des manuels américains et la création par le Conseil des arts d'un organisme chargé de sélectionner, traduire et diffuser une centaine de titres par an./

__________ "M. Bourgault pourrait se voir confier la traduction des mémoires de Pearson", **Le Devoir**, 19 janvier 1973. p. 2.

RUIMY, Joel. "Canned English laughter headache for French TV", **The Citizen**, December 29, 1982. /Difficulté du doublage d'émissions américaines/

"Ruling delayed in Bilodeau appeal of traffic ticket", **The Gazette**, June 14, 1984. p. A11. /Lois du Manitoba non traduites en français/

RUSK, James. "Federal expenditure details grow, documents filled only a forerunner", **The Globe and Mail**, March 1, 1982. p. 4. /Programmes du gouvernement fédéral, y compris ceux du BdT/

RYAN, Claude. "La version française du rapport Croll", **Le Devoir**, 13 novembre 1971. p. 4. /Compétence linguistique des traducteurs mise en doute/

__________ "L'égalité linguistique au Canada: réalité ou mythe?", **Le Devoir**, 18 octobre 1972. p. 4. /Le bilinguisme passe par les traducteurs./

SANTERRE, Louis-A. "Où étaient les journalistes francophones lors de la conférence de presse de M. Trudeau?", **Le Devoir**, 20 octobre 1971. p. 4. /Mauvaise interprétation simultanée/

SELLARD, Don. "All-Purpose Excuse: If It's hate, Blame It on Translation", **The Citizen**, June 8, 1972. p. 26.

"Le sénat affirme ses droits dans l'enquête du S. C.", **Le Droit**, 2 mai 1934. p. 1;9. /SC = Service civil/

SERGE, Joe. "Interpreters work for Less Pay Ottawa Says", **Toronto Star**, December 15, 1971. /Conditions de travail des interprètes du BdT en poste à Toronto/

"Le Service de traduction section langues étrangères", **Le Soleil**, 12 octobre 1971.

"Un service de traduction simultanée : A l'Assemblée législative du Nouveau-Brunswick", **Le Soleil**, 31 mars 1967. p. 1. /Adoption d'une motion à cet effet/

"Le service de traduction simultanée se compare bien avec ceux d'ailleurs", **L'Évangéline**, 20 mars 1970. p. 1. /Dans les tribunaux du Nouveau-Brunswick/

"Les services de traduction", **La Patrie**, 14 février 1924. p. 4. /L'auteur s'oppose à la centralisation des services de traduction du gouvernement fédéral./

SIMARD, Georgette. "Traduction fautive", **Le Devoir**, 5 juin 1956. p. 4. /Livres d'enfants traduits par des agrégés français ignorant tout de la flore et de la faune canadiennes/

SIMPSON, Jeffrey. "The opposing view", **The Globe and Mail**, February 29, 1984. p. 6. /Traduction française de lois manitobaines/

"Simultaneous court translation Manitoba first", **The Citizen**, March 20, 1984. p. 10.

"Simultaneous Translation Urged In House", **The Gazette**, May 23, 1956. p. 12. /Coût d'un tel système/

SINOTTE, Yvan. "Conciliation des traducteurs : 1,200 employés pourraient faire la grève", **Le Droit**, 21 août 1980. p. 3.

__________ "Délégation surprise, les traducteurs", **Le Droit**, 9 septembre 1980. p. 37. /Grève des traducteurs et interprètes fédéraux/

__________ "Les négociations se poursuivent", **Le Droit**, 17 septembre 1980. p. 8. /... entre les représentants des traducteurs, interprètes et terminologues fédéraux et les négociateurs du Conseil du Trésor/

__________ "Négociations des commis et traducteurs. Il y aurait un assouplissement.", **Le Droit**, 18 septembre 1980. p. 4.

__________ "Conflit des traducteurs : les comités se déroulent (sic) quand même", **Le Droit**, 19 septembre 1980. p. 3. /... tantôt avec des briseurs de grève, tantôt avec l'appui des cadres ou encore sans traduction du tout/

__________ "Traducteurs : manifestation devant le Conseil du Trésor", **Le Droit**, 9 octobre 1980. p. 3.

__________ "Appui à l'exécutif syndical", **Le Droit**, 21 octobre 1980. p. 1. /Grève des traducteurs et interprètes du Secrétariat d'Etat/

__________ "Le conflit sort de l'ombre : La fonction publique", **Le Droit**, 22 octobre 1980. p. 11. /Les traducteurs, interprètes et terminologues sont déterminés à poursuivre leurs revendications./

__________ "4e jour de grève", **Le Droit**, 23 octobre 1980. p. 5. /Traducteurs fédéraux/

__________ "Un règlement plus que satisfaisant", **Le Droit**, 12 novembre 1980. p. 3. /Les traducteurs, terminologues et interprètes obtiennent gain de cause après trois semaines de grève./

__________ "La fonction publique. L'épidémie de la traduction.", **Le Droit**, 1er mai 1981. p. 7. /Propos du Commissaire aux langues officielles, Max Yalden/

SLOAN, Thomas. "A Translator's Lot Is a Hazardous One", **Montreal Star**, February 7, 1967. /Difficulté des textes à traduire/

SLOTEK, Jim. "Verdict on TV Debate: Translators Won", **Toronto Sun**, August 16, 1984. p. 54. /Traduction du débat sur la condition féminine entre MM. Turner, Mulroney et Broadbent/

SNOW, Duart. "Translators elicits PS skepticism", **The Journal**, June 29, 1979. /Scepticisme au Bureau des traductions quant à la traduction automatisée/

"Soaring translation costs anger Yalden", **The Gazette**, May 27, 1983. p. D14. /Coût de la traduction officielle/

"La Société des traducteurs", **Le Devoir**, 15 juillet 1943. /Cours à l'Université McGill/

"La Société des Traducteurs de Montréal", **Le Jour**, 16 septembre 1944. p. 6. /Cours de perfectionnement donnés par la Société des traducteurs de Montréal en collaboration avec l'Université McGill/

SOISFRANC, Jean. "Traduction" (Lettre à la rédaction), **Le Devoir**, 26 décembre 1951. p. 4. /Épuration de la Loi des élections/

"(Soixante) $60 millions l'an dernier. 24 cents le mot pour traduire", **Le Droit**, 16 juin 1982. p. 9. /Coût de la traduction au gouvernement fédéral/

"(Soixante-treize) 73% des annonces présentées à la télé sont des adaptations", **Le Devoir**, 25 octobre 1975. /Annonces diffusées au Québec par Télé-Métropole et Radio-Canada/

SOUCY, E. "La pollution de la traduction", **L'Évangéline**, 14 octobre 1970. p. 4. /Mauvaises traductions publiées dans **L'Évangéline**/

SOULIÉ, Jean-Paul. "Hélène Filion, traductrice. Le plaisir de devenir l'esclave d'un écrivain", **La Presse**, 14 janvier 1984. p. C4. /Traductrice de Margaret Atwood/

SPILKA, Irène. "La formation du traducteur. Pourquoi le bilinguisme ne suffit pas", **Le Devoir**, Cahier spécial, 24 septembre 1981. p. vii-viii.

STANTON, Ginette-Julie. "J'écris ce que j'entends", **Le Devoir**, 17 novembre 1979. p. 17. /Traduction théâtrale. René Dionne/

"Le Star déplore le retard des traductions françaises à Ottawa", **Le Devoir**, 14 janvier 1963. p. 12.

STEWART, Williams. "From English to French Keeps Translators Busy", **The Canadian Scene**, March 4, 1983. p. 29-30. /Situation de la traduction au Québec. Historique/

"La STQ et ses objectifs", **Le Devoir**, Cahier spécial, 24 septembre 1981. p. x.

STRARAM, Patrick. "Le film doublé tue", **Le Jour**, vol. 1, n° 46, du 16 au 22 décembre 1977. p. 32.

STRAUSS, Marina. "Manitoba defends performance on translating laws", **The Globe and Mail**, June 13, 1984.

STRAUSS, Stephen. "Teaching computers to translate languages", **The Globe and mail**, March 18, 1983. p. 11. /Le gouvernement fédéral subventionne la recherche en traduction automatique./

"Subventions de $136 712 à l'édition", **Le Devoir**, 5 octobre 1972. p. 15. /Aide à la traduction du Conseil des Arts du Canada/

"Subventions du Secrétariat d'État à 5 associations des Maritimes", **L'Évangéline**, 26 mai 1976. p. 9. /Pour leur permettre de retenir les services de traducteurs et d'interprètes/

"Supreme Court to hear appeal on translation", **The Citizen**, April 9, 1983. p. 4. /Inconstitutionnalité de deux lois parce qu'elles ne sont pas traduites en anglais/

"Le surintendant de la centrale sera nommé dès demain", **Le Droit**, 28 septembre 1934. p. 16. /Du nouveau BdT/

SYLVESTRE, Paul-François. "Humour et style", **Le Temps**, 19 décembre 1983. p. 13. /Compte rendu des **Obsédés textuels**/

"Le système d'interprétation simultanée prêt pour janvier", **Le Droit**, 19 décembre 1958. p. 3. /Transformations apportées à la Chambre des communes. Salaires des nouveaux interprètes/

TABER, Jane. "Justin's testimony moves courtroom to tears", **The Citizen**, November 20, 1982. p. 1. /Un témoin, victime de paralysie cérébrale, réussit à se faire comprendre grâce aux symboles Bliss et au concours de deux interprètes./

"Tableaux des salaires accordés aux traducteurs", **Le Droit**, 23 novembre 1965. p. 3.

TADROS, Jean-Pierre. "Arcand a décontenancé Cannes", **Le Devoir**, 9 mai 1972. p. 10. /Film québécois en "joual" sous-titré en français/

"Talk Certainly Isn't Cheap", **The Financial Post**, June 5, 1971. /Les services de traduction coûtent de plus en plus cher; le volume de travail augmente; les traducteurs sont rares./

"Talks don't translate into agreement", **The Toronto Sun**, September 18, 1980. p. 66. /Grève des traducteurs fédéraux/

TARD, Louis-Martin. "Au rayon des horreurs d'un pays qui se veut 'bilingue' ", **Le Devoir**, 25 octobre 1968. p. 3. /Exemples de mauvaises des traductions françaises/

TARDIF, Germain. "Polyanski traduit en français seulement", **La Presse**, 16 août 1967. p. 48. /Traduction du russe au français à l'Expo 67/

TARR, Leslie K. "Translating the Bible for the Natives Studied", **The Citizen**, September 30, 1972. p. 41.

TCHILINGUIRIAN, Chaké. "Si traducteurs et terminologues...", **Courrier Sud**, 22 au 28 septembre 1974. p. 7. /Colloque de l'ATIO : La terminologie appliquée à la traduction/

__________ "Regards sur la traduction", **Courrier Sud**, 3 novembre 1975. p. 3. /La traduction au Canada : situation du traducteur/

__________ "Entrevue avec Fred Glaus. La route qu'il a tracée", **Courrier Sud**, 18 février 1976. p. 2.

__________ "Entrevue avec le Président de l'ATIO", **Courrier Sud**, 14 avril 1976. p. 12.

__________ "L'ATIO se met en campagne", **Courrier Sud**, 7 juillet 1976. p. 6. /Recrutement de membres à Toronto/

__________ "Le rendez-vous de Montréal", **L'Express**, 30 septembre 1977. p. 3;11. /VIIIe Congrès mondial de la FIT/

__________ "Le pouls de la traduction. La Banque de terminologie", **L'Express**, 25 novembre 1977. p. 3. /Du BdT/

__________ "L'ATIO à Toronto", **L'Express**, 8 septembre 1978. p. 2

__________ "Le programme du congrès de l'A.T.I.O.", **L'Express**, 22 septembre 1978. p. 2.

__________ "Des thèmes d'actualité au dernier congrès des traducteurs et interprètes", **L'Express**, 13 avril 1979. p. 6. /Congrès de l'ATIO, octobre 1978/

__________ "Le professeur Brian Harris inaugure les premiers ateliers de l'A.T.I.O.", **L'Express**, 20 avril 1979. p. 8. /Rencontre ACET; formation des traducteurs/

__________ "Message de la vice-présidente Ontario/Centre -- A.T.I.O.", **L'Express**, 9 mars 1979. p. 4;10. /Activités de l'association/

__________ "Des thèmes d'actualité au dernier congrès des traducteurs et interprètes", **L'Express**, 13 avril 1979. p. 6.

__________ "Un livre captivant de Raoul Journean sur le 'business' de la traduction", **L'Express**, 17 février 1982. p. 4.

"Des témoins seront-ils entendus?", **Le Droit**, 14 mars 1934. p. 1;10 /...au comité parlementaire chargé d'étudier l'application de la Loi du service civil/

"Terminologie du traité de Paix à l'Association technologique", **Le Droit**, 5 décembre 1923. p. 9. /Méthode de rédaction des glossaires de l'ATLFO/

TESSIER, Joséphine. "Traducteurs et interprètes", **Le Droit**, 5 janvier 1985. p. 4. /Opinion sur les services de traduction et d'interprétation du Secrétariat d'État/

TESSIER, Philippe. "Grandeurs et servitudes d'une banque de terminologie", **L'Express**, 27 avril 1979. p. 7. /Texte d'une allocution prononcée à un congrès de l'ATIO/

THERIAULT, Jacques. "Le Québécois se taillerait une place au soleil; le métier de traducteur", **Le Devoir**, 23 janvier 1975. p. 14. /Selon Michelle Tisseyre, le métier de traducteur pourrait séduire plus de Québécois./

__________ "Les traducteurs... ces étouffeurs", **Le Devoir**, 26 septembre 1975. p. 17. /Allocution de Pierre Bourgault devant quelque 200 membres de la STQ/

THÉRIAULT, Paul-Émile. "Traduire, c'est trahir un peu!", **L'Evangéline**, 30 janvier 1968. p. 1. /Mauvaise traduction de l'annuaire téléphonique de la compagnie de téléphone du Nouveau-Brunswick/

THIBAULT, Bertrand. "Le français à la Presse canadienne", **Le Droit**, 11 août 1967. p. 13. /Le service français n'a d'abord été qu'un simple service de traduction./

"This baby is sponsored by...", **The Globe and Mail**, August 29, 1980. p. 6. /Les traducteurs veulent un congé de maternité et de paternité./

"Thoughts of Translators", **The Evening News**, August 19, 1965. p. 4. /Qualité des traductions et sort des traducteurs canadiens/

"(Three) 3 civil servants charged with fraud", **Toronto Star**, April 10, 1983. p. A9.

"Time limit on translating laws is too costly: Manitoba", **The Gazette**, June 5, 1984. p. B1.

"Time to lead on French", **Toronto Star**, September 29, 1983. p. A16. /Train de mesures adopté par le gouvernement ontarien en vue assurer l'égalité de fait du français et de l'anglais même si la province n'est pas officiellement bilingue/

TISSEYRE, Michelle. "Un phénomème récent au Québec : la traduction des oeuvres littéraires", **Le Devoir**, Cahier spécial, 18 mai 1976. p. vi.

"Too Much French For Ottawa", **Montreal Star**, March 7, 1964. /Insuffisance des services de traduction vers le français/

"Toussaint Charbonneau, interprète", **Le Droit**, 13 novembre 1952. p. 28. /Compte rendu d'une conférence de Louis Charbonneau/

"Toutes les lois et ententes disponibles dans les deux langues", **La Presse**, 10 octobre 1984.

"Le traducteur", **Le Soleil**, 29 avril 1931. p. 4. /Les dix commandements du traducteur/

"Un traducteur de poche électronique", **Le Devoir**, 20 avril 1979. p. 18. /"LEXICON", dictionnaire sur ordinateur de poche/

"Un traducteur du N.-B. nommé au CTIC", **L'Évangéline**, 22 août 1978. p. 16. /Yvon St-Onge. Biographie/

"Un traducteur électronique", **Le Devoir**, 27 novembre 1978. p. 6. /Format de poche/

"Le traducteur Edmont Dulac est décédé", **L'Évangéline**, 29 décembre 1956. p. 1. /Biographie. A travaillé au **Soleil** pendant 30 ans./

"Traducteurs fédéraux en débrayage", **Le Soleil**, 26 août 1980. p. B6.

"Traducteur français", **La Minerve**, 4 janvier 1836. /Débat à l'Assemblée législative pour savoir si l'on nommera comme traducteur officiel M. Voyer (un Canadien) ou M. Gosselin (un Français)/

"Un traducteur qui ne traduit pas", **Le Soleil**, 6 février 1980. p. D1. /Traducteur électronique de poche/

"Traducteurs (Offre d'emploi), **Le Devoir**, 15 mai 1964. p. 14. /Pour remédier à la pénurie de traducteurs/

"Les traducteurs débrayent", **Le Droit**, 26 août 1980. p. 1;3.

"Les traducteurs demandent que leur profession soit reconnue", **La Réforme**, 16 novembre 1955, p. 7. /Congrès général des traducteurs à Montréal/

"Les traducteurs d'Ottawa défendent leur chasse gardée", **Journal de Montréal**, 2 juin 1983. p. 59. /Les traducteurs fédéraux contre les pigistes/

"Les traducteurs du fédéral en grève générale dès lundi", **Le Devoir**, 17 octobre 1980. p. 4. /Traducteurs du Bureau fédéral des traductions/

"Traducteurs en colère", **Le Devoir**, 27 août 1980. p. 4. /Traducteurs fédéraux en grève/

"Traducteurs en grève", **Le Droit**, 12 janvier 1979. p. 4. /Ils sont sans contrat de travail depuis mars 1978./

"Traducteurs en grève à Campbellton", **L'Évangéline**, 12 septembre 1980. p. 17. /Traducteurs du Secrétariat d'État/

"Les traducteurs en quête d'un statut professionnel", **Le Devoir**, 30 avril 1963. p. 9. /Pour la 2e fois en 8 ans, 170 traducteurs du Québec, de l'Ontario et du Manitoba se réunissent en congrès à Montréal./

"Traducteurs et interprètes fédéraux de retour au travail", **La Presse**, 10 novembre 1980. p. D12.

"Traducteurs et interprètes. La grande forme", **Soleil de colom-**

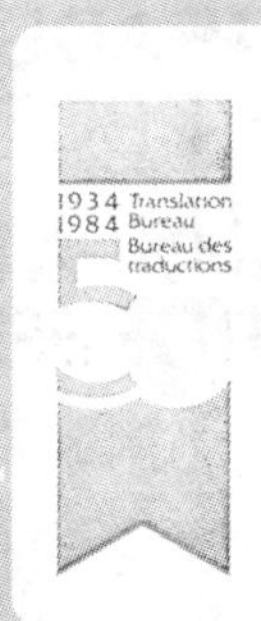

Au coeur du trialogue canadien

Bureau des traductions
1934-1984

Canada

Fig. 21 -- Historique du Bureau fédéral des traductions publié en 1984 à l'occasion du cinquantenaire de cet organisme. On reconnaît, à gauche, Étienne Parent et, dans l'angle inférieur droit, Émile Boucher et Henriot Mayer. (Photo : CRCCF, Ph 1-I-207)

LA TRADUCTION,
UNE PROFESSION

MONTRÉAL 1977

TRANSLATING,
A PROFESSION

ACTES DU VIIIe CONGRÈS
MONDIAL DE LA FÉDÉRATION
INTERNATIONALE
DES TRADUCTEURS

PROCEEDINGS OF THE EIGHTH
WORLD CONGRESS OF THE
INTERNATIONAL FEDERATION
OF TRANSLATORS

Sous la direction de/Edited by
PAUL A. HORGUELIN

Fig. 22 -- Page couverture des actes du VIIIe Congrès mondial de la Fédération internationale des traducteurs (Montréal, 1977) publiés sous la direction de Paul A. Horguelin. (Photo : CRCCF, Ph 1-I-210)

bie, 14 octobre 1983. p. 3. /Compte rendu de la seconde assemblée annuelle de la Société des traducteurs et interprètes de la Colombie-Britannique/

"Traducteurs et interprètes : manifestation ce matin. Médiation et piquetage se poursuivent", **Le Droit**, 4 novembre 1980. p. 2.

"Traducteurs et interprètes se grouperaient en société", **Le Droit**, 29 décembre 1955. /L'ATLFO songe à créer une nouvelle association professionnelle (STIC)./

"Les traducteurs et interprètes songent à une banque de terminologie commune", **Le Droit**, 9 septembre 1974. /Système de partage des données terminologiques entre l'OLF, la Banque de terminologie de l'Université de Montréal et le BdT/

"Traducteurs et publicitaires ont un grand rôle à jouer dans le bon usage du français", **Le Devoir**, 11 septembre 1967. p. 6;11.

"Traducteurs et sténographes d'Ottawa à Québec", **Le Soleil**, 30 septembre 1950. p. 15. /Photo de 18 traducteurs des Débats prise lors de la conférence constitutionnelle/

"Les traducteurs fédéraux : la nouvelle offre n'arrête pas la grève", **Le Droit**, 18 octobre 1980. p. 1.

"Traducteurs fédéraux : piquetage à Moncton", **L'Évangéline**, 10 octobre 1980. p. 4. /Demandes des syndiqués/

"Les traducteurs feront pression", **Le Devoir**, 19 mai 1977. p. 7. /Des traducteurs de 26 pays demandent l'application des recommandations de l'Unesco concernant leurs droits./

"Traducteurs : la grève peut retarder le budget", **Le Soleil**, 21 octobre 1980. p. B1.

"Traducteurs libérés sous condition", **Le Droit**, 31 mai 1984. p. 16. /Traducteurs fédéraux accusés d'abus de confiance/

"Les traducteurs ont élu un conseil d'administration", **L'Évangéline**, 21 février 1975. p. 17. /A la CTINB/

"Traducteurs : Piquetage sur la colline", **Le Droit**, 28 octobre 1980. p. 5.

"Traducteurs recrutés à l'étranger", **Le Droit**, 6 juillet 1967. p. 2. /Campagne de recrutement du BdT dans les journaux anglais, européens et américains/

"Les traducteurs répondent aux insultes de M. Pouliot", **Le Devoir**, 11 janvier 1952. p. 3.

"Traducteurs : retour au travail", **Le Droit**, 10 novembre 1980. p. 1. /Fin de la grève des traducteurs fédéraux/

"Les traducteurs sont invités à promouvoir l'unité canadienne", **Le Canada**, 15 juin 1950. /Causerie de G. Ballantyne/

"Les traducteurs sont retournés au travail", **Le Droit**, 23 septembre 1980. p. 47. /Le nouveau contrat de travail ne satisfait pas pleinement les traducteurs du BdT./

"Traducteurs tenus comme techniciens", **Le Droit**, 24 février 1930. p. 1. /Rapport Beatty sur la reclassification des salaires des techniciens et des professionnels du Service civil/

"Les traducteurs tiennent à un titre réservé", **Le Devoir**, 19 juin 1980. p. 20. /Demande présentée à l'Office des professions du Québec/

"Des traducteurs toujours impatients", **Le Devoir**, 9 octobre 1980. p. 11. /Grève des traducteurs fédéraux/

"Un traducteur très affairé au S. d'État (sic)", **Le Droit**, 13 février 1934. p. 1;4. /Le traducteur chargé de traduire les textes autres que français et anglais/

"Traducteur : une rencontre", **Le Droit**, 30 octobre 1980. p. 5. /Conflit entre les traducteurs fédéraux et le gouvernement/

"Traduction", **Le Droit**, 31 mai 1941. p. 19. /Même article que le 26 mai 1941, mais accompagné, cette fois, d'une photo de Pierre Daviault/

"Traduction au Manitoba. Certains sont contre tout compromis", **Le Droit**, 17 janvier 1983. p. 5.

"La traduction au niveau provincial", **L'Évangéline**, 20 août 1965. p. 4. /L'éditorialiste B. Poirier appuie l'idée de la création d'un bureau provincial de traduction au Nouveau-Brunswick./

"Traduction bien reçue du manuel de la N.B.T.A.", **L'Évangéline**, 26 février 1957. p. 2. /NBTA = New Brunswick Teachers Association/

"La traduction de ces discours", **Le Droit**, 29 mars 1935. p. 7. /Un député demande des précisions au gouvernement au sujet de la traduction des discours du premier ministre./

(Traduction des lois en français), **Aurore des Canadas**, 14 septembre 1841. p. 1. /Le projet de loi d'Étienne Parent/

"Traduction des statuts provinciaux. Le Manitoba veut obtenir un délai", **Le Droit**, 15 janvier 1983. p. 3.

"La traduction du budget", **Le Droit**, 20 mars 1935. p. 3. /Un député demande que le discours du budget soit traduit en français./

"La traduction électronique s'annonce pour demain...", **Le Droit**, 24 février 1969. /Essai de traduction automatique à l'U. de Montréal subventionné par le Conseil national de recherches/

"Traduction et conflit d'intérêts", **Le Devoir**, 28 janvier 1984. p. 7.

"Traduction et qualité de la langue", **Le Devoir**, 5 février 1983. p. 20. /Opinion de Michel Plourde, président du Conseil de la langue française (Québec)/

"Traduction excellente ou défectueuse", **Le Droit**, 14 mars 1934. p. 1;4. /Traduction du discours du trône. Lettre du journaliste Paul Lefort au secrétaire d'État Cahan/

"Traduction fautive", **Le Devoir**, 29 novembre 1963. p. 4. /... dans un mémoire présenté par le Québec à la conférence fédérale-provinciale. La presse anglophone s'en offusque./

"La traduction fédérale coûte 24 cents le mot", **Le Devoir**, 19 juin 1982. p. 2. /Le sous-secrétaire d'État adjoint a cherché à montrer que la traduction au gouvernement fédéral est relativement peu coûteuse/

"La traduction française des textes officiels", **L'Action sociale**, 20 avril 1908. p. 3.

"Traduction de la poésie. Les littérateurs difficiles à plaire", **L'Évangéline**, 7 décembre 1979. p. 21. /Considérations de Roland Giguère et de F. R. Scott/

"Traduction de poèmes en hongrois", **L'Évangéline**, 27 juin 1957. p. 16. /150 poèmes canadiens traduits en hongrois/

"La traduction des discours français", **L'Action catholique**, 25 mars 1920. p. 3. /Un député demande que les discours français à la Chambre des communes soient traduits en anglais sans délai et publiés dans l'édition anglaise non révisée des débats./

"La traduction n'y était pas", **Le Droit**, 2 janvier 1984. p. 5. /Droits des Franco-Manitobains/

"La traduction simultanée", **L'Évangéline**, 14 février 1956. p. 6. /À la convention annuelle de l'Association canadienne des radiodiffuseurs et des téléviseurs/

"La traduction simultanée", **La Presse**, 20 novembre 1967. p. 4. /Article traduit du **Herald** (Lethbridge) dans lequel on se plaint de la traduction simultanée à la télé lors des cérémonies de clôture d'Expo 67/

"La traduction simultanée à l'église", **L'Évangéline,** 8 décembre 1961. p. 3. /Pendant que le curé dit la messe, un prêtre en cabine assure l'interprétation./

"La traduction simultanée au Canada : les unilingues anglophones se sentent honteux", **La Presse,** 5 février 1970. p. 2. /Rapport B.B. : les anglophones se sentent honteux de ne pas être bilingues. Qualité d'interprétation/

"La traduction simultanée au Nouveau-Brunswick", **L'Évangéline,** 31 octobre 1969. p. 1. /L'essai de la simultanée dans les tribunaux se révèle un succès/

"Traduction simultanée aux Communes", **Le Devoir,** 23 mai 1956. p. 1. /Mémoire présenté par la Chambre de Commerce des Jeunes au président de la Chambre des communes/

"La traduction simultanée d'ici la mi-décembre à l'Assemblée législative", **L'Évangéline,** 4 octobre 1967. p. 1. /Du Nouveau-Brunswick/

"La traduction simultanée : la motion est acceptée", **L'Évangéline,** 31 mars 1967. p. 1. /Au Nouveau-Brunswick/

"La traduction simultanée ne servirait-elle qu'à un seul député?", **L'Évangéline,** 7 juin 1973. p. 7. /A l'Assemblée législative du Nouveau-Brunswick/

(Traductions de l'abbé Duchaîne), **Aurore des Canadas,** 12 novembre 1839. p. 1. /Exposés sur la traduction/

"La traduction simultanée des débats aux Communes", **Le Devoir,** 1er octobre 1957. p. 4. /Les députés appuient la résolution prévoyant l'établissement d'un service d'interprétation simultanée à la Chambre des communes./

"Traduction simultanée : mesure qui sera soumise aux Communes dès la prochaine session", **Le Devoir,** 10 février 1958. p. 1.

"La traduction simultanée n'est pas un gaspillage", **Le Devoir,** 8 janvier 1963. p. 1. /La traduction est un service essentiel à rendre aux Canadiens. Commission Glassco/

"La traduction, une industrie", **Le Devoir,** 18 janvier 1972. p. 18. /La promotion du bilinguisme fait de la traduction des textes officiels une véritable industrie./

"Traduction. Winnipeg cherche une porte de sortie", **Le Droit,** 10 juillet 1982. p. 4. /Le Manitoba essaie de contourner l'obligation de traduire toutes ses lois en français/

"La traductrice de poche a fait évoluer l'enseignement des langues", **Le Droit**, 12 mars 1979. p. 32. /Présentation de la première machine à traduire de poche/

"Les traductrices obtiennent le congé de maternité", **Le Droit**, 1er décembre 1981. p. 4. /Au BdT. Congé de 17 semaines/

"Traduire les lois manitobaines. Tâche colossale et peut-être inutile", **Le Droit**, 12 juillet 1982. p. 4.

"Transfert des traducteurs", **Le Droit**, 13 décembre 1934. p. 10. /Transfert des traducteurs des ministères au nouveau bureau fédéral des traductions/

"Translaters (sic) Start Spanish Courses", **The Herald**, September 30, 1943.

"Translating laws costly Manitoba to tell court", **Toronto Star**, June 5, 1984. p. A17.

"Translating Staff Beefed Up For Bilingual Civil Service", **Montreal Star**, November 6, 1964. /Recrutement, amélioration des salaires et ouverture d'un bureau à Montréal/

"Translation Bureau Staff 348", **The Journal**, February 18, 1969.

"Translation Causes Another Delay to Branch Bill", **The Gazette**, March 10, 1967. p. 5.

"Translation Costs Govt. $11 Million", **The Citizen**, August 27, 1971.

"Translation costs soar", **The Gazette**, June 29, 1984. p. B1.

"Translation in Manitoba courtroom goes smoothly", **The Gazette**, March 20, 1984. p. B4.

"Translations Delay Blamed On Govt.", **The Journal**, August 6, 1964. /Le député Gilles Grégoire se plaint de la lenteur des services de traduction vers le français./

"Translation tips distributed to counter effects of strike", **The Globe and Mail**, October 22, 1980. p. 10.

"Translation to Be Taught At U of O", **The Citizen**, January 23, 1968. /Nouveau programme de traduction à l'Université d'Ottawa. Commentaire au sujet d'un article paru dans **Le Droit** du 22 janvier/

"Translation work sparks probe", **The Globe and Mail**, April 11, 1983. p. 3. /Traducteurs fédéraux en conflit d'intérêts/

"Translation would be amusing today. When Government Officials

Were Higher With the Sword Than Pen", **The Citizen**, February 22, 1923. p. 3. /Compte rendu de la conférence de Francis-J. Audet, "Traductions d'autrefois"/

"Translator Blows Up", **The Citizen**, March 5, 1964. /Mauvais anglais des textes officiels/

"Translator pleads guilty", **The Citizen**, May 24, 1984. p. 24.

"Translators are on strike but the show goes on", **The Gazette**, September 9, 1980. p. 11.

"Translators Assist The Military", **The Citizen**, November 16, 1972. /Des traducteurs sont mis à la disposition du ministère de la Défense nationale./

"Translator Says 'Rules' Required for Profession", **The Citizen**, November 23, 1970. /Paul Patenaude, président de l'ATIO, suggère de réglementer la profession afin de protéger le public des abus des traducteurs incompétents./

"Translators decide to launch general strike Monday", **The Citizen**, October 17, 1980. p. 10.

"Translators expected back at work today", **The Gazette**, September 24, 1980. p. 12.

"Translators Get Conciliator in Wage Fight", **The Citizen**, March 6, 1969. /Le professeur Émile Gosselin de l'U. de M. va servir de médiateur dans le litige qui oppose le gouvernement fédéral et les traducteurs fédéraux./

"Translators Get 16 Per Cent Pay Boost", **The Journal**, December 18, 1971.

"Translators Get Top of $13,500", **The Citizen**, December 30, 1963. /Augmentations des traitements. Traducteurs du BdT/

"Translators go into mediation", **The Citizen**, October 30, 1980. p. 9.

"Translators hold up postal probe", **The Gazette**, September 10, 1980. p. 37.

"Translators in Demand", **The Citizen**, May 10, 1968. /Pénurie de traducteurs. Formation des traducteurs du gouvernement/

"Translators, Interpreters Get Diplomas", **The Journal**, June 13, 1969. /Programme de traduction de l'Université d'Ottawa. 75 fonctionnaires diplômés/

"Translators meet the challenge of making Quebec work in French", **Toronto Star**, December 28, 1981.

"Translators sign contract", **The Globe and Mail**, December 6, 1980. p. 15. /Augmentation de salaire/

"Translators stall postal probe", **The Gazette**, September 10, 1980. p. 13. /Grève des traducteurs fédéraux/

"Translators talks break off", **The Citizen**, September 20, 1980. p. 8. /Grève des traducteurs fédéraux/

"Translators' talks resume Monday", **The Gazette**, November 1, 1980. p. 25. /Grève des traducteurs fédéraux/

"Translators to make laws "constitutional"", **The Gazette**, March 31, 1983. p. A4. /Inconstitutionnalité des bills 70 et 105 du gouvernement québécois. Ils devront être traduits./

"Translators to strike BNA talks", **The Citizen**, September 6, 1980. p. 8.

"Translators Unsung Heroes of Canada's Civil Service", **The Ottawa Journal**, May 13, 1968. p. 40.

"Translators Want Charter", **The Citizen**, July 28, 1967. p. 2.

"Translators Won't Move to Unilingual Ottawa", **The Citizen**, April 15, 1964. /Les traducteurs québécois hésitent à aller travailler à Ottawa./

"Trois femmes aux examens de traduction", **Le Droit**, 17 avril 1936. p. 3.

"La troisième tranche du rapport Glassco", **Le Devoir**, 9 janvier 1963. p. 4. /Le quart seulement des publications gouvernementales fédérales sont traduites en français./

"Trois ministères fédéraux abusent des services de traduction", **Le Devoir**, 23 octobre 1972. /Cf. l'étude de B. Machado/

"Trois traducteurs des années '20 (sic)...", **Le Droit**, 16 avril 1971. p. 4. /Arthur Beauchesne, Louvigny de Montigny, Omer Chaput/

"Trois traducteurs font la grève sur le tas", **Le Droit**, 12 septembre 1980. p. 9. /Lors de la présentation des mémoires des membres du MEER réunis à Campbellton. Des commissaires bilingues sauvent la situation de justesse./

"Trudeau spars with translators", **The Citizen**, October 23, 1980. p. 15. /Grève des traducteurs fédéraux/

TURCOTTE, Claude. "Joe Clark autorise l'interprétation simultanée au Conseil des ministres", **Le Devoir**, 9 novembre 1979. p. 1;6.

__________ "Le camionage (sic) en français", **Le Devoir**, 13 janvier 1983. p. 11. /Au Québec. Exemple de francisation/

TURCOTTE, Edmond. "Avantage ou danger pour le bilinguisme?", **Le Canada**, 15 février 1933. p. 2. /On craint que le gouvernement centralise les services de traduction/

"(Two hundred) 200 striking federal translators block entrance to ministers' talks on BNA", **The Globe and Mail**, August 27, 1980. p. 9.

"(Two hundred) 200 translators may face charges: Union", **The Gazette**, August 4, 1983. p. B1. /Pour conflit d'intérêts/

"Two translators discharged after guilty pleas", **The Citizen**, June 16, 1984. p. 8.

"L'U de M traduira les lois manitobaines", **L'Evangéline**, 9 mars 1982. p. 3. /Université de Moncton/

"Unilingual CS Must Wait for Translations", **The Journal**, October 31, 1968.

"Union translates report by government as misleading", **The Citizen**, June 2, 1983. p. 17. /Comparaison de la qualité du travail des traducteurs fédéraux et celle des indépendants. Prix de revient du mot traduit/

"L'Université de Montréal offre une licence en traduction. Le gouvernement fédéral y enverra de futurs traducteurs", **La Presse**, 28 septembre 1968. p. 61.

"L'Université d'Ottawa inaugurera ses cours de traduction, vendredi, le 24", **Le Droit**, 18 septembre 1943. p. 7. /Renseignements sur ce cours donné depuis 1936 et entrevue avec Pierre Daviault/

"Universities Study New School of Translating", **The Journal**, April 21, 1966. /Projet de création d'une école de traducteurs et d'interprètes à Ottawa/

Unus Multorum. (Lettre au rédacteur), **L'Aurore**, 14 avril 1817. /Les discours prononcés en français à la Chambre d'Assemblée sont traduits en anglais, puis retraduits en français./

"L'usage du français au pays après la conquête anglaise", **Le Droit**, 22 février 1923. p. 4. /Compte rendu de la causerie de F. J. Audet "Traduction d'autrefois" donnée à l'Institut canadien-français d'Ottawa/

VALIQUETTE, Michelle. "Un nouvel homme-orchestre : le terminologue; la révolution langagière", **Le Devoir**, Cahier spécial, 24 septembre 1981. p. vi.

VENNAT, Pierre. "Les débrayages sélectifs des traducteurs menacent la conférence de septembre", **La Presse**, 27 août 1980. p. A2.

VENNE, Maurice. "Toronto French", **La Presse**, 20 mars 1961. p. 4. /L'auteur s'indigne d'une traduction faite à Toronto./

"La version française du Hansard sortie une heure après l'anglaise", **Le Droit**, 18 janvier 1935. p. 12. /Les traducteurs des débats travailleront la nuit afin de permettre la publication simultanée des versions anglaise et française du Hansard./

VIENNEAU, David. "Sauve unmasks carving snatchers. Officials wanted to make Nielsen's historic etchings bilingual, MPs told", **Toronto Star**, April 29, 1983. p. A10.

VIENNEAU, Hermel. "1.4 million de mots sur 3 500 pages. Les règlements du N.-B. seront traduits d'ici deux ans ou plus", **L'Évangéline**, 10 août 1979. p. 7.

VIGEANT, Pierre. "Le bureau des traductions de l'administration fédérale", **Le Devoir**, 25 mai 1949. p. 1.

__________ "MM. Jean-François Pouliot et Charles Cannan, juristes et philologues béotiens", **Le Devoir**, 17 décembre 1951. p. 4. /Épuration de la Loi des élections/

__________ "Les béotiens triomphent sur toute la ligne", **Le Devoir**, 21 décembre 1951. p. 4;8. /Épuration de la Loi des élections/

__________ "Les traducteurs doivent compter comme conseillers techniques", **Le Devoir**, 9 janvier 1952. p. 4. /Article faisant suite au rejet par les Communes des recommandations des traducteurs concernant le vocabulaire des élections/

__________ "Les traducteurs avaient des amis parmi les parlementaires", **Le Devoir**, 10 janvier 1952. p. 4. /Épuration de la Loi des élections/

__________ "Nombreux sont les juristes qui se soucient du français", **Le Devoir**, 11 janvier 1952. p. 4. /Épuration de la Loi des élections/

__________ "Le troisième congrès de la langue française cette année", **Le Devoir**, 12 janvier 1952. p. 4;5. /Congrès de la Société du parler français au Canada/

__________ "La traduction simultanée et le bilinguisme", **Le Devoir**, 14 août 1952. p. 4.

__________ "La traduction simultanée et mécanisée aux Communes", **Le Devoir**, 14 août 1952. p. 4. /Appui à une suggestion d'un journaliste du **Canada**/

__________ "La traduction simultanée à Ottawa", **Le Devoir**, 12 novembre 1953. p. 4;9. /Le gouvernement projette d'introduire à la Chambre des communes un système d'interprétation simultanée semblable à celui des Nations Unies./

__________ "La traduction simultanée aux Communes", **Le Devoir**, 28 janvier 1957, p. 4; 1er octobre, p.4; 10 octobre, p. 4. /Maurice Breton, député libéral, réclame l'interprétation simultanée des débats à la Chambre des communes./

__________ "La traduction simultanée", **Le Devoir**, 18 juillet 1957. p. 4. /La Chambre de Commerce de Trois-Rivières propose de doter la Chambre des communes d'un service d'interprétation simultanée/

__________ "L'expérience toute indiquée de la traduction simultanée", **Le Devoir**, 15 août 1957. p. 4. /Service d'interprétation simultanée au Parlement d'Ottawa/

__________ "La traduction simultanée. Institution canadienne", **Le Devoir**, 19 septembre 1957. p. 4. /L'interprétation simultanée aux Communes/

__________ "La traduction simultanée", **Le Devoir**, 10 octobre 1957. p. 4. /Il ne sera pas question de l'inauguration d'un système d'interprétation simultanée au cours de la prochaine session du Parlement fédéral./

__________ "La traduction simultanée s'en vient", **Le Devoir**, 21 octobre 1957. p. 4. /Au Parlement d'Ottawa/

__________ "Traduction simultanée aux Communes?", **Le Devoir**, 23 octobre 1957. p. 1. /Le gouvernement Diefenbaker est sur le point d'autoriser l'interprétation simultanée des débats aux Communes./

__________ "La traduction simultanée", **Le Devoir**, 7 février 1959. p. 4. /Bilan du service d'interprétation simultanée : le français et les Canadiens français sont mal servis/

__________ "La traduction dans l'administration fédérale", **Le Devoir**, 5 août 1960. p. 3. /La version française des documents officiels connaît des retards alarmants./

VINCENT, Pierre. "Un compagnon de voyage discret, en même temps traducteur...", **La Presse**, 9 mai 1979. p. D1. /Petit traducteur électronique portatif/

"Vingt-huit ans rédacteur en chef du journal **Le Droit**, **Le Droit**, 8 novembre 1958. p. 40. /Charles Gautier. Biographie. En

1948, il devient traducteur. S'est rangé du côté des traducteurs lors du débat de la centralisation./

"(Vingt-trois) 23 traducteurs maintenus en ces ministères", **Le Droit**, 12 mars 1935. p. 1;7. /Liste des traducteurs qui ont été transférés et de ceux qui sont restés dans les ministères. Réponse au questionnaire de M. Chevrier/

"Vont-ils modifier même les croix?", **Le Droit**, 9 avril 1983. p. 7. /Objection au projet du gouvernement fédéral de modifier des manuscrits historiques pour des raisons de bilinguisme/

WALLIN, Pamela. "Ottawa's pet policy hurt by strike", **Toronto Star**, October 27, 1980. p. A10. /Grève des traducteurs fédéraux/

WARD, Norman M. "Parliament now bilingual at last", **Saturday Night**, January 17, 1959. p. 12;13. /Historique de l'évolution du service de traduction/

WEINMANN, Heinz. "L'art de traduire Wagner", **Le Devoir**, 19 novembre 1983. p. 19. /Jean Marcel, linguiste québécois/

WEISSEL, Otto. "Difficulté de la traduction simultanée des débats à Ottawa", **Le Petit Journal**, 6 octobre 1957.

__________ "Le système de traduction simultanée de la Chambre de Commerce des jeunes du Canada", **La Presse**, 19 septembre 1953.

WESEMAËL, Roland. "L'oeuvre d'une grande traductrice", **Le Devoir**, 23 mars 1973. p. 4. /Le **Guide du traducteur** d'Irène de Buisseret/

WESTON, Greg. "Revenue Canada recovers moonlighting PS 'network' ", **The Citizen**, May 9, 1984. p. 29.

"Where the Jobs Are Booming", **The Financial Post**, May 25, 1968. /Pénurie de traducteurs au gouvernement fédéral/

WHITTAKER, Stephanie. "Bilingual computer translates 300 pages in an hour", **The Gazette**, June 27, 1980. p. 9.

"Why tamper with history?", **Toronto Star**, April 11, 1983. p. A12. /Modification de documents historiques/

WICKS, Ben. "Cutback lead to translator shortage", **The Journal**, August 31, 1979.

WILLIAMSON, Bob. "Producing French Hansard in the Still of the Night", **The Citizen**, January 4, 1973. p. 5. /Conditions de travail des traducteurs du Hansard/

WILLS, Terrance. "100 translators sought to join federal service", **The Globe and Mail**, September 1974. p. 1.

WILSON, Mark. "How to Pick the Right Translators", **Financial Post**, October 25, 1980. p. 28. /Situation de la traduction au Canada/

WOLFSON, N. "Le français et les manuels scientifiques", **Le Devoir**, 17 mai 1967. p. 5. /Selon ce professeur de McGill, les Québécois font preuve "d'obscurantisme sectaire" en ce qui a trait aux manuels scientifiques américains./

"Women Have Gift of Tongues", **The Gazette**, July 20, 1965. /Rôle des traducteurs et cours de formation/

WOOD, Chris. "Anger in two languages", **Maclean's**, January 7, 1985. p. 45. /Bilinguisme au Nouveau-Brunswick/

"Word bank", **Financial Post**, February 2, 1982. p. 18. /Terminal de Paris relié à la Banque de terminologie d'Ottawa/

"Work Under Way on Translation Facilities", **The Journal**, November 30, 1967. /Au Nouveau-Brunswick, une salle est équipée d'installations d'interprétation simultanée./

YAZAR, M.N. "In Canada, bilingualism amounts to little more than translation", **The Citizen**, November 26, 1984. p. A8.

YORK, Geoffrey. "Words fail for Inuit on Constitution issues", **The Globe and Mail**, March 19, 1983. p. 1;2.

Appendice

CONGRÈS MONDIAUX DE LA FIT
1954 - 1984

Premier Congrès : Paris (France), 18-22 décembre 1954. Thème : Élaboration d'un plan d'actitivés.

Deuxième Congrès : Rome (Italie), 27 février au 3 mars 1956. Thèmes : Les droits de la propriété intellectuelle du traducteur et la coopération internationale dans le domaine de la terminologie.

Troisième Congrès : Bad Godesberg (Allemagne), 27 juillet au 1er août 1959. Thème : La qualité en matière de traduction.

La Qualité en matière de traduction / Quality in Translation. Actes du IIIe Congrès de la Fédération internationale des traducteurs (FIT), Bad Godesberg, Allemagne, 1959. Publiés sous la direction de E. Cary et R. W. Jumpelt. Oxford, Pergamon Press, 1963. 544 p.

Quatrième Congrès : Dubrovnik (Yougoslavie), 31 août au 7 septembre 1963. Thèmes : Dixième anniversaire de la FIT. Formation des traducteurs et élaboration de critères permettant d'attester des qualités requises pour pouvoir remplir efficacement la mission d'un traducteur spécialisé.

Dix années de traduction / Ten Years of Translation. Actes du IVe Congrès de la Fédération internationale des traducteurs (FIT), Dubrovnik, Yougoslavie, 1963. Publiés sous la direction de I. J. Citroen. Oxford, Pergamon Press, 1967. 398 p.

Cinquième Congrès : Lahti (Finlande), 7 au 13 août 1966. Thème : La traduction comme métier et comme vocation. (La traduction littéraire, au théâtre, à la télévision, à la radio, au cinéma. Formation linguistique et qualification. Terminologie et documentation. Défense des intérêts de la profession. Droits d'auteur)

Sixième Congrès : Stuttgart (Allemagne), 27 au 31 juillet 1970. Congrès statutaire. Reconnaissance de la FIT comme organisation non gouvernementale auprès de l'Unesco.

Septième Congrès : Nice (France), 1er au 9 mai 1974. Thème : La traduction, facteur de rapprochement entre les peuples.

Huitième Congrès : Montréal (Canada), 12 au 18 mai 1977. Thème : La traduction, une profession.

La Traduction, une profession / Translating, a Profession. Actes du VIIIe Congrès de la Fédération internationale des traducteurs (FIT), Montréal, Canada, 1977. Publiés sous la direction de Paul A. Horguelin. Montréal, Conseil des traducteurs et interprètes du Canada, 1978. 576 p.

Neuvième Congrès : Varsovie (Pologne), 6 au 13 mai 1981. Thème : La mission du traducteur aujourd'hui et demain.

La Mission du traducteur aujourd'hui et demain / The Mission of the Translator Today and Tomorrow. Actes du IXe Congrès de la Fédération internationale des traducteurs (FIT), Varsovie, Pologne, 1981. Publiés sous la direction de Andrej Kopczynski (et al). Varsovie (Polska), Agencja Interpress, 1984. 534 p.

Dixième Congrès : Vienne (Autriche), 10 au 20 août 1984. Thème : Le traducteur et sa place dans la société.

Le Traducteur et sa place dans la société / Translators and their Position in Society / Der Ubersetzer und seine Stellung in der Offentlichkeit. Actes du Xe Congrès de la Fédération internationale des traducteurs (FIT), Vienne Autriche, 1984. Publiés sous la direction de Hildegund Bühler. Vienne, Wilhelm Braumüller, 1985. 445 p.

Achevé d'imprimer
en mai 1987 sur les presses
des Ateliers graphiques Marc Veilleux Inc.
Cap-Saint-Ignace (QC)